ATLANTE STRADALE

ITALIA

ROAD ATLAS • ATLAS ROUTIER • AUTO ATLAS

Sommario

Atlante Stradale

	Quadro d'unione, legenda
1 - 40	Tavole cartografiche 1 : 600 000
41 - 42	Tabella delle distanze chilometriche
43	Comunicazioni stradali e marittime

Autostrade

45 - 46	Quadro d'insieme, legenda
47 - 77	Profili autostradali

Piante di Città

79	Quadro d'unione, legenda
80 - 119	Tangenziali, attraversamenti, piante di città

Indice e Notiziari Radiofonici

120 - 138	Nomi contenuti nelle carte 1 : 600 000
139	Notiziari radiofonici

Road Atlas

	Key to maps, legend
1 - 40	Maps 1 : 600 000
41 - 42	Distance chart
43	Roads and maritime communications

Motorways

45 - 46	Key to maps, legend
47 - 77	Motorway layouts

City Plans

79	Key to maps, legend
80 - 119	By-passes, main through roads, city plans

Index and Radio Bulletins

120 - 138	Names contained in the maps 1 : 600 000
139	Radio bulletins

Contents Sommaire Inhaltsverzeichnis

Atlas routier

Tableau d'assemblage, légende
1 - 40 Cartes 1 : 600 000
41 - 42 Distances kilomètriques
43 Liaisons routières et maritimes

Autoroutes

45 - 46 Tableau d'assemblage, légende
47 - 77 Schémas d'autoroutes

Plans de villes

79 Tableau d'assemblage, légende
80 - 119 Tangentiales, traversées et plans de villes

Index et bulletins radiophoniques

120 - 138 Noms contenus dans les cartes 1 : 600 000
139 Bulletins radiophoniques

Straßenatlas

Kartenübersicht, Zeichenerklärung
1 - 40 Karten 1 : 600 000
41 - 42 Kilometrische Entfernungen
43 Straßen- und Seeverbindungen

Autobahnen

45 - 46 Kartenübersicht, Zeichenerklärung
47 - 77 Autobahnüberblick

Stadtpläne

79 Kartenübersicht, Zeichenerklärung
80 - 119 Umgehungsstraßen, Durchfahrten, Stadtpläne

Index und Rundkunfnachrichten

120 - 138 Namen in den Karten 1 : 600 000
139 Rundkunfnachrichten

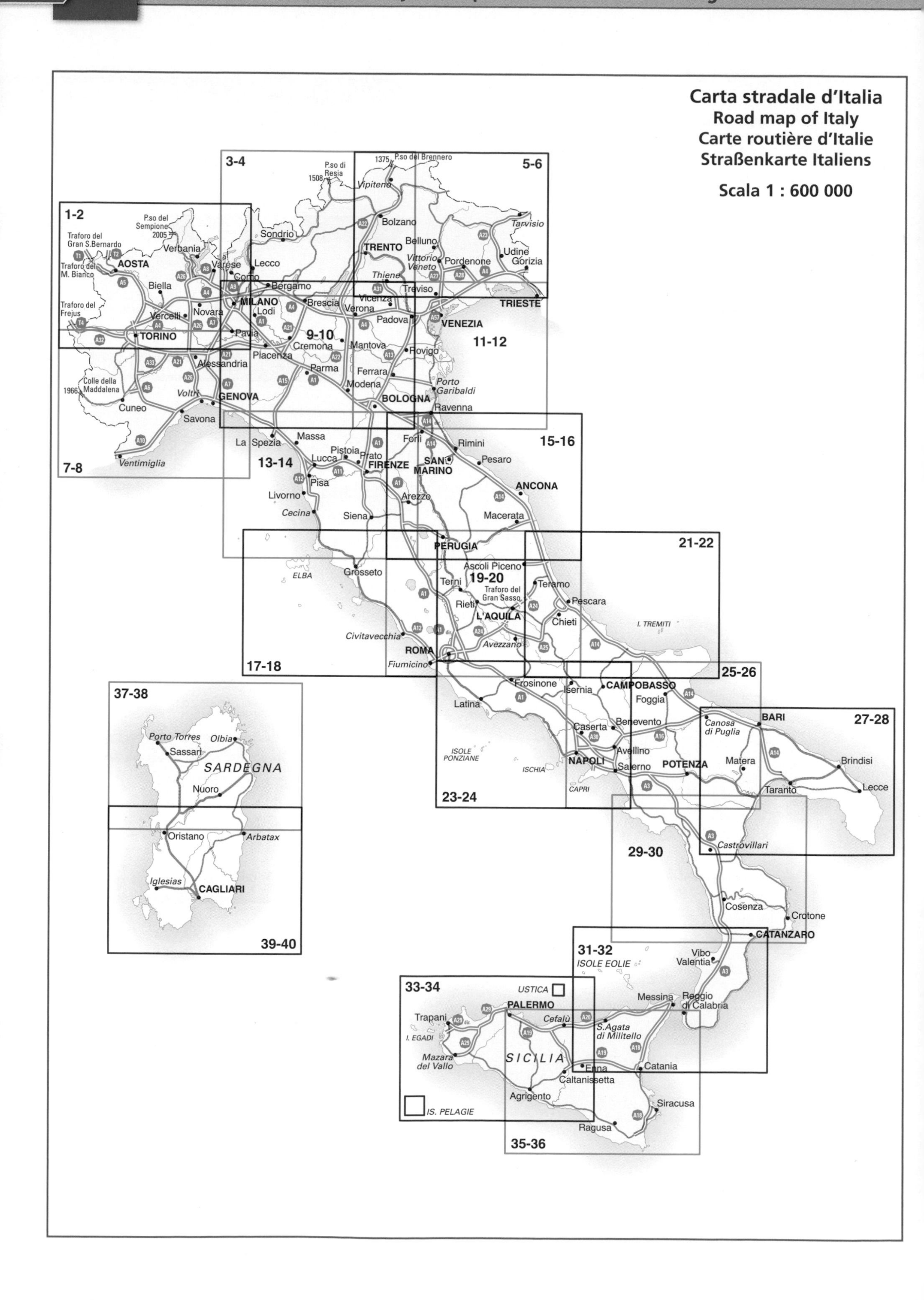
Carta stradale d'Italia
Road map of Italy
Carte routière d'Italie
Straßenkarte Italiens
Scala 1 : 600 000
1-2
3-4
5-6
7-8
9-10
11-12
13-14
15-16
17-18
19-20
21-22
23-24
25-26
27-28
29-30
31-32
33-34
35-36
37-38
39-40
P.so del Sempione 2005
Traforo del Gran S.Bernardo
Traforo del M. Bianco
Traforo del Frejus
Colle della Maddalena 1966
P.so di Resia 1508
1375 P.so del Brennero
Traforo del Gran Sasso
AOSTA
Biella
Verbania
Varese
Como
Lecco
Sondrio
Bergamo
MILANO
Lodi
Novara
Vercelli
TORINO
Pavia
Alessandria
Cuneo
Voltri
GENOVA
Savona
Ventimiglia
Brescia
Cremona
Piacenza
Parma
Mantova
Verona
Vicenza
Padova
Rovigo
Ferrara
Modena
BOLOGNA
Vipiteno
Bolzano
TRENTO
Thiene
Belluno
Vittorio Veneto
Pordenone
Treviso
Udine
Gorizia
Tarvisio
TRIESTE
VENEZIA
Porto Garibaldi
Ravenna
Forlì
Rimini
SAN MARINO
Pesaro
ANCONA
Macerata
La Spezia
Massa
Lucca
Pistoia
Prato
FIRENZE
Pisa
Livorno
Cecina
Siena
Arezzo
PERUGIA
ELBA
Grosseto
Ascoli Piceno
Terni
Teramo
Rieti
L'AQUILA
Pescara
Chieti
I. TREMITI
Civitavecchia
ROMA
Fiumicino
Avezzano
Frosinone
Isernia
CAMPOBASSO
Foggia
Latina
Caserta
Benevento
Avellino
NAPOLI
Salerno
ISOLE PONZIANE
ISCHIA
CAPRI
POTENZA
BARI
Canosa di Puglia
Matera
Brindisi
Taranto
Lecce
Castrovillari
Cosenza
Crotone
CATANZARO
Vibo Valentia
ISOLE EOLIE
Messina
Reggio di Calabria
USTICA
PALERMO
Trapani
I. EGADI
Mazara del Vallo
Cefalù
S.Agata di Militello
SICILIA
Enna
Catania
Caltanissetta
Agrigento
Siracusa
Ragusa
IS. PELAGIE
Porto Torres
Sassari
Olbia
SARDEGNA
Nuoro
Oristano
Arbatax
Iglesias
CAGLIARI

Legenda Legend Légende Zeichenerklärung

Scala - Scale - Échelle - Maßstab
1 : 600 000 (1 cm = 6 km)

0 10 20 30 km

Autostrade con ingressi e barriere
Motorways with access points and toll barriers
Autoroutes avec accès et barrières de péage
Autobahnen mit Anschlüßen und Gebührenstellen

9
Distanze autostradali in chilometri
Distances in kilometres along the motorways
Distances en kilomètres le long de l'autoroute
Entfernungsangaben in Kilometern auf der Autobahn

Gallerie autostradali
Motorway tunnels
Autoroute avec tunnels
Autobahntunnels

Strade di grande comunicazione
Main through roads
Routes à grande circulation
Fernverkehrsstraßen

Strade d'importanza regionale
Regional throughroutes
Routes de transit régional
Regionalstraßen

Strade d'interesse locale, altre strade
Secondary roads, other roads
Routes de communication locale et secondaires
Nebenstraßen, übrige Straßen

Autostrade e strade in costruzione
Motorways and roads under construction
Autoroutes et routes en construction
Autobahnen und Straßen im Bau

9
Distanze stradali in chilometri
Distances in kilometres along the roads
Distances en kilomètres le long de les routes
Entfernungsangaben in Kilometern auf den Straßen

Gallerie stradali
Road tunnels
Tunnels routiers
Straßentunnels

Passo del Tonale 1883
Valichi, quote altimetriche in metri
Gap, height in metres
Col, altitude en mètres
Joch, Höhe in Metern

Ferrovie con gallerie
Railways with tunnels
Chemins de fer avec tunnels
Eisenbahnen mit Tunnels

Trasporto auto per traghetto
Car ferry
Bac pour autos
Autofähre

Funivie
Cableways
Téléphériques
Seilbahnen

A1 T1
Numeri di autostrada e di traforo
Numbers of motorway and tunnel
Numéros d'autoroute et tunnel
Autobahn- und Tunnelnummer

12 E3
Numeri di strada nazionale e strada europea
Numbers of national and european roads
Numéros des routes nationales et européennes
Staatsstraßennummer, Europastraßennummer

Confini di Stato
State frontiers
Frontières d'État
Staatsgrenzen

Confini di regione, provincia
Regional and provincial boundaries
Limites de région et de province
Regions und Provinzgrenzen

ROMA
Capitale di Stato
National capital
Capitale d'État
Staatshauptstadt

TORINO
Capoluogo di regione
Regional capital
Capitale de région
Regionshauptstadt

NOVARA
Capoluogo di provincia
Provincial capital
Capitale de province
Provinzhauptstadt

Punto di frontiera con dogana
Frontier crossing with customs
Passage frontière avec douane
Grenzübergang mit Zollkontrolle

Aeroporto internazionale
International airport
Aéroport international
Internationaler Flughafen

Porto turistico
Tourist harbour
Port de plaisance
Touristenhafen

Terme, fonte naturale
Baths, natural spring
Thermes, source naturelle
Therme, Naturquelle

Chiesa, santuario, monastero, abbazia
Church, sanctuary, monastery, abbey
Église, sanctuaire, monastère, abbaye
Kirche, Wallfahrtskirche, Kloster, Abtei

Castello, casaforte, torre
Castle, fortified building, tower
Château, bâtiment fortifié, tour
Schloß, befestigtes Gebäude, Turm

Monumento isolato
Isolated monument
Monument isolé
Alleinstehendes Denkmal

Rovina
Ruin
Ruine
Ruine

Curiosità naturale
Natural sight
Curiosité naturelle
Natursehenswürdigkeit

Grotta, caverna
Grotto, cave
Grotte, caverne
Grotte, Höhle

Parchi nazionali
National parks
Parcs nationaux
Nationalparks

8° 30′
Coordinate geografiche
Geographical coordinates
Coordonnées géographiques
Geographische Koordinaten

1
7
A
B
C
a
b
c
FRANCE
Vevey
Montreux
Les Avants
Château de Chillon
Saint-Gingolph
Villeneuve
Leysin
Col des Mosses
Les Mosses
Le Sépey
Gstaad
Lauenen
Gsteig
Lenk
Col du Pillon
Les Diablerets
Wildhorn
Wildstrubel
Leukerbad
Balmhorn
Blatten
Ferden
Goppenstein
Aigle
Ollon
Villars-s.-Ollon
Vouvry
Vionnaz
Rhône
Chevenoz
Dranse
Abondance
Châtel
Pas de Morgins
Morgins
Monthey
Bex
Saint-Maurice
Gr. Muveran
le Biot
Avoriaz
Morzine
les Gets
le Praz-de-Lys
Champéry
Lavey-les-Bains
Saillon
Fully
Riddes
Vernayaz
Martigny
Taninges
Samoëns
Cirque du Fer à Cheval
Sixt-Fer-à-Cheval
Cluses
Magland
Flaine
Sallanches
Assy
Vallorcine
Trient
Champex
Sembrancher
Orsières
Verbier
Mont Fort
Fionnay
Praz-de-Fort
Ferret
Bourg-Saint-Pierre
Barrage de Mauvoisin
Grand Combin
La Ruinette
Argentière
Mont Dolent
Chamonix-Mont-Blanc
Val de Chamonix
le Fayet
les Houches
Saint-Gervais-les-Bains
Megève
Grandes Jorasses
Colle del Gran San Bernardo
Monte Bianco
Courmayeur
les Contamines-Montjoie
la Visaille
Pré-Saint-Didier
Orrido
La Thuile
Morgex
Beaufort
les Chapieux
Colle del Piccolo San Bernardo
Arèches
Bourg-Saint-Maurice
Seez
Isère
Sainte-Foy-Tarentaise
Aime
Arc 2000
Peisey-Nancroix
la Plagne
Tignes
les Boisses
Val d'Isère
Col de l'Iseran
Courchevel
Parc National de la Vanoise
Pointe de la Grande Casse
Pralognan-la-Vanoise
Grand Roc Noir
Aiguille de Peclet
Lanslebourg-Mont-Cenis
Lanslevillard
Termignon
Col du Mont Cenis
Lac du Mont Cenis
Aussois
Bramans
Grand-Croix
Modane
Col du Fréjus
Bardonecchia
Salbertrand
Oulx
Sauze d'Oulx
Cesana Torinese
Pragelato
Fenestrelle
Chisone
Villaretto
Perosa Argentina
Cumiana
Piossasco
Orbassano
Nichelino
Moncalieri
Stupinigi
Rivalta di Torino
TORINO
Chieri
Superga
Abbazia di Vezzolano
Castelnuovo Don Bosco
SION
Sierre
Crans
Montana-Vermala
Anzère
Chalais
Vercorin
Vex
Veysonnaz
Leuk
Brig
Visp
Unterbäch
Chandolin
Vissoie
Ayer
Grimentz
Zinal
Pralong
Evolène
Les Haudères
Arolla
Dent Blanche
Weisshorn
Zermatt
Täsch
Sankt Niklaus
Grächen
Stalden
Saas Balen
Saas Fee
Saas Grund
Fletschhorn
Simplonpass
Monte Cervino
Breuil-Cervinia
Colle del Teodulo
Monte Rosa
Punta Dufour
Punta Gnifetti
Gran Becca Blanchen
Valpelline
Bionaz
Becca de Luseney
Valtournenche
Saint-Jacques
Champoluc
Alagna Valsesia
Gressoney-La-Trinité
Gressoney-Saint-Jean
Corno Rosso
Vaud
Saint-Rhémy
Oyace
Lavachey
Plampincieux
Échevennoz
Valpelline
Saint-Barthélemy
Torgnon
Antey-Saint-André
Gignod
AOSTA
Nus
Châtillon
Saint-Vincent
Brusson
Fénis
Castello d'Ussel
Saint-Nicolas
Villeneuve
Val d'Aosta
Pila
Monte Emilius
Vieyes
Rhêmes-Saint-Georges
Valgrisenche
Testa del Rutor
Surier
Rhêmes-Notre-Dame
Cogne
Valsavarenche
Challand-Saint-Victor
Issogne
Verrès
Dora Baltea
Bard
Champorcher
Pont-Saint-Martin
Issime
Gaby
Piedicavallo
Santuario d'Oropa
Pollone
Santuario di Graglia
Graglia
Settimo Vittone
Quincinetto
Campiglia Soana
Parco Nazionale del Gran Paradiso
Pont
Gran Paradiso
Grande Sassière
Colle del Nivolet
Chiapili
Noasca
Traversella
Ronco Canavese
Borgofranco d'Ivrea
IVREA
Lago di Viverone
Ceresole Reale
Orco
Valle di Locana
Locana
Sparone
Pont Canavese
Cuorgnè
Castellamonte
Agliè
Strambino
Groscavallo
Chialamberto
Forno Canavese
Valperga
Rivarolo Canavese
Borgomasino
Bonneval-sur-Arc
Uia di Ciamarella
Forno Alpi Graie
Pian della Mussa
Ala di Stura
Stura di Ala
Bessans
Uia Bessanese
Balme
Ceres
Corio
Canavese
Caluso
Cigliano
Lanzo Torinese
Mathi
Montanaro
Usseglio
Lemie
Viù
Lombardore
Margone
Fiano
Ciriè
Volpiano
Chivasso
Abbazia di Novalesa
Colle del Lis
Caselle Torinese
Leini
Brandizzo
Settimo Torinese
Molaretto
Susa
Bussoleno
Val di Susa
Borgone Susa
Condove
Almese
Venaria
Alpignano
Gassino Torinese
Casalborgone
Chiomonte
Meana di Susa
Sant'Antonino di Susa
Avigliana
Sacra di San Michele
Buttigliera Alta
Rivoli
Collegno
San Mauro Torinese
Monte Orsiera
Giaveno
© De Agostini Libri S.p.A., Novara

2
3
8
9
D
E
F
a
b
c
Rheinwaldhorn
Tambo
Cresta
Blinnenhorn
2313
Passo di San Giacomo
Fúsio
1278
Prato
3072
Campo Tencia
37
Dóngio
San Bernardino
1608
Rhône
Fiesch
Ernen
3374
La Frua
Cascate del Toce
8° 30'
Giornico
9° 00'
Mesocco
Bróglio
Biasca
301
Rossa
Soazza
3163
Pizzo Stella
Formazza
Sonogno
E 35
Chiavenna
Bosco Gurin
Bignasco
Cevio
418
Osogna
Lostallo
Arvigo
Monte Cervandone
3211
Passo
Goglio
Someo
Brione
2505
Poncione Rosso
Cresciano
Val Formazza
Valle Antigorio
Cimalmotto
Maggia
Roveredo
Baceno
2617
San Domenico
Crodo
Pizzo Lago Gelato
Coriippo
Vogorno
2459
Pizzo Martello
Novate Mezzola
Iselle
Varzo
Comologno
Russo
Bagni di Craveggia
Tegna
Gordola
Bellinzona
Gondo
Ascona
Locarno
Giubiasco
Carena
Domaso
Gravedona ed Uniti
Dongo
Colico
Santa Maria Maggiore
Re
Camedo
Crevoladossola
San Lorenzo
Brissago
Domodossola
Bognanco
Malesco
Cursolo
Indemini
Mezzovico
Bironico
Abbazia di Piona
Villadossola
Cima Laurasca
2193
Cannobio
Zenna
Bogno
Dervio
Rezzonico
Premana
Beura-Cardezza
Parco Nazionale della Val Grande
Val Cannobina
Maccagno
Porlezza
Bellano
Piedimulera
Cannero Riviera
Menaggio
Taceno
Vogogna
Cicogna
Luino
Agno
Lugano
Varenna
Cadenabbia
Bellagio
Esino Lario
Lenno
Lanzo d'Intelvi
46° 00'
Miazzina
Premeno
Ponte Tresa
Campione d'Italia
Introbio
Valle Anzasca
Ornavasso
Mergozzo
Ghiffa
Porto Valtravaglia
Argegno
Barzio
Lierna
Forno
892
Gravellona Toce
Intra
Pallanza
Verbania
Rancio Valcuvia
Morcote
Magreglio
Zelbio
Mandello del Lario
Piani Resinelli
Rimella
1176
Baveno
Laveno-Mombello
Riva San Vitale
Ballabio
Fobello
Mottarone
Stresa
Brinzio
Porto Ceresio
Laglio
Pognana Lario
Omegna
1491
Gignese
Lago Maggiore
Viggiù
Mendrisio
Malgrate
Lecco
Sacro Monte
Belgirate
Besozzo
Gavirate
Torno
Canzo
Sant'Omobono Terme
Valsesia
Armeno
Varese
Chiasso
Como
Cernobbio
Balmuccia
Varallo
Orta San Giulio
Lesa
Ispra
Lago di Varese
382
Malnate
Brunate
Erba
Calolziocorte
Olgiate Comasco
Oggiono
Olginate
Miasino
Meina
Lago d'Orta
Madonna del Sasso
Angera
Comabbio
Gazzada
Lurate Caccivio
Cassago Brianza
Scopello
Quarona
Arona
Mornago
Castiglione Olona
Cantù
Monte Barone
2044
Gozzano
Sesto Calende
Appiano Gentile
Fino Mornasco
Brianza
Arosio
Olgiate Molgora
Merate
354
Vergiate
Tradate
Giussano
Borgosesia
Castelseprio
Ponte San Pietro
Coggiola
Borgomanero
Borgo Ticino
Somma Lombardo
Cassano Magnago
Mozzate
Mariano Comense
Carate Brianza
Imonte
Trivero
Valle Mosso
Romagnano Sesia
Varallo Pombia
Gallarate
Rovellasca
Seregno
Usmate Velate
Mosso Santa Maria
Cressa
Samarate
Castellanza
Seveso
Saronno
Desio
Lissone
Vimercate
Trezzo sull'Adda
Andorno Micca
Gattinara
Ghemme
Oleggio
Busto Arsizio
Paderno Dugnano
Monza
265
Biella
Cossato
Momo
236
Lonate Pozzolo
Legnano
Lainate
Cinisello B.
Bollate
Fara Novarese
Bellinzago Novarese
Castano Primo
Busto Garolfo
Nerviano
Candelo
Rovasenda
Carpignano Sesia
Gorgonzola
Gaglianico
Agogna
Ticino
Sesto San Giovanni
Cologno Monzese
Cassano d'Adda
Turbigo
Arluno
Rho
Mottalciata
Cameri
Inveruno
Pioltello
Massazza
Buronzo
Arborio
Galliate
Cornaredo
Segrate
Rivolta d'Adda
Peschiera Borromeo
Salussola
Biandrate
Magenta
Milano
159
Novara
Robecco sul Naviglio
133
Corsico
Viverone
Albano Vercellese
Trecate
Abbazia di Chiaravalle
Paullo
San Donato Milanese
Formigliana
Cerano
Trezzano sul Naviglio
Spino d'Adda
Cavaglià
Quinto Vercellese
120
Abbiategrasso
Santhià
Granozzo con Monticello
Cassolnovo
Abbazia di Morimondo
Rozzano
Opera
Melegnano
San Germano Vercellese
Borgo Vercelli
Vespolate
Rosate
Borgo d'Ale
Tronzano Vercellese
130
Vigevano
Binasco
Landriano
Vercelli
116
Siziano
Vidigulfo
Robbio
Cilavegna
Motta Visconti
Livorno Ferraris
Desana
Certosa di Pavia
Sant'Angelo Lodigiano
Mortara
108
Gambolò
Bereguardo
Pertengo
Rosasco
Lardirago
Villanterio
Stroppiana
Tromello
Crescentino
Trino
Candia Lomellina
Zeme
Garlasco
Pavia
San Colombano al Lambro
San Giorgio di Lomellina
Gropello Cairoli
Palazzolo Vercellese
Valle Lomellina
San Martino Siccomario
Belgioioso
Corteolona
Brusasco
Pontestura
Lomellina
Po
Cerrina Monferrato
Casale Monferrato
Lomello
Zinasco
Sartirana Lomellina
Mede
Sannazzaro de' Burgondi
Bressana Bottarone
Barbianello
Stradella
Ozzano Monferrato
Santuario di Crea
Monferrato
Occimiano
Torre Beretti
Pieve del Cairo
Cervesina
Broni
Castel San Giovanni
Montiglio
Moncalvo
Casorzo
Valenza
8° 30'
9° 00'
Casteggio
Borgonovo Val Tidone
Montechiaro d'Asti
Calliano
Vignale Monferrato
San Salvatore Monferrato
Sale
Casei Gerola
Voghera
Montalto Pavese
Santa Maria della Versa
Montemagno
Castelnuovo Scrivia
Pontecurone
Fubine

3
A
B
C
b
c
d
2
9
Flums
Balzers
Malbun
Vandans
Bartholomäberg
Tschagguns
Schruns
Sargans
Mels
Brand
Schesaplana
2964
Sankt Gallenkirch
10° 00'
9° 30'
Ischgl
Maienfeld
Bad Ragaz
Schwanden
531
Engi
Weisstannen
Grüsch
Schiers
Sankt Antönien
Gargellen
Partenen
1584
Galtür
Landquart
Elm
982
Linthal
64
Urnerboden
3158
Hausstock
Vättis
Rhein
Küblis
44
Landquart
2036
Bielerhöhe
3399
Fluchthorn
585
CHUR
Klosters
1206
Monbiel
SILVRETTA
3312
3614
Tödi
Tamins
Flims
Bonaduz
9
Langwies
2843
Weissfluh
3411
Piz Linard
Davos
26
Scuol
40
53
Versam
Ilanz
Trun
Churwalden
1775
Arosa
1558
Guarda
2574
Stätzerhorn
30
36
Flüelapass
2383
Ardez
Susch
7
Tenigerbad
1308
S
C
H
W
E
I
Z
Lenzerheide
Wiesen
Dürrboden
2007
Zernez
BASSA ENGADINA
3178
Piz Pisoc
Thusis
13
Alvaneu
Filisur
Safien-Platz
Via Mala
Tiefencastel
Vrin
3210
Piz Medel
1686
1252
Vals-Platz
Thalkirch
Andeer
Roflaschlucht
Savognin
Bergün
3418
Piz Kesch
Zuoz
56
2149
Pass dal Fuorn
Tschierv
Inn
Splügen
La Punt
28
Olivone
46° 30'
3402
Rheinwaldhorn
2063
Passo del San Bernardino
2115
Passo dello Spluga
3275
Pizzo Tambò
Montespluga
Innerferrera
Mulegns
3392
Piz Platta
3378
Piz d'Err
42
Samedan
Celerina
1822
Julierpass
2284
Sankt Moritz
10
Pontresina
Cima la Casina
3180
1816
Livigno
Trepalle
PARC
Valdidentro
2291
Passo di Foscagno
Bormio
1217
Arnoga
San Bernardino
1608
Dóngio
Madesimo
1534
Cresta
Bivio
Silvaplana
Sankt Moritz-Bad
Juf
2126
Maloja
Maloja Pass
ALTA ENGADINA
Passo del Bernina
Cepina
Giornico
Mesocco
Rossa
Soazza
Campodolcino
39
3163
Pizzo Stella
1815
43
Sóglio
Bernina
Pizzo Palù
4050
3906
3996
Pizzo Zupo
2323
La Rösa
51
Biasca
301
Osogna
Lostallo
Arvigo
61
Cresciano
333
Chiavenna
Castasegna
Vicosoprano
Pizzo Badile
Chiareggio
1612
Poschiavo
1019
Sondalo
2505
Poncione Rosso
Roveredo
3308
3678
Monte Disgrazia
Bagni del Masino
1172
Chiesa in Valmalenco
Torre di Santa Maria
Grosio
41
Brusio
Campocologno
Vezza d'O.
2459
Pizzo Martello
Novate Mezzola
4
230
BELLINZONA
16
Giubiasco
Carena
22
23
Cataeggio
V A L T E L L I N A
Tirano
8
Edolo
29
Berbenno di Valtellina
307
Ponte in Valtellina
Teglio
Domaso
Gravedona ed Uniti
Traona
38
SONDRIO
1176
Aprica
Passo dell'Aprica
Dongo
Colico
262
Morbegno
Adda
Biróniço
27
Abbazia di Piona
Tartano
1325
Ambria
Malonno
Bogno
Rezzonico
Dervio
Gerola Alta
Premana
3052
Pizzo di Coca
Cedegolo
25
27
Porlezza
Bellano
1053
Foppolo
1508
Valbondione
48
Taceno
Lizzola
Capo di Ponte
Menaggio
2554
Pizzo dei Tre Signori
Mezzoldo
Carona
Lanzo d'Intelvi
Cadenabbia
Varenna
Esino Lario
Lago di Como
Campione d'Italia
Lenno
Bellagio
Introbio
Piazzatorre
Schilpario
Gromo
35
Lierna
Valtorta
Spiazzi
Dezzo
Valcanale
Argegno
Barzio
Piazza Brembana
Roncobello
Borno
Passo della Presolana
912
Breno
Magreglio
Moggio
Castione della Presolana
1297
31
Zelbio
Mandello del Lario
Bienno
Riva San Vitale
41
Piani Resinelli
Taleggio
Oltre il Colle
Clusone
Laglio
Pognana Lario
Ballabio
San Giovanni Bianco
VAL BREMBANA
1030
Serina
VAL SERIANA
648
Rovetta
Boario Terme
Mendrisio
Torno
Canzo
Malgrate
LECCO
San Pellegrino Terme
Costa Volpino
Darfo-
Cernobbio
COMO
17
Sant'Omobono Terme
23
Lovere
15
Erba
Olgiate Comasco
14
201
Oggiono
Calolziocorte
Zogno
Gandino
Collio
28
Olginate
34
Selvino
Gazzaniga
Pisogne
Castiglione Olona
Lurate Caccivio
15
6
Cassago Brianza
16
27
Almenno San Salvatore
Albino
Gaverina Terme
Lago di Endine
58
Bovegno
Cantù
13
Brivio
Riva di Solto
Gentile
Fino Mornasco
B R I A N Z A
Pontida
Alzano Lombardo
Nembro
Casazza
Marone
Tavernole sul Mella
Tradate
Arosio
26
Olgiate Molgora
14
Almè
31
11
Monte Isola
Marcheno
28
Mariano Comense
Giussano
Merate
Ponte San Pietro
6
366
BERGAMO
Seriate
44
Tavernola Bergamasca
Sale Marasino
Mozzate
Trescore Balneario
© De Agostini Libri S.p.A. - Novara
Terno d'Isola
Lago d'Iseo
Gardone Val Trompia
Rovellasca
15
Sarnico
Iseo
21
Castelli Calepio
212
Seveso
Seregno
Usmate Velate
Trezzo sull'Adda
Dalmine
Capriolo
Castellanza
Saronno
Desio
Lissone
Vimercate
Provaglio d'Iseo
16
Lumezzane
Paderno Dugnano
MONZA
19
Verdello
Palazzolo sull'Oglio
Gussago
Concesio
Nave
BELLINZONA

4
D
E
F
10° 30'
11° 00'
11° 30'
ÖSTERREICH
Prutz
Serfaus
33
Tösens
Pfunds
Hochfinstermünz
Nauders
St. Leonhard im Pitztal
Feichten
Längenfeld
Schrankogl 3496
Ranalt
Gschnitz
Steinach am Brenner
Hintertux
Gries am Brenner
Olperer
Obernberg am Brenner
Passo del Brennero/ Brenner Paß
Croda Alta/ Hohe Wand
Terme di Brennero/ Brennerbad
Brennero/ Brenner
San Giacomo/ Sankt Jakob
Gran Pilastro/ Hochfeiler
Picco della Croce/ Wilde Kreuzspitze
Lappago/ Lappach
Fundres/ Pfunders
Selva dei Molini/ Mühlwald
Mittelberg
Sölden
Pan di Zucchero/ Zuckerhütl
Fleres di Dentro/ Innerpflersch
Masseria/ Maiern
Colle Isarco/ Gossensaß
Vipiteno/ Sterzing
Ridanna/ Ridnaun
Glockturm 3356
Gepatschhaus
Wild-Spitze 3774
Angern
Obergurgl
Vent
Passo di Resia/ Reschenpaß
Resia/ Reschen
Melago/ Melag
Curon Venosta/ Graun im Vinschgau
Lago di Resia/ Reschen See
Palla Bianca/ Weißkugel
Ramolkogel
Moso in Passiria/ Moos in Passeier
Passo di Monte Giovo/ Jaufenpaß
Campo di Trens/ Freienfeld
VALLE ISARCO
EISACKTAL
Vandoies/ Vintl
Chiénes/ Kiens
Rio di Pusteria/ Mühlbach
San Valentino alla Mota/ Sankt Valentin a.d. Haide
Badia di Monte Maria/ Klost. Marienberg
Vernago/ Vernagt
Cime Nere/ Ht. Schwärze
Madonna di Senales/ Unser Frau in Schnals
San Leonardo in Passiria/ Sankt Leonhard in Passeier
San Martino in Passiria/ Sankt Martin in Passeier
Mezzaselva/ Mittewald
Pénnes/ Pens
Riobianco/ Weißenbach
Fortezza/ Franzensfeste
Sciaves/ Schabs
Novacella/ Neustift
Luson/ Lüsen
Varna/ Vahrn
Punta Cervina/ Hirzer-Sp.
Punta Saldura/ Salurn-Sp.
Mazia/ Matsch
VAL PASSIRIA
PASSEIERTAL
BRESSANONE/ BRIXEN
Longega/ Zwischenwasser
Plancios/ Palmschoß
San Martino in Badia/ Sankt Martin in Thurn
Tirolo/ Tirol
Rifiano/ Riffian
Scena/ Schenna
Lagundo/ Algund
Sluderno/ Schluderns
Castello Coira/Schl.Churburg
Glorenza/ Glurns
Prato allo Stelvio/ Prad a. Stilfserjoch
Spondigna/ Spondinig
Silandro/ Schlanders
Castelbello/ Kastelbell
Naturno/ Naturns
MERANO/ MERAN
Campolasta/ Astfeld
Chiusa/ Klausen
Funes/ Villnöss
Avelengo/ Hafling
Sarentino/ Sarnthein
Lana
Postal/ Burgstall
Ponte Gardena/ Waidbruck
Ortisei/ Sankt Ulrich in Gröden
Santa Cristina Valgardena/ Sankt Christina in Gröden
Selva di Valgardena/ Wolkenstein in Gröden
Lasa/ Laas
Láces/ Latsch
San Pancrazio/ Sankt Pankraz in Ulten
Gargazzone/ Gargazon
Castelrotto/ Kastelruth
VAL VENOSTA
VINSCHGAU
Santa Maria Münstertal
Gomagoi
Trafoi
Solda/ Sulden
NAZIONALE
Santa Valburga/ Sankt Walburg
San Genesio Atesino/ Jenesien
Renon/ Ritten
VAL GARDENA
GRÖDERTAL
Gruppo di Sella/ Sellagruppe
Passo dello Stelvio/ Stilfser Joch
Passo delle Palade/ Gampen Joch
Terlano/ Terlan
BOLZANO/ BOZEN
Fiè allo Sciliar/ Völs am Schlern
Catinaccio d' Antermoia/ Kessel Kogel
Campitello di Fassa
Ortles/ Ortler
Cevedale/ Zufall-Sp.
Santa Gertrude/ Sankt Gertraud
San Felice/ Sankt Felix
Appiano sulla Strada del Vino/ Eppan a.d.W.
Prato all'Isarco/ Blumau
Tires/ Tiers
Passo Pordoi
Canazei
Cima Sternai/ Hint. Eggen-Sp.
Marcena
Fondo
Laives/ Leifers
Nova Levante/ Welschnofen
Vigo di Fassa
Marmolada
Santa Caterina Valfurva
Bagni di Rabbi
Ronzone
Passo della Mendola/ Mendelpaß
Caldaro sulla Strada del Vino/ Kaltern a.d.W.
Nova Ponente/ Deutschnofen
Carezza al Lago/ Karersee
Moena
VAL DI FASSA
DELLO STELVIO
Peio
Revò
Passo di Gavia
Cógolo
Malè
Cles
Lago di Santa Giustina
San Romedio
Monte Roen
Ora/ Auer
Latemar
Falcade
SERJOCH
NATIONALPARK
Mezzana
Pellizzano
Tuenno
Dermulo
Castello Bragher
Predazzo
Bellamonte
Vermiglio
Folgarida
VAL DI SOLE
VAL DI NON
Egna/ Neumarkt
Cavalese
Passo di Rolle
Santa Apollonia
Ponte di Legno
Pezzo
Val Marilleva
Castello Thun
Castello Molina di Fiemme
Tesero
Panchià
VAL DI FIEMME
DOLOMITI
San Martino di Castrozza
Pale di San Martino
Temù
Passo del Tonale
Madonna di Campiglio
Lago di Tovel
Salorno/ Salurn
Sover
Presanella
Mezzolombardo
Fai della Paganella
Segonzano
Brusago
Caoria
Cima d'Asta
San Michele all'Adige
Cembra
Monte Croce
Canal San Bovo
Fiera di Primiero
Adamello
Carisolo
Brenta
Andalo
Paganella
Pinzolo
Molveno
Lago di Molveno
Lavis
Baselga di Pinè
Palù del Fersina
Cimon Rava
Imer
Spiazzo
Vigo Rendena
San Lorenzo in Banale
Vezzano
TRENTO
Pergine Valsugana
Strigno
Castello Tesino
Croce d'Aune
Stenico
Vetriolo Terme
Roncegno
Borgo Valsugana
Lamon
VALLI GIUDICARIE
Tione di Trento
Comano Terme
Sarche
San Cristoforo al Lago
Lago di Caldonazzo
Levico Terme
VAL SUGANA
Grigno
Fonzaso
Arten
Arsiè
Roncone
Breguzzo
Caldonazzo
Monte Ortigara
Lardaro
Ballino
Dro
Drena
Passo di Vezzena
Lavarone
Cismon del Grappa
RIVA DEL GARDA
Arco
Bezzecca
Pieve di Ledro
Molina di Ledro
Condino
Nago
Torbole
ROVERETO
Folgaria
Serrada
Pedemonte
Roana
Gallio
Asiago
Canove
Valstagna
Brenta
Possagno
Storo
Bagolino
Ponte Caffaro
Limone sul Garda
Magasa
Tremosine
Mori
Brentonico
Tonezza del Cimone
Pedescala
Pasubio
Posina
Arsiero
Conco
Caltrano
Lusiana
Romano d' Ezzelino
Lago d'Idro
Anfo
Malcesine
Avio
Vallarsa
Raossi
Ala
Passo Pian delle Fugazze
Valli del Pasubio
Piovene Rocchette
Lugo di Vicenza
Marostica
BASSANO DEL GRAPPA
Tignale
Idro
Monte Baldo
Brenzone
Ferrara di Monte Baldo
Gargnano
MONTI LESSINI
Recoaro Terme
Schio
Thiene
Marano Vicentino
Breganze
Nove
Tezze sul Brenta
Rosà
CASTELFRANCO VENETO
Maglio Superiore
Sandrigo
Cittadella
Toscolano-Maderno
Gardone Riviera
Salò
Lago di Garda
Peri
Erbezzo
Bosco Chiesanuova
Crespadoro
Valdagno
Malo
Isola Vicentina
Dueville
San Pietro in Gu
San Martino di Lupari
S. Zeno di Montagna
Caprino Veronese
Sant'Anna d'Alfaedo
Torri del Benaco
Bolca
VAL LAGARINA
10
5
b
c
d

5
A
B
C
11°30'
12°00'
12°30'
Steinach am Brenner
Ginzling
Vetta d'Italia/ Glochkenkar-K.
2911
Picco dei Tre Signori
3498
Gschnitz
Olperer 3476
Predoi/ Prettau
Casere/ Kasern
Obernberg am Brenner
Passo del Brennero/ Brennerpaß
3287
Croda Alta/ Hohe Wand-Sp.
Cadipietra/ Steinhaus
Hinterbichl
Prägraten
Virgen
1374
Terme di Brennero/ Brennerbad
3507
Fleres di Dentro/ Innerpflersch
Brennero/ Brenner
San Giacomo/ Sankt Jakob
3510
Matrei in Osttirol
Pan di Zucchero/ Zuckerhütl
14
Lutago/ Luttach
Riva di Túres/ Rain in Taufers
Masseria/ Maiern
Colle Isarco/ Gossensaß
Gran Pilastro/ Hochfeiler
Sankt Veit in Defereggen
Hube
3134
Picco della Croce/ Wilde Kreuzspitze
Lappago/ Lappach
Erlsbah
Ridanna/ Ridnaun
Vipiteno/ Sterzing
1333
Campo Túres/ Sand in Taufers
Collalto/ Hochgall
Passo di Stalle/ Staller Sattel
Sankt Jakob in Defereggen
Ö
Fundres/ Pfunders
3435
2052
E 45
Selva dei Molini/ Mühlwald
Villa Ottone/ Uttenheim
29
Passo di Monte Giovo/ Jaufenpaß
Campo di Trens/ Freienfeld
VALLE ISARCO
EISACKTAL
Anterselva di Sopra/ Antholz Obertal
2952
Hochgrabe
in Passiria/ in Passeier
2094
38
A22
31
Vandoies/ Vintl
Chiénes/ Kiens
Santa Maddalena Vallalta/ Sankt Magdalena
San Leonardo in Passiria/ Sankt Leonhard in Passeier
688
Brunico/ Bruneck
838
Bagni di Salomone/ Bad Solomonsbrunn
Innervillgraten
Mezzaselva/ Mittewald
36
Rio di Pusteria/ Mühlbach
34
b
S. Martino in Passiria/ Sankt Martin in Passeier
PASSEIERTAL
VAL PASSIRIA
Pénnes/ Pens
Fortezza/ Franzensfeste
Sciaves/ Schabs
San Lorenzo di Sebato/ St. Lorenzen
27
Monguelfo/ Welsberg
2781
Riobianco/ Weißenbach
Varna/ Vahrn
Novacella/ Neustift
Lusón/ Lüsen
VAL PUSTERIA
PUSTERTAL
Valdaora/ Olang
1087
Dobbiaco/ Toblach
Prato alla Drava/ Winnebach
Sillian
48
Abfa
20
Punta Cervina/ Hirzer-Sp.
Bráies/ Prags
Arnbach
Tirolo/ Tirol
Rifiano/ Riffian
BRESSANONE/ BRIXEN
559
Longega/ Zwischenwasser
1240
S. Cándido/ Innichen
Sesto/ Sexten
67
17
Plancios/ Palmschoß
Marebbe/ Enneberg
Scena/ Schenna
Passo Monte Croce di Comelico/ Kreuzbergpaß
325
Campolasta/ Astfeld
San Martino in Badia/ Sankt Martin in Thurn
13
MERANO/ MERAN
Chiusa/ Klausen
Funes/ Villnöss
Prato Piazza/ Platzwiesen
Tre Cime di Lavaredo/ Drei Zinnen
1636
28
Avelengo/ Hafling
Sarentino/ Sarnthein
Ortisei/ Sankt Ulrich in Gröden
Santa Cristina Valgardena/ Sankt Christina in Gröden
Selva di Valgardena/ Wolkenstein in Gröden
Croda Rossa/ Hohe Gaisl
3146
2998
Lana
Postal/ Burgstall
Ponte Gardena/ Waidbruck
39
Carbonin/ Schluderbach
Comelico Superiore
Gargazzone/Gargazon
Castelrotto/ Kastelruth
Badia/ Abtei
la Villa/ Stern
S. Cassiano/ Sankt Kassian
9
Misurina
30
21
19
Passo Tre Croci
San Genesio Atesino/ Jenesien
VAL GARDENA
GRÖDERTAL
Colfosco/ Kollfuschg
Le Tofane
CONCA D'AMPEZZO
862
Renon/ Ritten
47
Gruppo di Sella/ Sellagruppe
3243
1805
Auronzo di Cadore
BOLZANO/ BOZEN
Corvara in Badia/ Corvara
Passo di Falzarego
Pocol
Cortina d'Ampezzo
262
Fiè allo Sciliar/ Völs am Schlern
3151
2105
26
46°30'
Catinaccio d' Antermoia/ Kessel Kogel
Campitello di Fassa
2239
Arabba
21
Andraz
Vigo di Cadore
Lozzo di Cadore
Lorenzago di Cadore
Strada del Vino/ Eppan a.d.W.
Prato all'Isarco/ Blumau
Tires/ Tiers
3004
17
Passo Pordoi/ Pordoijoch
Selva di Cadore
San Vito di Cadore
12
Fondo
37
1028
Canazei
Rocca Pietore
Calalzo di Cadore
1298
Nova Levante/ Welschnofen
VAL DI FASSA
Antelao
3264
1363
Láives/ Leifers
3343
Piave
Ronzone
Caldaro sulla Strada del Vino/ Kaltern a.d.W.
Vigo di Fassa
Marmolada
Caprile
Borca di Cadore
Pieve di Cadore
Passo della Mendola/ Mendelpaß
Nova Ponente/ Deutschnofen
Carezza al Lago/ Karersee
Alleghe
2116
Moena
1184
Zoppè di Cadore
Monte Roen
2846
Latemar
3220
Monte Civetta
Zoldo Alto
Perarolo di Cadore
Ora/ Auer
15
Falcade
San Romedio
Cencenighe Agordino
2703
Cima dei Preti
Castello Bragher
A22
Egna/ Neumarkt
24
San Lugano
Predazzo
Bellamonte
Ospitale di Cadore
Forno di Zoldo
4
Cavalese
13
Passo di Rolle
1970
32
Cimolais
Castello Molina di Fiemme
Tesero
Panchià
VAL DI FIEMME
Agordo
611
c
24
40
San Martino di Castrozza
2987
Erto
Lago del Vajont
Frassenè
1467
Pale di San Martino
58
Longarone
474
Salorno/ Salurn
Sover
2471
Col Nudo
DOLOMITI
PARCO NAZIONALE DELLE DOLOMITI BELLUNESI
Segonzano
2847
Caoria
79
Gosaldo
Ponte nelle Alpi
San Michele all'Adige
Brusago
Cima d'Asta
Canal San Bovo
Pieve d'Alpago
Chies d'Alpago
Cembra
2490
Monte Croce
Fiera di Primiero
Sospirolo
11
Vignole
7
383
15
53
Lavis
965
Palù del Fersina
Imer
Farra d'Alpago
2434
6
Baselga di Pinè
Cimon Rava
Sedico
11
BELLUNO
Lago di Santa Croce
TRENTO
Pergine Valsugana
194
Cesiomàggiore
13
24
Strigno
Croce d'Aune
25
27
San Cristoforo al Lago
Vetriolo Terme
Roncegno
Santa Giustina
352
Trichiana
Lago di Caldonazzo
58
Castello Tesino
VAL SUGANA
Borgo Valsugana
Lamon
Feltre
7
50
Lentiai
Mel
Polcenigo
46°
Levico Terme
Grigno
Arten
8
La Crosetta
24°00'
Caldonazzo
2105
Fonzaso
271
Revine Lago
Monte Ortigara
13
Arsiè
140
Sarmede
Passo di Vezzena
Follina
VITTORIO VENETO
15
Sacile
Lavarone
1402
31
28
San Pietro di Feletto
Cordignano
1166
Quero
Folgaria
Pedemonte
Cismon del Grappa
Valdobbiadene
Godega di Sant' Urbano
Brugner
Serrada
Gallio
Sernaglia della Battaglia
Pieve di Soligo
14
Roana
Asiago
993
Brenta
31
Pederobba
Conegliano
Gaiarine
Tonezza del Cimone
Canove
28
Vidor
d
Pedescala
Valstagna
Possagno
Crocetta del Montello
Susegana
13
76
Fontanelle
21
39
Pasubio
2235
36
Crespano del Grappa
Cornuda
Maser
Nervesa della Battaglia
Posina
Conco
Romano d'Ezzelino
Asolo
204
4
7
18
Arsiero
Caltrano
Lusiana
6
Spresiano
56
San Polo di Piave
Oderzo
1159
Valli del Pasubio
Piovene Rocchette
Marostica
BASSANO DEL GRAPPA
21
Montebelluna
Volpago del Montello
41
Maserada sul Piave
16
Passo Pian delle Fugazze
9
Lugo di Vicenza
139
4
248
15
20
18
193
25
Villorba
445
Schio
Thiene
Breganze
Nove
Rosa
Riese Pio X
Trevignano
Ponte di Piave
Recoaro Terme
Marano Vicentino
144
Tezze sul Brenta
CASTELFRANCO VENETO
Vedelago
TREVISO
A27
19
© De Agostini Libri S.p.A. - Novara
29
248
9
13
25
14
19
Giazza
Sandrigo
Valdagno
230
Malo
25
35
Cittadella
142
11
Paese
San Biagio di Callalta
Crespadoro
22
Dueville
San Pietro in Gu'
San Martino di Lupari
Resana
Quinto di Treviso
Noventa di Piave
Bolca
Isola Vicentina
36
47
Piombino Dese
Preganziol
Roncade
San Pietro Mussolino
Caldogno
13
25
Musile di Piave

6
12
D
E
F
b
c
d
Ö S T E R R E I C H
Großglockner
3798
Kolm Saigurn
Böckstein
1131
Muhr
Thomatal
13° 00'
13° 30'
1288
Heiligenblut
Kals
Schober gruppe
3240
Großkirchheim
Mallnitz
1190
3360
Hochalm-Spitze
2965
Reißeck
Flattach
Obervellach
Rennweg
Krems in Karnten
Turrach
Flattnitz
1400
Gmünd
741
Gr.-Rosennock
2440
Ebene-Reichenau
Stall
2784
Polinik
Reißeck
Lurnfeld
Winklern
Ainet
Rangersdorf
Sachsenburg
Lieser
Millstatt
Radenthein
Lienz
673
16
Seeboden
Millstätter See
Bad Kleinkirchheim
Gurk
Spittal an der Drau
Gnesau
Döbriach
Feld am See
21
Nikolsdorf
Kleblach-Lind
Drau
2772
Gr.-Sand-Spitze
621
Dellach
Greifenburg
42
38
Oberdrauburg
Fresach
Arriach
Klösterle
Steindorf
Afritz
Stockenboi
Paternion
Neusach
Techendorf
Weissen See
Maria Luggau
13
Birnbaum
Kötschach-
Weißbriach
Kreuzen
Weißenstein
Treffen
Ossiach
Ossiacher See
Gail
-Mauthen
Kirchbach
60
Hermagor
Sankt Stefan im Gailtal
Bad Bleiberg
40
28
Monte Peralba
2694
Forni Avoltri
Coglians
Passo di Monte Croce Carnico
603
Tröpolach
Nötsch a. d. Gail
Villach
501
Rosegg
2780
1360
Timau
Feistritz a. d. Gail
18
27
Faak am See
Unter-thörl
Arnoldstein
Sankt Jakob
Sappada
Prato Carnico
Rigolato
48
1552
Passo di Pramollo
Sella di Camporosso
Tarvisio
Wurzen-Pass
Kepa
2139
Ravascletto
Paularo
Paluzza
Pontebba
Malborghetto
816
1073
Podkoren
Dovje
Comeglians
Fusine in Valromana
Kranjska Gora
Sauris
Arta Terme
V A L   C A N A L E
Cave del Predil
Mojstrana
Jesenice
C A R N I A
Dogna
56
lôf di Montasio
2753
1156
TRIGLAVSKI
Villa Santina
Passo del Predil
Log pod Mangartom
2864
Triglav
Ampezzo
320
Moggio Udinese
Chiusaforte
Trenta
NARODNI PARK
64
Tolmezzo
13
Resiutta
51
560
11
Carnia
Prato di Resia
2587
Monte Canin
Soča
Forni di Sotto
Cavazzo Carnico
Lago di Cavazzo
487
PARCO NAZIONALE TRICORNO
Bovec
Venzone
Lepena
Bohinjsko jezero
Stara Fužina
Tramonti di Sopra
San Francesco
Gemona del Friuli
Žaga
272
Lusevera
Dom Savica
Tramonti di Sotto
Trasaghis
34
Breginj
Krn
2244
Bohinjska Bistrica
1277
Osoppo
Artegna
Kobarid
F R I U L I
Meduno
Buia
Tarcento
Platischis
Staro selo
Kamno
S L O V E N I J A
Kneške
230
Nimis
18
Pinzano al Tagliamento
Majano
27
Tolmin
Maniago
26
Pulfero
Drenchia
Volče
200
Sequals
283
San Daniele del Friuli
252
Colloredo di M. Albano
Tricesimo
Faedis
Savogna
Most na Soči
Grahovo
Cerkno
Spilimbergo
24
Pagnacco
San Pietro al Natisone
Stregna
Fagagna
24
Povoletto
135
44
Avče
Želin
San Martino di Campagna
Dignano
Martignacco
CIVIDALE DEL FRIULI
Kanal
Dolnja Trebuša
Idrijca
San Giorgio della Richinvelda
UDINE
35
Čepovan
13
Plave
Vojsko
San Quirino
Campoformido
Buttrio
Šmartno v Brdih
Lokve
Roveredo in Piano
Sedegliano
25
21
46° 00'
Idrija
Cordenons
Pavia di Udine
Solkan
Trnovo
Casarsa della Delizia
Pozzuolo del Friuli
Manzano
Cormons
Nova Gorica
Predmeja
22
Codroipo
Mortegliano
20
GORIZIA
84
26
Črni Vrh
36
San Vito al Tagliamento
Talmassons
Palmanova
Romans d'Isonzo
16
15
Črniče
Azzano Decimo
Castions di Strada
Bagnaria Arsa
17
Gradisca d'Isonzo
Miren
23
103
Ajdovščina
Varmo
29
12
Dornberk
Vipava
Col
Sesto al Reghena
27
Rivignano
Redipuglia
Branik
Pasiano di Pordenone
24
Cordovado
35
San Giorgio di Nogaro
Ronchi dei Legionari
Štanjel
Annone Veneto
6
Komen
Štjak
14
Muzzana del Turgnano
Cervignano del Friuli
10
Monfalcone
San Giovanni al Timavo
K R A S
Portogruaro
Latisana
Aquileia
Duino Sistiana
45
Dutovlje
San Stino di Livenza
Concordia Sagittaria
San Michele al Tagliamento
Marano Lagunare
Ausa Corno
19
Aurisina
Štorje
Senožeče
Cessalto
Pertegada
Laguna di Marano
Golfo di Trieste
Grignano
Castello di Miramare
Prosecco
Sežana
Divača
Škocjanske Jame
Lignano Sabbiadoro
Villa Opicina
Lipica
Torre di Mosto
Grado
Lokev
Škocjan
San Donà di Piave
Brussa
Lignano Pineta
TRIESTE
Basovizza
San Giorgio di Livenza
Durrës
Golfo di Trieste
Bibione
Muggia
S. Dorligo della Valle
Kozina
Caorle
Livenza
Tagliamento
Isonzo
Soča

7
A
1
B
C
7° 00'
7° 30'
8° 00'
45° 00'
44° 30'
44° 00'
b
c
d
FRANCE
MO
Chiomonte
Meana di Susa
Salbertrand
Monte Orsiera 2878
Sant'Antonino di Susa
Sacra di S. Michele
Almese
Avigliana
Alpignano
Rivoli
Collegno
TORINO
Gassino Torinese
San Mauro Torinese
Superga
Abbazia di Vezzolano
Cocconato
Castelnuovo Don Bosco
Buttigliera Alta
Giaveno
Rivalta di Torino
Orbassano
Nichelino
Moncalieri
Chieri
Sauze d'Oulx
Fenestrelle
Villaretto
Pragelato
Chisone
Piossasco
Cumiana
Stupinigi
Cesana Torinese
Colle del Monginevro 1854
Clavière
Montgenèvre
Sestriere 2035
Perosa Argentina
Perrero
Volvera
None
Santena
Villanova d'Asti
Villar Perosa
Airasca
Carignano
Villastellone
Poirino
Villafranca d'Asti
Prali
Pinerolo
Buriasco
Virle Piemonte
Cervières
Torre Pellice
Bricherasio
Vigone
Pancalieri
Carmagnola
Pralormo
Col d'Izoard 2361
Bobbio Pellice
Luserna San Giovanni
Pellice
Campiglione-Fenile
Casalgrasso
Ceresole Alba
Montà
Aiguilles
Abriès
Villanova
Bibiana
Château-Queyras
Arvieux
Cavour
Villafranca Piemonte
Moretta
Sommariva del Bosco
Canale
l'Echalp
Molines-en-Queyras
Bagnolo Piemonte
Barge
Racconigi
Sommariva Perno
Crissolo
Staffarda
Cavallermaggiore
Santa Vittoria d'Alba
Saint-Véran
Colle dell'Agnello 2748
Monviso 3841
Paesana
Po
Monasterolo di Savigliano
Bra
Guil
Guillestre
Chianale
Revello
Savigliano
Marene
Diano d'Alba
Pic de la Font-Sancte 3387
Pontechianale
Saluzzo
Cervere
Cherasco
Vars
Maurin
Casteldelfino
Verzuolo
Genola
Stura di Demonte
Sampéyre
Monforte d'Alba
Bellino
Venasca
Costigliole Saluzzo
Narzole
Col de Vars 2109
Aiguille de Chambeyron 3411
Pelvo d'Elva
VAL VARAITA
Fossano
Villafalletto
Dogliani
Saint-Paul
Stroppo
San Damiano Macra
Busca
Sant'Albano Stura
Bene Vagienna
Bossolasco
la Condamine-Chatelard
Chiappera
Prazzo
Centallo
Trinità
Carrù
Acceglio
VAL MAIRA
Larche
Dronero
Murazzano
Jausiers
Castelletto Stura
Marsaglia
Colle della Maddalena 1996
Pradleves
Argentera
Campomolino
Morozzo
CUNEO
Mondovì
Ceva
Caraglio
Santuario di San Magno
Bersezio
Vicoforte
Santuario di Vicoforte
Beinette
Borgo San Dalmazzo
Peveragno
Pietraporzio
Villanova Mondovì
Bousiéyas
Vinadio
Demonte
Boves
Chiusa di Pesio
Bagnasco
Saint-Dalmas-le-Selvage
Roccavione
Mont Ténibre 3031
Bagni di Vinadio
Col de la Cayolle 2326
Valdieri
Terme di Lurisia
Frabosa Soprana
Viola
Saint-Étienne-de-Tinée
Pamparato
Santuario di Sant'Anna
Colle della Lombarda 2351
Gesso
Entracque
Vernante
Prato Nevoso
Certosa di Pesio
Bossea
Calizzano
Auron
Entraunes
Terme di Valdieri
Limone Piemonte
Garessio
Colle San Bernardo
Isola
Mont Mounier 2817
Isola 2000
Argentera 3297
Punta Marguareis 2651
Saint-Martin-d'Entraunes
PARC NATIONAL
Cima del Gelas 3143
Traforo del Colle di Tenda
Upega
Ormea
Ponte di Nava
Tanaro
Péone
le Boréon
Vallée des Merveilles
Roya
Nasino
Guillaumes
Beuil
Valberg
Saint-Sauveur-sur-Tinée
Saint-Martin-Vésubie
Tende
Notre-Dame des Fontaines
Colle di Nava
Borghetto d'Arroscia
Saint-Dalmas Valdeblore
Cime du Diable 2687
Monesi
Pornassio
Daluis
Ilonse
DU MERCANTOUR
la Brigue
Pieve di Teco
Villa d'Albenga
Gorges de Daluis
Roquebillière
la Bollène-Vésubie
Fontan
Rezzo
Arroscia
Tinée
Colle S. Bartolomeo
Saorge
Triora
Puget-Théniers
Lantosque
Pontedassio
Entrevaux
Notre-Dame
Var
Moulinet
Breil-sur-Roya
Pigna
Utelle
Madone d'Utelle
Peira Cava
Gorges du Piaon
Montalto Ligure
Dolcedo
Baiardo
Ceriana
Briançonnet
Roquesteron
le Plan-du-Var
Lucéram
Sospel
Airole
Dolceacqua
San Romolo
Taggia
IMPERIA
St-Auban
Gilette
Levens
l'Escarène
San Lorenzo al Mare
Thorenc
Saint-Martin-du-Var
Sainte-Agnès
Arma di Taggia
Coursegoules
Contes
SANREMO
Gréolières
Carros
Ospedaletti
Col de Valferrière 1169
Gattières
Tourette-Levens
Balzi Rossi
Menton
Roquebrune-Cap-Martin
BORDIGHERA
VENTIMIGLIA
Escragnolles
Gourdon
Vence
la Trinité
Monaco
MONTE-CARLO
Pas de la Faye 981
Villefranche-s.-M.
Eze
Cap-d'Ail
Saint-Laurent-du-Var
NICE
Beaulieu-sur-Mer
St-Jean-Cap-Ferrat
Cap Ferrat
Mons
Saint-Paul
Grasse
Peymeinade
Cagnes-sur-Mer
Calvi
Bastia
l'Île Rousse
Ajaccio
A6
A8
A10
A32
E74
E717
© De Agostini Libri S.p.A. - Novara

8
2
9
13
D
E
F
b
d
8° 30'
9° 00'
44° 30'
44° 00'
45° 00'
Lomello
Sartirana Lomellina
Mede
Sannazzaro de' Burgondi
Zinasco
Bressana Bottarone
Barbianello
Broni
Santuario di Crea
Ozzano Monferrato
Torre Beretti
Pieve del Cairo
Cervesina
Moncalvo
Casorzo
Mirabello Monferrato
Valenza
Santa Giuletta
Casteggio
Borgonovo Val Tidone
Calliano
Vignale Monferrato
Bassignana
Sale
Casei Gerola
Voghera
Montalto Pavese
Santa Maria della Versa
Montemagno
San Salvatore Monferrato
Castelnuovo Scrivia
Pontecurone
Fubine
Rivanazzano T.
Borgoratto Mormorolo
Pianello Val Tidone
Salice Terme
Viguzzolo
Nibbiano
Solero
ALESSANDRIA
TORTONA
Volpedo
Godiasco
Zavattarello
Felizzano
Pecorara
ASTI
Rocchetta Tanaro
Oviglio
Castellazzo Bormida
Ponte Nizza
Abbazia Sant'Alberto di Butrio
Bosco Marengo
Villavernia
Isola d'Asti
Varzi
Trebbia
Perino
Costigliole d'Asti
Nizza Monferrato
Gamalero
Pozzolo Formigaro
Garbagna
San Sebastiano Curone
Monte Penice
Bobbio
Sezzadio
Mombaruzzo
Predosa
Novi Ligure
Cassano Spinola
Borghetto di Borbera
Brallo di Pregola
Canelli
Cassine
Serravalle Scrivia
Caldirola
Corte Brugnatella
Santo Stefano Belbo
Acqui Terme
Bistagno
Bubbio
Carpeneto
Castelletto d'Orba
Gavi
Arquata Scrivia
Rocchetta Ligure
Monte Ebro
Cabella Ligure
Montaldo di Cosola
Ferriere
Visone
Ovada
Mornese
Vesime
Molare
Voltaggio
Ronco Scrivia
Ottone
Roccaverano
Ponzone
Vobbia
Crocefieschi
Cortemilia
Rossiglione
Busalla
Santo Stefano d' Aveto
Spigno Monferrato
Pian Castagna
Campo Ligure
Serra Riccò
Casella
Montoggio
Torriglia
Montebruno
Campomorone
Masone
Ceranesi
Rezzoaglio
Piana Crixia
Mioglia
Palo
San Pietro d'Olba
Passo del Turchino
Madonna della Guardia
Sant'Olcese
Passo della Scoffera
La Forcella
Sassello
Dego
Bolzaneto
GÉNOVA
Bargagli
Pontinvrea
Scoglio dell'Agugia
Colle del Giovo
Voltri
Pegli
Sestri Ponente
Sampierdarena
Nervi
Cicagna
Borzonasca
Passo del Bocco
Cengio
Cairo Montenotte
Arenzano
Uscio
Nostra Signora di Montallegro
Borgonovo Ligure
Millesimo
Carcare
Cogoleto
Bogliasco
Sori
RAPALLO
Carasco
C. di Cadibona
Albisola Sup.
Varazze
Recco
Camogli
Ruta
Zoagli
Basilica dei Fieschi
Altare
Celle Ligure
Albissola Marina
San Fruttuoso
Cristo degli Abissi
Santa Margherita Ligure
Portofino
CHIAVARI
Lavagna
Cavi
Castiglione Chiavarese
Quiliano
SAVONA
Mallare
Vado Ligure
Sestri Levante
Osiglia
San Giorgio
Bergeggi
BERGEGGI
Moneglia
Deiva Marina
Framura
Colle di Melogno
RIVIERA DI LEVANTE
Spotorno
Noli
Capo di Noli
Bardineto
VIA AURELIA
Varigotti
Finale Ligure
Grotte di Toirano
Borgio-Verezzi
Pietra Ligure
Loano
Toirano
Borghetto Santo Spirito
Ceriale
Golfo di Genova
ALBENGA
GALLINARA
Capo Santa Croce
ALASSIO
Laigueglia
Capo Mele
Andora
Cervo
Marina
RIVIERA DI PONENTE
Barcelona
Tūnis
Malta
Palermo
Termini Imerese
Porto Torres
Ólbia
Arbatax
Bastia
MAR LIGURE

9
A
B
C
3
2
8
13
a
b
c
d
Cantù
Tradate
Gentile
Arosio
Giussano
Brivio
Olgiate Molgora
Merate
Salvatore
Pontida
Almè
Alzano Lombardo
Nembro
BERGAMO
Seriate
Casazza
Endine
Tavernola Bergamasca
Trescore Balneario
Lago d'Iseo
Marone
Monte Isola
Sale Marasino
Tavernole sul Mella
Marcheno
Gardone Val Trompia
Lumezzane
Concesio
Nave
BRESCIA
Carate Brianza
Seregno
Seveso
Saronno
Castellanza
Desio
Lissone
MONZA
Usmate Velate
Vimercate
Trezzo sull'Adda
Dalmine
Ponte San Pietro
Terno d'Isola
Castelli Calepio
Sarnico
Iseo
Capriolo
Provaglio d'Iseo
Gussago
Paderno Dugnano
Lainate
Bollate
Cinisello B.
Nerviano
Rho
Sesto San Giovanni
Cologno Monzese
Gorgonzola
Vaprio d'Adda
Verdello
Cologno al Serio
Ghisalba
Palazzolo sull'Oglio
Pontoglio
Rovato
Chiari
Ospitaletto
Torbole
Rezzato
Cassano d'Adda
Treviglio
Martinengo
Romano di Lombardia
Caravaggio
Santuario di Caravaggio
Pioltello
Melzo
Segrate
Cornaredo
MILANO
Magenta
Corsico
Peschiera Borromeo
Rivolta d'Adda
Vailate
Mozzanica
Fontanella
Rudiano
Trenzano
Castenedolo
Bagnolo Mella
Pompiano
Abbazia di Chiaravalle
San Donato Milanese
Paullo
Pandino
Soncino
Orzinuovi
Dello
Ghedi
Trezzano sul Naviglio
Rozzano
Abbazia di Morimondo
Rosate
Opera
Melegnano
Spino d'Adda
Bagnolo Cremasco
CREMA
Borgo San Giacomo
Manerbio
Leno
Binasco
Landriano
LODI
Santa Maria di Bressanoro
Verolanuova
Calvisano
Siziano
Vidigulfo
Castelleone
Quinzano d'Oglio
Pavone del Mella
Motta Visconti
Certosa di Pavia
Sant'Angelo Lodigiano
Montodine
Soresina
Casalmorano
Pontevico
Gottolengo
Bereguardo
Castiglione d'Adda
Casalbuttano ed Uniti
Gambara
Lardirago
Secugnago
Ostiano
Ticino
Lambro
Villanterio
PAVIA
San Colombano al Lambro
Casalpusterlengo
Pizzighettone
Castelverde
Casalromano
Gropello Cairoli
Ospedaletto Lodigiano
Codogno
CREMONA
Vescovato
Canneto sull'Oglio
San Martino Siccomario
Belgioioso
Corteolona
Acquanegra Cremonese
Piadena
Zinasco
Po
Bressana Bottarone
Barbianello
Stradella
San Rocco al Porto
Monticelli d'Ongina
Sospiro
Cervesina
Broni
Castel San Giovanni
Rottofreno
PIACENZA
San Giovanni in Croce
San Daniele Po
Santa Giuletta
Casteggio
Borgonovo Val Tidone
Caorso
Roccabianca
Voghera
Montalto Pavese
Gragnano Trebbiense
Pontenure
Cortemaggiore
Polesine Parmense
Casalmaggiore
Pontecurone
Santa Maria della Versa
Tidone
Agazzano
Cadeo
Busseto
Sissa
Rivanazzano T.
Borgoratto Mormorolo
Pianello Val Tidone
San Giorgio Piacentino
Fiorenzuola d'Arda
Soragna
Colorno
Salice Terme
Rivergaro
Grazzano Visconti
Chiaravalle della Colomba
Volpedo
Godiasco
Zavattarello
Nibbiano
Carpaneto Piacentino
Alseno
San Secondo Parmense
Ponte Nizza
Abbazia Sant'Alberto di Butrio
Pecorara
Ponte dell'Olio
Castell'Arquato
Fidenza
Fontanellato
Staffora
Trebbia
Gropparello
Salsomaggiore Terme
Varzi
Perino
Lugagnano Val d'Arda
Noceto
Monte Penice
Bettola
Velleia
Vernasca
Tabiano Bagni
PARMA
San Sebastiano Curone
Bobbio
Medesano
Borghetto di Borbera
Brallo di Pregola
Pellegrino Parmense
Sant'Andrea Bagni
Collecchio
Caldirola
Rocchetta Ligure
Monte Ebro
Corte Brugnatella
Farini
Morfasso
Bore
Varano de' Melegari
Fornovo di Taro
Felino
Pilastro
Cabella Ligure
Montaldo di Cosola
Ferriere
Bardi
Varsi
Castello di Torrechiara
Vobbia
Ottone
Traversetolo
Langhirano
Crocefieschi
Calestano
Cassio
Santo Stefano d'Aveto
Masanti di Sotto
Serra Riccò
Casella
Montoggio
Torriglia
Montebruno
Ostia Parmense
La Strada
Neviano degli Arduini
Monte Cervellino
Rezzoaglio
Bedonia
Borgo Val di Taro
Berceto
Tizzano Val Parma
Scurano
Sant'Olcese
Passo della Scoffera
Passo della Cisa
La Forcella
Corniglio
GÉNOVA
Bargagli
Tarsogno
Albareto
Montelungo
PARCO NAZIONALE DELL'APPENNINO
Palanzano
Cicagna
Passo di Cento Croci
Lagdei
Uscio
Nostra Signora di Montallegro
Borzonasca
Passo del Bocco
Grondola
Monchio delle Corti
Ramiseto
Nervi
Sori
Borgonovo Ligure
Pontremoli
Bogliasco
Recco
Camogli
RAPALLO
Zoagli
Ruta
Carasco
Varese Ligure
Trecchia Rossa
Busana
Collagna
Rigoso
San Fruttuoso
Cristo degli Abissi
Santa Margherita Ligure
Basilica dei Fieschi
San Pietro Vara
Filattiera
Monte Sillara
CHIAVARI
Lavagna
Cavi
Castiglione Chiavarese
Passo del Bracco
Sesta Godano
Villafranca in Lunigiana
Bagnone
Tavernelle
La Gabellina
Passo del Cerreto
Licciana Nardi
Calice al Cornoviglio
LUNIGIANA
9° 30'
10° 00'

10
4
11
14
D
E
F
a
b
c
d
10° 30'
11° 00'
11° 30'
45° 30'
45° 00'
44° 30'
Lavenone
Idro
Tignale
Gargnano
Malcesine
Avio
Monte Baldo
2218
Brenzone
Ferrara di Monte Baldo
Ala
Raossi
Passo Pian delle Fugazze
2259
MONTI LESSINI
Recoaro Terme
Valli del Pasubio
Piovene Rocchette
Schio
Maglio Superiore
Marano Vicentino
Thiene
Lugo di Vicenza
Marostica
Breganze
Sandrigo
Cittadella
San Martino di Lupari
Vobarno
Toscolano-Maderno
Salò
Desenzano del Garda
San Felice del Benaco
Manerba del Garda
Padenghe
Lago di Garda
San Zeno di Montagna
Torri del Benaco
Caprino Veronese
Garda
San Vigilio
Bardolino
Affi
Lazise
Sirmione
Peschiera del Garda
Peri
Erbezzo
Giazza
Bosco Chiesanuova
Crespadoro
Sant'Anna d'Alfaedo
Dolcè
Fumane
Negrar
Rovere Veronese
Vestenanova
Bolca
Badia Calavena
Sant'Ambrogio di Valpolicella
Grezzana
Tregnago
Montecchia di Crosara
Illasi
Bussolengo
VERONA
San Martino Buon Albergo
Soave
Malo
Valdagno
San Pietro Mussolino
Chiampo
Arzignano
Montecchio Maggiore
Montebello Vicentino
Isola Vicentina
VICENZA
Dueville
Caldogno
San Pietro in Gu'
San Giorgio in Bosco
Piazzola sul Brenta
Torri di Quartesolo
Camisano Vicentino
Arcugnano
Longare
Brendola
Grisignano di Zocco
Barbarano Vicentino
Ponte di Barbarano
Montegalda
Rubano
PADOVA
Lonato
Castiglione delle Stiviere
Carpenedolo
Solferino
San Martino della Battaglia
Castelnuovo del Garda
Sommacampagna
Valeggio sul Mincio
Villafranca di Verona
Guidizzolo
Volta Mantovana
Mozzecane
Vigasio
Castel Goffredo
Casaloldo
Goito
Roverbella
Trevenzuolo
Asola
Gazoldo degli Ippoliti
Marmirolo
Acquanegra sul Chiese
MANTOVA
Castellucchio
Curtatone
Marcaria
Virgilio
Mincio
Bozzolo
Rivarolo Mantovano
Gazzuolo
Borgoforte
Oglio
Sabbioneta
Suzzara
Dosolo
Gonzaga
Viadana
Luzzara
Guastalla
Brescello
Gualtieri
Reggiolo
San Giovanni Lupatoto
Buttapietra
Isola della Scala
Bovolone
Zevio
Adige
Ronco all'Adige
Oppeano
San Bonifacio
Arcole
Lonigo
Sossano
Cologna Veneta
Albaredo d'Adige
Roverchiara
Minerbe
Bevilacqua
Noventa Vicentina
Ospedaletto Euganeo
Teolo
Abano Terme
Montegrotto Terme
Battaglia Terme
Arquà Petrarca
Albignasego
Monselice
Castel d'Ario
Sanguinetto
Cerea
Legnago
Montagnana
Saletto
Este
Casale di Scodosia
Merlara
Solesino
Tribano
Villa Estense
Anguillara Veneta
Valli Mocenighe
Stanghella
Nogara
Casaleone
Villa Bartolomea
Roncoferraro
Gazzo Veronese
Castagnaro
Badia Polesine
Lendinara
ROVIGO
Bagnolo San Vito
Ostiglia
Bergantino
Po
Revere
San Benedetto Po
Castelmassa
Trecenta
Fratta Polesine
Quistello
Calto
Bagnolo di Po
Sermide
Fiesso Umbertiano
Polesella
Pegognaga
Poggio Rusco
Ficarolo
Moglia
Pilastri
Concordia sulla Secchia
Occhiobello
Bondeno
Malborghetto
Pontelagoscuro
FERRARA
Mirandola
Novi di Modena
Fabbrico
San Felice sul Panaro
Vigarano Mainarda
Finale Emilia
Cona
Poviglio
Novellara
Cavezzo
Rio Saliceto
San Prospero
Panaro
Sant'Agostino
Bagnolo in Piano
Correggio
CARPI
Secchia
Camposanto
Poggio Renatico
Cadelbosco di Sopra
Sorbara
Bomporto
Crevalcore
CENTO
Malalbergo
Portomaggiore
Cavriago
Campogalliano
Soliera
Pieve di Cento
San Nicolò Ferrarese
Montecchio Emilia
Nonantola
San Pietro in Casale
Santa Maria Codifiume
REGGIO NELL'EMILIA
Rubiera
MODENA
San Giovanni in Persiceto
San Giorgio di Piano
Reno
Sala Bolognese
Molinella
San Polo d'Enza
Scandiano
Castelfranco Emilia
Minerbio
Ciano d'Enza
Vezzano sul Crostolo
Casalgrande
Formigine
Calderara di Reno
Castel Maggiore
Granarolo dell'Emilia
San Martino in Argine
Lavezzola
Castello di Canossa
Viano
Anzola dell'Emilia
Budrio
Sant'Antonio
Sassuolo
Maranello
Spilamberto
BOLOGNA
Sillaro
Conselice
Casina
Baiso
Castellarano
Terme di Salvarola
Castelvetro di Modena
Bazzano
Castenaso
Vignola
Zola Predosa
Carpineti
Prignano sulla Secchia
Marano sul Panaro
Monteveglio
Casalecchio di Reno
San Lazzaro di Savena
Medicina
Massa Lombarda
Lugo
Guiglia
Ozzano dell'Emilia
Via Emilia
Mordano
Pietra di Bismantova
Serramazzoni
Sasso Marconi
Cerredolo
Savigno
Sassi di Rocca Malatina
Pianoro
Castel San Pietro Terme
Toano
Montefiorino
Polinago
Zocca
Marzabotto
Dozza
IMOLA
Lama Mocogno
Pavullo nel Frignano
NECROPOLI ETRUSCA
Monterenzio
Castel Bolognese
Frassinoro
Riolo Terme
La Santona
Vergato
Monzuno
Borgo Tossignano
Dragone
Castel d'Aiano
Rioveggio
Loiano
Sassoleone
Civago
Montese
Grizzana Morandi
Montecreto
Sestola
Brisighella
© De Agostini Libri S.p.A. - Novara

11
5
A
B
C
a
b
c
d
10
15
Passo Pian delle Fugazze
Schio
Thiene
Pioveme Rocchette
Lugo di Vicenza
Breganze
Marostica
BASSANO DEL GRAPPA
Montebelluna
Volpago del Montello
Maserada sul Piave
Nove
Rosà
Riese Pio X
Trevignano
Villorba
Ponte di Piave
Tezze sul Brenta
Vedelago
TREVISO
CASTELFRANCO VENETO
Giazza
Malo
Sandrigo
Cittadella
Paese
San Biagio di Callalta
Valdagno
Crespadoro
Dueville
San Pietro in Gu'
San Martino di Lupari
Resana
Quinto di Treviso
Bolca
San Pietro Mussolino
Isola Vicentina
Caldogno
Piombino Dese
Preganziol
Roncade
Vestenanova
San Giorgio in Bosco
Villa del Conte
Quarto d'Altino
Badia Calavena
Chiampo
VICENZA
Piazzola sul Brenta
Camposampiero
Scorzè
Mogliano Veneto
Portegrandi
Arzignano
Torri di Quartesolo
Noale
Curtarolo
Santa Maria di Sala
Montecchio Maggiore
Arcugnano
Camisano Vicentino
Campodarsego
Mirano
MESTRE
Torcello
Illasi
Longare
Burano
Murano
Montebello Vicentino
Brendola
Grisignano di Zocco
Vigonza
Marghera
Soave
Barbarano Vicentino
Montegalda
Rubano
Dolo
Mira
Punta Sabbioni
PADOVA
VENEZIA
Lido
Zevio
San Bonifacio
Lonigo
Ponte di Barbarano
Bastia
Stra
Camponogara
Adige
Arcole
Abano Terme
Teolo
Legnaro
Sant'Angelo di Piove di Sacco
Malamocco
Ronco all'Adige
Sossano
Cologna Veneta
Albignasego
Alberoni
Igoumenítsa Pátra Kérkyra
Albaredo d'Adige
Oppeano
Montegrotto Terme
San Pietro in Volta
Piove di Sacco
Noventa Vicentina
Battaglia Terme
Pellestrina
Roverchiara
Bovolenta
Codevigo
Bevilacqua
Ospedaletto Euganeo
Arquà Petrarca
Monselice
Pontelongo
Minerbe
CHIOGGIA
Montagnana
Saletto
Este
Conselve
Correzzola
Cerea
Legnago
Casale di Scodosia
Tribano
Cona
Sottomarina
Casaleone
Merlara
Solesino
Bagnoli di Sopra
Villa Bartolomea
Valli Mocenighe
Villa Estense
Anguillara Veneta
Cavarzere
Rosolina Mare
Castagnaro
Stanghella
Badia Polesine
Lendinara
ROVIGO
Rosolina
ALBARELLA
Ostiglia
Bergantino
Villadose
Adria
Loreo
Castelmassa
Trecenta
Fratta Polesine
Contarina
Porto Levante
Calto
Bagnolo di Po
Sermide
Crespino
Papozze
Taglio di Po
Poggio Rusco
Ficarolo
Fiesso Umbertiano
Polesella
Berra
Ariano nel Polesine
Ca' Venier
Pila
Pilastri
Cologna
Ro
DELTA DEL PO
Porto Tolle
Occhiobello
Ambrogio
Mesola
Scardovari
Bondeno
Copparo
Mezzogoro
Malborghetto
Jolanda di Savoia
San Felice sul Panaro
Pontelagoscuro
FERRARA
Formignana
Codigoro
Goro
Vigarano Mainarda
Abbazia di Pomposa
Gnocchetta
Finale Emilia
Gorino Veneto
Cona
Tresigallo
Massa Fiscaglia
Sant'Agostino
Migliarino
Lido di Volano
Camposanto
Poggio Renatico
Lagosanto
Corte Centrale
Crevalcore
CENTO
Ostellato
Lido delle Nazioni
Lido di Pomposa
Malalbergo
Pieve di Cento
San Nicolò Ferrarese
Portomaggiore
Po di Volano
BONIFICA VALLE DEL MEZZANO
Comacchio
Lido degli Scacchi
Porto Garibaldi
San Pietro in Casale
San Giovanni in Persiceto
San Giorgio di Piano
Santa Maria Codifiume
NECROPOLI DI SPINA
Lido degli Estensi
Lido di Spina
Sala Bolognese
Bando
Molinella
Argenta
Minerbio
Valli di Comacchio
Calderara di Reno
Longastrino
Granarolo dell'Emilia
San Martino in Argine
Castel Maggiore
Lavezzola
Madonna del Bosco
Casal Borsetti
Anzola dell'Emilia
Budrio
Sant'Antonio
BOLOGNA
Sillaro
Sant'Alberto
San Bernardino
STRADA ROMEA
Castenaso
Conselice
Marina Romea
Alfonsine
Santerno
Fusignano
Mezzano
Marina di Ravenna
Casalecchio di Reno
San Lazzaro di Savena
Medicina
Massa Lombarda
RAVENNA
Punta Marina Terme
Sant'Agata sul Santerno
Ozzano dell'Emilia
VIA EMILIA
Bagnacavallo
LUGO
Mordano
Lido Adriano
Sasso Marconi
Pianoro
Castel San Pietro Terme
Cotignola
Russi
Montone
Sant'Apollinare in Classe
Ronco
Dozza
IMOLA
Solarolo
Granarolo
NECROPOLI ETRUSCA
Ghibullo
Lido di Classe
Castel Bolognese
San Pietro in Vincoli
Savio
Lido di Savio
Monzuno
MONTERENZIO
Borgo Tossignano
Riolo Terme
Coccolia
Milano Marittima
Loiano
Sassoleone
FAENZA
Casemurate
CERVIA
FORLÌ
San Benedetto
Castiglione
45°
45° 30'
44° 30'
11° 30'
12° 00'
12° 30'
E 70
E 55
E 45
A4
A13
A14
A27
A31
A57

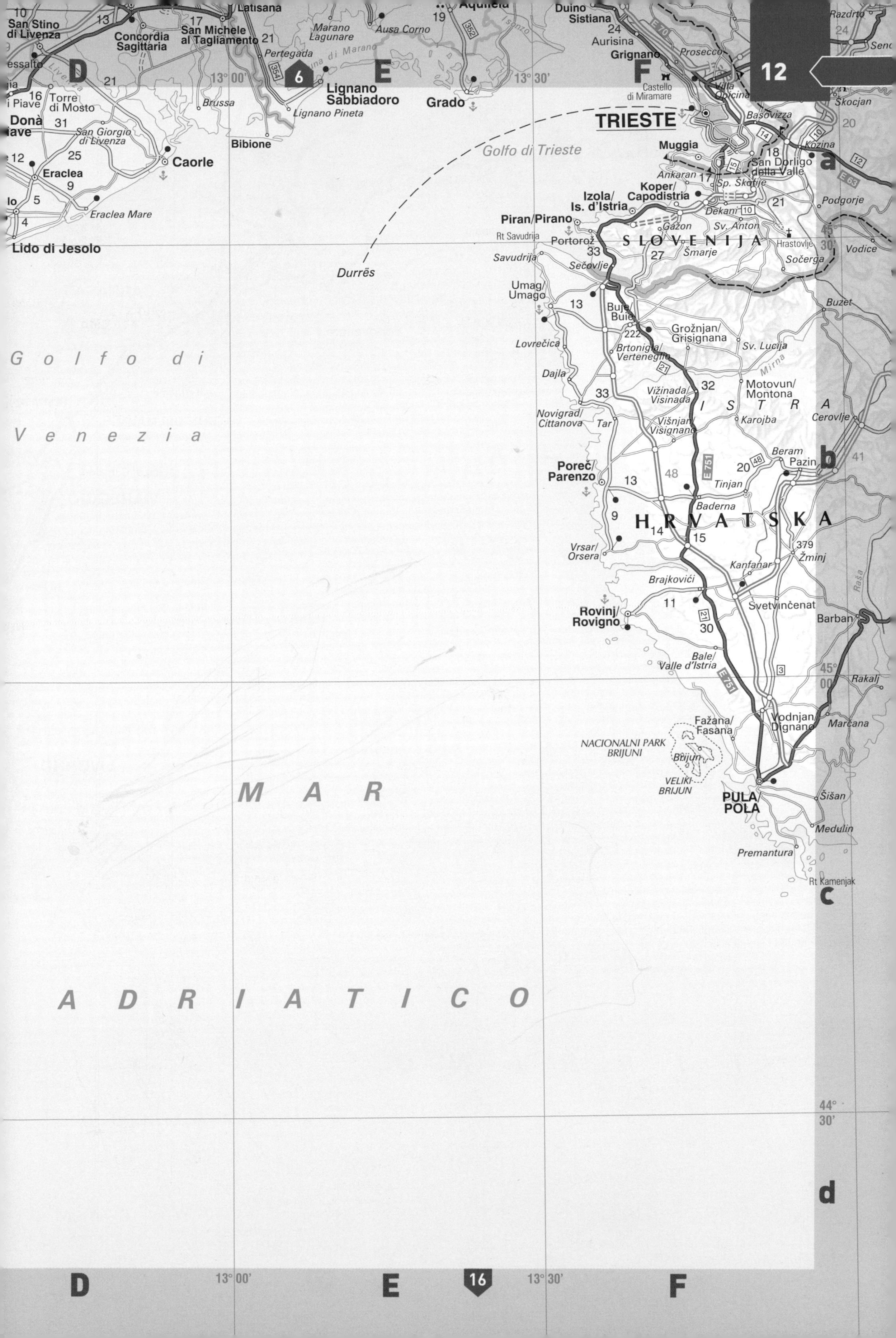
12
6
16
D
E
F
a
b
c
d
13° 00'
13° 30'
45° 30'
45° 00'
44° 30'
San Stino di Livenza
Concordia Sagittaria
San Michele al Tagliamento
Latisana
Marano Lagunare
Ausa Corno
Aquileia
Pertegada
Lignano Sabbiadoro
Lignano Pineta
Grado
Brussa
Bibione
Torre di Mosto
San Giorgio di Livenza
Donà
Caorle
Eraclea
Eraclea Mare
Lido di Jesolo
Duino
Sistiana
Aurisina
Grignano
Prosecco
Castello di Miramare
Villa Opicina
Basovizza
TRIESTE
Golfo di Trieste
Muggia
San Dorligo della Valle
Kozina
Razdrto
Škocjan
Ankaran
Sp. Škofije
Izola/ Is. d'Istria
Koper/ Capodistria
Dekani
Podgorje
Piran/Pirano
Rt Savudrija
Portorož
Gažon
Sv. Anton
SLOVENIJA
Hrastovlje
Vodice
Savudrija
Sečovlje
Šmarje
Sočerga
Durrës
Umag/ Umago
Buje/ Buie
Buzet
Grožnjan/ Grisignana
Sv. Lucija
Lovrečica
Brtonigla/ Verteneglio
Mirna
Dajla
Motovun/ Montona
Vižinada/ Visinada
ISTRA
Cerovlje
Novigrad/ Cittanova
Tar
Višnjan/ Višignano
Karojba
Golfo di Venezia
Beram
Pazin
Poreč/ Parenzo
Tinjan
Baderna
HRVATSKA
Vrsar/ Orsera
Žminj
Kanfanar
Brajkovići
Svetvinčenat
Raša
Rovinj/ Rovigno
Barban
Bale/ Valle d'Istria
Rakalj
Vodnjan/ Dignano
Fažana/ Fasana
Marčana
NACIONALNI PARK BRIJUNI
Brijuni
VELIKI BRIJUN
PULA/ POLA
Šišan
Medulin
Premantura
Rt Kamenjak
MAR ADRIATICO

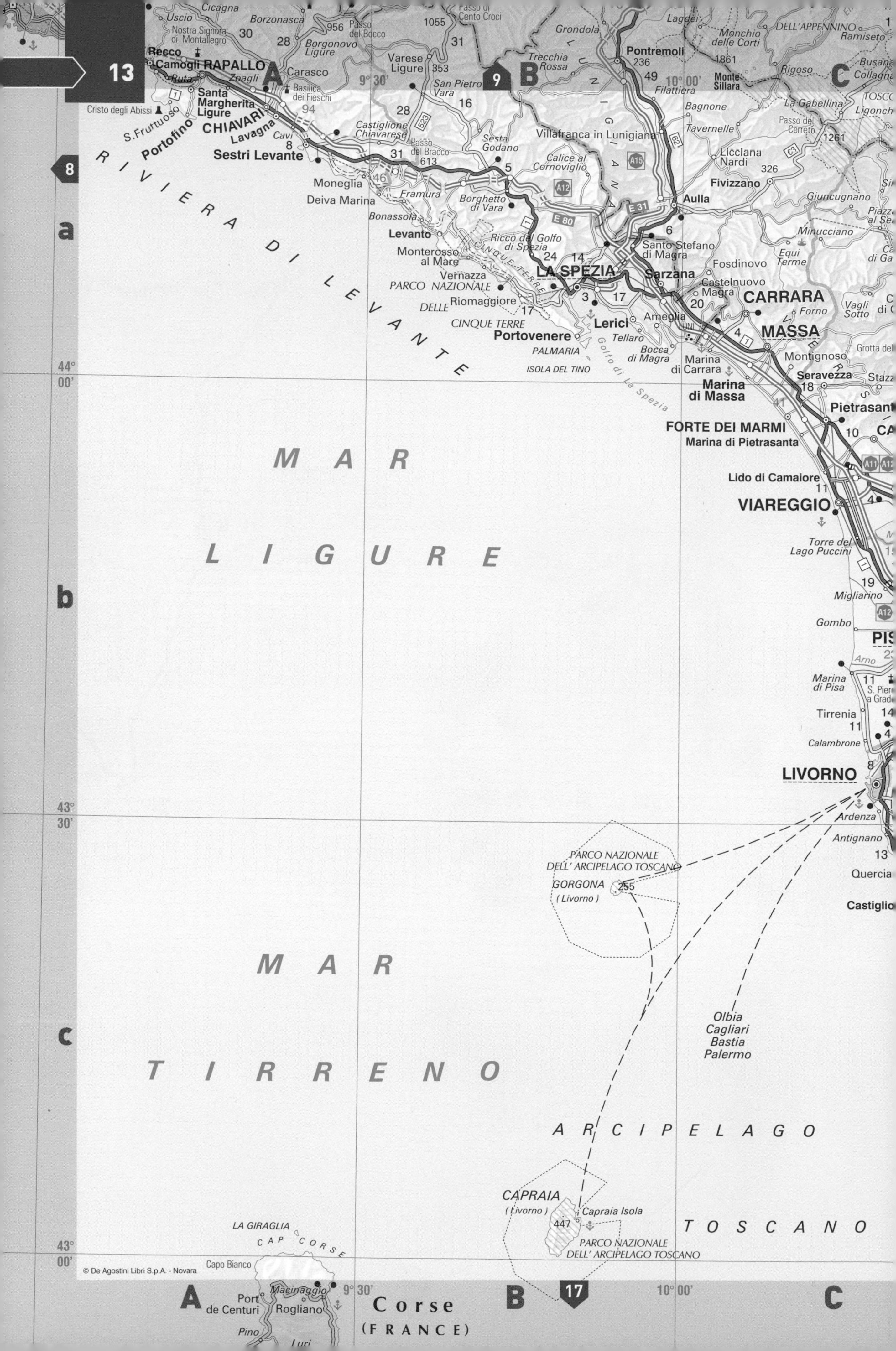
13
8
9
17
A
B
C
a
b
c
9° 30'
10° 00'
44° 00'
43° 30'
43° 00'
RAPALLO
Recco
Camogli
Santa Margherita Ligure
Portofino
CHIAVARI
Lavagna
Sestri Levante
Moneglia
Deiva Marina
Levanto
Monterosso al Mare
Vernazza
Riomaggiore
Portovenere
LA SPEZIA
Lerici
Sarzana
CARRARA
MASSA
Aulla
Pontremoli
Fivizzano
Marina di Carrara
Marina di Massa
FORTE DEI MARMI
Marina di Pietrasanta
Pietrasanta
Seravezza
Lido di Camaiore
VIAREGGIO
Marina di Pisa
Tirrenia
Calambrone
LIVORNO
Ardenza
Antignano
RIVIERA DI LEVANTE
PARCO NAZIONALE DELLE CINQUE TERRE
PALMARIA
ISOLA DEL TINO
Golfo di La Spezia
MAR LIGURE
MAR TIRRENO
PARCO NAZIONALE DELL' ARCIPELAGO TOSCANO
GORGONA (Livorno)
Olbia
Cagliari
Bastia
Palermo
ARCIPELAGO TOSCANO
CAPRAIA (Livorno)
Capraia Isola
LA GIRAGLIA
CAP CORSE
Capo Bianco
Macinaggio
Port de Centuri
Rogliano
Corse (FRANCE)
© De Agostini Libri S.p.A. - Novara

Pietra Bismantova
Serramazzoni
Cerredolo
Toano
Villa Minozzo
842
Montefiorino
Polinago
D
10
Pavullo nel Frignano
Sassi di Rocca Malatina
Savigno
Sasso Marconi
124
Marzabotto
E
Pianoro
dell'Emilia
VIA EMILIA
Castel San Pietro Terme
F
Mordano
10° 30'
11° 00'
11° 30'
Frassinoro
1122
Lama Mocogno
La Santona
Bocca del Ravari
790
Vergato
Necropoli Etrusca
Monterenzio
Monzuno
Borgo Tossignano
Riolo Terme
Sassoleone
Loiano
Civago
Montecreto
Sestola
Montese
Castel d'Aiano
46
Rioveggio
Grizzana Morandi
San Benedetto Val di Sambro
81
San Benedetto Querceto
Casola Valsenio
Brisighella
Piandelagotti
Riolunato
Gaggio Montano
Riola di Vergato
Lagaro
Monghidoro
Castel del Rio
115
Pievepelago
Fanano
85
Pieve del Tho
San Pellegrino in Alpe
Fiumalbo
Monte Cimone
2165
Lizzano in Belvedere
Silla
Castel di Casio
Camugnano
Piano del Voglio
75
a
67
Abetone
1388
Madonna dell'Acero
Porretta Terme
691
Coniale
72
Passo dell'Abetone
Castiglione dei Pepoli
Covigliaio
422
Firenzuola
Palazzuolo sul Senio
328
Sant'Adriano
Barga
Cutigliano
San Marcello Pistoiese
16
Sambuca Pistoiese
76
903
Passo della Futa
Tredozio
595
Coreglia Antelminelli
La Lima
24
Maresca
Montepiano
Vernio
Marradi
26
12
932
30
Passo della Collina
Cantagallo
Barberino di Mugello
Scarperia
Portico di Romagna
75
Borgo a Mozzano
Bagni di Lucca
Prunetta
Villa di Baggio
Vaiano
San Piero a Sieve
Borgo San Lorenzo
San Benedetto in Alpe
44° 00'
Diecimo
Vellano
20
PISTOIA
Cologora
Montale
Montemurlo
A1
7
193
Passo del Muraglione
16
PARCO NAZIONALE
907
23
Ponte a Moriano
Pieve di Brancoli
Pescia
Montecatini Alto
15
Agliana
24
Vicchio
San Godenzo
D. FORESTE CASEN
Corniolo
Collodi
66
20
PRATO
Vaglia
Convento Monte Senario
162
Monte Falterona
MONTE FALTER
LUCCA
27
MONTECATINI TERME
18
8
Calenzano
Dicomano
Londa
1654
Campign
Capannori
Monsummano Terme
A11
Quarrata
Campi Bisenzio
6
Sesto Fiorentino
17
Molino del Piano
Eremo di Camaldoli
Chiesina Uzzanese
20
11
Fiesole
Rufina
Stia
Camaldoli
22
Altopascio
Ponte di Masino
E 74
Vinci
Poggio a Caiano
13
Artimino
Signa
FIRENZE
128
Pontassieve
Passo della Consuma
Pratovecchio
San Giuliano Terme
30
Galleno
32
23
Cerreto Guidi
16
13
18
Pelago
1060
Castello di Romena
Pieve di Romena
Asciano
Buti
Fucecchio
12
EMPOLI
Lastra a Signa
Scandicci
Galluzzo
Bagno a Ripoli
Vallombrosa
b
Calci
Certosa di Pisa
28
Bientina
Santa Croce sull'Arno
19
10
5
19
Montelupo Fiorentino
Rignano sull'Arno
Castel San Niccolò
40
Poppi
22
Vicopisano
Castelfranco di Sotto
Arno
68
Cerbaia
Impruneta
15
Cascina
Calcinaia
24
156
SAN MINIATO
San Casciano in Val di Pesa
VIA CASSIA
Incisa in Val d'Arno
396
Reggello
1591
Pian di Scò
PRATOMAGNO
Pontedera
16
Montopoli in Val d'Arno
23
Montespertoli
Lucignano
Castel Focognano
Ponsacco
Elsa
63
Vicarello
67 bis
10
Castelfiorentino
Figline Valdarno
Loro Ciuffenna
Talla
Collesalvetti
Palaia
34
Tavarnelle Val di Pesa
Greve in Chianti
236
San Giovanni Valdarno
E 35
55
Capannoli
Montaione
Certaldo
43
Terranuova Bracciolini
Castiglion Fibocchi
Crespina
Lari
43
Peccioli
Gambassi Terme
Barberino Val d'Elsa
Cavriglia
30
Casciana Terme
Terricciola
Montevarchi
43° 30'
Chianni
56
Castellina in Chianti
67
Castagno
CHIANTI
Lajatico
SAN GIMIGNANO
324
116
Poggibonsi
Radda in Chianti
Gaiole in Chianti
Bucine
Pergine Valdarno
Santa Luce
7
14
Colle di Val d'Elsa
Staggia
Castellina Marittima
147
VOLTERRA
36
Civitella in Val di Chiana
Rosignano Mar.
Montecatini Val di Cecina
531
Castel San Gimignano
9
Torre di Montemiccioli
Monteriggioni
Monte San Savino
Riparbella
Saline di Volterra
Pianella
Castelnuovo Berardenga
19
25
68
18
Vada
30
Casole d'Elsa
San Dalmazio
351
Montagna
San Pietro in Palazzi
Cecina
Ponteginori
25
SIENA
322
20
43
Montescudaio
10
19
Rapolano Terme
Cecina
Sovicille
334
Lucignano
Marina di Cecina
Pomarance
Taverne d'Arbia
23
439
Bibbona
Radicondoli
73
Monteroni d'Arbia
Forte di Bibbona
Larderello
20
Rosia
326
Bolgheri
Serrazzano
Grotti
c
Marina di Castagneto Carducci
Canneto
11
Lucignano d'Arbia
Asciano
Sinalunga
Castelnuovo di Val di Cecina
Anqua
Trequanda
2
Castagneto Carducci
COLLINE
Murlo
Ombrone
Donoratico
Monteverdi Marittimo
1060
Chiusdino
San Lorenzo a Merse
Casciano
44
Abbazia di Monte Oliveto Maggiore
San Giovanni d'Asso
Torrita di Siena
METALLIFERE
30
Buonconvento
Petroio
Gracciano
Sassetta
Monterotondo Marittimo
53
Abbazia di S. Galgano
Monticiano
37
Montieri
VIA CASSIA
Lucignano d'Asso
San Vincenzo
E 80
Suvereto
441
Boccheggiano
223
Bagni di Petriolo
Torrenieri
22
Torniella
Montalcino
Pienza
21
29
Campiglia Marittima
Massa Marittima
567
San Quirico d'Orcia
409
400
Roccatederighi
48
70
Venturina
Abbazia di Sant'Antimo
Tombe Etrusche
24
Perolla
Roccastrada
43° 00'
VIA AURELIA
19
Valpiana
Civitella Marittima
Sant'Angelo in Colle
Castiglione d'Orcia
Populonia
Riotorto
Cura Nuova
10° 30'
1
D
11° 00'
Ribolla
18
E
11° 30'
F
Campiglia d'Orcia
2
31
Paganico
Seggiano
Bagni S. Filippo
15
31
Sasso d'Ombrone
Follonica
PIOMBINO
Gavorrano
Castel del Piano
Monte
Abbadia

Mordano
LUGO
Lido Adriano
Castel San Pietro Terme
Cotignola
Russi
Sant'Apollinare in Classe
Montone
Granarolo
12° 00'
A
B
11
12° 30'
C
Ronco
Castel Bol.
Villafranca di Forlì
Ghibullo
Lido di Classe
Borgo Tossignano
Riolo Terme
Coccolia
San Pietro in Vincoli
Savio
Lido di Savio
FAENZA
Milano Marittima
Casola Valsenio
Brisighella
VIA EMILIA
FORLÌ
Casemurate
CERVIA
Castiglione di Cervia
Castel del Rio
Marzeno
Carpinello
Pieve del Tho
Terra del Sole
Ronco
Forlimpopoli
CESENATICO
Castrocaro Terme
Calabrina
Gatteo a Mare
Villalta
San Mauro a Mare
a
Modigliana
Fiumana
Bertinoro
Bellaria
Igea Marina
Dovadola
Meldola
CESENA
Gatteo
San Mauro Pascoli
Torre Pedrera
Sant'Adriano
Predappio
Polenta
Teodorano
Viserba
Tredozio
Montiano
Savignano sul Rubicone
Marradi
Rocca San Casciano
RIMINI
Longiano
Tontola
Borello
Portico di Romagna
Cusercoli
Santarcangelo di Romagna
Miramare
Roncofreddo
Rubicone
Strada San Zeno
Civitella di Romagna
Borghi
RICCIONE
44° 00'
San Benedetto in Alpe
Sogliano al Rubicone
Galeata
Misano Adriatico
CATTOLICA
Premilcuore
Verucchio
Coriano
Passo del Muraglione
PARCO NAZIONALE
Ranchio
Mercato Saraceno
Gabicce Mare
Serravalle
Fiorenzuola
Santa Sofia
SAN MARINO
San Giovanni in Marignano
San Godenzo
D. FORESTE CASENTINESI
Sarsina
SAN MARINO
Gradara
Corniolo
Marecchia
San Leo
Monte Falterona
MONTE FALTERONA
VIA TIBERINA
Mercatino Conca
Morciano di Romagna
Novafeltria
Rocca di Maioletto
Tavullia
Londa
Campigna
San Piero in Bagno
Saludecio
CAMPIGNA
Sant'Agata Feltria
Monte Cerignone
Montecchio
Sant'Angelo in Lizzola
Eremo di Camaldoli
Bagno di Romagna
MONTEFELTRO
Tavoleto
Passo della Consuma
Stia
Passo dei Mandrioli
Verghereto
Monte Fumaiolo
Casteldelci
Pennabilli
Colbordolo
Carignano
Camaldoli
Foglia
Pelago
Castello di Romena
Pratovecchio
Badia Prataglia
Balze
Carpegna
Macerata Feltria
Sassocorvaro
Mombaroccio
Pieve di Romena
Petriano
Cartoceto
b
Soci
Convento di Montefiorentino
Castel San Niccolò
Poppi
La Verna
URBINO
Montefelcino
Bibbiena
Sestino
Piandimeleto
Reggello
Chiusi della Verna
Pieve Santo Stefano
Badia Tedalda
Sant'Angelo in Vado
Fossombrone
Urbania
PRATOMAGNO
Rassina
Borgo Pace
Fermignano
Sant'Ippolito
Castel Focognano
Caprese Michelangelo
Lamoli
Mercatello sul Metauro
14
Talla
Arno
Tevere
Loro Ciuffena
Subbiano
Sansepolcro
Piobbico
Acqualagna
San Lorenzo in Campo
VAL TIBERINA
Terranuova Bracciolini
Castiglion Fibocchi
Anghiari
San Giustino
Apecchio
Cagli
Pergola
Quarata
Ponte alla Chiassa
Selci
Pianello
Bocca Serriola
SERRA DI BURANO
Arcevia
43° 30'
Le Ville
Bucine
AREZZO
Monterchi
Cantiano
Monastero di Fonte Avellana
Pergine Valdarno
Santa Fiora
CITTÀ DI CASTELLO
Monte Santa Maria Tiberina
Isola Fossara
Foce di Scopetone
Palazzo del Pero
Santa Lucia
Pietralunga
Sassoferrato
Civitella in Val di Chiana
Grotte di Frasassi
San Secondo
Carpina
Monteleto
Scheggia e Pascelupo
San Vittore delle Chiuse
Monte San Savino
VAL DI CHIANA
Castiglion Fiorentino
Morra
Montone
GUBBIO
FABRIANO
Montagnano
Niccone
Campo Reggiano
Padule
Valle Dame
Rapolano Terme
Montecchio
Sigillo
Umbertide
Lucignano
Foiano della Chiana
CORTONA
Mercatale
Sant'Andrea di Sorbello
Pierantonio
Branca
Fossato di Vico
Serradica
c
Camucia
Scritto
Col Palombo
Esanatoglia
Asciano
Riccio
Preggio
Sinalunga
Tuoro sul Trasimeno
VIA TIBERINA
Gualdo Tadino
Trequanda
Centoia
Passignano sul Trasimeno
Castel Rigone
Grello
Piccione
Casa Castalda
Gaifana
San Giovanni d'Asso
Torrita di Siena
Lago Trasimeno
Magione
Corciano
Valfabbrica
Petroio
Gracciano
Pozzuolo
Castiglione del Lago
PERUGIA
Nocera Umbra
Lucignano d'Asso
MONTEPULCIANO
Lago di Montepulciano
Petrignano
Piano delle Pieve
Serravalle di Chienti
Lago di Chiusi
Monte Buono
Ponte San Giovanni
Bastia Umbra
ASSISI
Pienza
San Quirico d'Orcia
Chianciano Terme
Castel del Piano
Eremo delle Carceri
Castiglione d'Orcia
TOMBA DELLA SCIMMIA
Panicale
Torgiano
S. Maria d. Angeli
Valtopina
43° 00'
Chiusi
San Martino in Colle
Colfiorito
Tavernelle
Ponte Nuovo
Bettona
VIA FLAMINIA
Deruta
Cannara
Spello
Piegaro
A
Cetona
Città della Pieve
B
19
12° 30'
C
Casenove Serrone
Campiglia d'Orcia
Cerqueto
FOLIGNO
Abbazia di Sassovivo
Bagni S. Filippo
Montegabbione
Gualdo Cattaneo
Bevagna
Monte
Radicofani
Monteleone d'Orvieto
Marsciano
Collazzone

D
12
13° 30'
E
14° 00'
F
MAR
ADRIATICO
a
b
c
44° 00'
43° 30'
43° 00'
Zadar
Split
Durrës
Patrai
Igoumenitsa
Bar
Hvar
Çeşme
Fano
Madonna del Ponte
Torrette di Fano
San Costanzo
Marotta
Metauro
Cesano
Mondolfo
SENIGALLIA
Monte Porzio
Monterado
38
Marzocca
40
Corinaldo
Montemarciano
FALCONARA MARITTIMA
ANCONA
12
Ostra Vetere
Chiaravalle
6
Ostra
Monte San Vito
Santa Maria di Porto Novo
Badia di San Pietro
Monte Conero
572
Belvedere Ostrense
Agugliano
Serra de' Conti
JESI
96
Esino
Polverigi
Camerano
Sirolo
Numana
Montecarotto
2
11
Osimo
265
16
49
Santa Maria Nuova
Musone
Maiolati Spontini
Cupramontana
35
Castelfidardo
Porto Recanati
LORETO
Filottrano
270
Staffolo
Montefano
293
Recanati
6
Apiro
Cingoli
35
19
12
Porto Potenza Picena
Poggio San Romualdo
630
Appignano
8
14
Potenza
Potenza Picena
Frontale
HELVIA RECINA
Villa Potenza
Montelupone
CIVITANOVA MARCHE
Colcerasa
MACERATA
Santa Maria a Piè Chienti
Cerreto d'Esi
342
Treja
315
San Claudio al Chienti
8
18
12
Porto Sant'Elpidio
361
Matelica
Sforzacosta
Corridonia
Chienti
A14
San Severino Marche
36
Pollenza
50
Montegranaro
Tolentino
Abbadia di Fiastra
Monte San Giusto
7
344
Terme S. Lucia
Sant'Elpidio a Mare
Lido di Fermo
Castelraimondo
Castello della Rancia
Urbisaglia
Porto San Giorgio
19
Tenna
6
Serrapetrona
Mogliano
210
Marina Palmense
20
Loro Piceno
6
319
Fermo
Camerino
657
Caldarola
Montegiorgio
411
683
10
San Giusto
Falerone
Pedaso
Muccia
San Ginesio
43
Grottazzolina
Moresco
44
Monterubbiano
PARCO
Gualdo
Servigliano
Petritoli
49
San Lorenzo al Lago
Sarnano
Santa Vittoria in Matenano
Montefiore dell'Aso
Cupra Marittima
Pieve Torina
539
Carassai
Monte Cavallo
NAZIONALE
45
Ripatransone
433
Bolognola
Amandola
Montalto delle Marche
494
Grottammare
DEI
500
21
Ussita
SAN BENEDETTO DEL TRONTO
42
Madonna dell'Ambro
9
Force
20
Rotella
1103
Acquaviva Picena
MONTI SIBILLINI
Montefortino
292
Offida
Porto d'Ascoli
Visso
Monte dell'Ascensione
Monsampolo del Tronto
28
Montemonaco
A14
16
76
256
ARO
cara

Capraia Isola
447
CAPRAIA
(Livorno)
A
10° 00'
B
13
10° 30'
C
21
29
Campiglia Marittima
Massa Marittima
400
Venturina
VIA AURELIA
Perolla
19
Valpiana
PARCO NAZIONALE DELL' ARCIPELAGO TOSCANO
Populonia
TOMBE ETRUSCHE
Monte Massoncello
286
24
Riotorto
Cura Nuova
Cornia
2
31
Canale di Piombino
A R C I P E L A G O
PIOMBINO
Follonica
Gavorrano
Golfo di Follonica
Scarlino
Capo della Vita
322
ELBA
(Livorno)
Cavo
PALMAIOLA
Vetulonia
Marciana Marina
PORTOFERRAIO
Rio Marina
Pian d'Alma
Macchiascandona
Biodola
Marciana
Punta Ala
Punta Ala
48
San Martino
Procchio
Punta Nera
1019
Porto Azzurro
b
Lacona
Castiglione della Pescaia
Pomonte
Marina di Campo
Capoliveri
Punta di Fetovaia
Punta dei Ripalti
Ólbia Bastia
Marina di Grosseto
Principina a Mare
PARCO NAZIONALE DELL' ARCIPELAGO TOSCANO
PIANOSA
(Livorno)
Pianosa
T O S C A N O
FORMICHE DI GROSSETO
(Grosseto)
42° 30'
PARCO NAZIONALE DELL' ARCIPELAGO TOSCANO
SCOGLIO D' AFFRICA O FORMICA DI MONTECRISTO
(Livorno)
La Villa
645
MONTECRISTO
(Livorno)
Giglio Campese
Giglio Castello
Giglio Porto
GIGLIO
(Grosseto)
496
c
M A R
42° 00'
T I R R E N O
d

18
D
E
F
11° 30'
12° 00'
14
19
Torniella
Montalcino
Pienza
Chianciano Terme
Lago di Chiusi
Panicale
Roccastrada
Abbazia di Sant'Antimo
San Quirico d'Orcia
Tomba della Scimmia
Chiusi
Tavernelle
Civitella Marittima
Sant'Angelo in Colle
Castiglione d'Orcia
Sarteano
Piegaro
Ribolla
Campiglia d'Orcia
Cetona
Città della Pieve
Cerqueto
Paganico
Sasso d'Ombrone
Seggiano
Bagni S.Filippo
Radicofani
Montegabbione
Marsciano
Castel del Piano
Monte Amiata
Abbadia San Salvatore
Monteleone d'Orvieto
Piazze
Cinigiano
San Venanzo
Braccagni
Campagnatico
San Casciano dei Bagni
Fabro
Chiani
Fratta Todina
Batignano
Rovine di Roselle
Arcidosso
Piancastagnaio
Ficulle
Stribugliano
Santa Fiora
Allerona
Bagno Roselle
Arcille
Cana
Trevinano
Roccalbegna
Castell'Azzara
Paglia
Colonnetta di Prodo
Prodo
Polveraia
Istia d'Ombrone
Castel Viscardo
Lago di Corbara
Seto
Semproniano
Acquapendente
Orvieto
Civitella del Lago
Murci
Castel Giorgio
Pancole
Scansano
Sorano
Grotte di Castro
Tombe Etrusche
Baschi
Alberese
San Martino sul Fiora
Monti Volsini
Avigliano Umbro
Pereta
Saturnia
Terme di Saturnia
Sovana
Castiglione in Teverina
Guardea
Montiano
Pitigliano
Gradoli
Bolsena
Bagnoregio
Montemerano
Lago di Bolsena
Civitella d'Agliano
Magliano in Toscana
Manciano
Valentano
Graffignano
Fonteblanda
Farnese
Lugnano in Teverina
Talamone
Albegna
Castro
Ischia di Castro
Capodimonte
Marta
Montefiascone
Attigliano
Marsiliana
Piansano
Grotte S. Stefano
Bomarzo
Maremma
Albinia
Ferento
Via Cassia
Canino
Arlena di Castro
Orte
Laguna di Orbetello
Capalbio
Bagni di Viterbo
Soriano nel Cimino
Orbetello
Abbadia
Porto Santo Stefano
Cosa
Vulci
Viterbo
Monte Cimino
Vignanello
Monte Argentario
Ansedonia
Nunziatella
Spacco della Regina
Via Aurelia
Tuscania
San Martino al Cimino
Vasanello
Capo d'Uomo
Porto Ercole
Montalto di Castro
Il Casalone
Monti Cimini
Fabrica di Roma
Marina di Pescia Romana
Norchia
Vetralla
Lago di Vico
Caprarola
Montalto Marina
Blera
Ronciglione
Falerii Novi
Giannutri
Villa Romana
(Grosseto)
Tarquinia
Monte Romano
Caprania
Sutri
Nepi
Marina Velca
Necropoli Etrusche
Barbarano Romano
Bassano Romano
Tarquinia Lido
Vejano
Porto Clementino
La Farnesiana
Zona Archeologica di San Giovenale
Monti Sabatini
Monterosi
Allumiere
Tolfa
Bagni di Vicarello
Trevignano Romano
Manziana
Lago di Bracciano
Monti della Tolfa
Civitavecchia
Terme Taurine
Bagni di Stigliano
Bracciano
Anguillara Sabazia
Sasso
Necropoli Etrusca
Madonna di Bracciano
Capo Linaro
Santa Marinella
Santa Severa
Cerveteri
Ólbia
Arbatax
Cágliari
Tragliata
Ladispoli
Palo
Palidoro
Barcelona
Tūnis
Catania
Malta
Trapani
Porto Torres
Maccarese
Fregene
Focene
Fiumicino
Ostia Antica
Ostia
Castel Fusano
Lido di Ostia

San Quirico d'Orcia
Chianciano Terme
Lago di Chiusi
Monte Buono
Ponte San Giovanni
Bastia Umbra
ASSISI
Serravalle di Chienti
TOMBA DELLA SCIMMIA
Panicale
Castel del Piano
Eremo delle Carceri
S. Maria d. Angeli
San Martino in Colle
Torgiano
Valtopina
Colfiorito
Chiusi
Sarteano
Tavernelle
Ponte Nuovo
Bettona
Cannara
Spello
Campiglia d'Orcia
Piegaro
Cetona
Deruta
FOLIGNO
Casenove Serrone
Città della Pieve
Cerqueto
Bagni S. Filippo
Monteleone d'Orvieto
Montegabbione
Gualdo Cattaneo
Bevagna
Abbazia di Sassovivo
Monte Amiata
Radicofani
Abbadia San Salvatore
Piazze
Marsciano
Collazzone
Montefalco
Trevi
Sellano
San Casciano dei Bagni
San Venanzo
San Terenziano
Piancastagnaio
Fabro
TEMPIO DEL CLITUNNO
Pissignano
Fiora
Ficulle
Fratta Todina
Castel Ritaldi
Cerreto di Spoleto
Trevinano
Allerona
Giano dell'Umbria
Campello
Fonti del Clitunno
S. Clitunno
Castell'Azzara
Massa Martana
San Giacomo
Piedipaterno
Colonnetta di Prodo
Prodo
TODI
Uncinano
Acquapendente
Castel Viscardo
Lago di Corbara
Izzalini
Rosceto
SPOLETO
Madonna di Baiano
Castel Giorgio
ORVIETO
Civitella del Lago
Monteluco
Poggiodomo
Sorano
Grotte di Castro
Acquasparta
Baschi
TOMBE ETRUSCHE
Avigliano Umbro
Montecastrilli
CARSULAE
San Pietro in Valle
Sovana
MONTI VOLSINI
Castiglione in Teverina
Sambucheto
Pitigliano
Gradoli
Bolsena
Bagnoregio
Guardea
Castel dell'Aquila
San Gemini
San Gemini Fonte
Lago di Bolsena
Civitella d'Agliano
Ferentillo
Valentano
Graffignano
Capitone
Amelia
Arrone
Polino
Farnese
Lugnano in Teverina
Ischia di Castro
Capodimonte
Marta
Montefiascone
Piediluco
CASTRO
TERNI
Marmore
Cascata delle Marmore
Morro Reatino
Piansano
Attigliano
Narni
Poggio Bustone
Grotte S. Stefano
Bomarzo
Canino
Arlena di Castro
FERENTO
S. Urbano
Stroncone
Convento La Foresta
Abbadia
TOMBE ETRUSCHE
Bagni di Viterbo
Orte
Vigne
Greccio
VULCI
Bagnaia
Soriano nel Cimino
Otricoli
Contigliano
RIETI
Tuscania
VITERBO
Monte Cimino
Vasanello
Calvi dell'Umbria
Cottanello
Montalto di Castro
San Martino al Cimino
Vignanello
Magliano Sabina
Il Casalone
MONTI CIMINI
Fabrica di Roma
Gallese
Montebuono
MONTI
Convento di Fonte Colombo
San Giovanni Reatino
NORCHIA
Vetralla
Lago di Vico
Borghetto
SABINA
Casperia
Montalto Marina
Caprarola
Civita Castellana
SABINI
Monte San Giovanni in Sabina
Blera
FALERII NOVI
VIA FLAMINIA
Stimigliano
Poggio Mirteto
TARQUINIA
Ronciglione
Monte Romano
Sutri
Marina Velca
NECROPOLI ETRUSCHE
Barbarano Romano
Capranica
Faleria
Sant'Oreste
Montopoli di Sabina
Tarquinia Lido
Nepi
Abbazia di Farfa
PORTO CLEMENTINO
Vejano
Bassano Romano
Rignano Flaminio
La Farnesiana
ZONA ARCHEOLOGICA DI SAN GIOVENALE
MONTI SABATINI
Monterosi
Fara in Sabina
VIA SALARIA
Poggio Moiano
Allumiere
Tolfa
Bagni di Vicarello
Campagnano di Roma
Fiano Romano
Scandriglia
MONTI DELLA TOLFA
Manziana
Trevignano Romano
Montelibretti
Morlupo
LUCUS FERONIAE
CIVITAVÉCCHIA
TERME TAURINE
Lago di Bracciano
Moricone
Montelfavio
Bagni di Stigliano
Bracciano
Anguillara Sabazia
Sacrofano
Riano
Palombara Sabina
Sasso
Monterotondo
Capo Linaro
NECROPOLI ETRUSCA
Mentana
Montecelio
Marcellina
Santa Marinella
Santa Severa
CERVETERI
Madonna di Bracciano
VEIO
Guidonia
Vicovaro
Tragliata
TIVOLI
Ladispoli
ROMA
Bagni di Tivoli
Palo
Palidoro
VIA AURELIA
VILLA ADRIANA
San Gregorio da Sassola
Maccarese
CITTÀ DEL VATICANO
Gallicano nel Lazio
Fregene
Palestrina
Montecompatri
Focene
Frascati
Zagarolo
Fiumicino
Ostia Antica
Ciampino
Grottaferrata
COLLI
OSTIA
MARINO
Rocca di Papa
Castel Fusano
Castel Gandolfo
Lago Albano
ALBANO LAZIALE
Nemi
ALBANI
Artena
Lido di Ostia
Ariccia
Genzano di Roma
Lago di Nemi
Lariano
Rocca Massima
VIA SEVERIANA
Pomezia
VELLETRI
Lanuvio
Torvaianica
Ardea
Aprilia
Cisterna
Ólbia
Arbatax
Cágliari
Palermo
Barcelona
Túnis
Catania
Malta
Trapani
Porto Torres
MAR TIRRENO

20
D
E
F
16
21
24
b
c
d
13° 00'
13° 30'
14° 00'
42° 30'
42° 00'
Monterubbiano
Gualdo
Servigliano
Petritoli
San Lorenzo al Lago
Sarnano
Santa Vittoria in Matenano
Carassai
Cupra Marittima
Pieve Torina
Grottammare
Ripatransone
Bolognola
Amandola
Montalto delle Marche
SAN BENEDETTO DEL TRONTO
Monte Cavallo
PARCO NAZIONALE
Ussita
Force
Rotella
Offida
Acquaviva Picena
Madonna dell'Ambro
Montefortino
Porto d'Ascoli
Visso
MONTI SIBILLINI
DEI
Montemonaco
Monte dell'Ascensione
Monsampolo del Tronto
Martinsicuro
Castelsantangelo sul Nera
Venarotta
ASCOLI PICENO
VIA SALARIA
Abbazia di S.Eutizio
Campi
Montegallo
Roccafluvione
Controguerra
Alba Adriatica
Monte Vettore
MONTI SIBILLINI
Nereto
Tortoreto Lido
Norcia
Colle San Marco
Sant'Egidio alla Vibrata
Sant'Omero
Arquata del Tronto
Acquasanta Terme
Civitella del Tronto
Giulianova
Serravalle
Forca di Santa Croce
Forca Canapine
Leofara
Montagna dei Fiori
Mosciano Sant'Angelo
Umito
Valle Castellana
Campli
Cologna
Madonna d. Neve
Roseto degli Abruzzi
Imposte
Accumoli
Ceppo
TERAMO
Notaresco
PARCO NAZIONALE
Amatrice
Torricella Sicura
Castelnuovo Vomano
Monteleone di Spoleto
Pagliaroli
Pineto
Cittareale
Villa Vomano
Cellino Attanasio
Atri
Terzone San Pietro
Montorio al Vomano
DEL
Campotosto
Lago di Campotosto
Fano Adriano
Vomano
I Calanchi
Silvi
Leonessa
Aringo
Poggio Cancelli
Tossicia
Castiglione Messer Raimondo
Città Sant'Angelo
Montesilvano Marina
GRAN SASSO
Pietracamela
Bisenti
Posta
Montereale
Capitignano
Prati di Tivo
Isola del Gran Sasso d'Italia
Castelli
Cappelle sul Tavo
GRAN SASSO D'ITALIA
Cagnano Amiterno
San Pelino
Collecorvino
Sella di Leonessa
Passo delle Capannelle
Corno Grande
E MONTI
Farindola
Penne
Spoltore
PESCARA
Pizzoli
Arischia
CAMPO IMPERATORE
Loreto Aprutino
Antrodoco
Menzano
Assergi
Pianella
Ripa Teatina
Cittaducale
AMITERNUM
DELLA LAGA
Castel del Monte
Civitella Casanova
Cepagatti
Miglia
Rocca di Corno
Terme di Cotilia
Sella di Corno
L'AQUILA
Villa Santa Lucia degli Abruzzi
Catignano
CHIETI
Tollo
CICOLANO
Ofena
Barisciano
Bucchianico
Monte Luco
San Demetrio ne' Vestini
Brittoli
Alanno
Santa Maria Arabona
Ari
Petrella Salto
Tornimparte
Fiamignano
Casamaina
Prata d'Ansidonia
Capestrano
Torre de' Passeri
Scafa
Casacanditella
Manoppello
Varco Sabino
Lago del Salto
Fiumata
Rocca di Cambio
Navelli
Tocco da Casauria
San Clemente a Casauria
Filetto
Bominaco
Pretoro
Orsogna
Pescorocchiano
Rocca di Mezzo
Fontecchio
Aterno
Bussi sul Tirino
San Tommaso
Guardiagrele
Castel di Tora
Borgorose
Monte Velino
Penna piedimonte
Sant'Eusanio del Sangro
Leofreni
Molina Aterno
Popoli
Caramanico Terme
PARCO
Sant'Eufemia a Maiella
Ovindoli
Secinaro
Collalto Sabino
Santa Maria in Valle Porclaneta
Monte Sirente
Gagliano Aterno
Corfinio
Pratola Peligna
LA MAIELLA
Palombaro
Sante Marie
Magliano de' Marsi
Badia Morronese
Fara San Martino
Carsoli
Colli di Montebove
Celano
ALBA FUCENS
Raiano
Monte Amaro
Collarmele
Forca Caruso
Sulmona
NAZIONALE
Gessopalena
Tagliacozzo
Pereto
Scurcola Marsicana
Cocullo
Lama dei Peligni
Arsoli
CONCA
Pescina
Pacentro
Torricella Peligna
Camerata Nuova
Avezzano
San Benedetto dei Marsi
Cansano
Campo di Giove
Cervara di Roma
Cappadocia
DEL FUCINO
Anversa degli Abruzzi
Introdacqua
Palena
Pennadomo
MONTI SIMBRUINI
Capistrello
Ortucchio
PARCO NAZ.
Pettorano sul Gizio
DELLA MAIELLA
Subiaco
Vallepietra
Luco dei Marsi
Trasacco
Gioia dei Marsi
Bisegna
Villalago
Rocca Pia
Pizzoferrato
Santa Maria
Canterano
MARSICA
Civitella Roveto
Scanno
Valico della Forchetta
Bellegra
Filettino
Collelongo
Montagna Grande
Pescocostanzo
S. Angelo del Pesco
Arcinazzo Romano
Olevano Romano
Altipiani di Arcinazzo
Monte Viglio
Morino
D' ABRUZZO
Rivisondoli
Castel del Giudice
Genazzano
Campocatino
San Vincenzo Valle Roveto
Ateleta
Balsorano
LAZIO
Roccaraso
Capracotta
Paliano
Piglio
MONTI ERNICI
Pescasseroli
Castel di Sangro
San Pietro Avellana
Fiuggi
Guarcino
E MOLISE
Villetta Barrea
Vastogirardi
Abbazia di Trisulti
Opi
Barrea
ANAGNI
Vico nel Lazio
Campoli Appennino
Forca d'Acero
Colle della Croce
CIOCIARIA
VIA CASILINA
Alatri
Sora
Alfedena
Carovilli
Colleferro
Ferentino
Abbazia di Casamari
Alvito
San Donato Val di Comino
Rionero Sannitico
Roccasicura
Segni
Veroli
Isola del Liri
Cerro al Volturno
Miranda
Sgurgola
FROSINONE
Arpino
Picinisco
Montelanico
Monte S. Giovanni Campano
Casalvieri
Abbazia di San Vincenzo
ISERNIA
Carpineto Romano
Supino
Fontana Liri Inferiore
Atina
San Biagio Saracinisco
Colli a Volturno
Ripi
Rocca d'Arce
Cardito
Norma
MONTI LEPINI
Pofi

21
A
14° 00'
16
B
14° 30'
C
Petritoli
Cupra Marittima
Grottammare
Montalto delle Marche
494
SAN BENEDETTO DEL TRONTO
292
Offida
Acquaviva Picena
Porto d'Ascoli
Monsampolo del Tronto
28
ASCOLI PICENO
VIA SALARIA
Martinsicuro
Controguerra
21
Alba Adriatica
Nereto
Sant'Egidio alla Vibrata
Tortoreto Lido
Civitella del Tronto
Sant'Omero
b
Giulianova
Mosciano Sant'Angelo
Campli
24
9
29
Cologna
TERAMO
Tordino
Roseto degli Abruzzi
Notaresco
432
16
Castelnuovo Vomano
24
Pineto
M A R
15
13
Villa Vomano
Cellino Attanasio
Atri
67
A14
24
442
I Calanchi
Silvi
Castiglione Messer Raimondo
Città Sant'Angelo
Montesilvano Marina
Bisenti
320
42°
Isola del Gran Sasso d'Italia
30'
Castelli
83
Cappelle sul Tavo
4
PESCARA
438
Penne
Collecorvino
12
3
Farindola
Spoltore
2
CAMPO IMPERATORE
Loreto Aprutino
17
Francavilla al Mare
8
16
Pianella
9
25
Castel del Monte
Civitella Casanova
Cepagatti
Ripa Teatina
20
10
Miglianico
Ortona
Villa Santa Lucia degli Abruzzi
Catignano
330
Ofena
CHIETI
Tollo
Pescara
9
Marina di San Vito
Brittoli
Alanno
Bucchianico
Crecchio
Santa Maria Arabona
San Vito Chietino
24
52
Ari
10
17
Capestrano
Torre de' Passeri
Scafa
31
649
Frisa
20
Casacanditella
San Giovanni in Venere
Fossacesia Marina
Navelli
Tocco da Casauria
San Clemente a Casauria
Manoppello
Lanciano
c
Filetto
283
Fossacesia
36
14
Pretoro
Torino di Sangro Marina
Bussi sul Tirino
84
Mozzagrogna
Orsogna
5
Guardiagrele
36
20
San Tommaso
96
Punta della Penna
Secinaro
Popoli
Penna-piedimonte
577
Sant'Eusanio del Sangro
Castel Frentano
652
Torino di Sangro
31
Molina Aterno
10
Caramanico Terme
PARCO
Paglieta
Gagliano Aterno
14
Sant'Eufemia a Maiella
16
Sangro
30
Casalbordino
Corfinio
Pratola Peligna
LA MAIELLA
Palombaro
25
VASTO
Casoli
30
Raiano
Badia Morronese
Fara San Martino
8
154
Scerni
2795
Monte Amaro
A14
Vasto Marina
1120
E 80
Sulmona
Archi
Monteodorisio
8
Forca Caruso
84
433
Cupello
San Salvo Marina
Cocullo
NAZIONALE
Gessopalena
Atessa
86
100
San Benedetto dei Marsi
61
Pacentro
Lama dei Peligni
Bomba
Casalanguida
105
San Salvo
Petacciato Marina
42°
A25
Cansano
Torricella Peligna
Gissi
E 55
23
00'
Introdacqua
47
Campo di Giove
48
Furci
81
Anversa degli Abruzzi
Palena
Pennadomo
MONTI
Petacciato
Trigno
PARCO NAZ.
IUVANUM
Lago di Bomba
San Buono
Gioia dei Marsi
Pettorano sul Gizio
Colledimezzo
Montenero di Bisaccia
DELLA
MAIELLA
Villa Santa Maria
DEI
Mafalda
Bisegna
Villalago
Rocca Pia
Pizzoferrato
Montazzoli
Palmoli
2149
54
FRENTANI
Guglionesi
Montagna Grande
Scanno
1050
Valico della Forchetta
1270
17
Quadri
Fraine
Carunchio
D' ABRUZZO
Pescocostanzo
Rosello
Palata
S. Angelo del Pesco
Pescopennataro
Torrebruna
Madonna di Canneto
Rivisondoli
87
1236
13
Ateleta
77
Acquaviva Collecroce
Castel del Giudice
Castiglione Messer Marino
LAZIO
Roccaraso
Montefalcone nel Sannio
d
76
Pescasseroli
Capracotta
Castelmauro
647
San Pietro Avellana
Agnone
341
E MOLISE
Villetta Barrea
Castel di Sangro
Schiavi di Abruzzo
Guardialfiera
Larino
Opi
Vastogirardi
830
650
Trivento
52
45
Campoli Appennino
Forca d'Acero
Barrea
8
599
Civitacampomarano
Montorio nei Frentani
1535
Colle della Croce
1164
86
Alfedena
Pietrabbondante
Salcito
Sora
Casacalenda
Alvito
Rionero Sannitico
30
Carovilli
Ruderi Romani
San Biase
Lucito
Morrone del Sannio
San Donato Val di Comino
23
Bagnoli del Trigno
647
13
Roccasicura
Petrella Tifernina
Bonefro
Arpino
© De Agostini Libri S.p.A. - Novara
Pescolanciano
Limosano
Colletorto
Casalvieri
Picinisco
14° 00'
Cerro al Volturno
Civitanova del Sannio
14° 30'
Torella del Sannio
Montagano
19
A
Abbazia di San Vincenzo
48
15
B
Sessano del Molise
24
C
87
36
Atina
ISERNIA
Santa Maria della Strada
27
Sant'Elia a Pianisi
San Biagio Saracinisco
Colli a Volturno
457
Carpinone
Frosolone
Castropignano
6
Cardito
28
5
San Giovanni in Galdo
Lago di

22
D
E
F
15° 30'
16° 00'
A D R I A T I C O
42° 30'
42° 00'
b
c
d
PIANOSA
PARCO NAZIONALE DEL GARGANO
ISOLE TREMITI
(Foggia)
CAPRAIA O CAPRARA
176
SAN NICOLA
SAN DOMINO
Grotta del Bue Marino
Termoli
Campomarino
Marina di Chieuti
Marina di Lesina
Lago di Lesina
Torre Mileto
Rodi Garganico
San Menaio
Peschici
Grotte San Nicola
Santa Maria di Merino
Vieste
Ischitella
Vico del Gargano
Lago di Varano
Carpino
Lido di Portonuovo
Testa del Gargano
Pugnochiuso
Baia delle Zagare
Mattinata
Cliternia Nuova
San Martino in Pensilis
Chieuti
Ripalta
Lesina
Poggio Imperiale
San Nicandro Garganico
Cagnano Varano
FORESTA UMBRA
PARCO NAZIONALE DEL GARGANO
G A R G A N O
Monte Calvo
1055
830
Serracapriola
Ururi
Apricena
San Paolo di Civitate
Rotello
Santa Croce di Magliano
Fortore
Torremaggiore
San Severo
Rignano Garganico
San Marco in Lamis
San Giovanni Rotondo
Monte Sant'Angelo
Manfredonia
Lido di Siponto
Santa Maria di Siponto
Candelaro
Casalnuovo Monterotaro
Castelnuovo
26
16
16 ter
29
31
54
22
13
78
63
222
557
35
60
160

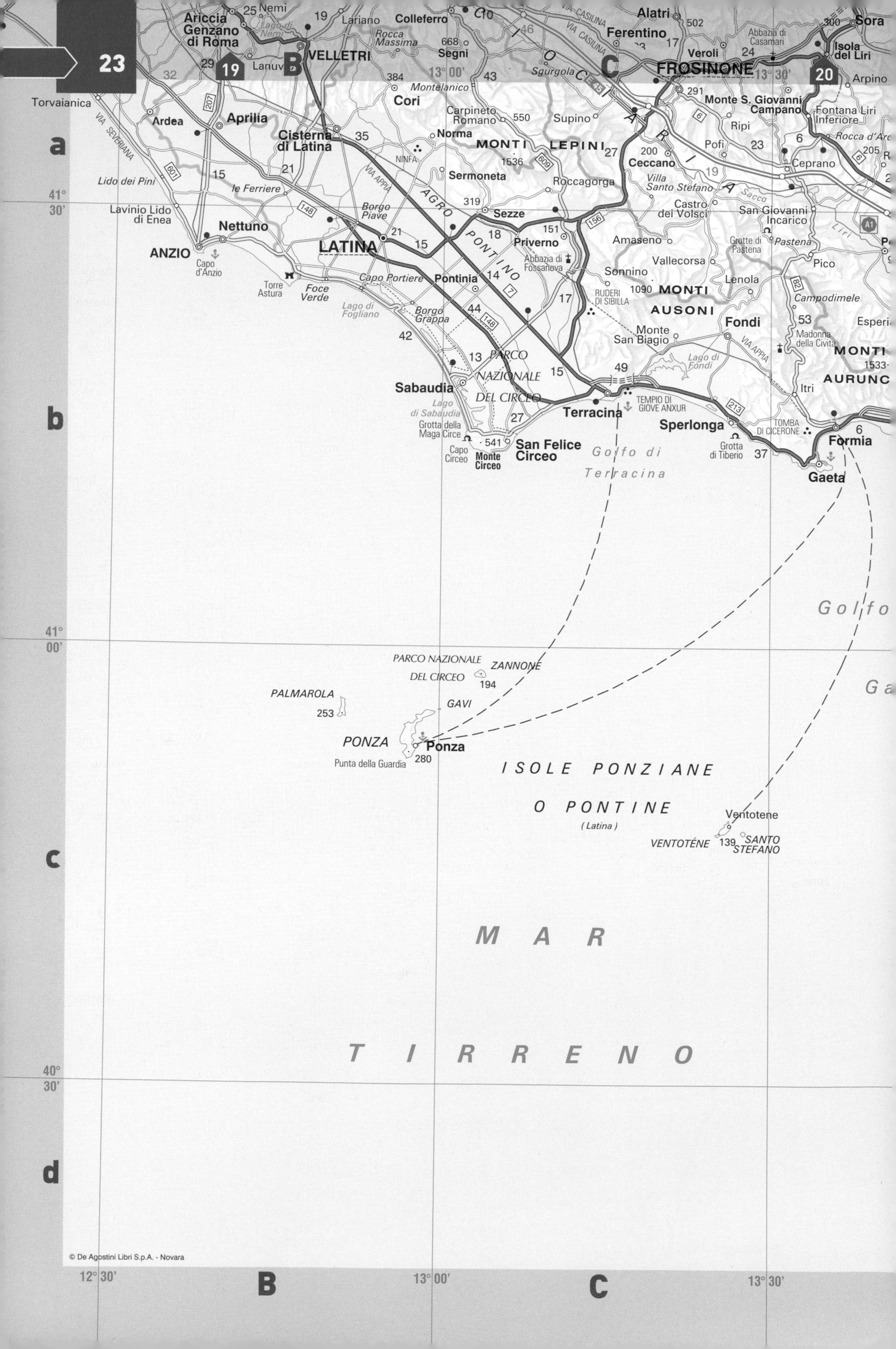

19
20
Ariccia
Genzano di Roma
Nemi
Lago di Nemi
VELLETRI
Lariano
Colleferro
Rocca Massima
Segni
Alatri
Ferentino
Veroli
FROSINONE
Abbazia di Casamari
Sora
Isola del Liri
Arpino
Torvaianica
Ardea
Aprilia
Cisterna di Latina
Cori
Montelanico
Carpineto Romano
Norma
NINFA
MONTI LEPINI
Supino
Sgurgola
Ceccano
Pofi
Ripi
Monte S. Giovanni Campano
Fontana Liri Inferiore
Rocca d'Arce
Ceprano
Lido dei Pini
le Ferriere
Sermoneta
Roccagorga
Villa Santo Stefano
Castro dei Volsci
San Giovanni Incarico
Lavinio Lido di Enea
Nettuno
ANZIO
Capo d'Anzio
LATINA
Borgo Piave
VIA APPIA
AGRO PONTINO
Sezze
Priverno
Abbazia di Fossanova
Amaseno
Grotte di Pastena
Pastena
Vallecorsa
Pico
Sonnino
RUDERI DI SIBILLA
MONTI AUSONI
Lenola
Campodimele
Torre Astura
Foce Verde
Capo Portiere
Pontinia
Lago di Fogliano
Borgo Grappa
Monte San Biagio
Fondi
Lago di Fondi
Madonna della Civita
MONTI AURUNCI
Esperia
Itri
PARCO NAZIONALE DEL CIRCEO
Sabaudia
Lago di Sabaudia
Grotta della Maga Circe
Capo Circeo
Monte Circeo
San Felice Circeo
Terracina
TEMPIO DI GIOVE ANXUR
Sperlonga
TOMBA DI CICERONE
Grotta di Tiberio
Formia
Gaeta
Golfo di Terracina
Golfo
PARCO NAZIONALE DEL CIRCEO
ZANNONE
PALMAROLA
GAVI
PONZA
Ponza
Punta della Guardia
ISOLE PONZIANE O PONTINE
(Latina)
Ventotene
VENTOTÉNE
SANTO STEFANO
MAR TIRRENO
a
b
c
d
B
C
41° 30'
41° 00'
40° 30'
12° 30'
13° 00'
13° 30'

D
E
F
21
25
a
b
c
d
14° 00'
14° 30'
41° 30'
41° 00'
40° 30'
Alfedena
San Donato Val di Comino
Alvito
Rionero Sannitico
Roccasicura
Carovilli
Pietrabbondante
RUDERI ROMANI
Salcito
San Biase
Lucito
Morrone del Sannio
Bagnoli del Trigno
Petrella Tifernina
Pescolanciano
Limosano
Cerro al Volturno
Miranda
Torella del Sannio
Montagano
Santa Maria della Strada
Sant'Elia a Pianisi
Picinisco
Abbazia di San Vincenzo
Sessano del Molise
Atina
ISERNIA
Carpinone
Frosolone
Castropignano
San Giovanni in Galdo
San Biagio Saracinisco
Colli a Volturno
Lago di Occhito
Valfortore
Cardito
Castelpetroso
CAMPOBASSO
Campodipietra
Macchiagodena
Baranello
Mirabello Sannitico
Filignano
Monteroduni
Cantalupo nel Sannio
Colle d'Anchise
Abbazia di Montecassino
Sant'Elia Fiumerapido
Biferno
Gambatesa
Cassino
Venafro
Vinchiaturo
Gildone
Riccia
Cervaro
Capriati a Volturno
Campitello Matese
Bojano
San Giuliano del Sannio
Cercemaggiore
Castelvetere in Val Fortore
Cimitero Militare Britannico
Letino
MONTI DEL MATESE
Guardiaregia
SAEPINUM
Sepino
San Bartolomeo in Galdo
Valle Agricola
E 45
VIA CASILINA
Pratella
Santa Croce del Sannio
San Giorgio a Liri
Sant'Apollinare
San Gregorio Matese
Colle Sannita
Baselice
Mignano Monte Lungo
Sant'Angelo d'Alife
Piedimonte Matese
Ausonia
Galluccio
Vairano Patenora
Morcone
Montefalcone di Val Fortore
Terme di Suio
Santa Maria dei Lattani
Pietravairano
Alife
Cusano Mutri
San Marco dei Cavoti
Castelforte
Gioia Sannitica
San Giorgio la Molara
Marzano Appio
Volturno
Campolattaro
Minturno
Roccamonfina
Dragoni
Pontelandolfo
Fragneto Monforte
Garigliano
Pietramelara
San Salvatore Telesino
Guardia Sanframondi
Buonalbergo
Teano
Sessa Aurunca
Pignataro Maggiore
Telese Terme
Pesco Sannita
Formicola
Amorosi
Calore
Sparanise
Pietrelcina
Torrecuso
Baia Domizia
Solopaca
Montecalvo Irpino
Carinola
Bellona
Caiazzo
Falciano del Massico
Paduli
Sant'Andrea del Pizzone
Limatola
Frasso Telesino
Foglianise
Bagni di Mondragone
PIANURA CAMPANA
Capua
BENEVENTO
Sant'Angelo in Formis
Sant' Agata de' Goti
Apice
Mondragone
Grazzanise
Grottaminarda
Cancello ed Arnone
Santa Maria Capua Vetere
CASERTA
Montesarchio
Airola
Maddaloni
Mirabella Eclano
S. Giorgio del Sannio
VIA APPIA
Marcianise
Casal di Principe
Cervinara
Altavilla Irpina
Pratola Serra
Castel Volturno
San Martino Valle Caudina
San Felice a Cancello
Taurasi
Villa Literno
Aversa
Caivano
Cicciano
Baiano
Santuario di Monte Vergine
Paternopoli
Sant'Antimo
Marigliano
Mercogliano
Montemarano
Marina di Lago Patria
Giugliano in C.
Afragola
Acerra
Nola
Atripalda
Qualiano
LITERNUM
Casoria
Pomigliano d'Arco
Somma Vesuviana
Lauro
AVELLINO
Volturara Irpina
Marano di Napoli
Monteforte Irpino
Serino
Montella
CUMA
Solfatara
S. Anastasia
PARCO NAZ. DEL VESUVIO
Palma Campania
S. Giuseppe Vesuviano
S. Giorgio a Cr.
Vesuvio
Solofra
POZZUOLI
Baia
Portici
ERCOLANO
Sarno
Castel San Giorgio
Mercato S. Severino
Monte di Procida
Bacoli
NAPOLI
Ercolano
Poggiomarino
Boscoreale
le Croci d'Acerno
Capo Miseno
TORRE DEL GRECO
Pompei
Scafati
Angri
Nocera Inferiore
Acerno
Casamicciola Terme
Lacco Ameno
Procida
PROCIDA
Torre Annunziata
Baronissi
San Cipriano Picentino
Giffoni Valle Piana
Forio
Ischia
CASTELLAMMARE DI STABIA
Pagani
Gragnano
Cava de' Tirreni
Barano d'Ischia
Golfo di Napoli
SALERNO
Montecorvino Rovella
ISCHIA (Napoli)
Sant'Angelo
-Faiano
Vico Equense
Ravello
Maiori
Vietri sul Mare
Meta
Agerola
Eboli
Sorrento
Positano
Amalfi
Pontecagnano
Massa Lubrense
Praiano
Battipaglia
Cágliari Trapani Ustica
S. Agata sui due Golfi
Termini
LI GALLI
Punta Campanella
Grotta Azzurra
Anacapri
Capri
CAPRI (Napoli)
Golfo di Salerno
PIANA DEL SELE
I. Eolie Palermo Cátania
Tūnis Palermo
PAESTUM
Agropoli
Ogliastro Cilento
Santa Maria
Castellabate
Perdifumo
Ogliastro Marina
A1
A3
A16
A30
E 841

25
21
24
29
A
B
C
a
b
c
d
Carovilli
San Biase
Lucito
Morrone del Sannio
Casacalenda
Rotello
Torremaggiore
San Severo
San Marco in Lamis
Rignano Garganico
Limosano
Petrella Tifernina
Bonefro
Santa Croce di Magliano
Fortore
Colletorto
15° 00'
15° 30'
Torella del Sannio
Montagano
Sessano del Molise
Carpinone
Frosolone
Castropignano
Santa Maria della Strada
Sant'Elia a Pianisi
Casalnuovo Monterotaro
Castelnuovo della Daunia
San Giovanni in Galdo
Lago di Occhito
CAMPOBASSO
Celenza Valfortore
Pietra-montecorvino
Macchiagodena
Cantalupo nel Sannio
Baranello
Mirabello Sannitico
Campodipietra
Motta Montecorvino
Colle d'Anchise
41° 30'
Vinchiaturo
Gildone
Gambatesa
LUCERA
Campitello Matese
Bojano
San Giuliano del Sannio
Riccia
Cercemaggiore
Castelvetere in Val Fortore
FOGGIA
MONTI DEL MATESE
Guardiaregia
SANNIO
SAEPINUM
Sepino
Alberona
San Gregorio Matese
Santa Croce del Sannio
Baselice
San Bartolomeo in Galdo
Biccari
Celone
Piedimonte Matese
Colle Sannita
Roseto Valfortore
Troia
Borgo Segezia
Alife
Cusano Mutri
Morcone
San Marco dei Cavoti
Montefalcone di Val Fortore
Faeto
Giardinetto
Ordona
Gioia Sannitica
Volturno
Campolattaro
San Giorgio la Molara
Orsara di Puglia
Castelluccio de' Sauri
Pontelandolfo
Castelfranco in Miscano
San Salvatore Telesino
Fragneto Monforte
Alvignano
Telese Terme
Guardia Sanframondi
Greci
Bovino
Pesco Sannita
Buonalbergo
Amorosi
Calore
Savignano Irpino
Deliceto
Torrecuso
Pietrelcina
Solopaca
Montecalvo Irpino
Monteleone di Puglia
Ascoli Satriano
Caiazzo
Accadia
Limatola
Frasso Telesino
Foglianise
Paduli
Ariano Irpino
Sant'Agata de' Goti
BENEVENTO
Anzano di Puglia
Sant'Agata di Puglia
Candela
Apice
Villanova del Battista
CASERTA
Montesarchio
Rocchetta Sant'Antonio
Grottaminarda
Flumeri
Maddaloni
Airola
VIA APPIA
S. Giorgio del Sannio
Mirabella Eclano
Castel Baronia
Cervinara
Altavilla Irpina
Sturno
Bisaccia
Lacedonia
San Felice a Cancello
San Martino Valle Caudina
Pratola Serra
Carife
Vallata
41° 00'
Monteverde
Cicciano
Taurasi
Gesualdo
Baiano
Santuario di Monte Vergine
Torella dei Lombardi
Aquilonia
Acerra
Marigliano
Paternopoli
Guardia Lombardi
Andretta
Monticchio Bagni
Nola
Mercogliano
Atripalda
Montemarano
Sant'Angelo dei Lombardi
Calitri
Ofanto
Pomigliano d'Arco
Somma Vesuviana
Lauro
AVELLINO
Volturara Irpina
Nusco
Lioni
Cairano
Palma Campania
Monteforte Irpino
Teora
Sant'Andrea di Conza
Ruvo del Monte
S. Anastasia
PARCO NAZ. DEL VESUVIO
Serino
Montella
Bagnoli Irpino
Caposele
Sella di Conza
Pescopagano
S. Giorgio a Cr.
S. Giuseppe Vesuviano
Vesuvio
1281
Sarno
Solofra
MONTI PICENTINI
San Fele
TORRE DEL GRECO
Poggiomarino
Castel San Giorgio
Mercato S. Severino
M. Cervialto
Calabritto
Passo delle Crocelle
Boscoreale
le Croci d'Acerno
Castelgrande
Pompei
Scafati
Laviano
Bella
Torre Annunziata
Angri
Nocera Inferiore
CASTELLAMMARE DI STABIA
Baronissi
San Cipriano Picentino
Giffoni Valle Piana
Acerno
Senerchia
Colliano
Muro Lucano
Pagani
Gragnano
Cava de' Tirreni
Montecorvino Rovella
Oliveto Citra
Vico Equense
SALERNO
Bagni Contursi
San Gregorio Magno
Ravello
Maiori
Campagna
Contursi Terme
Palomonte
Sorrento
Meta
Agerola
Vietri sul Mare
Faiano
Positano
Amalfi
Pontecagnano
Eboli
Buccino
Picerno
S. Agata sui due Golfi
Praiano
Battipaglia
Serre
Vietri di Potenza
Termini
LI GALLI
Punta Campanella
PIANA DEL SELE
Auletta
Caggiano
Golfo di Salerno
Altavilla Silentina
Sele
Sicignano degli Alburni
Grotta di Pertosa
Satriano di Lucania
40° 30'
Controne
Petina
Polla
Albanella
PARCO NAZ. DEL CILENTO
Sant'Angelo a Fasanella
Sant'Arsenio
Brienza
Aquara
Atena Lucana
Tūnis Palermo
Roccadaspide
Corleto Monforte
Capaccio
PAESTUM
Castel San Lorenzo
San Rufo
Sala Consilina
MAR TIRRENO
Agropoli
Ogliastro Cilento
Monteforte Cilento
Felitto
Sacco
Teggiano
Prignano Cilento
Laurino
Sassano
© De Agostini Libri S.p.A. - Novara
Santa Maria
Rutino
Stio
Monte Cervati 1899
Castellabate
Perdifumo
Perito
Buonabitacolo
Ogliastro Marina
Omignano
Salento
Vallo della Lucania
Sanza

D
E
F
a
b
c
d
22
27
30
16° 00'
16° 30'
41° 30'
41° 00'
40° 30'
Baia delle Zagare
San Giovanni Rotondo
Monte Sant'Angelo
Mattinata
Manfredonia
Lido di Siponto
Santa Maria di Siponto
San Leonardo
Golfo di Manfredonia
MAR ADRIATICO
Zapponeta
Borgo Tavernola
Cervaro
Carapelle
Saline
Margherita di Savoia
Trinitapoli
San Ferdinando di Puglia
Stornara
Cerignola
Ofanto
CANNE
BARLETTA
TRANI
Bisceglie
Andria
Canosa di Puglia
DOLMEN DI CHIANCA
Il Pulo
Molfetta
Giovinazzo
Santo Spirito
Palese
BARI
Igoumenítsa
Pátrai
Durrës
Dubrovnik
Kérkyra
Bar
Montegrosso
Corato
Terlizzi
BITONTO
Ruvo di Puglia
Modugno
Triggiano
Capurso
Valenzano
Bitritto
Bitetto
Palo del Colle
Mariotto
Toritto
Grumo Appula
Sannicandro di Bari
Adelfia
Casamassima
Cassano delle Murge
Acquaviva delle Fonti
Sammichele di Bari
VILLAGGIO APULO
Gioia del Colle
Villaggio Moschella
Posta Piana
Minervino Murge
Castel del Monte
PARCO NAZIONALE DELL'ALTA MURGIA
Monte Caccia
Lago di Rendina
Lavello
Melfi
Montemilone
Spinazzola
Rapolla
Venosa
Rionero in Vulture
Ripacandida
Maschito
Palazzo San Gervasio
Poggiorsini
Lago di Serra di Corvo
Banzi
Forenza
Genzano di Lucania
Gravina in Puglia
Altamura
Santeramo in Colle
Castel Lagopesole
Acerenza
Pietragalla
Oppido Lucano
Cancellara
Irsina
Bradano
Gravina
Tolve
Vaglio Basilicata
POTENZA
VIA APPIA
San Chirico Nuovo
Tricarico
Grassano
MATERA
Laterza
Castellaneta
Palagianello
Ginosa
Lago di San Giuliano
Grottole
Miglionico
Montescaglioso
Basento
Tito
Pignola
Passo Croce dello Scrivano
Trivigno
Albano di Lucania
Garaguso
Anzi
Pietrapertosa
Salandra
Pomarico
Accettura
San Mauro Forte
Ferrandina
Abriola
Calvello
Laurenzana
LUCANIA
Marsico Nuovo
PARCO NAZ. DELL' APPENNINO LUCANO
Stigliano
Marsicovetere
Corleto Perticara
Viggiano
Gorgoglione
Guardia Perticara
Craco
Pisticci
Bernalda
TAVOLE PALATINE
METAPONTUM
Metaponto
Lido di Metaponto
Castellaneta Marina
Riva dei Tessali
Marina di Ginosa
Marina di Pisticci
Tramutola
Grumento Nova
Montemurro
Aliano
Montalbano Jonico
Bacino di Gannano
Lago Pietra del Pertusillo
Missanello
Spinoso
Montesano sulla Marcellana
Moliterno
Sant'Arcangelo
Tursi
Santa Maria d'Anglona
Lido di Scanzano
Scanzano Jonico
ERACLEA
Policoro
Roccanova
Casalbuono
(perimetrazione provvisoria)

27
26
30
29
A
B
C
a
b
c
d
Molfetta
Giovinazzo
Santo Spirito
Palese
BARI
17° 00'
16° 30'
Igoumenítsa
Pátrai
Durrës
Dubrovnik
Kérkyra
Bar
Corato
Terlizzi
BITONTO
Minervino Murge
Castel del Monte
PARCO NAZIONALE DELL'ALTA MURGIA
Ruvo di Puglia
Modugno
Triggiano
San Giorgio
Torre a Mare
Mola di Bari
Cozze
TERRA DI BARI
Mariotto
Palo del Colle
Bitritto
Capurso
Noicàttaro
Valenzano
Bitetto
Toritto
Grumo Appula
Rutigliano
Polignano
Adelfia
Sannicandro di Bari
Casamassima
Conversano
Montemilone
Monte Caccia
Spinazzola
Palazzo San Gervasio
Poggiorsini
Lago di Serra di Corvo
Banzi
Genzano di Lucania
Cassano delle Murge
Acquaviva delle Fonti
Turi
Castellana Grotte
Grotte di Castellana
Sammichele di Bari
Putignano
Grotta di Putignano
Il Pulo
Gravina in Puglia
Altamura
VILLAGGIO APULO
Noci
Selva Fasano
Santeramo in Colle
Gioia del Colle
Alberobello
Locorotondo
MURGE
Gravina
Irsina
Bradano
Tolve
San Basilio
Martina Franca
MATERA
San Chirico Nuovo
Tricarico
Grassano
VIA APPIA
Lago di San Giuliano
Grottole
Laterza
Castellaneta
Mottola
Palagianello
Crispiano
Massafra
Albano di Lucania
Miglionico
Ginosa
Palagiano
Statte
Garaguso
Basento
Montescaglioso
PIANA DI METAPONTO
Pietrapertosa
Salandra
Pomarico
Chiatona
Accettura
San Mauro Forte
Ferrandina
Castellaneta Marina
TARANTO
Laurenzana
Riva dei Tessali
ISOLE CORADI O CHERADI
Marina di Ginosa
Tavole Palatine
Bernalda
Talsano
Stigliano
Capo San Vito
Corleto Perticara
Gorgoglione
Pisticci
METAPONTUM
Metaponto
Leporano
Guardia Perticara
Craco
Lido di Metaponto
LUCANO
Montemurro
Aliano
Montalbano Jonico
Marina di Pisticci
Bacino di Gannano
Missanello
Santa Maria d'Anglona
Scanzano Jonico
Spinoso
Tursi
Lido di Scanzano
Sant'Arcangelo
ERACLEA
Roccanova
Golfo di Taranto
Policoro
Colobraro
Castronuovo di Sant'Andrea
Rotondella
San Chirico Raparo
Castelsaraceno
Senise
Valsinni
Lago di Monte Cotugno
Chiaromonte
Nova Siri
Latronico
Fardella
San Giorgio Lucano
Episcopia
Rocca Imperiale
Rocca Imperiale Marina
Nocara
Francavilla in Sinni
Noepoli
Montegiordano
Castelluccio Inferiore
San Severino Lucano
San Costantino Albanese
San Paolo Albanese
Oriolo
Montegiordano Marina
Terranova di Pollino
Roseto Capo Spulico
Castroregio
Capo Spulico
Viggianello
Alessandria del Carretto
Rotonda
Amendolara
POLLINO
PARCO NAZIONALE DEL POLLINO
Monte Sparviere
Albidona
Marina di Amendolara
MAR
Mormanno
San Lorenzo Bellizzi
Plataci
Serra Dolcedorme
Cerchiara di Calabria
Trebisacce
Morano Calabro
Frascineto
Francavilla Marittima
Villapiana
Castrovillari
Villapiana Lido
Saracena
Lungro
Cassano allo Ionio
PIANA
Golfo di Corigliano
Doria
Sibari
Marina di Sibari
Firmo
Acquaformosa
DOLMEN DI CHIANCA
Caccia
© De Agostini Libri S.p.A. - Novara

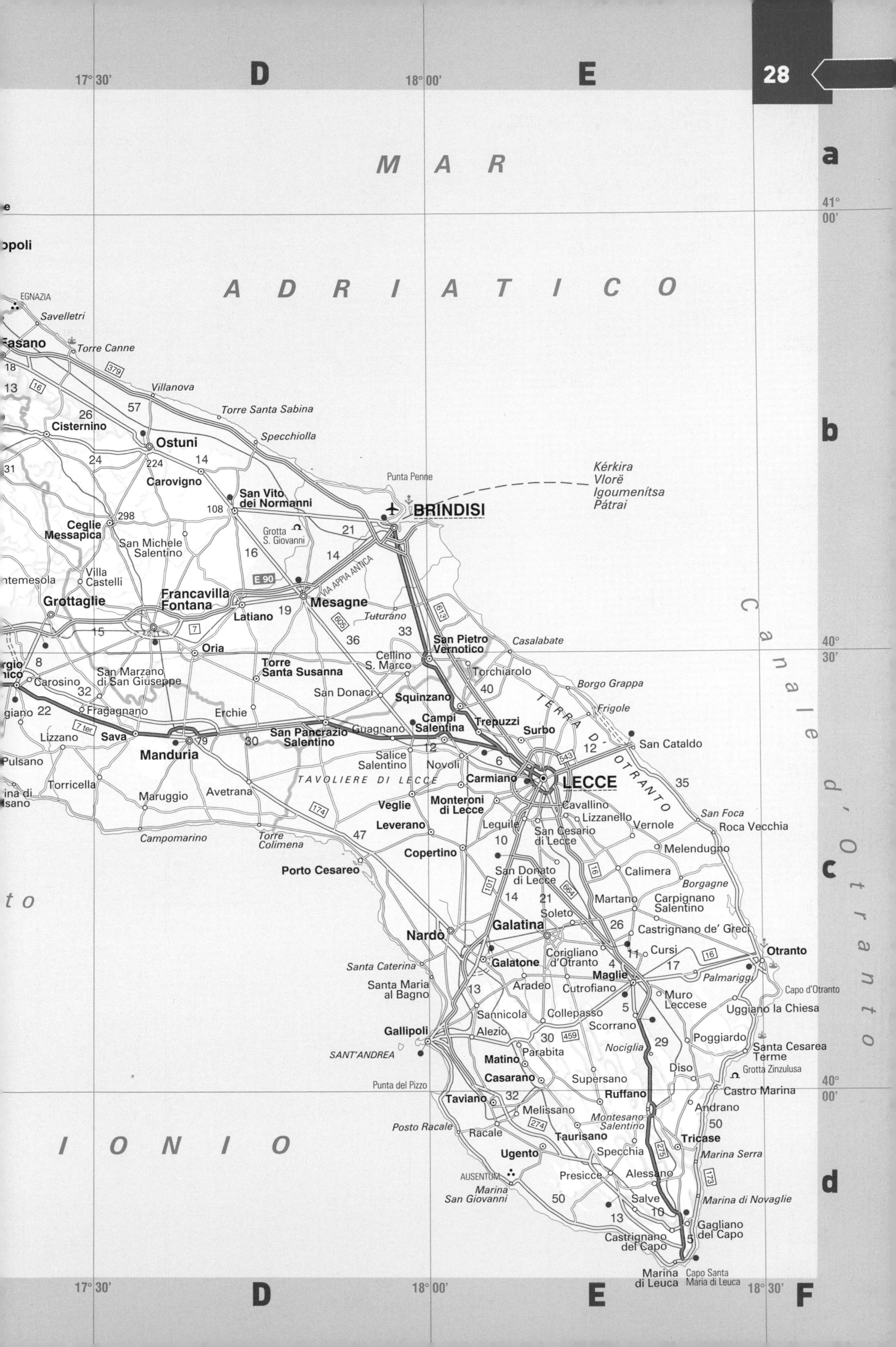

17° 30'
D
18° 00'
E
MAR
ADRIATICO
a
b
c
d
41° 00'
40° 30'
40° 00'
Canale d'Otranto
TERRA D'OTRANTO
TAVOLIERE DI LECCE
IONIO
EGNAZIA
Savelletri
Fasano
Torre Canne
Villanova
Torre Santa Sabina
Cisternino
Ostuni
Specchiolla
Carovigno
San Vito dei Normanni
Punta Penne
BRINDISI
Kérkira
Vlorë
Igoumenítsa
Pátrai
Ceglie Messapica
San Michele Salentino
Grotta S. Giovanni
Villa Castelli
Francavilla Fontana
Grottaglie
Mesagne
VIA APPIA ANTICA
Latiano
Tuturano
San Pietro Vernotico
Casalabate
Oria
Cellino S. Marco
Torre Santa Susanna
Torchiarolo
Borgo Grappa
Carosino
San Marzano di San Giuseppe
San Donaci
Squinzano
Frigole
Fragagnano
Erchie
Campi Salentina
Trepuzzi
Surbo
San Cataldo
Lizzano
Sava
Manduria
San Pancrazio Salentino
Guagnano
Salice Salentino
Novoli
Pulsano
Torricella
Maruggio
Avetrana
Carmiano
LECCE
Veglie
Monteroni di Lecce
Cavallino
Lizzanello
San Foca
Roca Vecchia
Leverano
Lequile
San Cesario di Lecce
Vernole
Campomarino
Torre Colimena
Copertino
Melendugno
Porto Cesareo
San Donato di Lecce
Calimera
Borgagne
Martano
Carpignano Salentino
Soleto
Galatina
Castrignano de' Greci
Nardò
Cursi
Otranto
Galatone
Corigliano d'Otranto
Santa Caterina
Maglie
Palmariggi
Santa Maria al Bagno
Aradeo
Cutrofiano
Muro Leccese
Capo d'Otranto
Sannicola
Collepasso
Uggiano la Chiesa
Gallipoli
Alezio
Scorrano
Poggiardo
SANT'ANDREA
Parabita
Nociglia
Santa Cesarea Terme
Matino
Diso
Grotta Zinzulusa
Casarano
Supersano
Castro Marina
Punta del Pizzo
Taviano
Ruffano
Andrano
Melissano
Montesano Salentino
Posto Racale
Racale
Taurisano
Tricase
Ugento
Specchia
Marina Serra
AUSENTUM
Presicce
Alessano
Marina San Giovanni
Marina di Novaglie
Salve
Gagliano del Capo
Castrignano del Capo
Marina di Leuca
Capo Santa Maria di Leuca
18° 30'
F

25
26
31
A
B
C
a
b
c
d
15° 30'
16° 00'
40° 00'
39° 30'
39° 00'
PARCO NAZ. DEL CILENTO E VALLO DI DIANO
PARCO NAZ. DELL' APPENNINO LUCANO - VAL D' AGRI - LAGONEGRESE
(perimetrazione provvisoria)
PARCO NAZIONALE DEL POLLINO
MAR TIRRENO
Golfo di Policastro
Sacco
Laurino
Sassano
Padula
Certosa San Lorenzo
Viggiano
Perticara
Guardia Perticara
Tramutola
Grumento Nova
Montemurro
Perito
Stio
Perdifumo
Omignano
Salento
Vallo della Lucania
Buonabitacolo
1899
Sanza
Montesano sulla Marcellana
Casalbuono
Moliterno
879
Lago Pietra del Pertusillo
Spinoso
Missanello
Sant'Arcangelo
Roccanova
Castronuovo di Sant'Andrea
Casal Velino
Pollica
Ceraso
San Biase
Rofrano
Marina di Casal Velino
VELIA
Ascea
Futani
Laurito
Montano Antilia
Torre Orsaia
Celle di Bulgheria
Casaletto Spartano
Torraca
Lagonegro
Monte Sirino
2005
Castelsaraceno
San Chirico Raparo
Chiaromonte
Fardella
Latronico
Episcopia
Pisciotta
Centola
Palinuro
Grotta Azzurra
Capo Palinuro
San Giovanni a Piro
Scario
Policastro Bussentino
Sapri
Rivello
Lauria
Trecchina
Camerota
Marina di Camerota
Maratea
Fiumicello Santa Venere
Marina
Castelluccio Inferiore
San Severino Lucano
Francavilla in Sinni
San Costantino Albanese
Laino Borgo
Viggianello
Rotonda
Tortora
Mormanno
2267
Serra Dolcedorme
Praia a Mare
I. DI DINO
Papasidero
San Nicola Arcella
Santa Domenica Talao
Morano Calabro
Scalea
Lao
Orsomarso
Castrovillari
Saracena
Santa Maria del Cedro
Verbicaro
Cozzo del Pellegrino
1987
Lungro
Cirella
Grisolia
Firmo
I. DI CIRELLA
Acquaformosa
Buonvicino
400
Altomonte
Diamante
San Sosti
San Lorenzo del Vallo
Belvedere Marittimo
Sant'Agata di Esaro
Tarsia
740
Marina di Belvedere
Passo dello Scalone
Malvito
Roggiano Gravina
Bonifati
Fagnano Castello
San Marco Argentano
Cetraro
Torano Castello
Cetraro Marina
Terme Luigiane
Lattarico
Guardia Piemontese Lido
Guardia Piemontese
Marina di Fuscaldo
Fuscaldo
Montalto Uffugo
Santuario di San Francesco
Paola
Marina di Paola
San Fili
Rende
San Lucido
COSENZA
Cerisano
Fiumefreddo Bruzio
Mendicino
Carolei
1541
Monte Cocuzzo
Lago
Belmonte Calabro
Grimaldi
Aiello Calabro
Amantea
502
Savuto
Campora San Giovanni
Conflenti
Nocera Terinese
Falerna
Falerna Marina
Gizzeria
Sambiase
Lamezia Terme
Gizzeria Lido
Santa Eufemia Lamezia
Maida Marina
E 45
A3
18
517
585
598
653
19
107

30
Golfo di Taranto
MAR IONIO
Golfo di Corigliano
Lido di Metaponto
Marina di Pulsano
Maruggio
Montalbano Jonico
Marina di Pisticci
Scanzano Jonico
Lido di Scanzano
Santa Maria d'Anglona
Tursi
Bacino di Gannano
ERACLEA
Policoro
Colobraro
Rotondella
Valsinni
Lago di Monte Cotugno
Nova Siri
San Giorgio Lucano
Rocca Imperiale
Rocca Imperiale Marina
Nocara
Noepoli
Montegiordano
Montegiordano Marina
Oriolo
San Paolo Albanese
Roseto Capo Spulico
Castroregio
Capo Spulico
Amendolara
Marina di Amendolara
Albidona
Plataci
Monte Sparviere
Cerchiara di Calabria
Trebisacce
Villapiana
Francavilla Marittima
Villapiana Lido
Cassano all'Ionio
PIANA DI SIBARI
Sibari
Marina di Sibari
Crati
Spezzano Albanese
Terranova da Sibari
Marina di Schiavonea
Villaggio Frasso
Lido Sant'Angelo
Capo Trionto
Mirto Crosia
Vaccarizzo Albanese
Corigliano Calabro
Rossano
San Giorgio Albanese
Santa Maria del Patire
Trionto
Crosia
Santa Sofia d'Epiro
Paludi
Cropalati
San Giacomo d'Acri
Cariati
Acri
Abbazia della Sambucina
SILA GRECA
Monte Paleparto
Pietrapaola
Mandatoriccio
Terravecchia
Torretta
Longobucco
Bocchigliero
Lago di Cecita
PARCO
Campana
Crucoli
Punta Alice
Fossiata
Cirò
Cirò Marina
SILA GRANDE
Camigliatello Silano
Lago di Ariamacina
Umbriatico
Celico
Silvana Mansio
Verzino
Pallagorio
Melissa
Torre Melissa
Spezzano della Sila
Savelli
Castello Aragonese
NAZIONALE
San Nicola dell'Alto
Pedace
Botte Donato
Lorica
San Giovanni in Fiore
Strongoli
Cerenzia
Casabona
Marina di Strongoli
Aprigliano
Lago Arvo
DELLA
Belvedere di Spinello
Caccuri
Rocca di Neto
Lago Ampollino
Colle d'Ascione
Rogliano
Trepido Sottano
Neto
Parenti
Cotronei
Santa Severina
LA SILA
Roccabernarda
Monte Gariglione
Petilia Policastro
Scandale
Soveria Mannelli
Villaggio Mancuso
SILA
Buturo
San Mauro Marchesato
CROTONE
SILA PICCOLA
MARCHESATO
Mesoraca
Decollatura
Carlopoli
Cicala
Papanice
TEMPIO DI HERA LACINIA
Capo Colonna
Passo Acquabona
Taverna
Sersale
Petronà
Tacina
Marcedusa
Cutro
Serrastretta
Belcastro
Pentone
Zagarise
Gimigliano
Nicastro
Cropani
Isola di Capo Rizzuto
Miglierina
Soveria Simeri
Tiriolo
Crichi
Sellia Marina
Botricello
Cropani Marina
Le Castella
Capo Rizzuto
CATANZARO
Caraffa di Catanzaro
Maida
Cortale
D
E
a
b
c
d
16° 30'
17° 00'
17° 30'
40° 00'
39° 30'
39° 00'
27
28
32

31
A
B
C
14° 30'
15° 00'
29
34
35
a
b
c
38° 30'
38° 00'
MAR TIRRENO
ISOLE EOLIE O LIPARI
(Messina)
Napoli
STROMBOLICCHIO
STROMBOLI
924
Stromboli
Ginostra
Punta Lena
BASILUZZO
PANAREA
LISCA BIANCA
San Pietro
FILICUDI
774
Filicudi Porto
Capo Graziano
Pecorini a Mare
ALICUDI
675
SALINA
Malfa
962
Santa Marina Salina
Rinella
Acquacalda
Punta Castagna
Quattropani
LIPARI
602
Canneto
Terme di San Calogero
Lipari
Porto di Levante
VULCANO
500
Punta Bandiera
Capo di Milazzo
Villafranca Tirrena
Milazzo
Spadafora
Golfo di Patti
Capo Calavà
Gioiosa Marea
Capo d'Orlando
Capo d'Orlando
Brolo
Piraino
Patti
TYNDARIS
Barcellona-Pozzo di Gotto
Torregrotta
Saponara
Rometta
San Pier Niceto
Monforte San Giorgio
Santa Lucia del Mela
Naso
Vigliatore
Terme Vigliatore
Sant'Angelo di Brolo
Furnari
Castroreale
Sant'Agata di Militello
Castell'Umberto
Sinagra
Raccuja
San Piero Patti
MONTI PELORITANI
Altolia
Itala
Alì
Alì Terme
Acquedolci
Galati Mamertino
Marina di Caronia
Santo Stefano di Camastra
HALAESA
Caronia
San Fratello
Alcara li Fusi
Tortorici
468
Montalbano Elicona
920
Novara di Sicilia
Fiumedinisi
Mandanici
Tusa
Reitano
Pettineo
San Mauro Castelverde
Mistretta
900
MONTI NEBRODI
1847
Monte Soro
1524
Portella Femmina Morta
Floresta
Portella dello Zoppo
1264
Portella Mandrazzi
1125
Antillo
Nizza di Sicilia
Roccalumera
Santa Teresa
Forza d'Agrò
Sant'Alessio Siculo
Roccella Valdemone
Montagna Grande
1374
Santa Domenica Vittoria
Francavilla di Sicilia
Randazzo
Castiglione di Sicilia
Gola d'Alcantara
Letojanni
TAORMINA
Giardini-Naxos
NAXOS
Colle del Contrasto
1107
Capizzi
1100
Lago dell' Ancipa
Cesarò
1150
765
Linguaglossa
Calatabiano
Maletto
Simeto
Gangi
Cerami
Troina
1121
Piedimonte Etneo
Fiumefreddo di Sicilia
760
Bronte
ETNA
(MONGIBELLO)
3323
Mascali
Riposto
Monte Zimmara
Sperlinga
724
Nicosia
Gagliano Castelferrato
Salso
Sant'Alfio
1915
Zafferana Etnea
Giarre
Lago di Pozzillo
Adrano
574
Santa Venerina
Nissoria
Leonforte
603
Agira
Assoro
Regalbuto
560
Biancavilla
Civitavecchia Napoli
Centuripe
Nicolosi
Trecastagni
Acireale
Calascibetta
Santa Maria di Licodia
Belpasso
San Giovanni la Punta
Aci Catena
Catenanuova
225
Mascalucia
Aci Trezza
ENNA
931
Pergusa
Lago di Pergusa
Dittaino
Paternò
Gravina di Catania
Aci Castello
Misterbianco
CATANIA
Malta
475
Castel di Iudica
A20
A18
A19
E 90
E 45
E 932
116
117
120
185
114
284
289
121

D
E
F
a
b
c
16° 00'
16° 30'
38° 30'
38° 00'
30
36
Falerna Marina
Gizzeria
Sambiase
Nicastro
Serrastretta
Gimigliano
Miglierina
Tiriolo
Belcastro
Cropa
Lamezia Terme
Gizzeria Lido
Santa Eufemia Lamezia
CATANZARO
Caraffa di Catanzaro
Catanzaro Lido
Maida Marina
San Pietro a Maida
Maida
Cortale
Curinga
Girifalco
Borgia
ROCCELLETTA DEL VESCOVO DI SQUILLACE
Golfo di Sant'Eufemia
Filadelfia
Amaroni
Squillace
Copanello
Golfo di Squillace
Francavilla Angitola
Polia
Lago dell'Angitola
Pizzo
Vibo Marina
Briatico
San Vito sullo Ionio
Gasperina
Maierato
Monterosso Calabro
Soverato
VIBO VALENTIA
Tropea
Filogaso
Chiaravalle Centrale
Satriano
Marina di Davoli
Parghelia
Cessaniti
Cardinale
Davoli
Sant'Andrea Apostolo dello Ionio
Zungri
San Nicola da Crissa
Ricadi
Simbario
Capo Vaticano
Mileto
Rombiolo
Isca sullo Ionio
Joppolo
San Calogero
Gerocarne
Soriano Calabro
Serra San Bruno
Badolato
Badolato Marina
Nicotera
la Certosa
Monte Pecoraro
Limbadi
Acquaro
Santa Caterina dello Ionio
Santa Caterina dello Ionio Marina
Nicotera Marina
Dinami
Mongiana
Guardavalle
Passo di Pietra Spada
Ferdinandea
Guardavalle Marina
Rosarno
Laureana di Borrello
Monte Crocco
Fabrizia
Stilo
Monasterace
San Ferdinando
Nardodipace
CAULONIA
Galatro
Passo Croce Ferrata
Punta Stilo
Golfo di Gioia
Gioia Tauro
Melicucco
Cinquefrondi
Paradiso
Monasterace Marina
Rizziconi
Placanica
Riace
Polistena
PIANA DI GIOIA
San Giorgio Morgeto
Caulonia
Riace Marina
Grotteria
Palmi
Mammola
Taurianova
Cittanova
Gioiosa Ionica
Caulonia Marina
Monte Sant' Elia
Seminara
Canolo
Sparta
Varapodio
Molochio
Roccella Ionica
Bagnara Calabra
Torre Faro
Punta del Faro
PARCO
Marina di Gioiosa Ionica
Cosoleto
Oppido Mamertina
Antonimina
Gerace
Scilla
Siderno
Ganzirri
Sant'Eufemia d'Aspromonte
Santa Cristina d'Aspromonte
Cimina
Delianuova
Locri
Villa San Giovanni
Platì
Ardore
LOCRI EPIZEFIRI
ASPROMONTE
NAZIONALE
Benestare
Laganadi
Gambarie
Montalto (Monte Cocuzza)
Ardore Marina
MESSINA
Santo Stefano in Aspromonte
San Luca
Bovalino
Stretto di Messina
Terreti
Sant'Agata del Bianco
Bianco
Samo
Cardeto
REGGIO CALABRIA
DELL' ASPROMONTE
Oliveto
Roccaforte del Greco
Ferruzzano
Punta di Pellaro
Motta San Giovanni
Bagaladi
San Lorenzo
Condofuri
Staiti
Bova
Palizzi
Montebello Ionico
COSTA DEI GELSOMINI
Lazzaro
Capo dell'Armi
Brancaleone Marina
Punta di Melito di Porto Salvo
Melito di Porto Salvo
Bova Marina
Palizzi Marina
Capo Spartivento
MAR IONIO

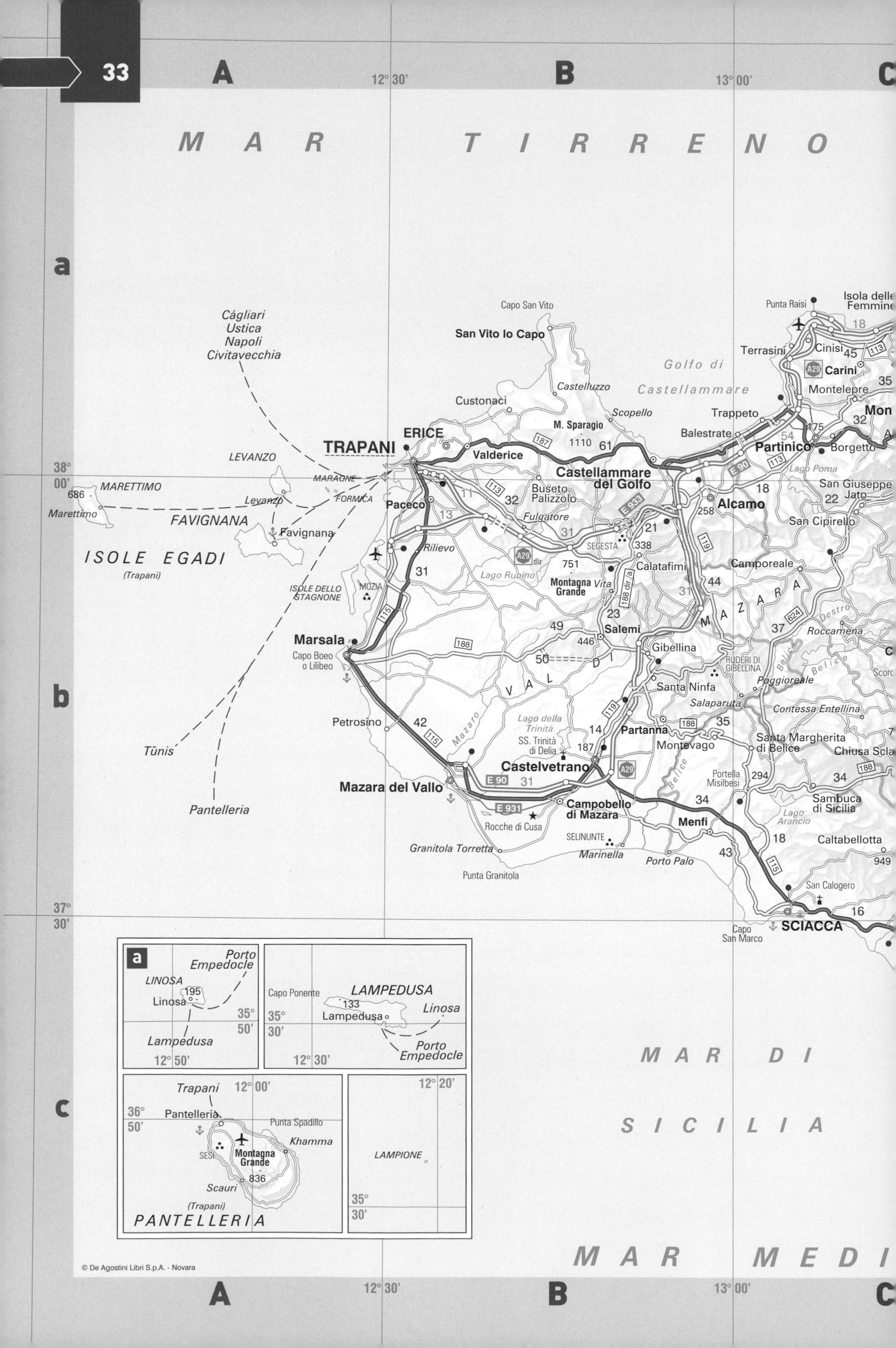
A
12° 30'
B
13° 00'
C
M A R T I R R E N O
a
b
c
38° 00'
37° 30'
Cágliari
Ustica
Napoli
Civitavecchia
LEVANZO
MARETTIMO
686
Marettimo
Levanzo
FAVIGNANA
Favignana
MARAONE
FORMICA
ISOLE EGADI
(Trapani)
ISOLE DELLO STAGNONE
MOZIA
Tūnis
Pantelleria
Capo San Vito
San Vito lo Capo
Castelluzzo
Custonaci
Scopello
M. Sparagio
1110
ERICE
TRAPANI
Valderice
Paceco
Buseto Palizzolo
Fulgatore
Rilievo
Lago Rubino
SEGESTA
338
751
Montagna Grande
Vita
Calatafimi
Castellammare del Golfo
Golfo di Castellammare
Balestrate
Trappeto
Partinico
Alcamo
258
Punta Raisi
Isola delle Femmine
Terrasini
Cinisi
Carini
Montelepre
Borgetto
Lago Poma
San Giuseppe Jato
San Cipirello
Camporeale
M A Z A R A
Salemi
446
Gibellina
RUDERI DI GIBELLINA
Santa Ninfa
Salaparuta
Poggioreale
Roccamena
Destro
Belice
Contessa Entellina
Santa Margherita di Belice
Chiusa Scla
Sambuca di Sicilia
Lago Arancio
Caltabellotta
949
San Calogero
SCIACCA
Capo San Marco
VAL DI
Marsala
Capo Boeo o Lilibeo
Petrosino
Mazaro
Lago della Trinità
SS. Trinità di Delia
Partanna
Montevago
Portella Misilbesi
294
Castelvetrano
Mazara del Vallo
Campobello di Mazara
Rocche di Cusa
SELINUNTE
Marinella
Granitola Torretta
Punta Granitola
Porto Palo
Menfi
E 90
E 931
E 933
A29
A29 dir
113
115
119
187
188
188 dir./a
624
M A R D I
S I C I L I A
M A R M E D I
a
Porto Empedocle
LINOSA
195
Linosa
35° 50'
Lampedusa
12° 50'
Capo Ponente
LAMPEDUSA
133
Lampedusa
Linosa
35° 30'
Porto Empedocle
12° 30'
Trapani
12° 00'
36° 50'
Pantelleria
Punta Spadillo
Khamma
SESI
Montagna Grande
836
Scauri
(Trapani)
PANTELLERIA
12° 20'
LAMPIONE
35° 30'

D
E
13° 30'
14° 00'
Cágliari
València
Tūnis
Ustica
Livorno
Genova
Civitavecchia
Salerno
Nápoli
Malta
b
13° 10'
Ustica
238
USTICA
(Palermo)
38°
40'
Palermo
a
b
31
Capo Gallo
Partanna-Mondello
Monte Pellegrino
600
PALERMO
Genova
SOLUNTO
Capo Zafferano
Ficarazzi
Santa Flavia
Golfo di
Termini Imerese
Villabate
Bagheria
Casteldaccia
Belmonte Mezzagno
Misilmeri
Altavilla Milicia
49
Termini Imerese
Campofelice di Roccella
Cefalù
47
Milianni
HALAESA
Santo Stefano di Camastra
28
Marina di Caronia
Caronia
Acquedolci
Piana degli Albanesi
Trabia
Bolognetta
Marineo
Ventimiglia di Sicilia
Caccamo
Sciara
IMERA
Collesano
Gratteri
Santuario di Gibilmanna
Pollina
Tusa
Pettineo
Reitano
Mistretta
900
Castelbuono
San Mauro Castelverde
Godrano
Cerda
Pizzo Carbonara
1979
46
Villafrati
Ciminna
Aliminusa
Geraci Siculo
Colle del Contrasto
Capizzi
1100
Rocca Busambra
1613
Mezzojuso
LE MADONIE
Portella del Bafurco
1120
Montemaggiore Belsito
Caltavuturo
Petralia Sottana
Giardinello
Vicari
Roccapalumba
Polizzi Generosa
Gangi
Petralia Soprana
Alia
Castellana Sicula
1333
Monte Zimmara
Sperlinga
Nicosia
Lercara Friddi
903
Campofiorito
Portella dello Scavo
Valledolmo
Bompietro
Prizzi
966
Alimena
Bisacquino
Castronuovo di Sicilia
Resuttano
Portella Mola
Vallelunga Pratameno
Nissoria
Palazzo Adriano
Platani
Leonforte
603
Assoro
Cammarata
Portella di Recattivo
832
Villalba
MONTI SICANI
San Carlo
Bivona
1578
San Giovanni Gemini
Calascibetta
Burgio
Santo Stefano Quisquina
Monte Cammarata
Villarosa
Villafranca Sicula
Mussomeli
Marianopoli
Santa Caterina Villarmosa
931
Lucca Sicula
Alessandria della Rocca
726
ENNA
Pergusa
Casteltermini
Valguarnera Caropepe
Cianciana
Sutera
CALTANISSETTA
SABUCINA
Lago di Pergusa
37°
30'
Ribera
San Biagio Platani
Campofranco
568
San Cataldo
Raddusa
Sant'Angelo Muxaro
Milena
Cattolica Eraclea
Montedoro
Serradifalco
Pietraperzia
MORGANTINA
Santa Elisabetta
Aidone
Raffadali
Aragona
Racalmuto
445
420
Barrafranca
Montallegro
Grotte
697
Canicattì
465
Mirabella Imbaccari
VILLA ROMANA DEL CASALE
Siculiana
AGRIGENTO
Castrofilippo
Delia
Sommatino
338
Favara
553
San Cono
Realmonte
230
VALLE DEI TEMPLI
Naro
Riesi
Mazzarino
San Michele di Ganzaria
Porto Empedocle
500
Ravanusa
330
San Leone
Campobello di Licata
Camastra
608
Caltagirone
Palma di Montechiaro
Castello di Montechiaro
Butera
Niscemi
Linosa
Lampedusa
Marina di Palma
Imera Meridionale
Salso
PIANA DI
332
TERRANEO
Licata
Castello di Falconara
San Pietro
Mazzarrone
Gela
Acate
E 90
E 931
E 932
E 45
A19
A20

Golfo di Termini Imerese
Capo Zafferano
SOLUNTO
Santa Flavia
B
C
14° 00'
34
14° 30'
Misilmeri
Altavilla Milicia
Termini Imerese
Campofelice di Roccella
Cefalù
Marina di Caronia
Acquedolci
Santo Stefano di Camastra
Caronia
San Fratello
Belmonte Mezzagno
Trabia
Bolognetta
Marineo
Godrano
Ventimiglia di Sicilia
Caccamo
Sciara
IMERA
Collesano
Gratteri
Santuario di Gibilmanna
Pollina
Tusa
HALAESA
Milianni
Pettineo
Reitano
Mistretta
Castelbuono
San Mauro Castelverde
Pizzo Carbonara
1979
Cerda
Aliminusa
Villafrati
Ciminna
Rocca Busambra
1613
Mezzojuso
Giardinello
Vicari
Montemaggiore Belsito
LE MADONIE
Geraci Siculo
Portella del Bafurco
1120
Colle del Contrasto
Capizzi
1100
MONTI
Roccapalumba
Caltavuturo
Polizzi Generosa
Petralia Sottana
Gangi
Cerami
Troina
Lercara Friddi
Alia
Castellana Sicula
Petralia Soprana
Monte Zimmara
1333
Sperlinga
Nicosia
Gagliano Castelferrato
Prizzi
966
Portella dello Scavo
Valledolmo
Bompietro
Alimena
Portella Mola
Castronuovo di Sicilia
Vallelunga Pratameno
Resuttano
Nissoria
Palazzo Adriano
M.TI SICANI
Cammarata
Platani
Villalba
Portella di Recattivo
Leonforte
Agira
Bivona
Santo Stefano Quisquina
Monte Cammarata
1578
San Giovanni Gemini
Assoro
Mussomeli
Marianopoli
Santa Caterina Villarmosa
Villarosa
Calascibetta
Alessandria della Rocca
Casteltermini
ENNA
Pergusa
Lago di Pergusa
Cianciana
Sutera
Campofranco
CALTANISSETTA
SABUCINA
Valguarnera Caropepe
San Biagio Platani
San Cataldo
Sant'Angelo Muxaro
Milena
Montedoro
Raddusa
Cattolica Eraclea
Santa Elisabetta
Serradifalco
Pietraperzia
MORGANTINA
Aidone
Raffadali
Aragona
Racalmuto
Grotte
Barrafranca
Montallegro
Canicattì
Delia
Sommatino
VILLA ROMANA DEL CASALE
Mirabella Imbaccari
Siculiana
AGRIGENTO
Castrofilippo
Favara
Realmonte
VALLE DEI TEMPLI
Naro
Riesi
Mazzarino
San Cono
San Michele di Ganzaria
Porto Empedocle
San Leone
Campobello di Licata
Ravanusa
Camastra
Caltagirone
Palma di Montechiaro
Castello di Montechiaro
Marina di Palma
Butera
PIANA DI GELA
Niscemi
Granieri
Linosa
Lampedusa
Licata
Castello di Falconara
San Pietro
Mazzarrone
Gela
Acate
37° 00'
Golfo di Gela
Vittoria
MAR MEDITERRANEO
Scoglitti
Santa Croce Camerina
Punta Secca
Marina di Ragusa
a
b
c
d
A 13° 30'
B
14° 00'
C
14° 30'

36
31
32
D
E
F
b
c
d
Naso
Patti
Sant'Angelo di Brolo
Sinagra
Vigliatore
Terme Vigliatore
Castroreale
Santa Lucia del Mela
Furnari
Castell' Umberto
Raccuja
15° 00'
Galati Mamertino
Tortorici
San Piero Patti
Montalbano Elicona
Novara di Sicilia
Alcara li Fusi
MONTI PELORITANI
Larderia
Galati Marina
Altolia
Itala
Alì
Fiumedinisi
Mandanici
Alì Terme
Nizza di Sicilia
Roccalumera
Santa Teresa di Riva
Sant'Alessio Siculo
Forza d'Agrò
Antillo
Stretto
REGGIO DI CALABRIA
15° 30'
Terreti
Oliveto
Motta San Giovanni
Punta di Pellaro
Bagaladi
San Lorenzo
Condofuri
Bova
Lazzaro
Montebello Ionico
Capo dell' Armi
Punta di Melito di Porto Salvo
Melito di Porto Salvo
NEBRODI
Floresta
Portella dello Zoppo
Portella Mandrazzi
Roccella Valdemone
Montagna Grande
1374
Monte Soro
1847
Portella Femmina Morta
Santa Domenica Vittoria
Randazzo
Francavilla di Sicilia
Castiglione di Sicilia
Gola d'Alcantara
Letojanni
TAORMINA
Giardini-Naxos
NAXOS
Cesarò
Maletto
Linguaglossa
Calatabiano
Piedimonte Etneo
Fiumefreddo di Sicilia
Bronte
ETNA (MONGIBELLO)
3323
Sant'Alfio
Mascali
Riposto
Giarre
Zafferana Etnea
Adrano
Biancavilla
Santa Venerina
Civitavecchia Nápoli
Centuripe
Santa Maria di Licodia
Belpasso
Nicolosi
Trecastagni
Acireale
San Giovanni la Punta
Aci Catena
Aci Trezza
Aci Castello
Catenanuova
Paternò
Mascalucia
Gravina di Catania
Misterbianco
CATANIA
37° 30'
Castel di Iudica
Dittaino
Simeto
Golfo di Catania
Malta
MAR IONIO
PIANA DI CATANIA
Gornalunga
Agnone Bagni
Palagonia
Scordia
Lentini
Brucoli
Mineo
Militello in Val di Catania
Carlentini
Capo Santa Croce
Villasmundo
Augusta
Francofonte
Grammichele
MEGARA HYBLAEA
Melilli
Licodia Eubea
Priolo Gargallo
Sortino
Vizzini
Ferla
NECROPOLI DI PANTALICA
Buccheri
CASTELLO EURIALO
Solarino
SIRACUSA
Monterosso Almo
Buscemi
Palazzolo Acreide
Floridia
AKRAI
Giarratana
Canicattini Bagni
Chiaramonte Gulfi
Capo Murro di Porco
37° 00'
Testa dell' Acqua
Cassibile
NOTO ANTICA
MONTI IBLEI
Avola
RAGUSA
Noto
Calabernardo
Modica
Lido di Noto
ELORO
CAVA D'ISPICA
Rosolini
Golfo di Noto
Scicli
Ispica
Marzamemi
Donnalucata
Pozzallo
Sampieri
Pachino
Capo Passero
Portopalo di Capo Passero
Capo delle Correnti

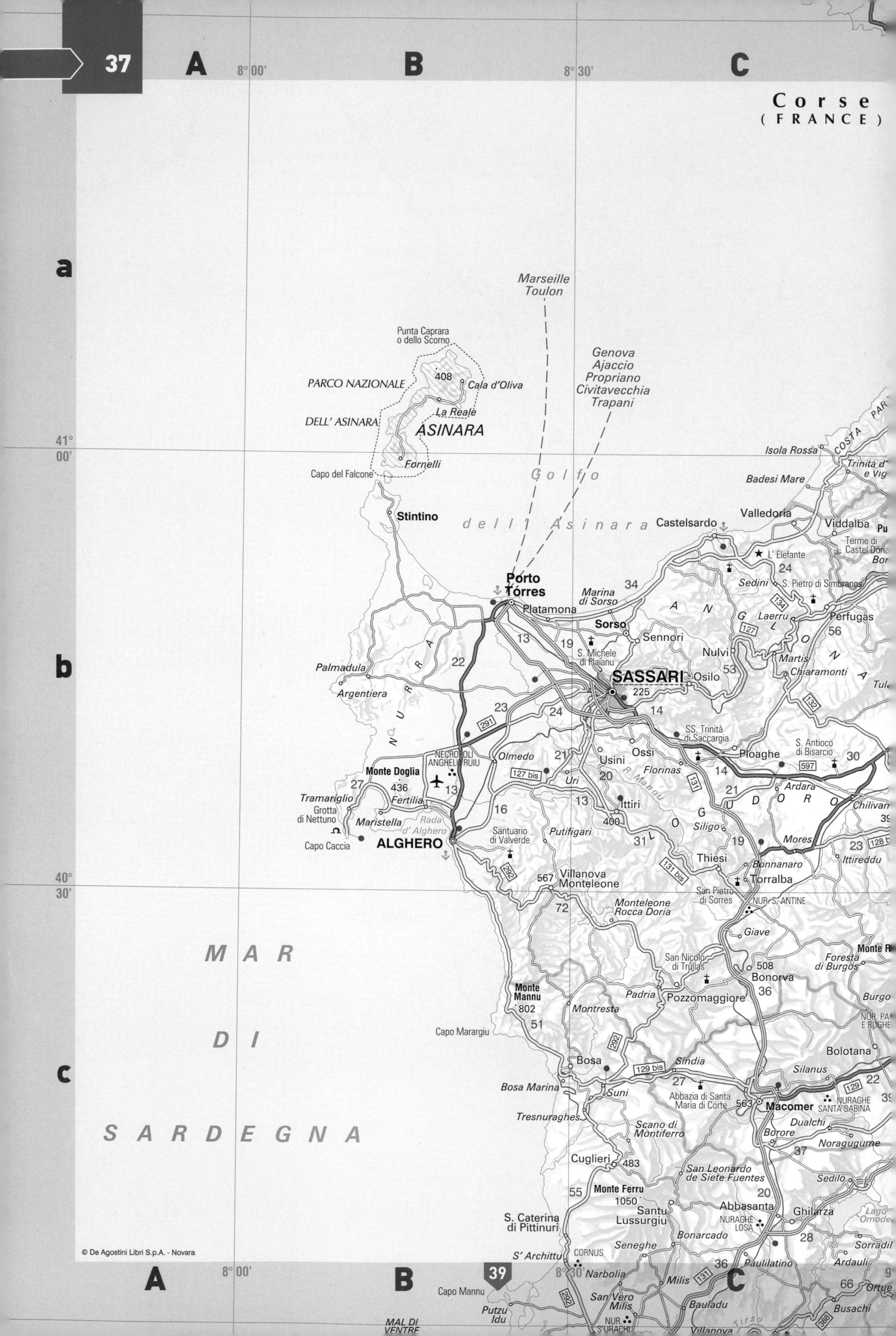
A
B
C
8° 00'
8° 30'
Corse
(FRANCE)
a
b
c
41° 00'
40° 30'
Marseille
Toulon
Genova
Ajaccio
Propriano
Civitavecchia
Trapani
Punta Caprara
o dello Scorno
PARCO NAZIONALE
DELL' ASINARA
408
Cala d'Oliva
La Reale
ASINARA
Fornelli
Capo del Falcone
Golfo
dell' Asinara
Stintino
Isola Rossa
COSTA
Trinità d'
e Vig
Badesi Mare
Valledoria
Viddalba
Castelsardo
Terme di
Castel Doria
L' Elefante
24
Sedini
S. Pietro di Simbranos
Porto
Tórres
Marina
di Sorso
34
Platamona
Sorso
Sennori
Laerru
Perfugas
56
13
19
S. Michele
di Plaianu
Nulvi
Martis
Chiaramonti
Palmadula
22
SASSARI
Osilo
53
Argentiera
225
14
23
24
291
SS. Trinità
di Saccargia
Ploaghe
S. Antioco
di Bisarcio
30
597
NECROPOLI
ANGHELU RUIU
Olmedo
21
Usini
Ossi
Florinas
14
Monte Doglia
436
27
127 bis
20
Uri
R. Mannu
131
21
Ardara
Chilivan
Tramariglio
Fertilia
13
13
Ittiri
Grotta
di Nettuno
Maristella
Rada
d' Alghero
16
400
Siligo
19
Mores
Capo Caccia
ALGHERO
Santuario
di Valverde
Putifigari
31
131 bis
Thiesi
23
Ittireddu
Bonnanaro
Torralba
292
567
Villanova
Monteleone
San Pietro
di Sorres
NUR. S. ANTINE
72
Monteleone
Rocca Doria
Giave
MAR
San Nicolò
di Trullas
508
Bonorva
Foresta
di Burgos
Monte Mannu
802
Padria
Pozzomaggiore
36
Burgo
Montresta
51
NUR. PA
E RUGHE
Capo Marargiu
292
DI
Bolotana
Bosa
129 bis
Sindia
Silanus
27
129
22
Bosa Marina
Suni
Abbazia di Santa
Maria di Corte
563
Macomer
NURAGHE
SANTA SABINA
Tresnuraghes
Scano di
Montiferro
Dualchi
SARDEGNA
Borore
Noragugume
37
Cuglieri
483
San Leonardo
de Siete Fuentes
Sedilo
Monte Ferru
1050
20
55
Abbasanta
Ghilarza
S. Caterina
di Pittinuri
Santu
Lussurgiu
NURAGHE
LOSA
Lago
Omodeo
Seneghe
Bonarcado
28
Sorradil
S' Archittu
CORNUS
Ardauli
36
Paulilatino
Narbolia
Milis
131
66
Ortue
Capo Mannu
San Vero
Milis
Bauladu
Busachi
Putzu
Idu
NUR.
S'URACHI
Villanova
Tirso
388
MAL DI
VENTRE
292

Pianotoli-Caldarello
Figari
D
Golfu di Santa-Manza
9° 30'
E
10° 00'
F
Grotte Marine du Sdragonato
Capo di Feno
Bonifacio
CAVALLO
Capo Pertusato
ÎLES LAVEZZI
Bocche di Bonifacio
RAZZOLI
SANTA MARIA
BUDELLI
Punta Falcone
SPARGI
MADDALENA
DELL'ARCIPELAGO
CAPRERA
DE LA MADDALENA
Capo Testa
Santa Teresa Gallura
La Maddalena
Tomba di Garibaldi
Porto Pozzo
Palau
l'Orso
Capo Ferro
Baia Sardinia
Porto Cervo
Genova
Torre Vignola
Portobello di Gallura
Bassacutena
Cannigione
Liscia
COSTA SMERALDA
Arzachena
MORTORIO
Piombino
Livorno
Capriccioli
SOFFI
Aglientu
639
Monte Puntaccia
Luogosanto
S. Pantaleo
Golfo di Congianus
Porto Rotondo
G A L L U R A
Lago di Liscia
Capo Figari
Golfo Aranci
Civitavécchia
Sant'Antonio di Gallura
NURAGHE MAJORI
Luras
OLBIA
Golfo di Olbia
Calangianus
Tempio Pausania
Telti
TAVOLARA
MOLARA
Porto San Paolo
Monte Petrosu
Capo Coda Cavallo
Arbatax
1359
Monte Limbara
la Variante
Loiri
Berchiddeddu
Berchidda
Monti
San Teodoro
Padru
Budditogliu Straulas
Monte Nieddu
971
Budoni
Oschiri
Cuzzola
Brunella
Piras
Alà dei Sardi
NURAGHE RUJU
Posada
la Caletta
Torpè
Monte Lerno
1093
Pattada
Buddusò
Mamone
Lodè
Santa Lucia
Siniscola
Nughedu di San Nicolò
Tirso
Osidda
Capo Comino
B A R O N I E
40° 30'
41° 00'
Monte Albo
Lula
548
Bitti
1127
Bultei
Benetutti
Cala Liberotto
M A R
Bono
Terme Aurora
Orune
Loculi
Onifai
Galtellì
Orosei
Marina di Orosei
NUORO
Monte Ortobene
955
SERRA ORRIOS
Cedrino
T I R R E N O
Orotelli
Dorgali
Cala Gonone
Oliena
Monte Corrasi
1463
Grotta del Bue Marino
Golfo di Orosei
Orani
Sarule
Mamoiada
PARCO NAZ. DEL GOLFO DI OROSEI E DEL GENNARGENTU
Ottana
Ianna Caguseli
Orgosolo
Olzai
Gavoi
Fonni
906
Genna Cruxi
Passo di Caravai
Teti
Ovodda
1118
Arcu Correboi
Urzulei
Capo di Monte Santu
1246
Austis
Talana
40
Triei
Baunei
Sorgono
Tonara
MONTI DEL GENNARGENTU
Desulo
Santa Maria Navarrese
a
b
c

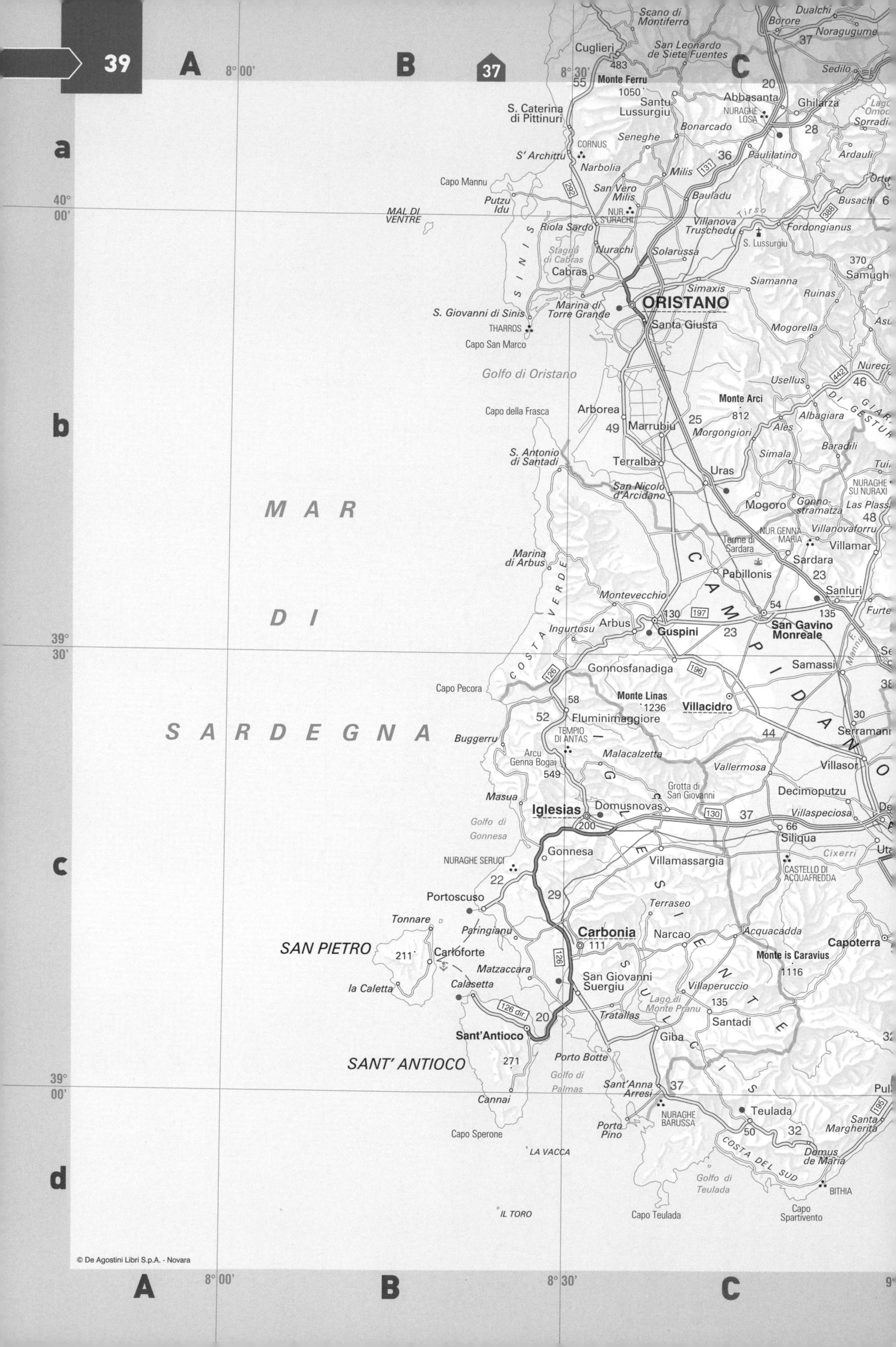
39
A
8° 00'
B
37
8° 30'
C
a
b
c
d
40° 00'
39° 30'
39° 00'
MAR
DI
SARDEGNA
Scano di Montiferro
Dualchi
Borore
Noragugume
Cuglieri
San Leonardo de Siete Fuentes
483
Monte Ferru
1050
Sedilo
Abbasanta
Ghilarza
S. Caterina di Pittinuri
Santu Lussurgiu
NURAGHE LOSA
Bonarcado
Paulilatino
Seneghe
CORNUS
S' Archittu
Narbolia
Milis
Capo Mannu
San Vero Milis
Bauladu
Putzu Idu
MAL DI VENTRE
NUR. S'URACHI
Riola Sardo
Villanova Truschedu
Tirso
Fordongianus
S. Lussurgiu
Busachi
Ardauli
Sorradile
Stagno di Cabras
Nurachi
Solarussa
SINIS
Cabras
Simaxis
Siamanna
Samugheo
Ruinas
Marina di Torre Grande
ORISTANO
S. Giovanni di Sinis
THARROS
Santa Giusta
Mogorella
Capo San Marco
Golfo di Oristano
Usellus
Nureci
Monte Arci
812
Albagiara
GIARA DI GESTURI
Capo della Frasca
Arborea
Marrubiu
Morgongiori
Ales
Baradili
S. Antonio di Santadi
Terralba
Simala
Uras
San Nicolò d'Arcidano
NURAGHE SU NURAXI
Mogoro
Gonnostramatza
Las Plassas
NUR. GENNA MARIA
Villanovaforru
Villamar
Terme di Sardara
Sardara
Marina di Arbus
CAMPIDANO
Pabillonis
Sanluri
Montevecchio
COSTA VERDE
San Gavino Monreale
Furtei
Ingurtosu
Arbus
Guspini
Gonnosfanadiga
Samassi
Capo Pecora
Monte Linas
1236
Villacidro
Fluminimaggiore
Serramanna
Buggerru
TEMPIO DI ANTAS
Malacalzetta
IGLESIENTE
Arcu Genna Bogai
549
Vallermosa
Villasor
Grotta di San Giovanni
Decimoputzu
Masua
Iglesias
Domusnovas
Villaspeciosa
Golfo di Gonnesa
Siliqua
Gonnesa
Cixerri
NURAGHE SERUCI
Villamassargia
CASTELLO DI ACQUAFREDDA
Portoscuso
Terraseo
Tonnare
Paringianu
Carbonia
Narcao
Acquacadda
Capoterra
SAN PIETRO
Carloforte
Monte is Caravius
1116
Matzaccara
SULCIS
la Caletta
Calasetta
San Giovanni Suergiu
Villaperuccio
Lago di Monte Pranu
Santadi
Tratalias
Sant'Antioco
Giba
SANT' ANTIOCO
Porto Botte
Golfo di Palmas
Sant'Anna Arresi
Cannai
NURAGHE BARUSSA
Teulada
Capo Sperone
Porto Pino
Santa Margherita
COSTA DEL SUD
Domus de Maria
LA VACCA
Golfo di Teulada
BITHIA
IL TORO
Capo Teulada
Capo Spartivento
© De Agostini Libri S.p.A. - Novara
A
8° 00'
B
8° 30'
C

40
D
E
F
a
b
c
d
9° 30'
10° 00'
40° 00'
39° 30'
39° 00'
Golfo di Orosei
PARCO NAZ. DEL GOLFO
Sarule
Ottana
Mamoiada
Orgosolo
Olzai
Gavoi
Fonni
Teti
Ovodda
Austis
Sorgono
Tonara
Desulo
MONTI DEL GENNARGENTU
DI OROSEI
Talana
Urzulei
Genna Cruxi
Passo di Caravai
Arcu Correboi
Punta La Marmora
Villanova Strisaili
Villagrande Strisaili
Atzara
Meana Sardo
Aritzo
Lago Alto del Flumendosa
Flumendosa
Arzana
Lanusei
Monte Perdedu
Seulo
Seui
Gairo
Bari Sardo
Cardedu
Ulassai
Grotta su Marmuri
Jerzu
Ussassai
Esterzili
Monte Santa Vittoria
Nurallao
Villanova Tulo
Isili
Gesturi
Barumini
Serri
Gergei
Nurri
Orroli
Lago del Flumendosa
Mandas
Lago Mulargia
Gesico
Siurgus Donigala
NURAGHE GONI
Goni
Escalaplano
Ballao
Armungia
Suelli
Senorbì
San Basilio
San Nicolò Gerrei
Samatzai
Villasalto
Sant'Andrea Frius
Nuraminis
Ussana
Monastir
Dolianova
Punta Serpeddi
Burcei
Sestu
Sinnai
Maracalagonis
Settimo San Pietro
Selargius
Quartu Sant'Elena
Monte Sette Fratelli
Poetto
Sant'Andrea
CÁGLIARI
Capo Sant' Elia
la Maddalena
Geremeas
Castiadas
Villasimius
Capo Boi
Capo Carbonara
I. DEI CAVOLI
SERPENTARA
Golfo di Cagliari
Sarroch
NORA
Capo di Pula
Capo di Monte Santu
Baunei
Triei
Santa Maria Navarrese
Lotzorai
Arbatax
Tortolì
Ólbia
Genova Civitavécchia
Cágliari
Marina di Gairo
Capo Sferracavallo
Tertenia
Perdasdefogu
CASTELLO DI QUIRRA
Quirra
Capo San Lorenzo
San Vito
Villaputzu
Muravera
NURAGHE S'ORO
San Priamo
COSTA REI
Capo Ferrato
Arbatax
Livorno Civitavécchia Nápoli
Palermo Trápani
MAR TIRRENO

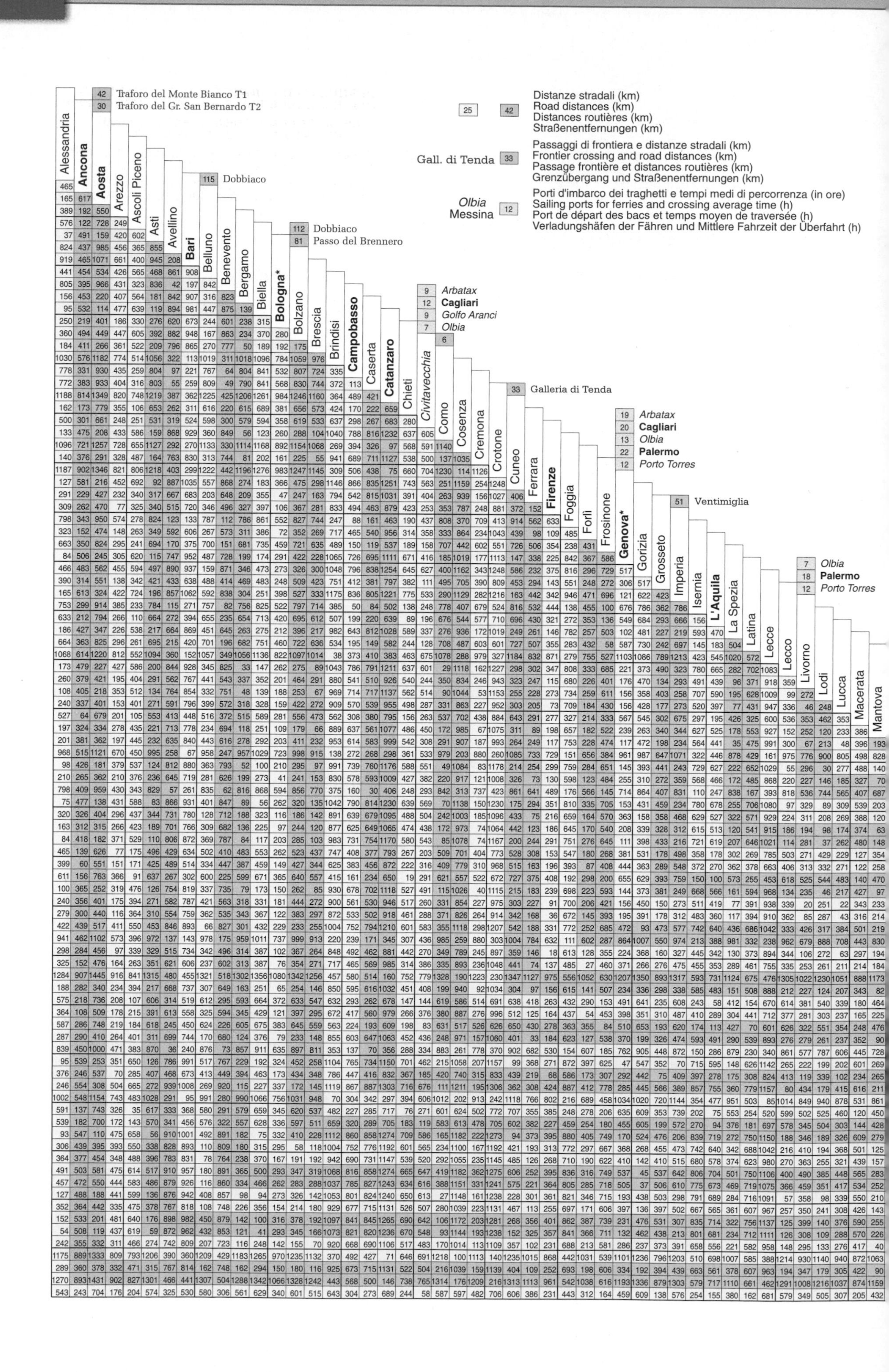

Distanze stradali (km)
Road distances (km)
Distances routières (km)
Straßenentfernungen (km)

Gall. di Tenda 33 — Passaggi di frontiera e distanze stradali (km)
Frontier crossing and road distances (km)
Passage frontière et distances routières (km)
Grenzübergang und Straßenentfernungen (km)

Olbia Messina 12 — Porti d'imbarco dei traghetti e tempi medi di percorrenza (in ore)
Sailing ports for ferries and crossing average time (h)
Port de départ des bacs et temps moyen de traversée (h)
Verladungshäfen der Fähren und Mittlere Fahrzeit der Überfahrt (h)

Aosta: 42 Traforo del Monte Bianco T1; 30 Traforo del Gr. San Bernardo T2
Belluno: 115 Dobbiaco
Bolzano: 112 Dobbiaco; 81 Passo del Brennero
Civitavecchia: 9 *Arbatax*; 12 **Cagliari**; 9 *Golfo Aranci*; 7 *Olbia*; 6
Cuneo: 33 Galleria di Tenda
Genova*: 19 *Arbatax*; 20 **Cagliari**; 13 *Olbia*; 22 **Palermo**; 12 *Porto Torres*
Imperia: 51 Ventimiglia
Livorno: 7 *Olbia*; 18 **Palermo**; 12 *Porto Torres*

	Alessandria	**Ancona**	**Aosta**	Arezzo	Ascoli Piceno	Asti	Avellino	**Bari**	Belluno	Benevento	Bergamo	Biella	**Bologna***	Bolzano	Brescia	Brindisi	**Campobasso**	Caserta	**Catanzaro**	Chieti	*Civitavecchia*	Como	Cosenza	Cremona	Crotone	Cuneo	Ferrara	**Firenze**	Foggia	Forlì	Frosinone	**Genova***	Gorizia	Grosseto	Imperia	Isernia	**L'Aquila**	La Spezia	Latina	Lecce	Lecco	Livorno	Lodi	Lucca	Macerata	Mantova
Ancona	465																																												
Aosta	165	617																																											
Arezzo	389	192	550																																										
Ascoli Piceno	576	122	728	249																																									
Asti	37	491	159	420	602																																								
Avellino	824	437	985	456	365	855																																							
Bari	919	465	1071	661	400	945	208																																						
Belluno	441	454	534	426	565	468	861	908																																					
Benevento	805	395	966	431	323	836	42	197	842																																				
Bergamo	156	453	220	407	564	181	842	907	316	823																																			
Biella	95	532	114	477	639	119	894	981	447	875	139																																		
Bologna*	250	219	401	186	330	276	620	673	244	601	238	315																																	
Bolzano	360	494	449	447	605	392	882	948	167	863	234	370	280																																
Brescia	184	411	266	361	522	209	796	865	270	777	50	189	192	175																															
Brindisi	1030	576	1182	774	514	1056	322	113	1019	311	1018	1096	784	1059	976																														
Campobasso	778	331	930	435	259	804	97	221	767	64	804	841	532	807	724	335																													
Caserta	772	383	933	404	316	803	55	259	809	49	790	841	568	830	744	372	113																												
Catanzaro	1188	814	1349	820	748	1219	387	362	1225	425	1206	1261	984	1246	1160	364	489	421																											
Chieti	162	173	779	355	106	653	262	311	616	220	615	689	381	656	573	424	170	222	659																										
Civitavecchia	500	301	661	248	251	531	319	524	598	300	579	594	358	619	533	637	298	267	683	280																									
Como	133	475	208	433	586	159	868	929	360	849	56	123	260	288	104	1040	788	816	1232	637	605																								
Cosenza	1096	721	1257	728	655	1127	292	270	1133	330	1114	1168	892	1154	1068	269	394	326	97	568	591	1140																							
Cremona	140	376	291	328	487	164	763	830	313	744	81	202	161	225	55	941	689	711	1127	538	500	137	1035																						
Crotone	1187	902	1346	821	806	1218	403	299	1222	442	1196	1276	983	1247	1145	309	506	438	75	660	704	1230	114	1126																					
Cuneo	127	581	216	452	692	92	887	1035	557	868	274	183	366	475	298	1146	866	835	1251	743	563	251	1159	254	1248																				
Ferrara	291	229	427	232	340	317	667	683	203	648	209	355	47	247	163	794	542	815	1031	391	404	263	939	156	1027	406																			
Firenze	309	262	470	77	325	340	515	720	346	496	327	397	106	367	281	833	494	463	879	423	253	353	787	248	881	372	152																		
Foggia	798	343	950	574	278	824	123	133	787	112	786	861	552	827	744	247	88	161	463	190	437	808	370	709	413	914	562	633																	
Forlì	323	152	474	148	263	349	592	606	267	573	311	386	72	352	269	717	465	540	956	314	358	333	864	234	1043	439	98	109	485																
Frosinone	663	350	824	295	241	694	170	375	700	151	681	735	459	721	635	450	119	150	537	189	158	707	442	602	551	726	506	354	238	431															
Genova*	84	506	245	305	620	115	747	952	487	728	199	174	291	422	228	1065	726	695	1111	671	416	185	1019	177	1113	147	338	225	842	367	586														
Gorizia	466	483	562	455	594	497	890	937	159	871	346	473	273	326	300	1048	796	838	1254	645	627	400	1162	343	1248	586	232	375	816	296	729	517													
Grosseto	390	314	551	138	342	421	433	638	488	414	469	483	248	509	423	751	412	381	797	382	111	495	705	390	809	453	294	143	551	248	272	306	517												
Imperia	165	613	324	422	724	196	857	1062	592	838	304	251	398	527	333	1175	836	805	1221	775	533	290	1129	282	1216	163	442	342	946	471	696	121	622	423											
Isernia	753	299	914	385	233	784	115	271	757	82	756	825	522	797	714	385	50	84	502	138	248	778	407	679	524	816	532	444	138	455	100	676	786	362	786										
L'Aquila	633	212	794	266	110	664	272	394	655	235	654	713	420	695	612	507	199	220	639	89	196	676	544	577	710	696	430	321	272	353	136	549	684	293	666	156									
La Spezia	186	427	347	226	538	217	664	869	451	645	263	275	212	396	217	982	643	812	1028	589	337	276	936	172	1019	249	261	146	782	257	503	102	481	227	219	593	470								
Latina	664	363	825	296	261	695	215	420	701	196	682	751	460	722	636	534	195	149	582	244	128	708	487	603	601	727	507	355	283	432	58	587	730	242	697	145	183	504							
Lecce	1068	614	1220	812	552	1094	360	152	1057	349	1056	1136	822	1097	1014	38	373	410	383	463	675	1078	288	979	327	1184	832	871	279	755	527	1103	1086	789	1213	423	545	1020	572						
Lecco	173	479	227	427	586	200	844	928	345	825	33	147	262	275	89	1043	786	791	1211	637	601	29	1118	162	1227	298	302	347	808	333	685	221	373	490	323	780	665	282	702	1083					
Livorno	260	379	421	195	404	291	562	767	441	543	337	352	201	464	291	880	541	510	926	540	244	350	834	246	943	323	247	115	680	226	401	176	470	134	293	491	439	96	371	918	359				
Lodi	108	405	218	353	512	134	764	854	332	751	48	139	188	253	67	969	714	717	1137	562	514	90	1044	53	1153	255	228	273	734	259	611	156	358	403	258	707	590	195	628	1009	99	272			
Lucca	240	337	401	153	401	271	591	796	399	572	318	328	159	422	272	909	570	539	955	498	287	331	863	227	952	303	205	73	709	184	430	156	428	177	273	520	397	77	431	947	336	46	248		
Macerata	527	64	679	201	105	553	413	448	516	372	515	589	281	556	473	562	308	380	795	156	263	537	702	438	884	643	291	277	327	214	333	567	545	302	675	297	195	426	325	600	536	353	462	353	
Mantova	197	324	334	278	435	221	713	778	234	694	118	251	109	179	66	889	637	561	1077	486	450	172	985	67	1075	311	89	198	657	182	522	239	263	340	344	627	525	178	553	927	152	252	120	233	386		
	201	381	362	197	445	232	635	840	443	616	278	292	203	411	232	953	614	583	999	542	308	291	907	187	993	264	249	117	729	228	474	117	472	198	234	564	441	35	475	991	300	67	213	48	396	193
	968	515	1121	670	450	995	258	67	958	247	957	1029	723	998	915	138	272	268	298	361	533	979	203	880	260	1085	733	729	151	656	384	961	987	647	1071	322	446	878	429	161	975	776	900	805	498	828
	98	426	181	379	537	124	812	880	363	793	52	100	210	295	97	991	739	760	1176	588	551	49	1084	83	1178	214	254	299	759	284	651	145	393	441	243	729	627	222	652	1029	55	296	30	277	488	140
	210	265	362	210	376	236	645	719	281	626	199	273	41	241	153	830	578	593	1009	427	382	220	917	121	1008	326	73	130	598	123	484	255	310	272	359	568	466	172	485	868	220	227	146	185	327	70
	798	409	959	430	343	829	57	261	835	62	816	868	594	856	770	375	160	30	406	248	293	842	313	737	423	861	641	489	176	566	145	714	864	407	831	110	247	838	167	393	818	536	744	565	407	687
	75	477	138	431	588	83	866	931	401	847	89	56	262	320	135	1042	790	814	1230	639	569	70	1138	150	1230	175	294	351	810	335	705	153	431	459	234	780	678	255	706	1080	97	329	89	309	539	203
	320	326	404	296	437	344	731	780	128	712	188	323	116	186	142	891	639	679	1095	488	504	242	1003	185	1096	433	75	216	659	164	570	363	158	358	468	629	527	322	571	929	224	311	208	269	388	120
	163	312	315	266	423	189	701	766	309	682	136	225	97	244	120	877	625	649	1065	474	438	172	973	74	1064	442	123	186	645	170	540	208	339	328	312	615	513	120	541	915	186	194	98	174	374	63
	84	418	182	371	529	110	806	872	369	787	84	117	203	285	103	983	731	754	1170	580	543	85	1078	74	1167	200	244	291	751	276	645	111	398	433	216	721	619	207	646	1021	114	281	37	262	480	148
	465	139	626	77	175	496	429	634	502	410	483	553	262	523	437	747	408	377	793	267	203	509	701	404	773	528	308	153	547	180	268	381	531	178	498	358	178	302	269	785	503	271	429	229	127	354
	399	60	551	151	171	425	489	514	334	447	387	459	149	427	344	625	383	456	872	222	316	409	779	310	968	515	163	196	393	87	408	444	363	289	548	372	270	362	378	663	406	313	332	271	122	258
	611	156	763	366	91	637	267	302	600	225	599	671	365	640	557	415	161	234	650	19	291	621	557	522	672	727	375	408	192	298	200	655	629	393	759	150	100	573	255	453	618	525	544	483	140	470
	100	365	252	319	476	126	754	819	337	735	79	173	150	262	85	930	678	702	1118	527	491	115	1026	40	1115	215	183	239	698	223	593	144	373	381	249	668	566	161	594	968	134	235	46	217	427	97
	240	356	401	175	394	271	582	787	421	563	318	331	181	444	272	900	561	530	946	517	260	331	854	227	975	303	227	91	700	206	421	156	450	150	273	511	419	77	391	938	339	20	251	22	343	233
	279	300	440	116	364	310	554	759	362	535	343	367	122	383	297	872	533	502	918	461	288	371	826	264	914	342	168	36	672	145	393	195	391	178	312	483	360	117	394	910	362	85	287	43	316	214
	422	439	517	411	550	453	846	893	66	827	301	432	229	233	255	1004	752	794	1210	601	583	355	1118	298	1207	542	188	331	772	252	685	472	93	473	577	742	640	436	686	1042	333	426	317	384	501	219
	941	462	1102	573	396	972	137	143	978	175	959	1011	737	999	913	220	239	171	345	307	436	985	259	880	303	1004	784	632	111	602	287	864	1007	550	974	213	388	981	332	238	962	679	888	708	443	830
	298	284	456	97	339	329	515	734	342	496	314	387	102	367	264	848	492	462	881	442	270	349	789	245	897	359	146	18	613	128	355	224	368	160	327	445	342	130	373	894	344	106	272	63	297	194
	325	152	476	164	263	351	621	606	237	602	313	387	76	354	271	717	465	569	985	314	386	335	893	236	1048	441	74	137	485	27	460	371	266	276	475	455	353	289	461	755	335	253	261	211	214	184
	1284	907	1445	916	841	1315	480	455	1321	518	1302	1356	1080	1342	1256	457	580	514	160	752	779	1328	190	1223	230	1347	1127	975	556	1052	630	1207	1350	893	1317	593	731	1124	675	476	1305	1022	1230	1051	888	1173
	188	282	340	234	394	217	668	737	307	649	163	251	65	254	146	850	595	616	1032	451	408	199	940	92	1034	304	97	156	615	141	507	234	336	298	338	585	483	151	508	888	212	227	124	207	343	82
	575	218	736	208	107	606	314	519	612	295	593	664	372	633	547	632	293	262	678	147	144	619	586	514	691	638	418	263	432	290	153	491	641	235	608	243	58	412	154	670	614	381	540	339	180	464
	364	108	509	178	215	391	613	558	325	594	345	429	121	397	295	672	417	560	979	266	376	380	887	276	996	512	125	164	437	54	453	398	351	310	487	410	289	304	441	712	377	281	303	237	165	225
	587	286	748	219	184	618	245	450	624	226	605	675	383	645	559	563	224	193	609	198	83	631	517	526	626	650	430	278	363	355	84	510	653	193	620	174	113	427	70	601	626	322	551	354	248	476
	287	290	410	264	401	311	699	744	170	680	124	376	79	233	148	855	603	647	1063	452	436	248	971	157	1060	401	33	184	623	127	538	370	199	326	474	593	491	290	539	893	276	279	261	237	352	90
	839	450	1000	471	383	870	36	240	876	73	857	911	635	897	811	353	137	70	356	288	334	883	261	778	370	902	682	530	154	607	185	762	905	448	872	150	286	879	230	340	861	577	787	606	445	728
	95	539	253	351	650	126	786	991	517	767	229	192	324	452	258	1104	765	734	1150	701	462	215	1058	207	1157	99	368	271	872	397	625	47	547	352	70	715	595	148	626	1142	265	222	199	202	601	269
	376	246	537	70	285	407	468	673	413	449	394	463	173	434	348	786	447	416	832	367	185	420	740	315	833	439	219	68	586	173	307	292	442	75	409	397	278	175	308	824	413	119	339	102	234	265
	246	554	308	504	665	272	939	1008	269	920	115	227	337	172	145	1119	867	887	1303	716	676	111	1211	195	1306	362	308	424	887	412	778	285	445	566	389	857	755	360	779	1157	80	434	179	415	616	211
	1002	548	1154	743	483	1028	291	95	991	280	990	1066	756	1031	948	70	304	342	297	394	606	1012	202	913	242	1118	766	802	216	689	458	1034	1020	720	1144	354	477	951	503	85	1014	849	940	878	531	861
	591	137	743	326	35	617	333	368	580	291	579	659	345	620	537	482	227	285	717	76	271	601	624	502	772	707	355	385	248	278	206	635	609	353	739	202	75	553	254	520	599	502	525	460	120	450
	539	182	700	172	143	570	341	456	576	322	557	628	336	597	511	659	320	289	705	183	119	583	613	478	705	602	382	227	459	254	180	455	605	199	572	270	94	376	181	697	578	345	504	303	144	428
	93	547	110	475	658	56	910	1001	492	891	182	75	332	410	228	1112	860	858	1274	709	586	165	1182	222	1273	94	373	395	880	405	749	170	524	476	206	839	719	272	750	1150	188	346	189	326	609	279
	306	439	395	393	550	338	828	893	110	809	180	315	295	58	118	1004	752	776	1192	601	565	234	1100	167	1192	421	193	313	772	297	667	368	268	455	473	742	640	342	688	1042	216	410	194	368	501	125
	364	377	454	348	488	396	783	831	78	764	238	370	167	191	192	942	690	731	1147	539	520	292	1055	235	1145	485	126	268	710	190	622	410	142	410	515	680	578	374	623	980	270	363	255	321	439	157
	491	503	581	475	614	517	910	957	180	891	365	500	293	347	319	1068	816	858	1274	665	647	419	1182	362	1275	606	252	395	836	316	749	537	45	537	642	806	704	501	750	1106	400	490	385	448	565	283
	457	472	550	444	583	486	879	926	116	860	334	466	262	283	288	1037	785	827	1243	634	616	388	1151	331	1241	575	221	364	805	285	718	505	37	506	610	775	673	469	719	1075	366	459	351	417	534	252
	127	488	188	441	599	136	876	942	408	857	98	94	273	326	142	1053	801	824	1240	650	613	27	1148	161	1238	228	301	361	821	346	715	193	438	503	298	791	689	284	716	1091	57	358	98	339	550	210
	352	364	442	335	475	378	767	818	108	748	226	356	154	214	180	929	677	715	1131	526	507	280	1039	223	1131	467	113	255	697	171	606	397	136	397	502	667	565	361	607	967	257	350	241	308	426	143
	152	533	201	481	640	176	898	982	450	879	142	100	316	378	192	1097	841	845	1265	690	642	106	1172	203	1281	268	356	401	862	387	739	231	476	531	307	835	714	322	756	1137	125	399	140	376	590	255
	54	508	119	437	619	59	872	962	432	853	121	41	293	345	166	1073	821	820	1236	670	548	93	1144	193	1238	152	325	357	841	366	711	132	462	438	213	801	681	234	712	1111	126	308	109	288	570	226
	242	355	332	311	466	274	742	809	207	723	116	248	142	155	70	920	668	690	1106	517	483	170	1014	113	1109	357	102	231	688	213	581	286	237	373	391	658	556	221	582	958	148	295	133	276	417	40
	1175	889	1333	809	793	1206	390	360	1209	429	1183	1265	970	1235	1132	370	492	427	71	646	691	1218	100	1113	140	1235	1015	868	442	1031	539	1101	1236	796	1203	510	698	1007	585	388	1214	930	1140	940	872	1063
	289	360	378	332	471	315	767	814	162	748	162	294	150	180	116	925	673	715	1131	522	504	216	1039	159	1139	404	109	252	693	198	606	334	192	394	439	663	561	378	607	963	194	347	179	305	422	90
	1270	893	1431	902	827	1301	466	441	1307	504	1288	1342	1066	1328	1242	443	568	500	146	738	765	1314	176	1209	216	1313	1113	961	542	1038	616	1193	1336	879	1303	579	717	1110	661	462	1291	1008	1216	1037	874	1159
	543	243	704	176	204	574	325	530	580	306	561	629	340	601	515	643	304	273	689	244	58	587	597	482	706	606	386	231	443	312	164	459	609	138	576	254	155	380	162	681	579	349	505	307	205	432

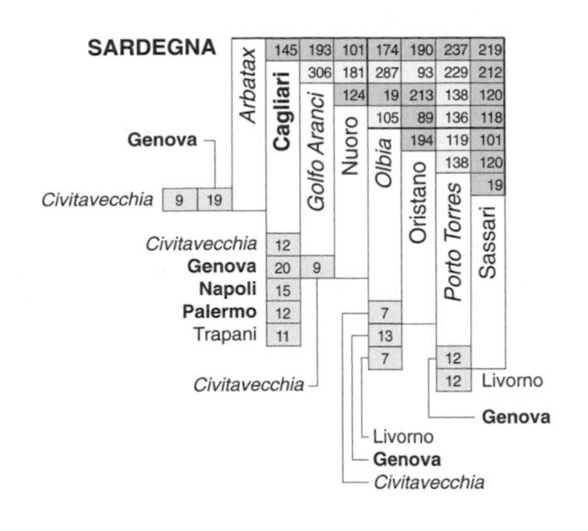

SARDEGNA

	Cagliari	Golfo Aranci	Nuoro	Olbia	Oristano	Porto Torres	Sassari
Arbatax	145	193	101	174	190	237	219
Cagliari		306	181	287	93	229	212
Golfo Aranci			124	19	213	138	120
Nuoro				105	89	136	118
Olbia					194	119	101
Oristano						138	120
Porto Torres							19

Porto	Civitavecchia	Genova	Napoli	Palermo	Trapani	Livorno
Arbatax	9	19				
Cagliari	12	20	15	12	11	
Golfo Aranci	9					
Olbia	7	13				7
Porto Torres		12				12

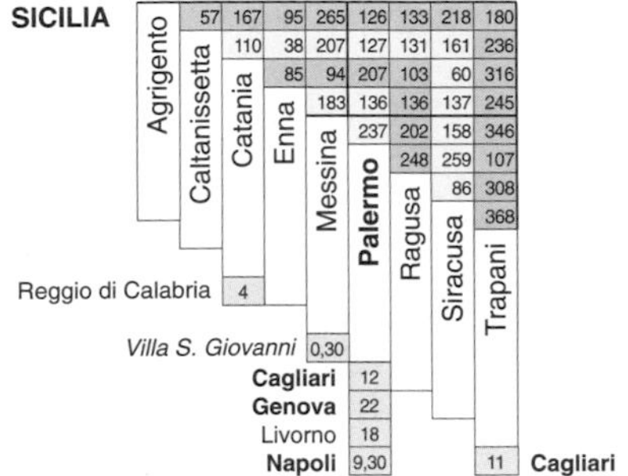

SICILIA

	Caltanissetta	Catania	Enna	Messina	Palermo	Ragusa	Siracusa	Trapani
Agrigento	57	167	95	265	126	133	218	180
Caltanissetta		110	38	207	127	131	161	236
Catania			85	94	207	103	60	316
Enna				183	136	136	137	245
Messina					237	202	158	346
Palermo						248	259	107
Ragusa							86	308
Siracusa								368

Porto	Reggio di Calabria	Villa S. Giovanni	Cagliari	Genova	Livorno	Napoli
Catania	4					
Messina		0,30				
Palermo			12	22	18	9,30
Trapani			11			

DISTANZE STRADALI TRA I MAGGIORI CENTRI DELL'ITALIA SETTENTRIONALE E ALCUNE TRA LE PRINCIPALI CITTÀ EUROPEE

ROAD DISTANCES FROM THE MAIN NORTH ITALIAN CENTRES TO SOME EUROPEAN CITIES

DISTANCES ROUTIÈRES ENTRE LES PRINCIPALES LOCALITÉS DE L'ITALIE SEPTENTRIONALE ET QUELQUES VILLES EUROPÉENNES

STRASSENENTFERNUNGEN VON DEN WICHTIGSTEN NORDITALIENISCHEN ORTSCHAFTEN BIS EINIGE EUROPÄISCHE STÄDTE

	Bologna	Genova	Milano	Torino	Trieste	Venezia	Verona
Amsterdam	1295	1210	1074	1147	1331	1275	1204
Athínai	2004	2245	2124	2252	1715	1866	1965
Barcelona	1141	857	978	868	1377	1239	1127
Beograd	906	1153	1027	1160	623	774	873
Berlin	1156	1181	1042	1162	1088	1094	1023
Bern	575	449	354	318	756	617	506
Bonn	1023	937	794	874	1057	931	1001
Bruxelles	1127	1041	906	978	1277	1167	1058
Bucureşti	1685	1931	1805	1939	1383	1520	1652
Budapest	842	1088	962	1096	558	709	809
Dublin	1896	1773	1675	1642	2059	1938	1827
Edinburgh	2058	1935	1837	1804	2221	2101	1989
Gibraltar	2253	1968	2089	1979	2488	2349	2238
Hamburg	1175	1250	1114	1231	1274	1246	1175
Helsinki	2446	2460	2322	2441	2179	2313	2116
İstanbul	1877	2118	1998	2126	1588	1739	1839
København	1439	1557	1419	1538	1433	1439	1367
Lisboa	2312	2028	2149	2039	2548	2409	2298
London	1425	1302	1204	1171	1588	1468	1356
Luxembourg	915	829	694	766	1029	957	846
Lyon	646	477	450	314	852	713	602
Madrid	1740	1455	1576	1467	1976	1837	1726
Marseille	684	399	520	371	919	780	669
Moskva	2690	2937	2811	2892	2424	2558	2657
München	565	631	495	612	497	503	432
Nice	478	194	315	280	714	575	464
Oslo	1945	2156	2020	2137	1877	1883	1811
Paris	1071	914	852	773	1255	1116	1004
Praha	948	1064	872	989	804	824	815
Sofija	1295	1536	1415	1543	1006	1157	1256
Stockolm	1993	2204	2065	2185	1925	1930	1859
Warszawa	1438	1685	1524	1640	1172	1306	1405
Wien	745	992	866	999	479	587	712
Zagreb	512	758	632	766	228	378	479
Zürich	501	416	280	397	682	543	432

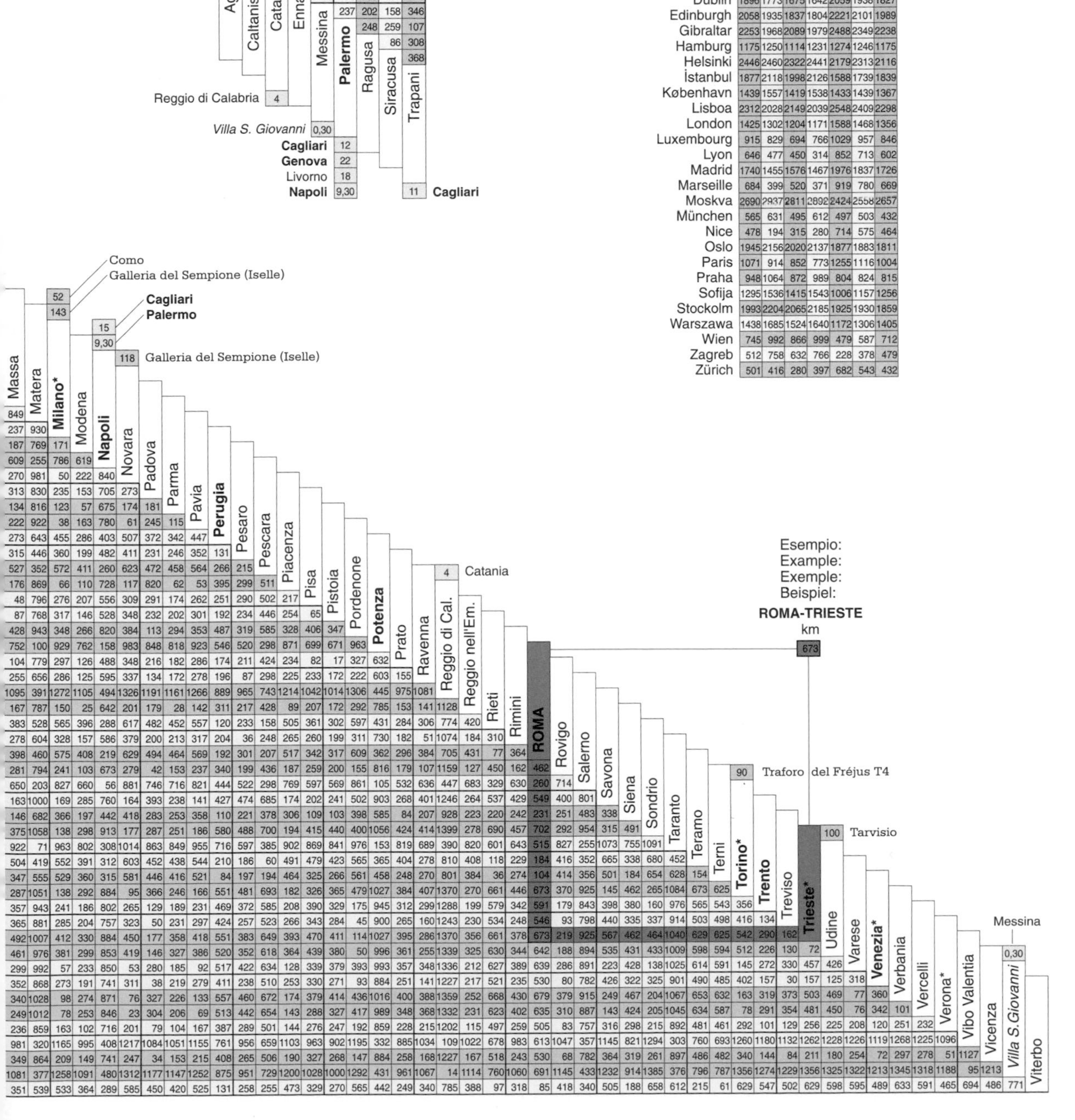

	Massa	Matera	**Milano***	Modena	**Napoli**	Novara	Padova	Parma	Pavia	**Perugia**	Pesaro	Pescara	Piacenza	Pisa	Pistoia	Pordenone	**Potenza**	Prato	Ravenna	Reggio di Cal.	Reggio nell'Em.	Rieti	Rimini	**ROMA**	Rovigo	Salerno	Savona	Siena	Sondrio	Taranto	Teramo	Terni	**Torino***	**Trento**	Treviso	**Trieste***	Udine	Varese	**Venezia***	Verbania	Vercelli	Verona*	Vibo Valentia	Vicenza	Villa S.Giovanni
Como			52
Galleria del Sempione (Iselle)			143			118
Cagliari					15
Palermo					9,30
Catania																				4
Traforo del Fréjus T4																																	90
Tarvisio																																					100
Messina																																													0,30
Matera	849
Milano*	237	930
Modena	187	769	171
Napoli	609	255	786	619
Novara	270	981	50	222	840
Padova	313	830	235	153	705	273
Parma	134	816	123	57	675	174	181
Pavia	222	922	38	163	780	61	245	115
Perugia	273	643	455	286	403	507	372	342	447
Pesaro	315	446	360	199	482	411	231	246	352	131
Pescara	527	352	572	411	260	623	472	458	564	266	215
Piacenza	176	869	66	110	728	117	820	62	53	395	299	511
Pisa	48	796	276	207	556	309	291	174	262	251	290	502	217
Pistoia	87	768	317	146	528	348	232	202	301	192	234	446	254	65
Pordenone	428	943	348	266	820	384	113	294	353	487	319	585	328	406	347
Potenza	752	100	929	762	158	983	848	818	923	546	520	298	871	699	671	963
Prato	104	779	297	126	488	348	216	182	286	174	211	424	234	82	17	327	632
Ravenna	255	656	286	125	595	337	134	172	278	196	87	298	225	233	172	222	603	155
Reggio di Cal.	1095	391	1272	1105	494	1326	1191	1161	1266	889	965	743	1214	1042	1014	1306	445	975	1081
Reggio nell'Em.	167	787	150	25	642	201	179	28	142	311	217	428	89	207	172	292	785	153	141	1128
Rieti	383	528	565	396	288	617	482	452	557	120	233	158	505	361	302	597	431	284	306	774	420
Rimini	278	604	328	157	586	379	200	213	317	204	36	248	265	260	199	311	730	182	51	1074	184	310
ROMA	398	460	575	408	219	629	494	464	569	192	301	207	517	342	317	609	362	296	384	705	431	77	364
Rovigo	281	794	241	103	673	279	42	153	237	340	199	436	187	259	200	155	816	179	107	1159	127	450	162	462
Salerno	650	203	827	660	56	881	746	716	821	444	522	298	769	597	569	861	105	532	636	447	683	329	630	260	714
Savona	163	1000	169	285	760	164	393	238	141	427	474	685	174	202	241	502	903	268	401	1246	264	537	429	549	400	801
Siena	146	682	366	197	442	418	283	253	358	110	221	378	306	109	103	398	585	84	207	928	223	220	242	231	251	483	338
Sondrio	375	1058	138	298	913	177	287	251	186	580	488	700	194	415	440	400	1056	424	414	1399	278	690	457	702	292	954	315	491
Taranto	922	71	963	802	308	1014	863	849	955	716	597	385	902	869	841	976	153	819	689	390	820	601	643	515	827	255	1073	755	1091
Teramo	504	419	552	391	312	603	452	438	544	210	186	60	491	479	423	565	365	404	278	810	408	118	229	184	416	352	665	338	680	452
Terni	347	555	529	360	315	581	446	416	521	84	197	194	464	325	266	561	458	248	270	801	384	36	274	104	414	356	501	184	654	628	154
Torino*	287	1051	138	292	884	95	366	246	166	551	481	693	182	326	365	479	1027	384	407	1370	270	661	446	673	370	925	145	462	265	1084	673	625
Trento	357	943	241	186	802	265	129	189	231	469	372	585	208	390	329	175	945	312	299	1288	199	579	342	591	179	843	398	380	160	976	565	543	356
Treviso	365	881	285	204	757	323	50	231	297	424	257	523	266	343	284	45	900	265	160	1243	230	534	248	546	93	798	440	335	337	914	503	498	416	134
Trieste*	492	1007	412	330	884	450	177	358	418	551	383	649	393	470	411	114	1027	395	286	1370	356	661	378	673	219	925	567	462	464	1040	629	625	542	290	162
Udine	461	976	381	299	853	419	146	327	386	520	352	618	364	439	380	50	996	361	255	1339	325	630	344	642	188	894	535	431	433	1009	598	594	512	226	130	72
Varese	299	992	57	233	850	53	280	185	92	517	422	634	128	339	379	393	993	357	348	1336	212	627	389	639	286	891	223	428	138	1025	614	591	145	272	330	457	426
Venezia*	352	868	273	191	741	311	38	219	279	411	238	510	253	330	271	93	884	251	141	1227	217	521	235	530	80	782	426	322	325	901	490	485	402	157	30	157	125	318
Verbania	340	1028	98	274	871	76	327	226	133	557	460	672	174	379	414	436	1016	400	388	1359	252	668	430	679	379	915	249	467	204	1067	653	632	163	319	373	503	469	77	360
Vercelli	249	1012	78	253	846	23	304	206	69	513	442	654	143	288	327	417	989	348	368	1332	231	623	402	635	310	887	143	424	205	1045	634	587	78	291	354	481	450	76	342	101
Verona*	236	859	163	102	716	201	79	104	167	387	289	501	144	276	247	192	859	228	215	1202	115	497	259	505	83	757	316	298	215	892	481	461	292	101	129	256	225	208	120	251	232
Vibo Valentia	981	320	1165	995	408	1217	1084	1051	1155	761	956	659	1103	963	902	1195	332	885	1034	109	1022	678	983	613	1047	357	1145	821	1294	303	760	693	1260	1180	1132	1262	1228	1226	1119	1268	1225	1096
Vicenza	349	864	209	149	741	247	34	153	215	408	265	506	190	327	268	147	884	258	168	1227	167	518	243	530	68	782	364	319	261	897	486	482	340	144	84	211	180	254	72	297	278	51	1127
Villa S.Giovanni	1081	377	1258	1091	480	1312	1177	1147	1252	875	951	729	1200	1028	1000	1292	431	961	1067	14	1114	760	1060	691	1145	433	1232	914	1385	376	796	787	1356	1274	1229	1356	1325	1322	1213	1345	1318	1188	95	1213
Viterbo	351	539	533	364	289	585	450	420	525	131	258	255	473	329	270	565	442	249	340	785	388	97	318	85	418	340	505	188	658	612	215	61	629	547	502	629	598	595	489	633	591	465	694	486	771

Esempio:
Example:
Exemple:
Beispiel:
ROMA-TRIESTE
km 673

Comunicazioni stradali e marittime Roads and maritime communications Liaisons routières et maritimes Straßen- und Seeverbindungen

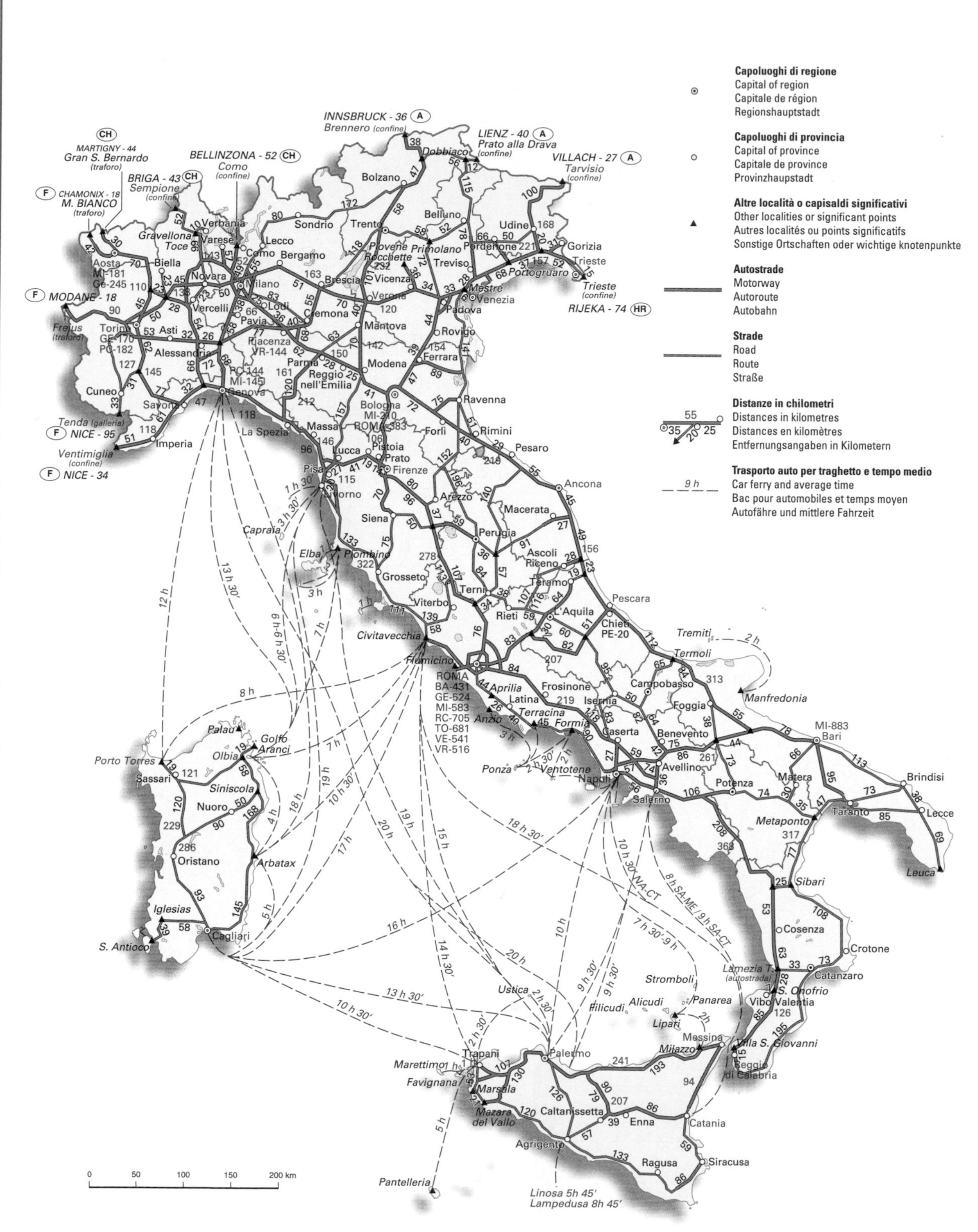

Le distanze stradali, in chilometri, sono calcolate sui percorsi più brevi o più rapidi da centro abitato a centro abitato.
The road-distances in kilometres have been calculated on the shortest and quickest runs from a town to another.
Les distances routières en kilomètres ont été calculées sur les parcours les plus courts et les plus rapides de lieu habité à lieu habité
Die Entfernungsangaben, in Kilometern, wurden an den kürzesten oder schnellsten Strecken von Ortschaft zu Ortschaft errechnet.

Profili autostradali

Motorway tables
Tableaux des autoroutes
Autobahntabellen

Autostrade - Motorways
Autoroutes - Autobahnen

Pag.		
47	A1	Milano - Napoli
48	A1 dir.	Diramazione Roma Nord
49	A1 dir.	Diramazione Roma Sud
49	A3	Napoli - Reggio di Calabria
51	A4/A57	Torino - Trieste
53	A4/A5	Ivrea - Santhià
53	A5	Torino - Aosta - Monte Bianco
54	A6	Torino - Savona
54	A7	Milano - Genova
55	A8	Milano - Laghi
55	A26/A8	Dir. Gallarate - Gattico
56	A9	Lainate - Chiasso
56	A10	Genova - Ventimiglia
57	A11	Firenze - Mare
57	A12	Genova - Livorno - Cecina
57	A11/A12	Viareggio - Lucca
58	A12	Roma - Civitavecchia
59	A13	Bologna - Padova
59	A14	Bologna - Taranto
59	A14 dir.	Dir. Ravenna
61	A15	Parma - La Spezia
62	A16	Napoli - Canosa
62	A18	Messina - Catania - Siracusa - Gela
62	A18 dir.	Dir. Catania Centro
63	A19	Palermo - Catania
63	A20	Messina - Palermo
64	A21	Torino - Piacenza - Brescia
65	A22	Brennero - Modena
66	A23	Palmanova - Udine - Tarvisio
66	A24	Roma - L'Aquila - Teramo
67	A25	Torano - Pescara
67	A26	Genova Voltri - Gravellona T.
67	A26/A7	Dir. Predosa - Bettole
68	A26/A4	Dir. Stroppiana - Santhià
68	A27	Venezia - Belluno
68	A28	Portogruaro - Conegliano
69	A29	Palermo - Mazara del Vallo
69	A29 dir.	Dir. Trapani - Birgi
70	A30	Caserta - Salerno

Pag.		
70	A31	Vicenza - Piovene Rocchette
70	A32	Torino - Bardonecchia
71	A33	Asti - Cuneo
71	—	Raccordo A1 - Perugia
71	55	Diramazione Pinerolo
72	—	Raccordo Ferrara - Porto Garibaldi
72	—	Raccordo Firenze - Siena
72	—	Raccordo A14 - Ascoli Piceno
72	—	Raccordo Avellino - Salerno
73	T1	Traforo del Monte Bianco
73	T2	Traforo del Gran S. Bernardo
73	—	Racc. Tolentino - Civitanova Marche
73	—	Raccordo Sicignano - Potenza
74	A50	Tangenziale Ovest di Milano
74	A51	Tangenziale Est di Milano
75	A52	Tangenziale Nord di Milano
75	—	Tangenziale di Bologna
76	A90	Roma-Grande Raccordo Anulare
76	A56	Tangenziale di Napoli
77	A55	Tangenziali di Torino

Legenda Legend Légende Zeichenerklärung

Numero e nome di autostrada
Motorway number and name
Numéro et dénomination d'autoroute
Autobahnnummer und -Name

Lunghezza totale
Total lenght
Longueur totale
Gesamte Länge

Aree di servizio indipendenti
Not in connection service areas
Aires de services non communicantes
Selbständige Tankstellen

Barriera di pedaggio
Toll barrier
Barrière de péage
Autobahngebührenstelle

Indicazioni di itinerario autostradale
Motorway indications signs
Panneau indiquant itinéraire autoroutier
Hinweis zur Autobahnroute

Indicazione di itinerario stradale
Road indications signs
Panneau indiquant itinéraire routier
Hinweis zur Straßenroute

Uscite autostradali (tutte abilitate al pagamento Telepass e Fastpay)
Motorway exits (all with Telepass and Fastpay payment system)
Sorties de l'autoroute (toutes douées du système Telepass et Fastpay)
Autobahnausfahrten (alle mit Telepass- und Fastpay-Mautsystem)

Area di parcheggio
Car park
Parc de stationnement
Parkplatz

Distanza in chilometri fra due uscite successive
Distance in kilometres between two next exits
Distance en kilomètres entre deux sorties suivantes
Entfernung in Kilometern zwischen zwei aufeinanderfolgenden Ausfahrten

Aree di servizio a ponte
Bridged service areas
Aires de service à pont
Brücken-Rasthaus

Distanza in km fra aree di servizio successive
Distance in kilometres between service areas
Distance en kilomètres entre aires suivantes
Entfernung in Kilometern zwischen aufeinanderfolgenden Tankstellen

Interporti (esempio)
Freight villages (example)
Centres logistiques de fret (exemple)
Güterverkehrszentren (Beispiel)

Distanze progressive nei due sensi (in km)
Cumulative distances in both directions (in km)
Distances progressives en les deux senses (in km)
Progressive Entfernungen in beiden Richtungen (in Km)

Aree di servizio collegate
Service areas in connection
Aires de service en communication
Gegenseitig verbundene Tankstellen

Nome dell'area di servizio
Name of the service area
Nom de l'aire de service
Name der Tankstelle

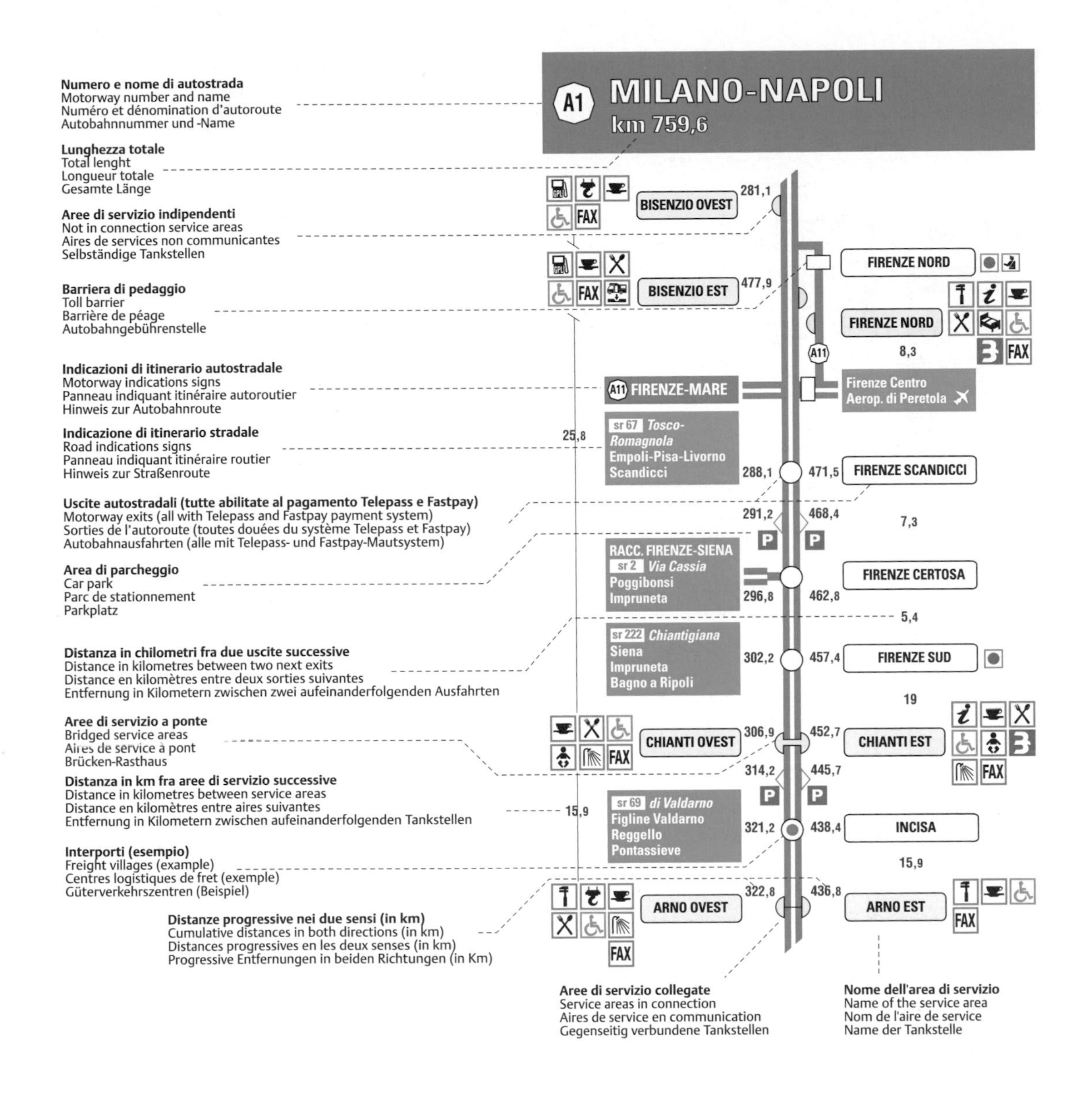

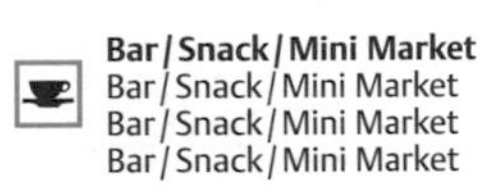

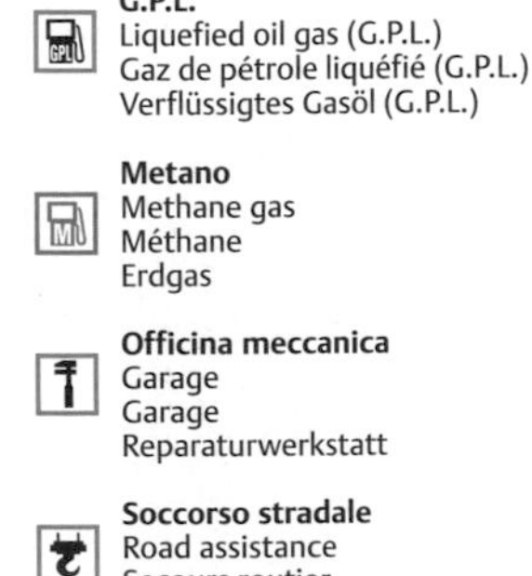

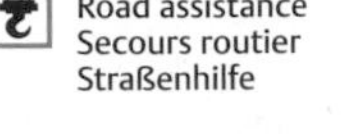

G.P.L.
Liquefied oil gas (G.P.L.)
Gaz de pétrole liquéfié (G.P.L.)
Verflüssigtes Gasöl (G.P.L.)

Metano
Methane gas
Méthane
Erdgas

Officina meccanica
Garage
Garage
Reparaturwerkstatt

Soccorso stradale
Road assistance
Secours routier
Straßenhilfe

Soccorso sanitario
Medical aid
Secours sanitaire
Erstehilfestelle

Ufficio informazioni turistiche
Tourist information agency
Bureau d'informations touristiques
Touristisches Auskunftsbüro

Bar / Snack / Mini Market
Bar / Snack / Mini Market
Bar / Snack / Mini Market
Bar / Snack / Mini Market

Ristorante
Restaurant
Restaurant
Restaurant

Motel
Motel
Motel
Motel

Servizi per disabili
Services for disabled
Services pour handicapés
Behindertendienste

Super Market
Super Market
Super Market
Super Market

Cambio valuta
Exchange
Bureau de change
Wechsel

Fasciatoio
Wrapper table for babies
Table à langer pour bébé
Baby-Wickelraum

Bancomat
Bancomat
Bancomat
Bancomat

Docce
Showers
Douches
Duschen

Servizio Fax
Fax service
Service Fax
Fax-Service

Area attrezzata Camper
Camper service
Camper service
Camper service

Area Picnic
Picnic area
Aire pique-nique
Picknickplatz

Punto Blu
Motorway information and services
Informations et services autoroutiers
Autobahnauskünfte und -Dienste

Area per animali domestici
Pet area
Aire pour animaux domestiques
Haustierpark

Parcheggio custodito
Guarded car park
Parking gardé
Bewachter Parkplatz

Stazioni della Polizia Stradale
Traffic Police stations
Stations de Police de la Route
Stationen der Verkehrspolizei

Le aree di servizio dispongono di benzina senza piombo e gasolio

Service areas have unleaded petrol and diesel oil

Les aires de service disposent d'essence sans plomb et gas-oil

Die Tankstellen verfügen über Bleifreibenzin und Diesel

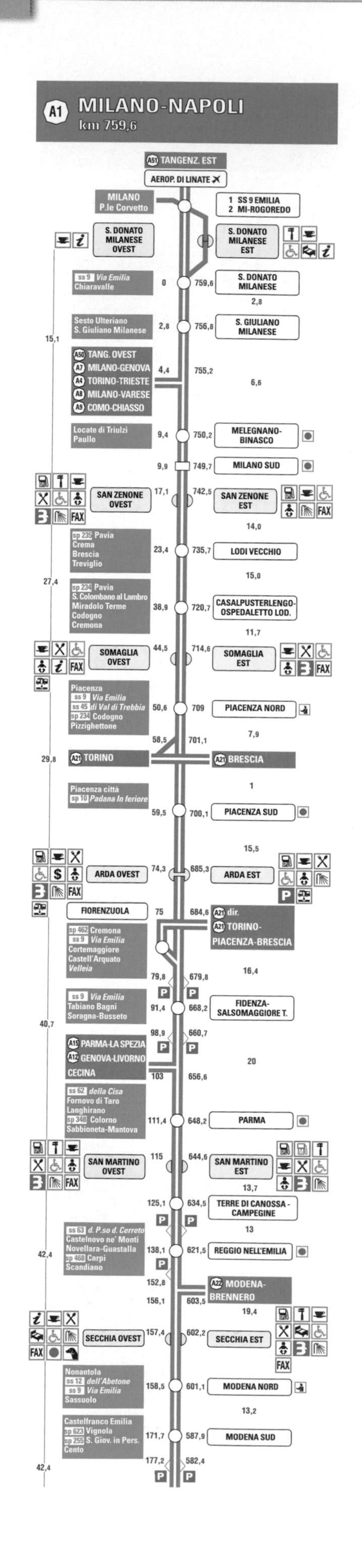
A1 MILANO-NAPOLI
km 759,6
A51 TANGENZ. EST
AEROP. DI LINATE
MILANO P.le Corvetto
1 SS 9 EMILIA
2 MI-ROGOREDO
S. DONATO MILANESE OVEST
S. DONATO MILANESE EST
ss 9 Via Emilia Chiaravalle
0
759,6
S. DONATO MILANESE
2,8
Sesto Ulteriano S. Giuliano Milanese
2,8
756,8
S. GIULIANO MILANESE
15,1
A50 TANG. OVEST
A7 MILANO-GENOVA
A4 TORINO-TRIESTE
A8 MILANO-VARESE
A9 COMO-CHIASSO
4,4
755,2
6,6
Locate di Triulzi Paullo
9,4
750,2
MELEGNANO-BINASCO
9,9
749,7
MILANO SUD
SAN ZENONE OVEST
17,1
742,5
SAN ZENONE EST
FAX
14,0
sp 235 Pavia Crema Brescia Treviglio
23,4
735,7
LODI VECCHIO
15,0
27,4
sp 234 Pavia S. Colombano al Lambro Miradolo Terme Codogno Cremona
38,9
720,7
CASALPUSTERLENGO-OSPEDALETTO LOD.
11,7
SOMAGLIA OVEST
44,5
714,6
SOMAGLIA EST
Piacenza ss 9 Via Emilia ss 45 di Val di Trebbia sp 234 Codogno Pizzighettone
50,6
709
PIACENZA NORD
7,9
58,5
701,1
29,8
A21 TORINO
A21 BRESCIA
1
Piacenza città sp 10 Padana Inferiore
59,5
700,1
PIACENZA SUD
15,5
ARDA OVEST
74,3
685,3
ARDA EST
FIORENZUOLA
75
684,6
A21 dir. A21 TORINO-PIACENZA-BRESCIA
sp 462 Cremona ss 9 Via Emilia Cortemaggiore Castell'Arquato Velleia
79,8
679,8
16,4
ss 9 Via Emilia Tabiano Bagni Soragna-Busseto
91,4
668,2
FIDENZA-SALSOMAGGIORE T.
40,7
98,9
660,7
A15 PARMA-LA SPEZIA
A12 GENOVA-LIVORNO CECINA
20
103
656,6
ss 62 della Cisa Fornovo di Taro Langhirano sp 343 Colorno Sabbioneta-Mantova
111,4
648,2
PARMA
SAN MARTINO OVEST
115
644,6
SAN MARTINO EST
13,7
125,1
634,5
TERRE DI CANOSSA - CAMPEGINE
13
ss 63 d. P.so d. Cerreto Castelnovo ne' Monti Novellara-Guastalla sp 468 Carpi Scandiano
42,4
138,1
621,5
REGGIO NELL'EMILIA
152,8
A22 MODENA-BRENNERO
156,1
603,5
19,4
SECCHIA OVEST
157,4
602,2
SECCHIA EST
Nonantola ss 12 dell'Abetone ss 9 Via Emilia Sassuolo
158,5
601,1
MODENA NORD
13,2
Castelfranco Emilia sp 623 Vignola sp 255 S. Giov. in Pers. Cento
171,7
587,9
MODENA SUD
177,2
582,4
42,4

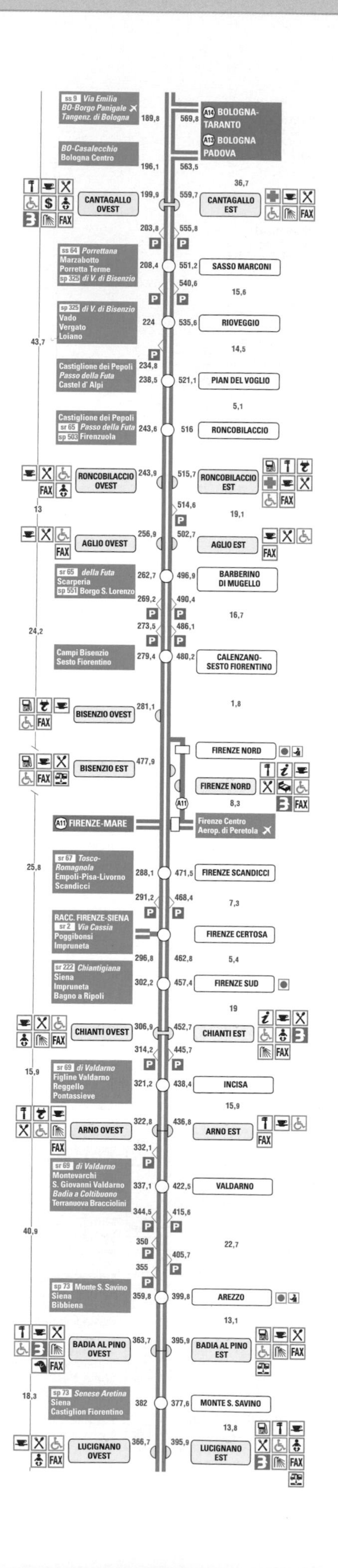
ss 9 Via Emilia BO-Borgo Panigale Tangenz. di Bologna
189,8
569,8
A14 BOLOGNA-TARANTO
A13 BOLOGNA PADOVA
BO-Casalecchio Bologna Centro
196,1
563,5
36,7
CANTAGALLO OVEST
199,9
559,7
CANTAGALLO EST
203,8
555,8
ss 64 Porrettana Marzabotto Porretta Terme sp 325 di V. di Bisenzio
208,4
551,2
SASSO MARCONI
540,6
15,6
sp 325 di V. di Bisenzio Vado Vergato Loiano
43,7
224
535,6
RIOVEGGIO
14,5
Castiglione dei Pepoli Passo della Futa Castel d' Alpi
234,8
238,5
521,1
PIAN DEL VOGLIO
5,1
Castiglione dei Pepoli sr 65 Passo della Futa sp 503 Firenzuola
243,6
516
RONCOBILACCIO
RONCOBILACCIO OVEST
243,9
515,7
RONCOBILACCIO EST
514,6
13
19,1
AGLIO OVEST
256,9
502,7
AGLIO EST
sr 65 della Futa Scarperia sp 551 Borgo S. Lorenzo
262,7
496,9
BARBERINO DI MUGELLO
269,2
490,4
16,7
24,2
273,5
486,1
Campi Bisenzio Sesto Fiorentino
279,4
480,2
CALENZANO-SESTO FIORENTINO
BISENZIO OVEST
281,1
1,8
FIRENZE NORD
BISENZIO EST
477,9
FIRENZE NORD
A11
8,3
A11 FIRENZE-MARE
Firenze Centro Aerop. di Peretola
sr 67 Tosco-Romagnola Empoli-Pisa-Livorno Scandicci
25,8
288,1
471,5
FIRENZE SCANDICCI
291,2
468,4
7,3
RACC. FIRENZE-SIENA sr 2 Via Cassia Poggibonsi Impruneta
FIRENZE CERTOSA
296,8
462,8
5,4
sr 222 Chiantigiana Siena Impruneta Bagno a Ripoli
302,2
457,4
FIRENZE SUD
19
CHIANTI OVEST
306,9
452,7
CHIANTI EST
314,2
445,7
sr 69 di Valdarno Figline Valdarno Reggello Pontassieve
15,9
321,2
438,4
INCISA
15,9
ARNO OVEST
322,8
436,8
ARNO EST
332,1
sr 69 di Valdarno Montevarchi S. Giovanni Valdarno Badia a Coltibuono Terranuova Bracciolini
337,1
422,5
VALDARNO
344,5
415,6
40,9
350
405,7
22,7
355
sp 73 Monte S. Savino Siena Bibbiena
359,8
399,8
AREZZO
13,1
BADIA AL PINO OVEST
363,7
395,9
BADIA AL PINO EST
sp 73 Senese Aretina Siena Castiglion Fiorentino
18,3
382
377,6
MONTE S. SAVINO
13,8
LUCIGNANO OVEST
366,7
395,9
LUCIGNANO EST

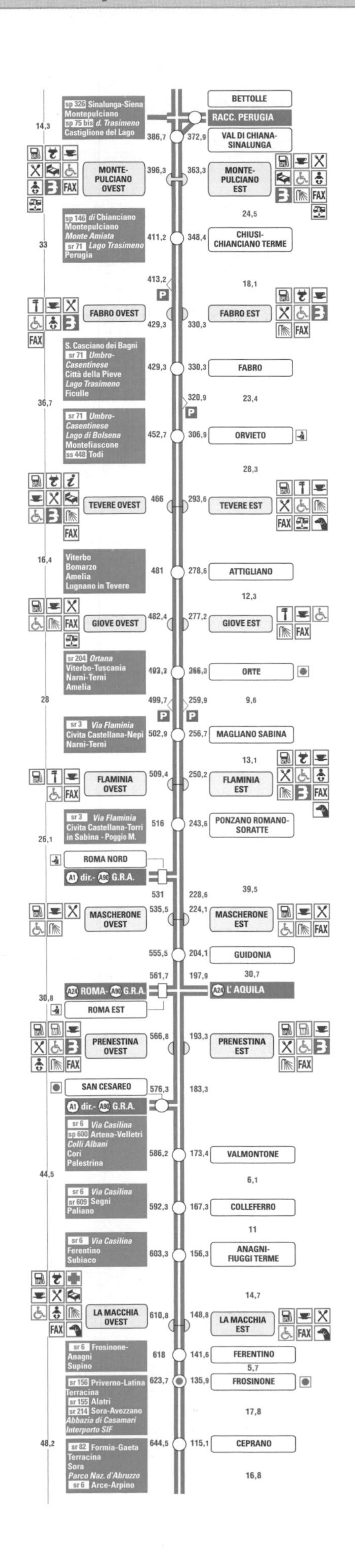

sp 326 Sinalunga-Siena
Montepulciano
sp 75 bis d. Trasimeno
Castiglione del Lago
BETTOLLE
RACC. PERUGIA
14,3
386,7
372,9
VAL DI CHIANA-SINALUNGA
MONTE-PULCIANO OVEST
396,3
363,3
MONTE-PULCIANO EST
FAX
24,5
sp 146 di Chianciano
Montepulciano
Monte Amiata
sr 71 Lago Trasimeno
Perugia
33
411,2
348,4
CHIUSI-CHIANCIANO TERME
413,2
18,1
FABRO OVEST
429,3
330,3
FABRO EST
S. Casciano dei Bagni
sr 71 Umbro-Casentinese
Città della Pieve
Lago Trasimeno
Ficulle
429,3
330,3
FABRO
320,9
23,4
36,7
sr 71 Umbro-Casentinese
Lago di Bolsena
Montefiascone
ss 448 Todi
452,7
306,9
ORVIETO
28,3
TEVERE OVEST
466
293,6
TEVERE EST
Viterbo
Bomarzo
Amelia
Lugnano in Tevere
16,4
481
278,6
ATTIGLIANO
12,3
482,4
277,2
GIOVE OVEST
GIOVE EST
sr 204 Ortana
Viterbo-Tuscania
Narni-Terni
Amelia
493,3
266,3
ORTE
28
499,7
259,9
9,6
sr 3 Via Flaminia
Civita Castellana-Nepi
Narni-Terni
502,9
256,7
MAGLIANO SABINA
13,1
FLAMINIA OVEST
509,4
250,2
FLAMINIA EST
sr 3 Via Flaminia
Civita Castellana-Torri in Sabina - Poggio M.
516
243,6
PONZANO ROMANO-SORATTE
26,1
ROMA NORD
A1 dir.- A90 G.R.A.
531
228,6
39,5
MASCHERONE OVEST
535,5
224,1
MASCHERONE EST
555,5
204,1
GUIDONIA
561,7
197,9
30,7
A24 ROMA- A90 G.R.A.
A24 L'AQUILA
30,8
ROMA EST
PRENESTINA OVEST
566,8
193,3
PRENESTINA EST
SAN CESAREO
576,3
183,3
A1 dir.- A90 G.R.A.
sr 6 Via Casilina
sp 600 Artena-Velletri
Colli Albani
Cori
Palestrina
586,2
173,4
VALMONTONE
44,5
6,1
sr 6 Via Casilina
sr 609 Segni
Paliano
592,3
167,3
COLLEFERRO
11
sr 6 Via Casilina
Ferentino
Subiaco
603,3
156,3
ANAGNI-FIUGGI TERME
14,7
LA MACCHIA OVEST
610,8
148,8
LA MACCHIA EST
sr 6 Frosinone-Anagni
Supino
618
141,6
FERENTINO
5,7
sr 156 Priverno-Latina
Terracina
sr 155 Alatri
sr 214 Sora-Avezzano
Abbazia di Casamari
Interporto SIF
623,7
135,9
FROSINONE
17,8
48,2
sr 82 Formia-Gaeta
Terracina
Sora
Parco Naz. d'Abruzzo
sr 6 Arce-Arpino
644,5
115,1
CEPRANO
16,8

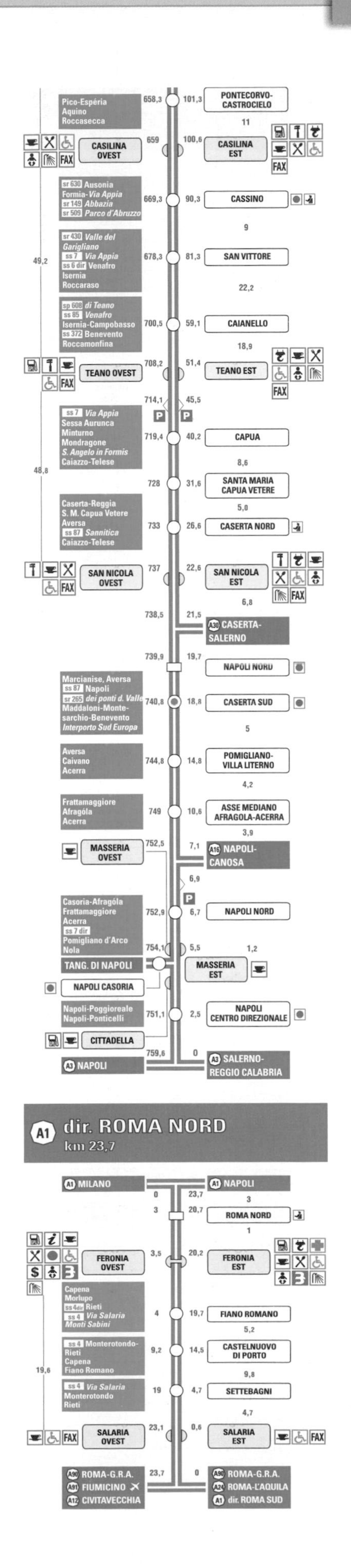

Pico-Espéria
Aquino
Roccasecca
658,3
101,3
PONTECORVO-CASTROCIELO
11
CASILINA OVEST
659
100,6
CASILINA EST
FAX
sr 630 Ausonia
Formia-Via Appia
sr 149 Abbazia
sr 509 Parco d'Abruzzo
669,3
90,3
CASSINO
9
sr 430 Valle del Garigliano
ss 7 Via Appia
ss 6 dir Venafro
Isernia
Roccaraso
49,2
678,3
81,3
SAN VITTORE
22,2
sp 608 di Teano
ss 85 Venafro
Isernia-Campobasso
ss 372 Benevento
Roccamonfina
700,5
59,1
CAIANELLO
18,9
708,2
51,4
TEANO OVEST
TEANO EST
714,1
45,5
ss 7 Via Appia
Sessa Aurunca
Minturno
Mondragone
S. Angelo in Formis
Caiazzo-Telese
719,4
40,2
CAPUA
48,8
8,6
728
31,6
SANTA MARIA CAPUA VETERE
5,0
Caserta-Reggia
S. M. Capua Vetere
Aversa
ss 87 Sannitica
Caiazzo-Telese
733
26,6
CASERTA NORD
737
22,6
SAN NICOLA OVEST
SAN NICOLA EST
6,8
738,5
21,5
A30 CASERTA-SALERNO
739,9
19,7
NAPOLI NORD
Marcianise, Aversa
ss 87 Napoli
sr 265 dei ponti d. Valle
Maddaloni-Montesarchio-Benevento
Interporto Sud Europa
740,8
18,8
CASERTA SUD
5
Aversa
Caivano
Acerra
744,8
14,8
POMIGLIANO-VILLA LITERNO
4,2
Frattamaggiore
Afragola
Acerra
749
10,6
ASSE MEDIANO AFRAGOLA-ACERRA
3,9
MASSERIA OVEST
752,5
7,1
A16 NAPOLI-CANOSA
6,9
Casoria-Afragola
Frattamaggiore
Acerra
ss 7 dir
Pomigliano d'Arco
Nola
752,9
6,7
NAPOLI NORD
754,1
5,5
1,2
TANG. DI NAPOLI
MASSERIA EST
NAPOLI CASORIA
Napoli-Poggioreale
Napoli-Ponticelli
751,1
2,5
NAPOLI CENTRO DIREZIONALE
CITTADELLA
759,6
0
A3 NAPOLI
A3 SALERNO-REGGIO CALABRIA
A1 dir. ROMA NORD
km 23,7
A1 MILANO
A1 NAPOLI
0
23,7
3
3
20,7
ROMA NORD
1
FERONIA OVEST
3,5
20,2
FERONIA EST
Capena
Morlupo
ss 4 dir Rieti
ss 4 Via Salaria
Monti Sabini
4
19,7
FIANO ROMANO
5,2
ss 4 Monterotondo-Rieti
Capena
Fiano Romano
9,2
14,5
CASTELNUOVO DI PORTO
19,6
9,8
ss 4 Via Salaria
Monterotondo
Rieti
19
4,7
SETTEBAGNI
4,7
SALARIA OVEST
23,1
0,6
SALARIA EST
A90 ROMA-G.R.A.
A91 FIUMICINO
A12 CIVITAVECCHIA
23,7
0
A90 ROMA-G.R.A.
A24 ROMA-L'AQUILA
A1 dir. ROMA SUD

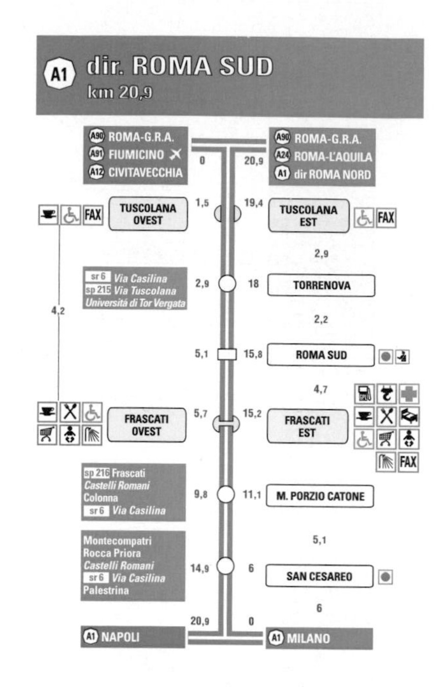

A1 dir. ROMA SUD
km 20,9
A90 ROMA-G.R.A.
A91 FIUMICINO
A12 CIVITAVECCHIA
0
20,9
A90 ROMA-G.R.A.
A24 ROMA-L'AQUILA
A1 dir ROMA NORD
FAX
TUSCOLANA OVEST
1,5
19,4
TUSCOLANA EST
FAX
2,9
sr 6 Via Casilina
sp 215 Via Tuscolana
Università di Tor Vergata
2,9
18
TORRENOVA
4,2
2,2
5,1
15,8
ROMA SUD
4,7
FRASCATI OVEST
5,7
15,2
FRASCATI EST
FAX
sp 216 Frascati
Castelli Romani
Colonna
sr 6 Via Casilina
9,8
11,1
M. PORZIO CATONE
5,1
Montecompatri
Rocca Priora
Castelli Romani
sr 6 Via Casilina
Palestrina
14,9
6
SAN CESAREO
6
20,9
0
A1 NAPOLI
A1 MILANO

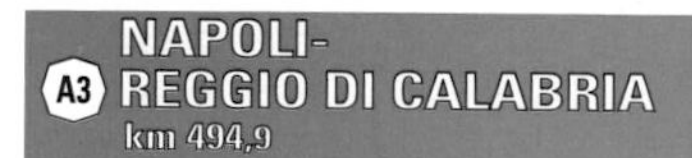

A3 NAPOLI-REGGIO DI CALABRIA
km 494,9

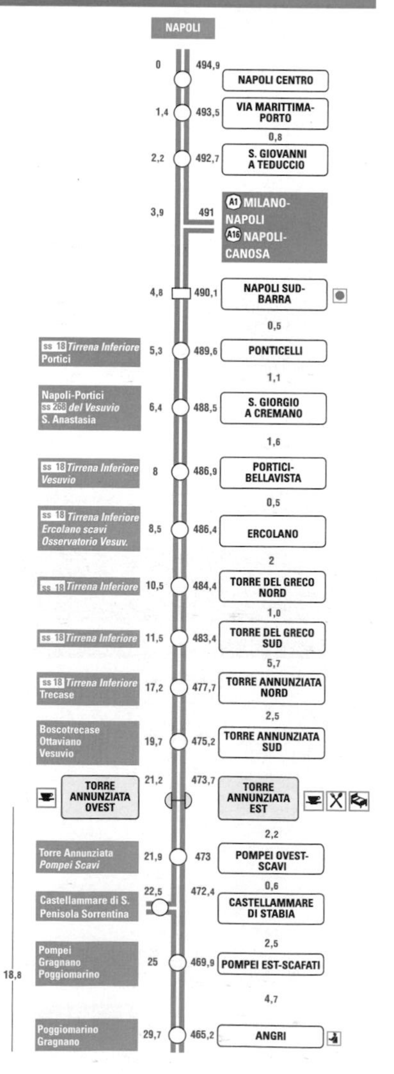

NAPOLI
0
494,9
NAPOLI CENTRO
1,4
493,5
VIA MARITTIMA-PORTO
0,8
2,2
492,7
S. GIOVANNI A TEDUCCIO
3,9
491
A1 MILANO-NAPOLI
A16 NAPOLI-CANOSA
4,8
490,1
NAPOLI SUD-BARRA
0,5
ss 18 Tirrena Inferiore
Portici
5,3
489,6
PONTICELLI
1,1
Napoli-Portici
ss 268 del Vesuvio
S. Anastasia
6,4
488,5
S. GIORGIO A CREMANO
1,6
ss 18 Tirrena Inferiore
Vesuvio
8
486,9
PORTICI-BELLAVISTA
0,5
ss 18 Tirrena Inferiore
Ercolano scavi
Osservatorio Vesuv.
8,5
486,4
ERCOLANO
2
ss 18 Tirrena Inferiore
10,5
484,4
TORRE DEL GRECO NORD
1,0
ss 18 Tirrena Inferiore
11,5
483,4
TORRE DEL GRECO SUD
5,7
ss 18 Tirrena Inferiore
Trecase
17,2
477,7
TORRE ANNUNZIATA NORD
2,5
Boscotrecase
Ottaviano
Vesuvio
19,7
475,2
TORRE ANNUNZIATA SUD
TORRE ANNUNZIATA OVEST
21,2
473,7
TORRE ANNUNZIATA EST
2,2
Torre Annunziata
Pompei Scavi
21,9
473
POMPEI OVEST-SCAVI
0,6
Castellammare di S.
Penisola Sorrentina
22,5
472,4
CASTELLAMMARE DI STABIA
2,5
Pompei
Gragnano
Poggiomarino
18,8
25
469,9
POMPEI EST-SCAFATI
4,7
Poggiomarino
Gragnano
29,7
465,2
ANGRI

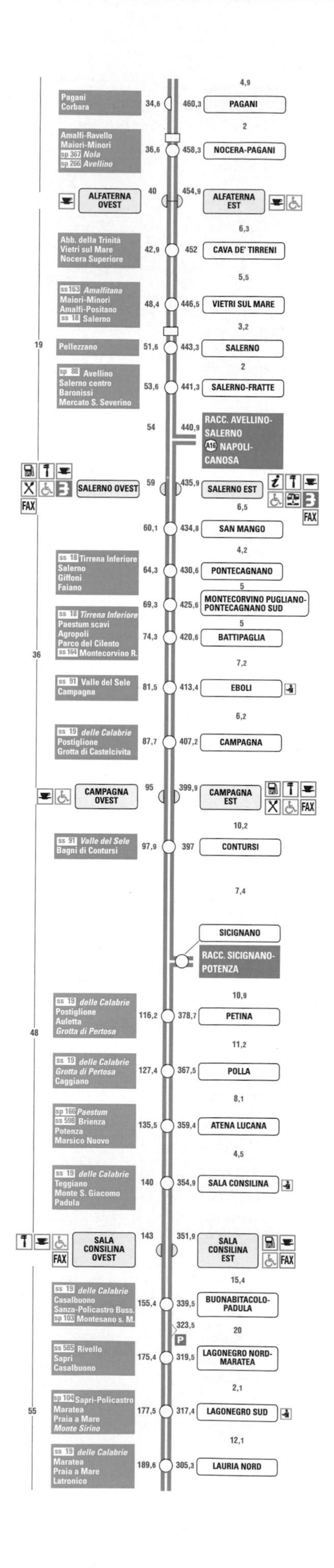

4,9
Pagani
Corbara
34,6
460,3
PAGANI
2
Amalfi-Ravello
Maiori-Minori
sp 367 Nola
sp 266 Avellino
36,6
458,3
NOCERA-PAGANI
ALFATERNA OVEST
40
454,9
ALFATERNA EST
6,3
Abb. della Trinità
Vietri sul Mare
Nocera Superiore
42,9
452
CAVA DE' TIRRENI
5,5
ss 163 Amalfitana
Maiori-Minori
Amalfi-Positano
ss 18 Salerno
48,4
446,5
VIETRI SUL MARE
3,2
19
Pellezzano
51,6
443,3
SALERNO
2
sp 88 Avellino
Salerno centro
Baronissi
Mercato S. Severino
53,6
441,3
SALERNO-FRATTE
54
440,9
RACC. AVELLINO-SALERNO
A16 NAPOLI-CANOSA
FAX
SALERNO OVEST
59
435,9
SALERNO EST
FAX
6,5
60,1
434,8
SAN MANGO
4,2
ss 18 Tirrena Inferiore
Salerno
Giffoni
Faiano
64,3
430,6
PONTECAGNANO
5
69,3
425,6
MONTECORVINO PUGLIANO-PONTECAGNANO SUD
5
ss 18 Tirrena Inferiore
Paestum scavi
Agropoli
Parco del Cilento
ss 164 Montecorvino R.
74,3
420,6
BATTIPAGLIA
36
7,2
ss 91 Valle del Sele
Campagna
81,5
413,4
EBOLI
6,2
ss 19 delle Calabrie
Postiglione
Grotta di Castelcivita
87,7
407,2
CAMPAGNA
CAMPAGNA OVEST
95
399,9
CAMPAGNA EST
FAX
10,2
ss 91 Valle del Sele
Bagni di Contursi
97,9
397
CONTURSI
7,4
SICIGNANO
RACC. SICIGNANO-POTENZA
10,9
ss 19 delle Calabrie
Postiglione
Auletta
Grotta di Pertosa
48
116,2
378,7
PETINA
11,2
ss 19 delle Calabrie
Grotta di Pertosa
Caggiano
127,4
367,5
POLLA
8,1
sp 166 Paestum
ss 598 Brienza
Potenza
Marsico Nuovo
135,5
359,4
ATENA LUCANA
4,5
ss 19 delle Calabrie
Teggiano
Monte S. Giacomo
Padula
140
354,9
SALA CONSILINA
FAX
SALA CONSILINA OVEST
143
351,9
SALA CONSILINA EST
FAX
15,4
ss 19 delle Calabrie
Casalbuono
Sanza-Policastro Buss.
sp 103 Montesano s. M.
155,4
339,5
BUONABITACOLO-PADULA
323,5
P
20
ss 585 Rivello
Sapri
Casalbuono
175,4
319,5
LAGONEGRO NORD-MARATEA
2,1
sp 104 Sapri-Policastro
Maratea
Praia a Mare
Monte Sirino
55
177,5
317,4
LAGONEGRO SUD
12,1
ss 19 delle Calabrie
Maratea
Praia a Mare
Latronico
189,6
305,3
LAURIA NORD

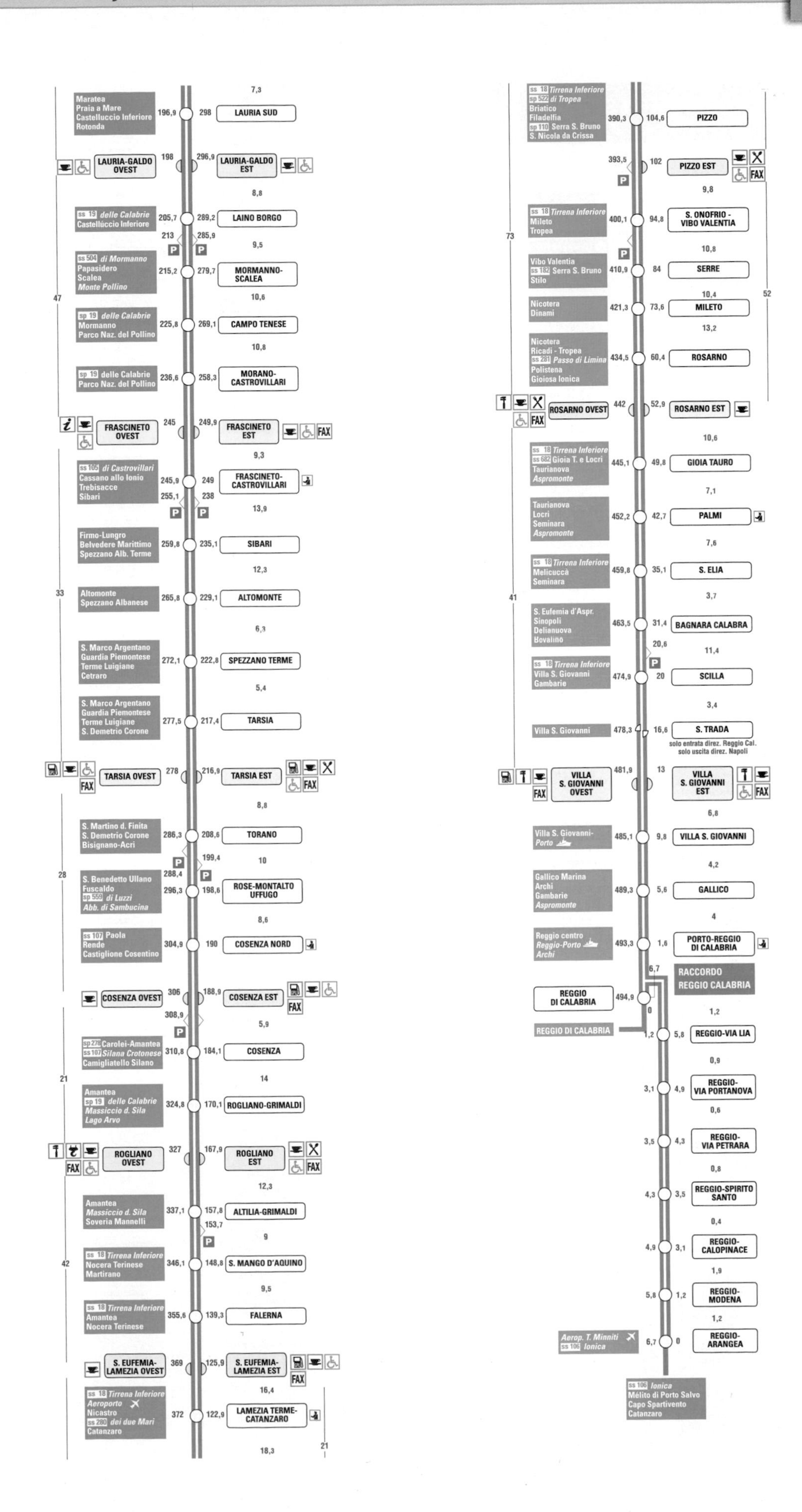
LAURIA SUD
LAURIA-GALDO OVEST
LAURIA-GALDO EST
LAINO BORGO
MORMANNO-SCALEA
CAMPO TENESE
MORANO-CASTROVILLARI
FRASCINETO OVEST
FRASCINETO EST
FRASCINETO-CASTROVILLARI
SIBARI
ALTOMONTE
SPEZZANO TERME
TARSIA
TARSIA OVEST
TARSIA EST
TORANO
ROSE-MONTALTO UFFUGO
COSENZA NORD
COSENZA OVEST
COSENZA EST
COSENZA
ROGLIANO-GRIMALDI
ROGLIANO OVEST
ROGLIANO EST
ALTILIA-GRIMALDI
S. MANGO D'AQUINO
FALERNA
S. EUFEMIA-LAMEZIA OVEST
S. EUFEMIA-LAMEZIA EST
LAMEZIA TERME-CATANZARO
PIZZO
PIZZO EST
S. ONOFRIO - VIBO VALENTIA
SERRE
MILETO
ROSARNO
ROSARNO OVEST
ROSARNO EST
GIOIA TAURO
PALMI
S. ELIA
BAGNARA CALABRA
SCILLA
S. TRADA
solo entrata direz. Reggio Cal.
solo uscita direz. Napoli
VILLA S. GIOVANNI OVEST
VILLA S. GIOVANNI EST
VILLA S. GIOVANNI
GALLICO
PORTO-REGGIO DI CALABRIA
RACCORDO REGGIO CALABRIA
REGGIO DI CALABRIA
REGGIO-VIA LIA
REGGIO-VIA PORTANOVA
REGGIO-VIA PETRARA
REGGIO-SPIRITO SANTO
REGGIO-CALOPINACE
REGGIO-MODENA
REGGIO-ARANGEA
Aerop. T. Minniti
ss 106 Ionica
Melito di Porto Salvo
Capo Spartivento
Catanzaro

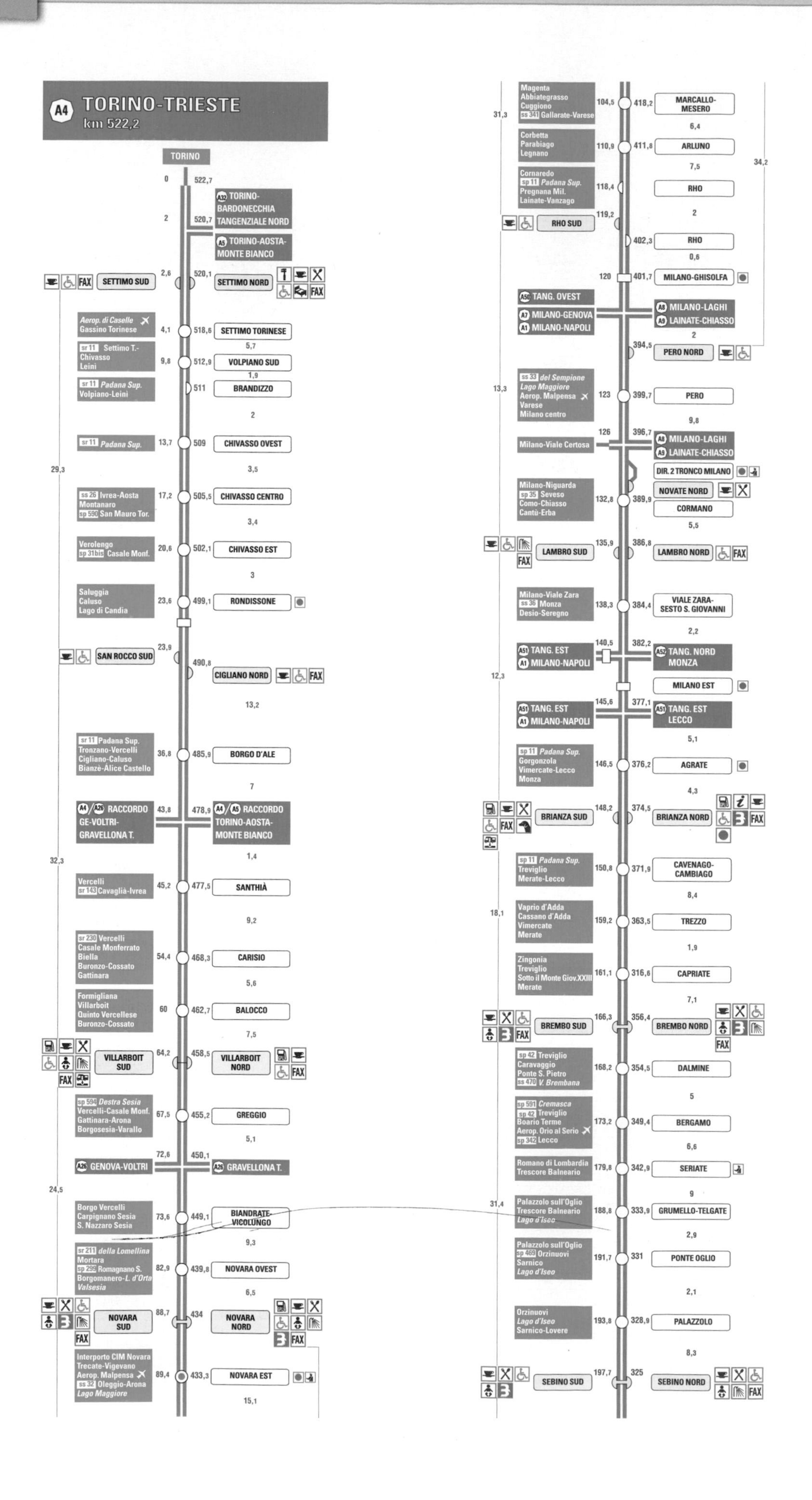
A4 TORINO-TRIESTE
km 522,2
TORINO
0 522,7
2 520,7
A32 TORINO-BARDONECCHIA TANGENZIALE NORD
A5 TORINO-AOSTA-MONTE BIANCO
2,6 520,1
SETTIMO SUD
SETTIMO NORD
FAX
Aerop. di Caselle
Gassino Torinese
4,1 518,6 SETTIMO TORINESE
5,7
sr 11 Settimo T.-Chivasso Leini
9,8 512,9 VOLPIANO SUD
1,9
sr 11 Padana Sup. Volpiano-Leini
511 BRANDIZZO
2
sr 11 Padana Sup.
13,7 509 CHIVASSO OVEST
29,3
3,5
ss 26 Ivrea-Aosta Montanaro
sp 590 San Mauro Tor.
17,2 505,5 CHIVASSO CENTRO
3,4
Verolengo
sp 31bis Casale Monf.
20,6 502,1 CHIVASSO EST
3
Saluggia
Caluso
Lago di Candia
23,6 499,1 RONDISSONE
23,9 SAN ROCCO SUD
490,8 CIGLIANO NORD
13,2
sr 11 Padana Sup.
Tronzano-Vercelli
Cigliano-Caluso
Bianzè-Alice Castello
36,8 485,9 BORGO D'ALE
7
A4/A26 RACCORDO GE-VOLTRI-GRAVELLONA T.
43,8 478,9
A4/A5 RACCORDO TORINO-AOSTA-MONTE BIANCO
1,4
32,3
Vercelli
sr 143 Cavaglià-Ivrea
45,2 477,5 SANTHIÀ
9,2
sr 230 Vercelli
Casale Monferrato
Biella
Buronzo-Cossato
Gattinara
54,4 468,3 CARISIO
5,6
Formigliana
Villarboit
Quinto Vercellese
Buronzo-Cossato
60 462,7 BALOCCO
7,5
VILLARBOIT SUD
64,2 458,5
VILLARBOIT NORD
sp 594 Destra Sesia
Vercelli-Casale Monf.
Gattinara-Arona
Borgosesia-Varallo
67,5 455,2 GREGGIO
5,1
72,6 450,1
A26 GENOVA-VOLTRI
A26 GRAVELLONA T.
24,5
Borgo Vercelli
Carpignano Sesia
S. Nazzaro Sesia
73,6 449,1 BIANDRATE-VICOLUNGO
9,3
sr 211 della Lomellina
Mortara
sp 299 Romagnano S.
Borgomanero-L. d'Orta
Valsesia
82,9 439,8 NOVARA OVEST
6,5
NOVARA SUD
88,7 434
NOVARA NORD
Interporto CIM Novara
Trecate-Vigevano
Aerop. Malpensa
ss 32 Oleggio-Arona
Lago Maggiore
89,4 433,3 NOVARA EST
15,1
Magenta
Abbiategrasso
Cuggiono
ss 341 Gallarate-Varese
31,3
104,5 418,2 MARCALLO-MESERO
6,4
Corbetta
Parabiago
Legnano
110,9 411,8 ARLUNO
7,5
34,2
Cornaredo
sp 11 Padana Sup.
Pregnana Mil.
Lainate-Vanzago
118,4 RHO
2
119,2 RHO SUD
402,3 RHO
0,6
120 401,7 MILANO-GHISOLFA
A50 TANG. OVEST
A7 MILANO-GENOVA
A1 MILANO-NAPOLI
A8 MILANO-LAGHI
A9 LAINATE-CHIASSO
2
394,5 PERO NORD
ss 33 del Sempione
Lago Maggiore
Aerop. Malpensa
Varese
Milano centro
13,3
123 399,7 PERO
9,8
126 396,7
Milano-Viale Certosa
A8 MILANO-LAGHI
A9 LAINATE-CHIASSO
DIR. 2 TRONCO MILANO
NOVATE NORD
Milano-Niguarda
sp 35 Seveso
Como-Chiasso
Cantù-Erba
132,8 389,9 CORMANO
5,5
135,9 LAMBRO SUD
386,8 LAMBRO NORD
FAX
Milano-Viale Zara
ss 36 Monza
Desio-Seregno
138,3 384,4 VIALE ZARA-SESTO S. GIOVANNI
2,2
140,5 382,2
A51 TANG. EST
A1 MILANO-NAPOLI
A52 TANG. NORD MONZA
12,3
MILANO EST
145,6 377,1
A51 TANG. EST
A1 MILANO-NAPOLI
A51 TANG. EST LECCO
5,1
sp 11 Padana Sup.
Gorgonzola
Vimercate-Lecco
Monza
146,5 376,2 AGRATE
4,3
148,2 BRIANZA SUD
374,5 BRIANZA NORD
sp 11 Padana Sup.
Treviglio
Merate-Lecco
150,8 371,9 CAVENAGO-CAMBIAGO
8,4
Vaprio d'Adda
Cassano d'Adda
Vimercate
Merate
18,1
159,2 363,5 TREZZO
1,9
Zingonia
Treviglio
Sotto il Monte Giov. XXIII
Merate
161,1 316,6 CAPRIATE
7,1
166,3 BREMBO SUD
356,4 BREMBO NORD
FAX
sp 42 Treviglio
Caravaggio
Ponte S. Pietro
ss 470 V. Brembana
168,2 354,5 DALMINE
5
sp 591 Cremasca
sp 42 Treviglio
Boario Terme
Aerop. Orio al Serio
sp 342 Lecco
173,2 349,4 BERGAMO
6,6
Romano di Lombardia
Trescore Balneario
179,8 342,9 SERIATE
9
31,4
Palazzolo sull'Oglio
Trescore Balneario
Lago d'Iseo
188,8 333,9 GRUMELLO-TELGATE
2,9
Palazzolo sull'Oglio
sp 469 Orzinuovi
Sarnico
Lago d'Iseo
191,7 331 PONTE OGLIO
2,1
Orzinuovi
Lago d'Iseo
Sarnico-Lovere
193,8 328,9 PALAZZOLO
8,3
197,7 SEBINO SUD
325 SEBINO NORD
FAX

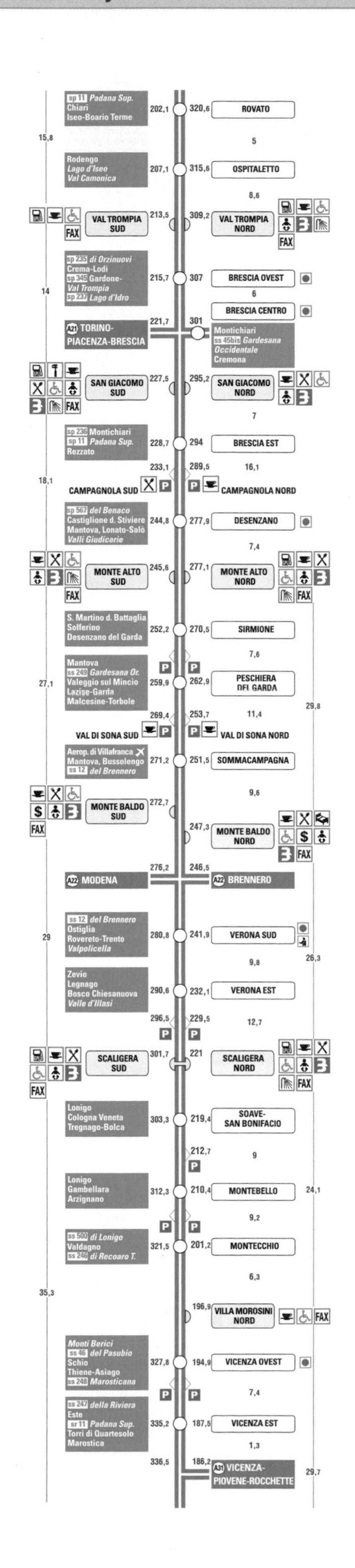

sp 11 Padana Sup.
Chiari
Iseo-Boario Terme
202,1
320,6
ROVATO
15,8
5
Rodengo
Lago d'Iseo
Val Camonica
207,1
315,6
OSPITALETTO
8,6
VAL TROMPIA SUD
213,5
309,2
VAL TROMPIA NORD
FAX
sp 235 di Orzinuovi
Crema-Lodi
sp 345 Gardone-
Val Trompia
sp 237 Lago d'Idro
215,7
307
BRESCIA OVEST
14
6
BRESCIA CENTRO
221,7
301
A21 TORINO-PIACENZA-BRESCIA
Montichiari
ss 45bis Gardesana Occidentale
Cremona
SAN GIACOMO SUD
227,5
295,2
SAN GIACOMO NORD
7
sp 236 Montichiari
sp 11 Padana Sup.
Rezzato
228,7
294
BRESCIA EST
233,1
289,5
16,1
18,1
CAMPAGNOLA SUD
CAMPAGNOLA NORD
sp 567 del Benaco
Castiglione d. Stiviere
Mantova, Lonato-Salò
Valli Giudicarie
244,8
277,9
DESENZANO
7,4
MONTE ALTO SUD
245,6
277,1
MONTE ALTO NORD
S. Martino d. Battaglia
Solferino
Desenzano del Garda
252,2
270,5
SIRMIONE
7,6
Mantova
ss 249 Gardesana Or.
Valeggio sul Mincio
Lazise-Garda
Malcesine-Torbole
259,9
262,9
PESCHIERA DEL GARDA
27,1
29,8
269,4
253,7
11,4
VAL DI SONA SUD
VAL DI SONA NORD
Aerop. di Villafranca
Mantova, Bussolengo
ss 12 del Brennero
271,2
251,5
SOMMACAMPAGNA
9,6
MONTE BALDO SUD
272,7
247,3
MONTE BALDO NORD
276,2
246,5
A22 MODENA
A22 BRENNERO
ss 12 del Brennero
Ostiglia
Rovereto-Trento
Valpolicella
280,8
241,9
VERONA SUD
29
9,8
26,3
Zevio
Legnago
Bosco Chiesanuova
Valle d'Illasi
290,6
232,1
VERONA EST
296,5
229,5
12,7
SCALIGERA SUD
301,7
221
SCALIGERA NORD
Lonigo
Cologna Veneta
Tregnago-Bolca
303,3
219,4
SOAVE-SAN BONIFACIO
212,7
9
Lonigo
Gambellara
Arzignano
312,3
210,4
MONTEBELLO
24,1
9,2
ss 500 di Lonigo
Valdagno
ss 246 di Recoaro T.
321,5
201,2
MONTECCHIO
6,3
35,3
196,9
VILLA MOROSINI NORD
Monti Berici
ss 46 del Pasubio
Schio
Thiene-Asiago
ss 248 Marosticana
327,8
194,9
VICENZA OVEST
7,4
ss 247 della Riviera
Este
sr 11 Padana Sup.
Torri di Quartesolo
Marostica
335,2
187,5
VICENZA EST
1,3
336,5
186,2
A31 VICENZA-PIOVENE-ROCCHETTE
29,7

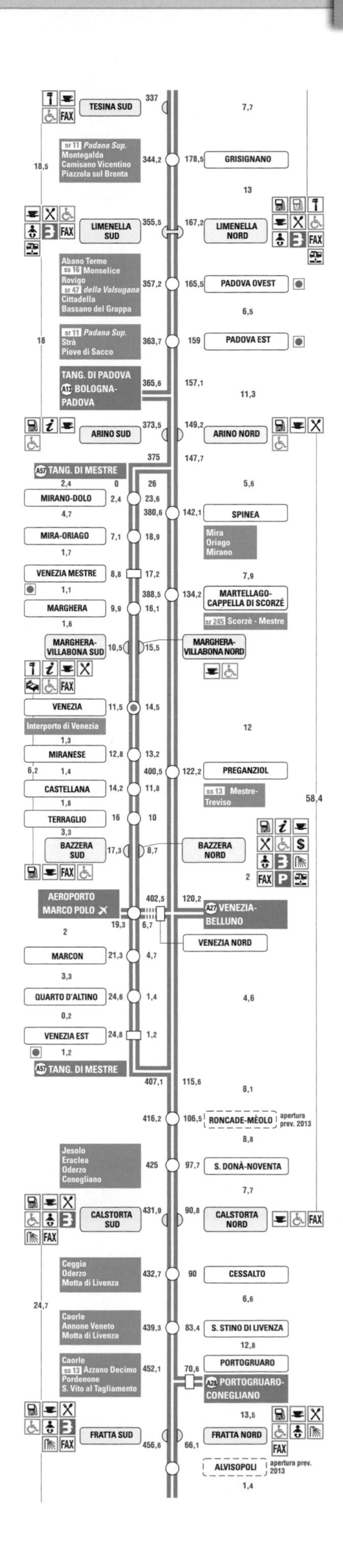

TESINA SUD
337
7,7
sr 11 Padana Sup.
Montegalda
Camisano Vicentino
Piazzola sul Brenta
18,5
344,2
178,5
GRISIGNANO
13
LIMENELLA SUD
355,5
167,2
LIMENELLA NORD
Abano Terme
ss 16 Monselice
Rovigo
sr 47 della Valsugana
Cittadella
Bassano del Grappa
357,2
165,5
PADOVA OVEST
6,5
sr 11 Padana Sup.
Strà
Piove di Sacco
18
363,7
159
PADOVA EST
TANG. DI PADOVA
A13 BOLOGNA-PADOVA
365,6
157,1
11,3
ARINO SUD
373,5
149,2
ARINO NORD
375
147,7
A57 TANG. DI MESTRE
2,4
0
26
5,6
MIRANO-DOLO
2,4
23,6
4,7
380,6
142,1
SPINEA
Mira
Oriago
Mirano
MIRA-ORIAGO
7,1
18,9
1,7
7,9
VENEZIA MESTRE
8,8
17,2
1,1
388,5
134,2
MARTELLAGO-CAPPELLA DI SCORZÈ
MARGHERA
9,9
16,1
sr 245 Scorzè - Mestre
1,6
MARGHERA-VILLABONA SUD
10,5
15,5
MARGHERA-VILLABONA NORD
FAX
VENEZIA
11,5
14,5
Interporto di Venezia
12
1,3
MIRANESE
12,8
13,2
6,2
1,4
400,5
122,2
PREGANZIOL
CASTELLANA
14,2
11,8
ss 13 Mestre-Treviso
1,8
58,4
TERRAGLIO
16
10
3,3
BAZZERA SUD
17,3
8,7
BAZZERA NORD
2
AEROPORTO MARCO POLO
402,5
120,2
A27 VENEZIA-BELLUNO
19,3
6,7
2
VENEZIA NORD
MARCON
21,3
4,7
3,3
QUARTO D'ALTINO
24,6
1,4
4,6
0,2
VENEZIA EST
24,8
1,2
1,2
A57 TANG. DI MESTRE
407,1
115,6
8,1
416,2
106,5
RONCADE-MÈOLO
apertura prev. 2013
8,8
Jesolo
Eraclea
Oderzo
Conegliano
425
97,7
S. DONÀ-NOVENTA
7,7
CALSTORTA SUD
431,9
90,8
CALSTORTA NORD
Ceggia
Oderzo
Motta di Livenza
432,7
90
CESSALTO
24,7
6,6
Caorle
Annone Veneto
Motta di Livenza
439,3
83,4
S. STINO DI LIVENZA
12,8
Caorle
ss 13 Azzano Decimo
Pordenone
S. Vito al Tagliamento
452,1
PORTOGRUARO
70,6
A28 PORTOGRUARO-CONEGLIANO
13,5
FRATTA SUD
456,6
66,1
FRATTA NORD
ALVISOPOLI
apertura prev. 2013
1,4

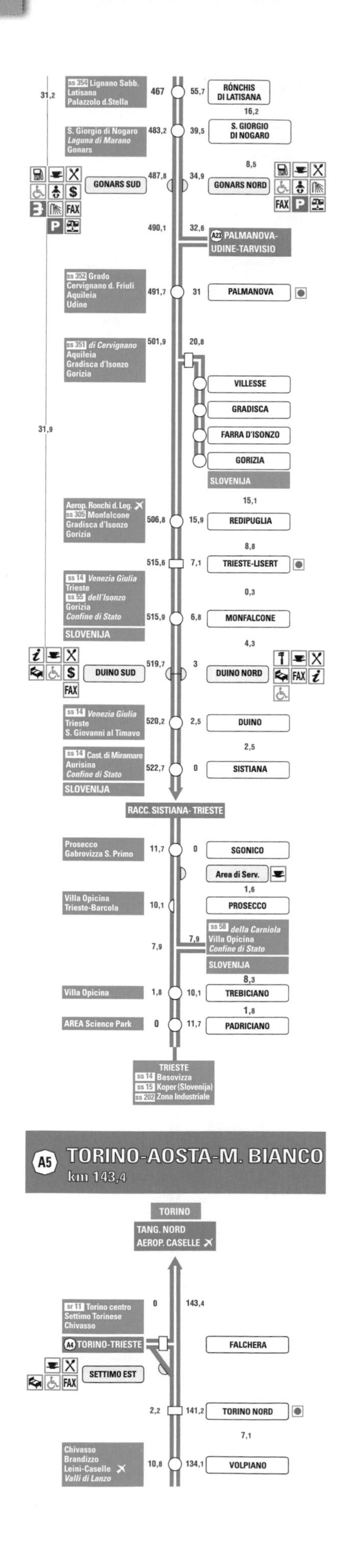

ss 354 Lignano Sabb. Latisana Palazzolo d.Stella
467
55,7
RÓNCHIS DI LATISANA
16,2
S. Giorgio di Nogaro Laguna di Marano Gonars
483,2
39,5
S. GIORGIO DI NOGARO
8,5
GONARS SUD
487,8
34,9
GONARS NORD
490,1
32,6
A23 PALMANOVA-UDINE-TARVISIO
ss 352 Grado Cervignano d. Friuli Aquileia Udine
491,7
31
PALMANOVA
ss 351 di Cervignano Aquileia Gradisca d'Isonzo Gorizia
501,9
20,8
VILLESSE
GRADISCA
FARRA D'ISONZO
GORIZIA
SLOVENIJA
31,2
31,9
15,1
Aerop. Ronchi d. Leg. ss 305 Monfalcone Gradisca d'Isonzo Gorizia
506,8
15,9
REDIPUGLIA
8,8
515,6
7,1
TRIESTE-LISERT
0,3
ss 14 Venezia Giulia Trieste ss 55 dell'Isonzo Gorizia Confine di Stato
SLOVENIJA
515,9
6,8
MONFALCONE
4,3
DUINO SUD
519,7
3
DUINO NORD
ss 14 Venezia Giulia Trieste S. Giovanni al Timavo
520,2
2,5
DUINO
2,5
ss 14 Cast. di Miramare Aurisina Confine di Stato
SLOVENIJA
522,7
0
SISTIANA
RACC. SISTIANA- TRIESTE
Prosecco Gabrovizza S. Primo
11,7
0
SGONICO
Area di Serv.
1,6
Villa Opicina Trieste-Barcola
10,1
PROSECCO
7,9
7,9
ss 58 della Carniola Villa Opicina Confine di Stato
SLOVENIJA
8,3
Villa Opicina
1,8
10,1
TREBICIANO
1,8
AREA Science Park
0
11,7
PADRICIANO
TRIESTE ss 14 Basovizza ss 15 Koper (Slovenija) ss 202 Zona Industriale
A5 TORINO-AOSTA-M. BIANCO
km 143,4
TORINO
TANG. NORD AEROP. CASELLE
sr 11 Torino centro Settimo Torinese Chivasso
0
143,4
A4 TORINO-TRIESTE
FALCHERA
SETTIMO EST
2,2
141,2
TORINO NORD
7,1
Chivasso Brandizzo Leini-Caselle Valli di Lanzo
10,8
134,1
VOLPIANO

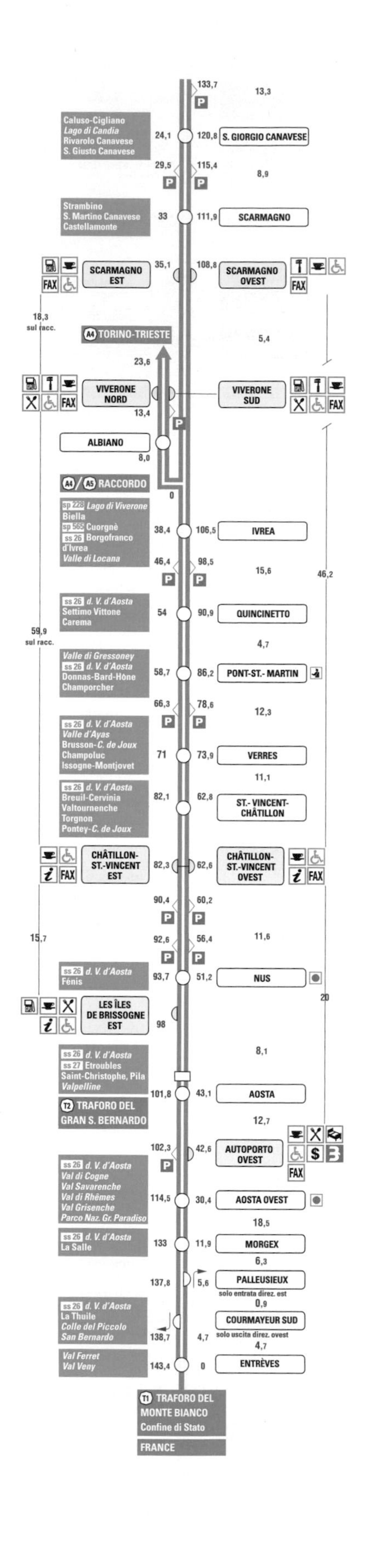

133,7
13,3
Caluso-Cigliano Lago di Candia Rivarolo Canavese S. Giusto Canavese
24,1
120,8
S. GIORGIO CANAVESE
29,5
115,4
8,9
Strambino S. Martino Canavese Castellamonte
33
111,9
SCARMAGNO
SCARMAGNO EST
35,1
108,8
SCARMAGNO OVEST
18,3 sul racc.
A4 TORINO-TRIESTE
5,4
23,6
VIVERONE NORD
13,4
VIVERONE SUD
ALBIANO
8,0
A4/A5 RACCORDO
0
sp 228 Lago di Viverone Biella sp 565 Cuorgnè ss 26 Borgofranco d'Ivrea Valle di Locana
38,4
106,5
IVREA
46,4
98,5
15,6
46,2
ss 26 d. V. d'Aosta Settimo Vittone Carema
54
90,9
QUINCINETTO
59,9 sul racc.
4,7
Valle di Gressoney ss 26 d. V. d'Aosta Donnas-Bard-Hône Champorcher
58,7
86,2
PONT-ST.- MARTIN
66,3
78,6
12,3
ss 26 d. V. d'Aosta Valle d'Ayas Brusson-C. de Joux Champoluc Issogne-Montjovet
71
73,9
VERRES
11,1
ss 26 d. V. d'Aosta Breuil-Cervinia Valtournenche Torgnon Pontey-C. de Joux
82,1
62,8
ST.- VINCENT- CHÂTILLON
CHÂTILLON- ST.-VINCENT EST
82,3
62,6
CHÂTILLON- ST.-VINCENT OVEST
90,4
60,2
15,7
92,6
56,4
11,6
ss 26 d. V. d'Aosta Fènis
93,7
51,2
NUS
20
LES ÎLES DE BRISSOGNE EST
98
8,1
ss 26 d. V. d'Aosta ss 27 Etroubles Saint-Christophe, Pila Valpelline
T2 TRAFORO DEL GRAN S. BERNARDO
101,8
43,1
AOSTA
12,7
102,3
42,6
AUTOPORTO OVEST
ss 26 d. V. d'Aosta Val di Cogne Val Savarenche Val di Rhêmes Val Grisenche Parco Naz. Gr. Paradiso
114,5
30,4
AOSTA OVEST
18,5
ss 26 d. V. d'Aosta La Salle
133
11,9
MORGEX
6,3
137,8
5,6
PALLEUSIEUX
solo entrata direz. est
0,9
ss 26 d. V. d'Aosta La Thuile Colle del Piccolo San Bernardo
138,7
4,7
COURMAYEUR SUD
solo uscita direz. ovest
4,7
Val Ferret Val Veny
143,4
0
ENTRÈVES
T1 TRAFORO DEL MONTE BIANCO Confine di Stato
FRANCE

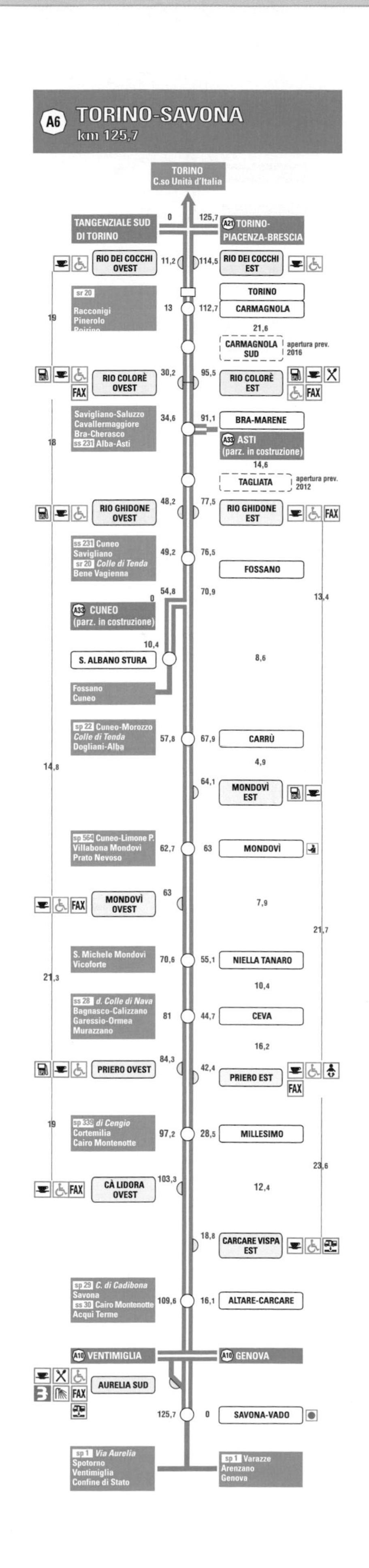
A6 TORINO-SAVONA
km 125,7
TORINO
C.so Unità d'Italia
TANGENZIALE SUD DI TORINO
A21 TORINO-PIACENZA-BRESCIA
RIO DEI COCCHI OVEST
RIO DEI COCCHI EST
TORINO
CARMAGNOLA
sr 20 Racconigi Pinerolo
CARMAGNOLA SUD
apertura prev. 2016
RIO COLORÈ OVEST
RIO COLORÈ EST
Savigliano-Saluzzo Cavallermaggiore Bra-Cherasco
ss 231 Alba-Asti
BRA-MARENE
A33 ASTI (parz. in costruzione)
TAGLIATA
apertura prev. 2012
RIO GHIDONE OVEST
RIO GHIDONE EST
ss 231 Cuneo Savigliano
sr 20 Colle di Tenda
Bene Vagienna
FOSSANO
A33 CUNEO (parz. in costruzione)
S. ALBANO STURA
Fossano Cuneo
sp 12 Cuneo-Morozzo
Colle di Tenda
Dogliani-Alba
CARRÙ
MONDOVÌ EST
sp 564 Cuneo-Limone P.
Villanova Mondovì
Prato Nevoso
MONDOVÌ
MONDOVÌ OVEST
S. Michele Mondovì Vicoforte
NIELLA TANARO
ss 28 d. Colle di Nava
Bagnasco-Calizzano
Garessio-Ormea
Murazzano
CEVA
PRIERO OVEST
PRIERO EST
sp 339 di Cengio
Cortemilia
Cairo Montenotte
MILLESIMO
CÀ LIDORA OVEST
CARCARE VISPA EST
sp 29 C. di Cadibona
Savona
ss 30 Cairo Montenotte
Acqui Terme
ALTARE-CARCARE
A10 VENTIMIGLIA
A10 GENOVA
AURELIA SUD
SAVONA-VADO
sp 1 Via Aurelia
Spotorno
Ventimiglia
Confine di Stato
sp 1 Varazze
Arenzano
Genova

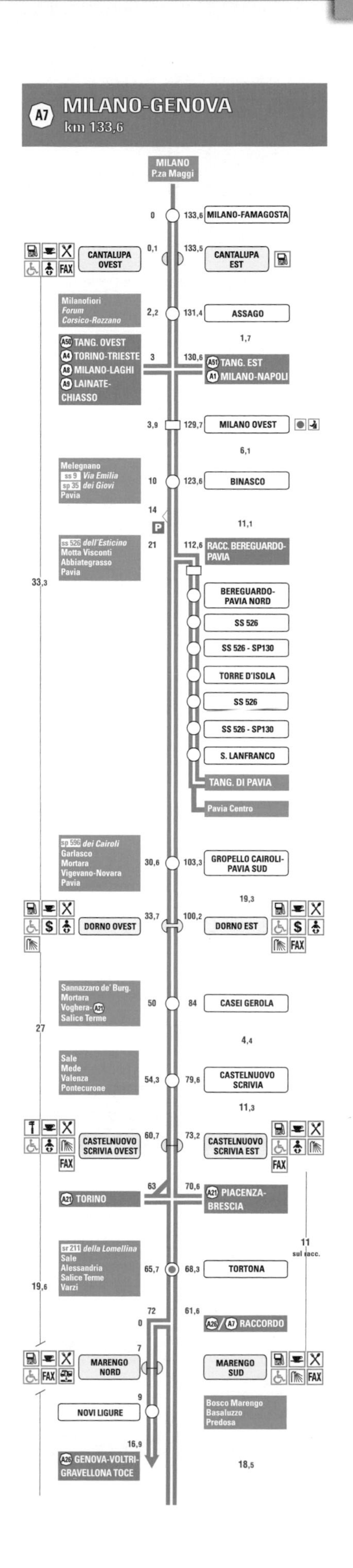
A7 MILANO-GENOVA
km 133,6
MILANO
P.za Maggi
MILANO-FAMAGOSTA
CANTALUPA OVEST
CANTALUPA EST
Milanofiori
Forum
Corsico-Rozzano
ASSAGO
A50 TANG. OVEST
A4 TORINO-TRIESTE
A8 MILANO-LAGHI
A9 LAINATE-CHIASSO
A51 TANG. EST
A1 MILANO-NAPOLI
MILANO OVEST
Melegnano
ss 9 Via Emilia
sp 35 dei Giovi
Pavia
BINASCO
ss 526 dell'Esticino
Motta Visconti
Abbiategrasso
Pavia
RACC. BEREGUARDO-PAVIA
BEREGUARDO-PAVIA NORD
SS 526
SS 526 - SP130
TORRE D'ISOLA
SS 526
SS 526 - SP130
S. LANFRANCO
TANG. DI PAVIA
Pavia Centro
sp 596 dei Cairoli
Garlasco
Mortara
Vigevano-Novara
Pavia
GROPELLO CAIROLI-PAVIA SUD
DORNO OVEST
DORNO EST
Sannazzaro de' Burg.
Mortara
Voghera-A21
Salice Terme
CASEI GEROLA
Sale
Mede
Valenza
Pontecurone
CASTELNUOVO SCRIVIA
CASTELNUOVO SCRIVIA OVEST
CASTELNUOVO SCRIVIA EST
A21 TORINO
A21 PIACENZA-BRESCIA
sr 211 della Lomellina
Sale
Alessandria
Salice Terme
Varzi
TORTONA
sul racc.
A26/A7 RACCORDO
MARENGO NORD
MARENGO SUD
Bosco Marengo
Basaluzzo
Predosa
NOVI LIGURE
A26 GENOVA-VOLTRI-GRAVELLONA TOCE

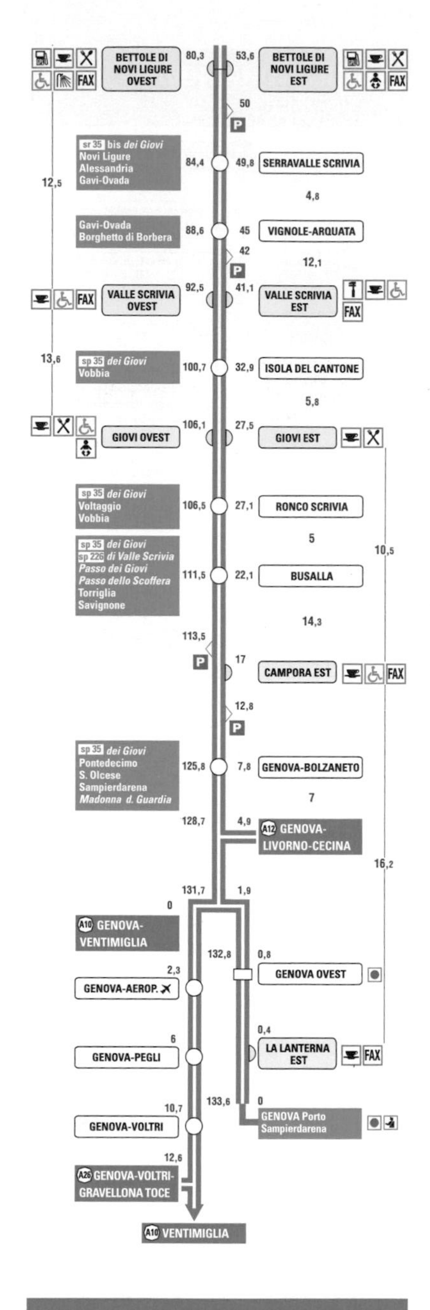

A8 MILANO-VARESE

km 42,6

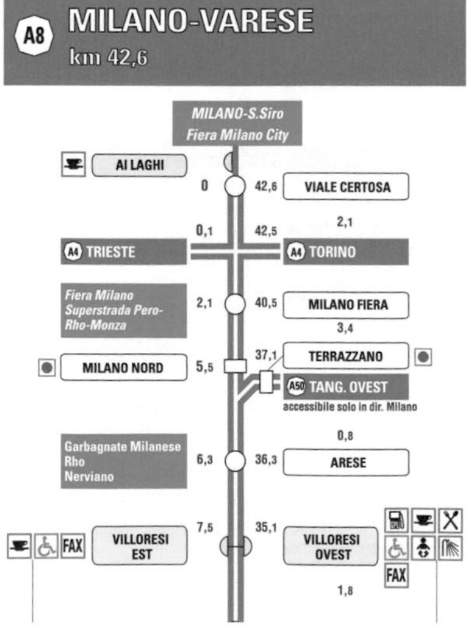

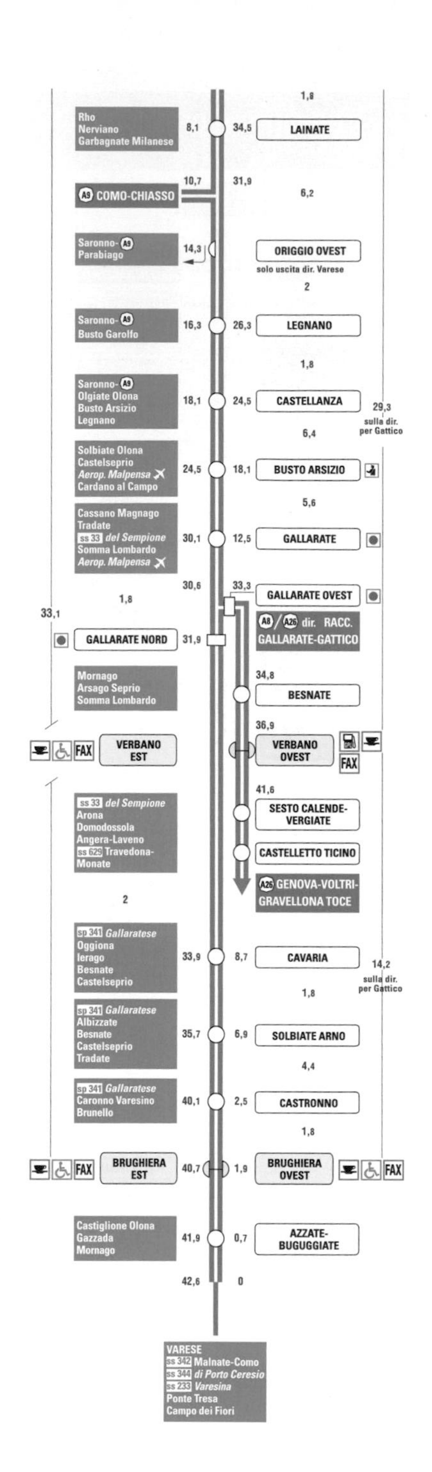

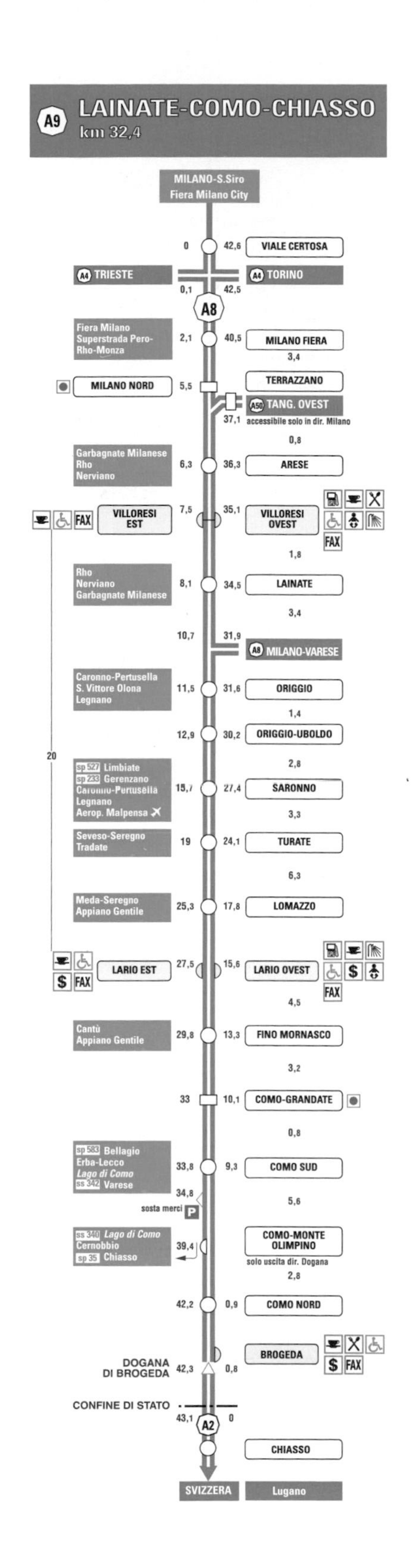
A9
LAINATE-COMO-CHIASSO
km 32,4
MILANO-S.Siro
Fiera Milano City
VIALE CERTOSA
A4 TRIESTE
A4 TORINO
A8
Fiera Milano
Superstrada Pero-Rho-Monza
MILANO FIERA
MILANO NORD
TERRAZZANO
A50 TANG. OVEST
accessibile solo in dir. Milano
Garbagnate Milanese
Rho
Nerviano
ARESE
VILLORESI EST
VILLORESI OVEST
Rho
Nerviano
Garbagnate Milanese
LAINATE
A8 MILANO-VARESE
Caronno-Pertusella
S. Vittore Olona
Legnano
ORIGGIO
ORIGGIO-UBOLDO
Limbiate
Gerenzano
Caronno-Pertusella
Legnano
Aerop. Malpensa
SARONNO
Seveso-Seregno
Tradate
TURATE
Meda-Seregno
Appiano Gentile
LOMAZZO
LARIO EST
LARIO OVEST
Cantù
Appiano Gentile
FINO MORNASCO
COMO-GRANDATE
Bellagio
Erba-Lecco
Lago di Como
Varese
COMO SUD
sosta merci
Lago di Como
Cernobbio
Chiasso
COMO-MONTE OLIMPINO
solo uscita dir. Dogana
COMO NORD
BROGEDA
DOGANA DI BROGEDA
CONFINE DI STATO
A2
CHIASSO
SVIZZERA
Lugano

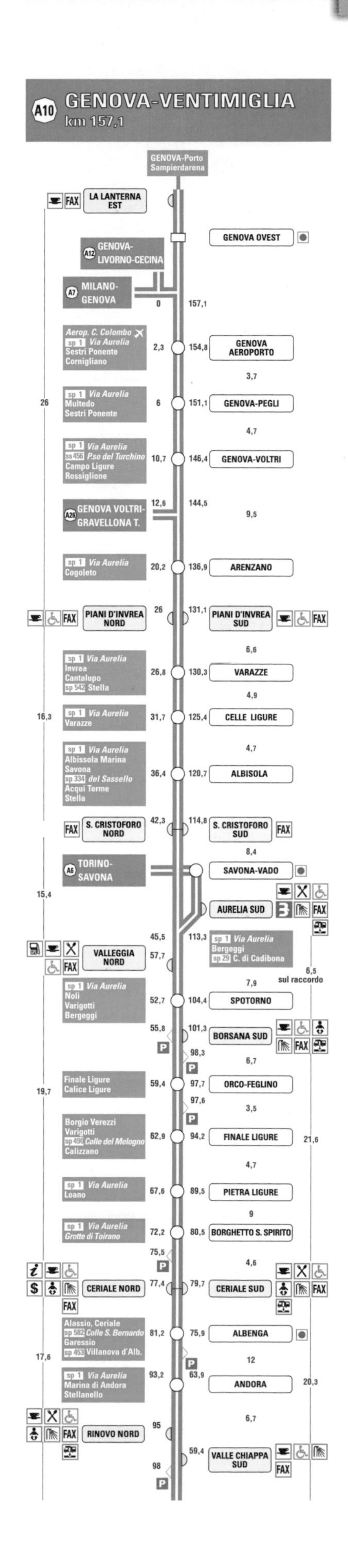
A10
GENOVA-VENTIMIGLIA
km 157,1
GENOVA-Porto
Sampierdarena
LA LANTERNA EST
GENOVA OVEST
A12 GENOVA-LIVORNO-CECINA
A7 MILANO-GENOVA
Aerop. C. Colombo
Via Aurelia
Sestri Ponente
Cornigliano
GENOVA AEROPORTO
Via Aurelia
Multedo
Sestri Ponente
GENOVA-PEGLI
Via Aurelia
P.so del Turchino
Campo Ligure
Rossiglione
GENOVA-VOLTRI
A26 GENOVA VOLTRI-GRAVELLONA T.
Via Aurelia
Cogoleto
ARENZANO
PIANI D'INVREA NORD
PIANI D'INVREA SUD
Via Aurelia
Invrea
Cantalupo
Stella
VARAZZE
Via Aurelia
Varazze
CELLE LIGURE
Via Aurelia
Albissola Marina
Savona
del Sassello
Acqui Terme
Stella
ALBISOLA
S. CRISTOFORO NORD
S. CRISTOFORO SUD
A6 TORINO-SAVONA
SAVONA-VADO
AURELIA SUD
Via Aurelia
Bergeggi
C. di Cadibona
sul raccordo
VALLEGGIA NORD
Via Aurelia
Noli
Varigotti
Bergeggi
SPOTORNO
BORSANA SUD
Finale Ligure
Calice Ligure
ORCO-FEGLINO
Borgio Verezzi
Varigotti
Colle del Melogno
Calizzano
FINALE LIGURE
Via Aurelia
Loano
PIETRA LIGURE
Via Aurelia
Grotte di Toirano
BORGHETTO S. SPIRITO
CERIALE NORD
CERIALE SUD
Alassio, Ceriale
Colle S. Bernardo
Garessio
Villanova d'Alb.
ALBENGA
Via Aurelia
Marina di Andora
Stellanello
ANDORA
RINOVO NORD
VALLE CHIAPPA SUD

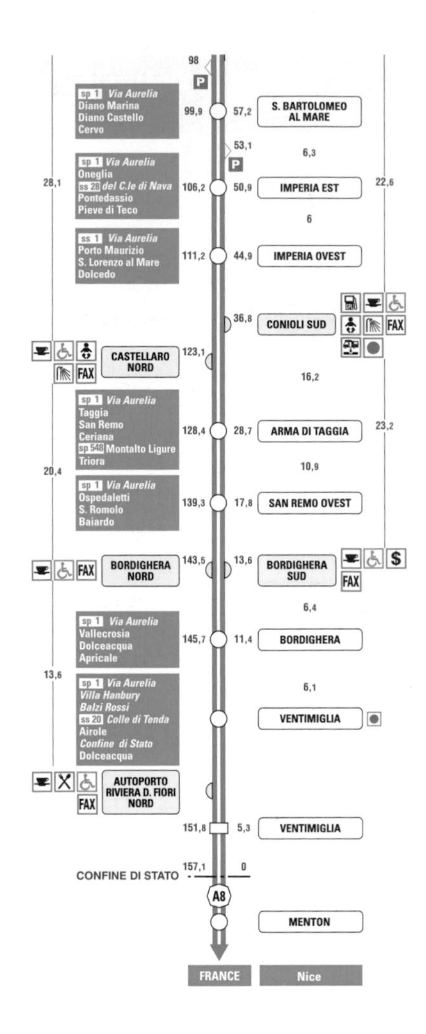
S. BARTOLOMEO AL MARE
sp 1 Via Aurelia Diano Marina Diano Castello Cervo
IMPERIA EST
sp 1 Via Aurelia Oneglia ss 28 del C.le di Nava Pontedassio Pieve di Teco
IMPERIA OVEST
ss 1 Via Aurelia Porto Maurizio S. Lorenzo al Mare Dolcedo
CONIOLI SUD
CASTELLARO NORD
ARMA DI TAGGIA
sp 1 Via Aurelia Taggia San Remo Ceriana sp 548 Montalto Ligure Triora
SAN REMO OVEST
sp 1 Via Aurelia Ospedaletti S. Romolo Baiardo
BORDIGHERA NORD
BORDIGHERA SUD
BORDIGHERA
sp 1 Via Aurelia Vallecrosia Dolceacqua Apricale
VENTIMIGLIA
sp 1 Via Aurelia Villa Hanbury Balzi Rossi ss 20 Colle di Tenda Airole Confine di Stato Dolceacqua
AUTOPORTO RIVIERA D. FIORI NORD
VENTIMIGLIA
CONFINE DI STATO
MENTON
FRANCE
Nice

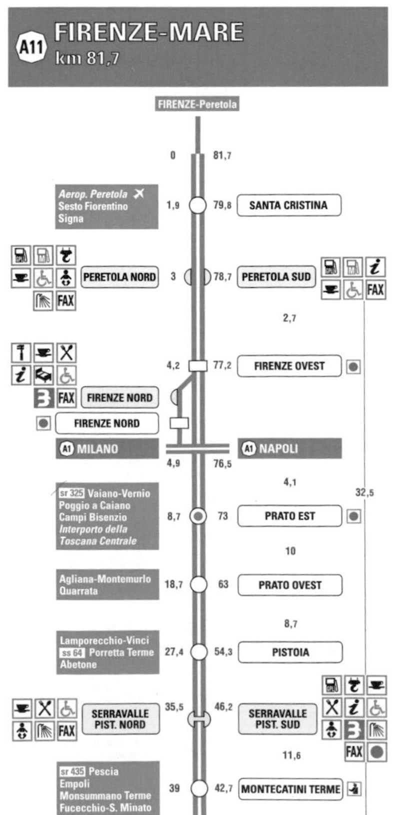
A11 FIRENZE-MARE
km 81,7
FIRENZE-Peretola
SANTA CRISTINA
Aerop. Peretola Sesto Fiorentino Signa
PERETOLA NORD
PERETOLA SUD
FIRENZE OVEST
FIRENZE NORD
FIRENZE NORD
A1 MILANO
A1 NAPOLI
PRATO EST
sr 325 Vaiano-Vernio Poggio a Caiano Campi Bisenzio Interporto della Toscana Centrale
PRATO OVEST
Agliana-Montemurlo Quarrata
PISTOIA
Lamporecchio-Vinci ss 64 Porretta Terme Abetone
SERRAVALLE PIST. NORD
SERRAVALLE PIST. SUD
MONTECATINI TERME
sr 435 Pescia Empoli Monsummano Terme Fucecchio-S. Minato

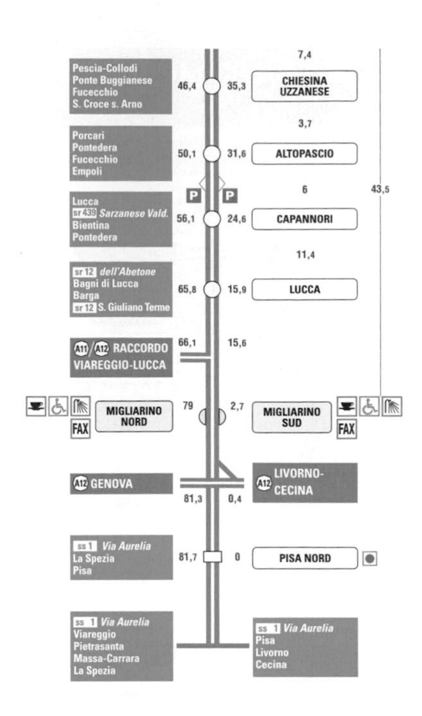
CHIESINA UZZANESE
Pescia-Collodi Ponte Buggianese Fucecchio S. Croce s. Arno
ALTOPASCIO
Porcari Pontedera Fucecchio Empoli
CAPANNORI
Lucca sr 439 Sarzanese Vald. Bientina Pontedera
LUCCA
sr 12 dell'Abetone Bagni di Lucca Barga sr 12 S. Giuliano Terme
A11/A12 RACCORDO VIAREGGIO-LUCCA
MIGLIARINO NORD
MIGLIARINO SUD
A12 GENOVA
A12 LIVORNO-CECINA
PISA NORD
ss 1 Via Aurelia La Spezia Pisa
ss 1 Via Aurelia Viareggio Pietrasanta Massa-Carrara La Spezia
ss 1 Via Aurelia Pisa Livorno Cecina

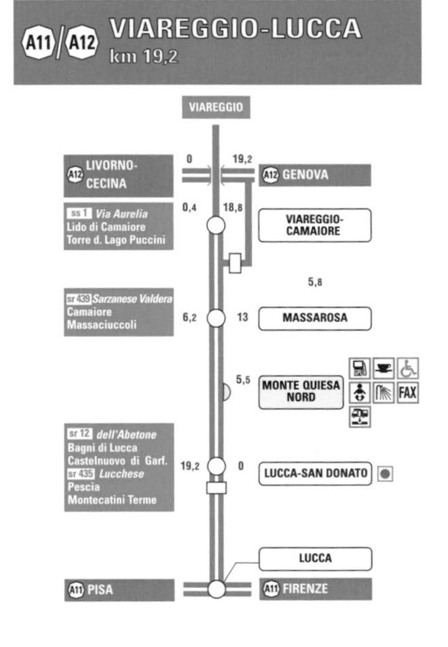
A11/A12 VIAREGGIO-LUCCA
km 19,2
VIAREGGIO
A12 LIVORNO-CECINA
A12 GENOVA
VIAREGGIO-CAMAIORE
ss 1 Via Aurelia Lido di Camaiore Torre d. Lago Puccini
MASSAROSA
sr 439 Sarzanese Valdera Camaiore Massaciuccoli
MONTE QUIESA NORD
LUCCA-SAN DONATO
sr 12 dell'Abetone Bagni di Lucca Castelnuovo di Garf. sr 435 Lucchese Pescia Montecatini Terme
LUCCA
A11 PISA
A11 FIRENZE

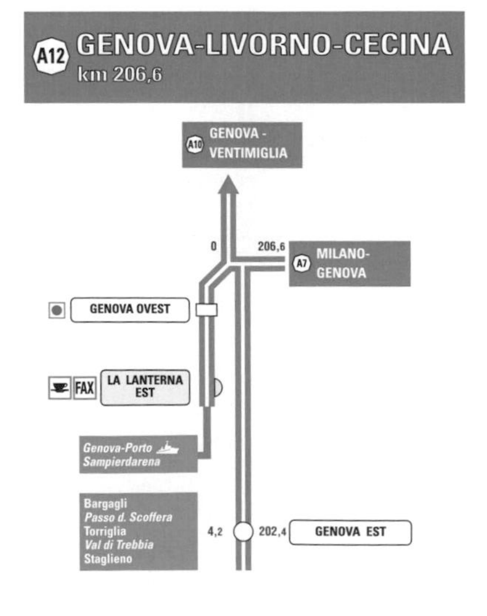
A12 GENOVA-LIVORNO-CECINA
km 206,6
A10 GENOVA - VENTIMIGLIA
A7 MILANO-GENOVA
GENOVA OVEST
LA LANTERNA EST
Genova-Porto Sampierdarena
GENOVA EST
Bargagli Passo d. Scoffera Torriglia Val di Trebbia Staglieno

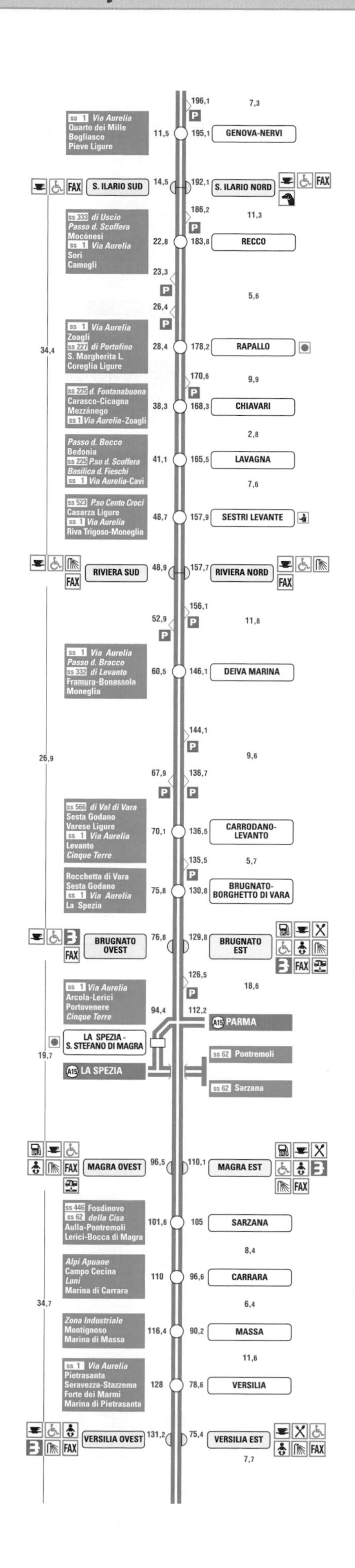
196,1
7,3
ss 1 Via Aurelia
Quarto dei Mille
Bogliasco
Pieve Ligure
11,5
195,1
GENOVA-NERVI
S. ILARIO SUD
14,5
192,1
S. ILARIO NORD
186,2
11,3
ss 333 di Uscio
Passo d. Scoffera
Mocònesi
ss 1 Via Aurelia
Sori
Camogli
22,8
183,8
RECCO
23,3
5,6
26,4
ss 1 Via Aurelia
Zoagli
ss 227 di Portofino
S. Margherita L.
Coreglia Ligure
34,4
28,4
178,2
RAPALLO
170,6
9,9
ss 225 d. Fontanabuona
Carasco-Cicagna
Mezzanego
ss 1 Via Aurelia-Zoagli
38,3
168,3
CHIAVARI
2,8
Passo d. Bocco
Bedonia
ss 225 P.so d. Scoffera
Basilica d. Fieschi
ss 1 Via Aurelia-Cavi
41,1
165,5
LAVAGNA
7,6
ss 523 P.so Cento Croci
Casarza Ligure
ss 1 Via Aurelia
Riva Trigoso-Moneglia
48,7
157,9
SESTRI LEVANTE
RIVIERA SUD
48,9
157,7
RIVIERA NORD
156,1
52,9
11,8
ss 1 Via Aurelia
Passo d. Bracco
ss 332 di Levanto
Framura-Bonassola
Moneglia
60,5
146,1
DEIVA MARINA
144,1
26,9
9,6
67,9
136,7
ss 566 di Val di Vara
Sesta Godano
Varese Ligure
ss 1 Via Aurelia
Levanto
Cinque Terre
70,1
136,5
CARRODANO-LEVANTO
135,5
5,7
Rocchetta di Vara
Sesta Godano
ss 1 Via Aurelia
La Spezia
75,8
130,8
BRUGNATO-BORGHETTO DI VARA
BRUGNATO OVEST
76,8
129,8
BRUGNATO EST
126,5
18,6
ss 1 Via Aurelia
Arcola-Lerici
Portovenere
Cinque Terre
94,4
112,2
A15 PARMA
LA SPEZIA - S. STEFANO DI MAGRA
19,7
A15 LA SPEZIA
ss 62 Pontremoli
ss 62 Sarzana
MAGRA OVEST
96,5
110,1
MAGRA EST
ss 446 Fosdinovo
ss 62 della Cisa
Aulla-Pontremoli
Lerici-Bocca di Magra
101,6
105
SARZANA
8,4
Alpi Apuane
Campo Cecina
Luni
Marina di Carrara
110
96,6
CARRARA
34,7
6,4
Zona Industriale
Montignoso
Marina di Massa
116,4
90,2
MASSA
11,6
ss 1 Via Aurelia
Pietrasanta
Seravezza-Stazzema
Forte dei Marmi
Marina di Pietrasanta
128
78,6
VERSILIA
VERSILIA OVEST
131,2
75,4
VERSILIA EST
7,7
FAX

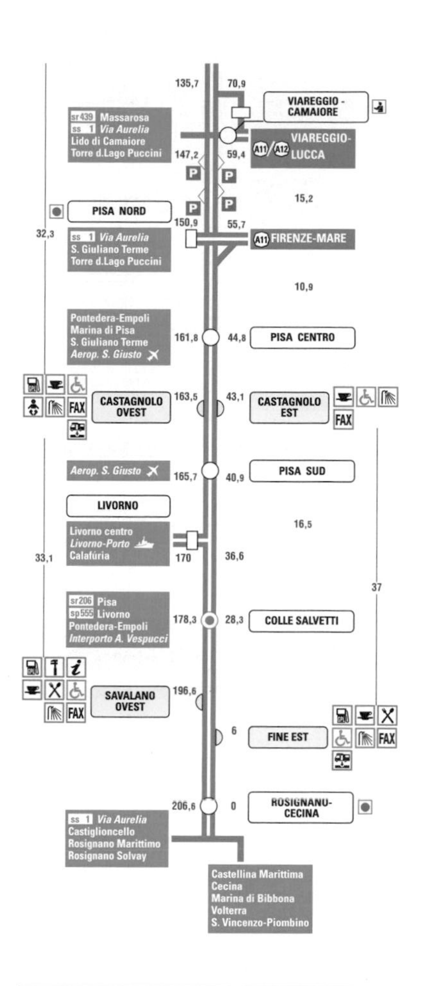
135,7
70,9
VIAREGGIO - CAMAIORE
sr 439 Massarosa
ss 1 Via Aurelia
Lido di Camaiore
Torre d.Lago Puccini
147,2
59,4
A11/A12 VIAREGGIO-LUCCA
15,2
PISA NORD
150,9
55,7
32,3
ss 1 Via Aurelia
S. Giuliano Terme
Torre d.Lago Puccini
A11 FIRENZE-MARE
10,9
Pontedera-Empoli
Marina di Pisa
S. Giuliano Terme
Aerop. S. Giusto
161,8
44,8
PISA CENTRO
CASTAGNOLO OVEST
163,5
43,1
CASTAGNOLO EST
Aerop. S. Giusto
165,7
40,9
PISA SUD
LIVORNO
16,5
Livorno centro
Livorno-Porto
Calafuria
33,1
170
36,6
37
sr 206 Pisa
sp 555 Livorno
Pontedera-Empoli
Interporto A. Vespucci
178,3
28,3
COLLE SALVETTI
SAVALANO OVEST
196,6
6
FINE EST
206,6
0
ROSIGNANO-CECINA
ss 1 Via Aurelia
Castiglioncello
Rosignano Marittimo
Rosignano Solvay
Castellina Marittima
Cecina
Marina di Bibbona
Volterra
S. Vincenzo-Piombino
FAX

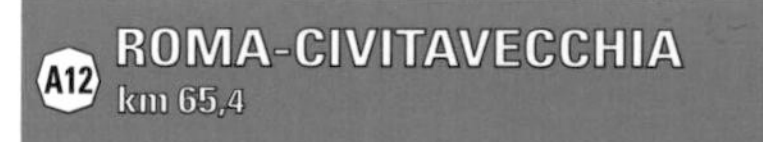
A12 ROMA-CIVITAVECCHIA
km 65,4

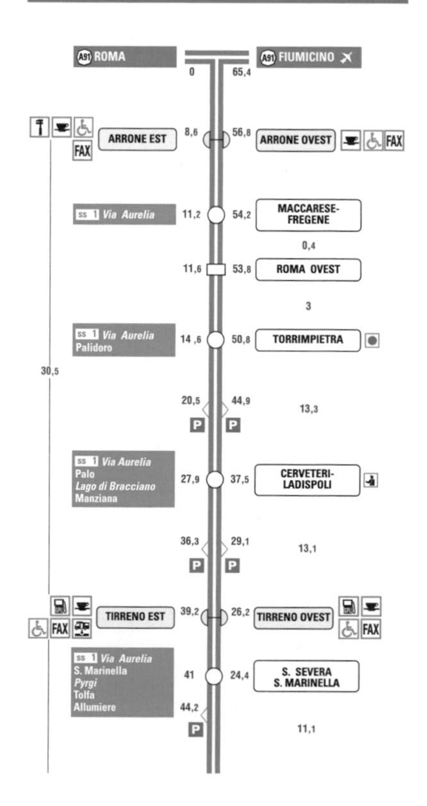
A91 ROMA
A91 FIUMICINO
0
65,4
ARRONE EST
8,6
56,8
ARRONE OVEST
ss 1 Via Aurelia
11,2
54,2
MACCARESE-FREGENE
0,4
11,6
53,8
ROMA OVEST
3
ss 1 Via Aurelia
Palidoro
14,6
50,8
TORRIMPIETRA
30,5
20,5
44,9
13,3
ss 1 Via Aurelia
Palo
Lago di Bracciano
Manziana
27,9
37,5
CERVETERI-LADISPOLI
36,3
29,1
13,1
TIRRENO EST
39,2
26,2
TIRRENO OVEST
ss 1 Via Aurelia
S. Marinella
Pyrgi
Tolfa
Allumiere
41
24,4
S. SEVERA
S. MARINELLA
44,2
11,1
FAX

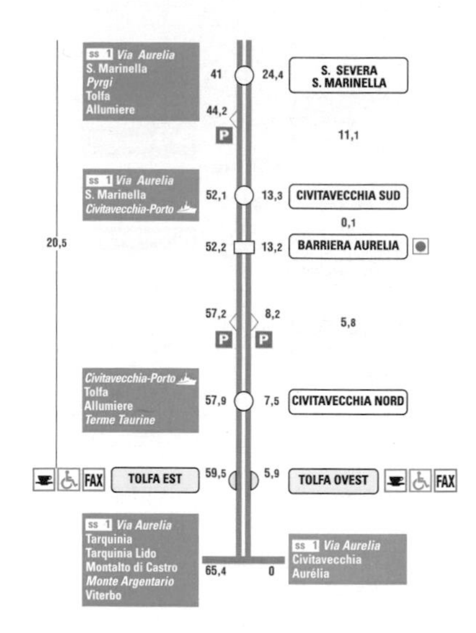
ss 1 Via Aurelia
S. Marinella
Pyrgi
Tolfa
Allumiere
41
24,4
S. SEVERA
S. MARINELLA
44,2
11,1
ss 1 Via Aurelia
S. Marinella
Civitavecchia-Porto
52,1
13,3
CIVITAVECCHIA SUD
0,1
20,5
52,2
13,2
BARRIERA AURELIA
57,2
8,2
5,8
Civitavecchia-Porto
Tolfa
Allumiere
Terme Taurine
57,9
7,5
CIVITAVECCHIA NORD
TOLFA EST
59,5
5,9
TOLFA OVEST
ss 1 Via Aurelia
Tarquinia
Tarquinia Lido
Montalto di Castro
Monte Argentario
Viterbo
65,4
0
ss 1 Via Aurelia
Civitavecchia
Aurélia

A13 BOLOGNA-PADOVA
km 116,7

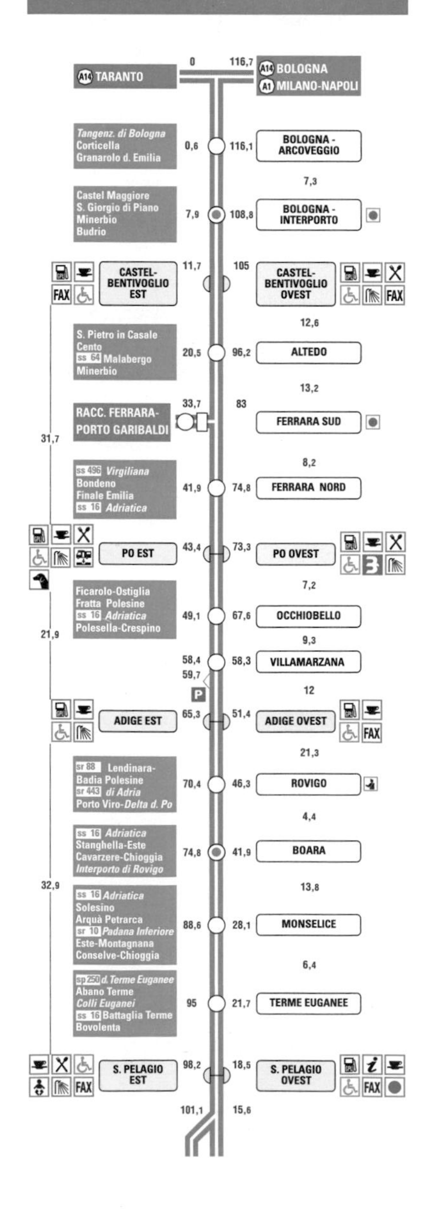
A14 TARANTO
0
116,7
A14 BOLOGNA
A1 MILANO-NAPOLI
Tangenz. di Bologna
Corticella
Granarolo d. Emilia
0,6
116,1
BOLOGNA - ARCOVEGGIO
7,3
Castel Maggiore
S. Giorgio di Piano
Minerbio
Budrio
7,9
108,8
BOLOGNA - INTERPORTO
11,7
105
CASTEL-BENTIVOGLIO EST
CASTEL-BENTIVOGLIO OVEST
12,6
S. Pietro in Casale
Cento
ss 64 Malalbergo
Minerbio
20,5
96,2
ALTEDO
13,2
RACC. FERRARA-PORTO GARIBALDI
33,7
83
FERRARA SUD
31,7
8,2
ss 496 Virgiliana
Bondeno
Finale Emilia
ss 16 Adriatica
41,9
74,8
FERRARA NORD
PO EST
43,4
73,3
PO OVEST
7,2
Ficarolo-Ostiglia
Fratta Polesine
ss 16 Adriatica
Polesella-Crespino
49,1
67,6
OCCHIOBELLO
21,9
9,3
58,4
59,7
58,3
VILLAMARZANA
12
ADIGE EST
65,3
51,4
ADIGE OVEST
21,3
sr 88 Lendinara-Badia Polesine
sr 443 di Adria
Porto Viro-Delta d. Po
70,4
46,3
ROVIGO
4,4
ss 16 Adriatica
Stanghella-Este
Cavarzere-Chioggia
Interporto di Rovigo
74,8
41,9
BOARA
32,9
13,8
ss 16 Adriatica
Solesino
Arquà Petrarca
sr 10 Padana Inferiore
Este-Montagnana
Conselve-Chioggia
88,6
28,1
MONSELICE
6,4
sp 250 d. Terme Euganee
Abano Terme
Colli Euganei
ss 16 Battaglia Terme
Bovolenta
95
21,7
TERME EUGANEE
S. PELAGIO EST
98,2
18,5
S. PELAGIO OVEST
101,1
15,6

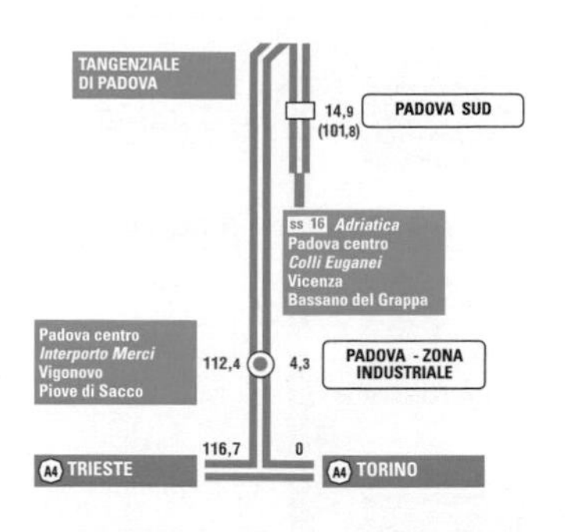
TANGENZIALE DI PADOVA
14,9
(101,8)
PADOVA SUD
ss 16 Adriatica
Padova centro
Colli Euganei
Vicenza
Bassano del Grappa
Padova centro
Interporto Merci
Vigonovo
Piove di Sacco
112,4
4,3
PADOVA - ZONA INDUSTRIALE
116,7
0
A4 TRIESTE
A4 TORINO

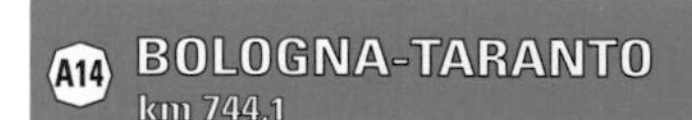
A14 BOLOGNA-TARANTO
km 744,1

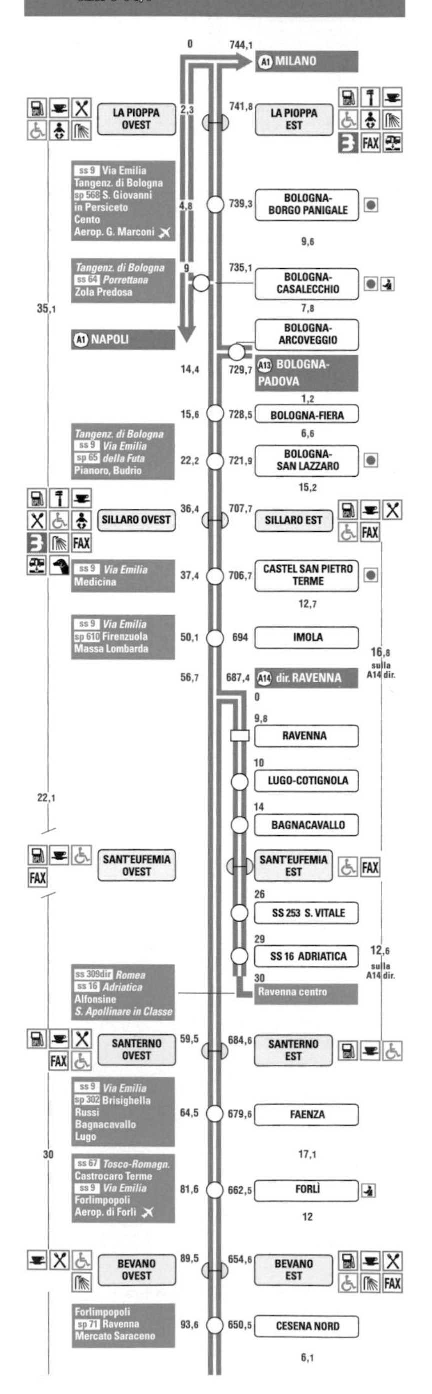
0
744,1
A1 MILANO
LA PIOPPA OVEST
2,3
741,8
LA PIOPPA EST
ss 9 Via Emilia
Tangenz. di Bologna
sp 568 S. Giovanni in Persiceto
Cento
Aerop. G. Marconi
4,8
739,3
BOLOGNA-BORGO PANIGALE
9,6
Tangenz. di Bologna
ss 64 Porrettana
Zola Predosa
9
735,1
BOLOGNA-CASALECCHIO
7,8
35,1
A1 NAPOLI
BOLOGNA-ARCOVEGGIO
14,4
729,7
A13 BOLOGNA-PADOVA
1,2
15,6
728,5
BOLOGNA-FIERA
6,6
Tangenz. di Bologna
ss 9 Via Emilia
sp 65 della Futa
Pianoro, Budrio
22,2
721,9
BOLOGNA-SAN LAZZARO
15,2
SILLARO OVEST
36,4
707,7
SILLARO EST
ss 9 Via Emilia
Medicina
37,4
706,7
CASTEL SAN PIETRO TERME
12,7
ss 9 Via Emilia
sp 610 Firenzuola
Massa Lombarda
50,1
694
IMOLA
16,8 sulla A14 dir.
56,7
687,4
A14 dir. RAVENNA
0
9,8
RAVENNA
10
LUGO-COTIGNOLA
14
BAGNACAVALLO
22,1
SANT'EUFEMIA OVEST
SANT'EUFEMIA EST
26
SS 253 S. VITALE
29
SS 16 ADRIATICA
12,6 sulla A14 dir.
30
Ravenna centro
ss 309dir Romea
ss 16 Adriatica
Alfonsine
S. Apollinare in Classe
SANTERNO OVEST
59,5
684,6
SANTERNO EST
ss 9 Via Emilia
sp 302 Brisighella
Russi
Bagnacavallo
Lugo
64,5
679,6
FAENZA
30
17,1
ss 67 Tosco-Romagn.
Castrocaro Terme
ss 9 Via Emilia
Forlimpopoli
Aerop. di Forlì
81,6
662,5
FORLÌ
12
BEVANO OVEST
89,5
654,6
BEVANO EST
Forlimpopoli
sp 71 Ravenna
Mercato Saraceno
93,6
650,5
CESENA NORD
6,1

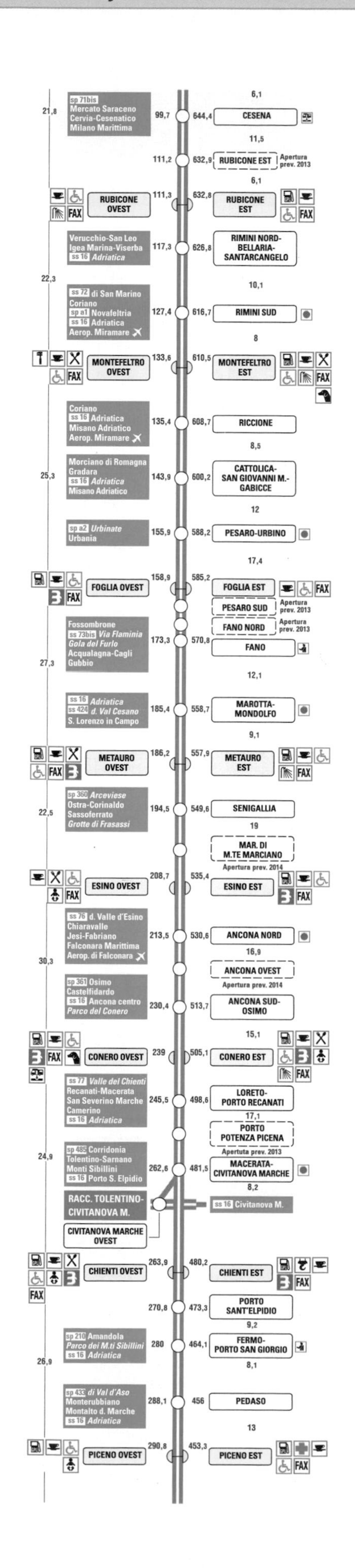
CESENA
RUBICONE EST
RUBICONE OVEST
RUBICONE EST
RIMINI NORD-BELLARIA-SANTARCANGELO
RIMINI SUD
MONTEFELTRO OVEST
MONTEFELTRO EST
RICCIONE
CATTOLICA-SAN GIOVANNI M.-GABICCE
PESARO-URBINO
FOGLIA OVEST
FOGLIA EST
PESARO SUD
FANO NORD
FANO
MAROTTA-MONDOLFO
METAURO OVEST
METAURO EST
SENIGALLIA
MAR. DI M.TE MARCIANO
ESINO OVEST
ESINO EST
ANCONA NORD
ANCONA OVEST
ANCONA SUD-OSIMO
CONERO OVEST
CONERO EST
LORETO-PORTO RECANATI
PORTO POTENZA PICENA
MACERATA-CIVITANOVA MARCHE
RACC. TOLENTINO-CIVITANOVA M.
CIVITANOVA MARCHE OVEST
CHIENTI OVEST
CHIENTI EST
PORTO SANT'ELPIDIO
FERMO-PORTO SAN GIORGIO
PEDASO
PICENO OVEST
PICENO EST

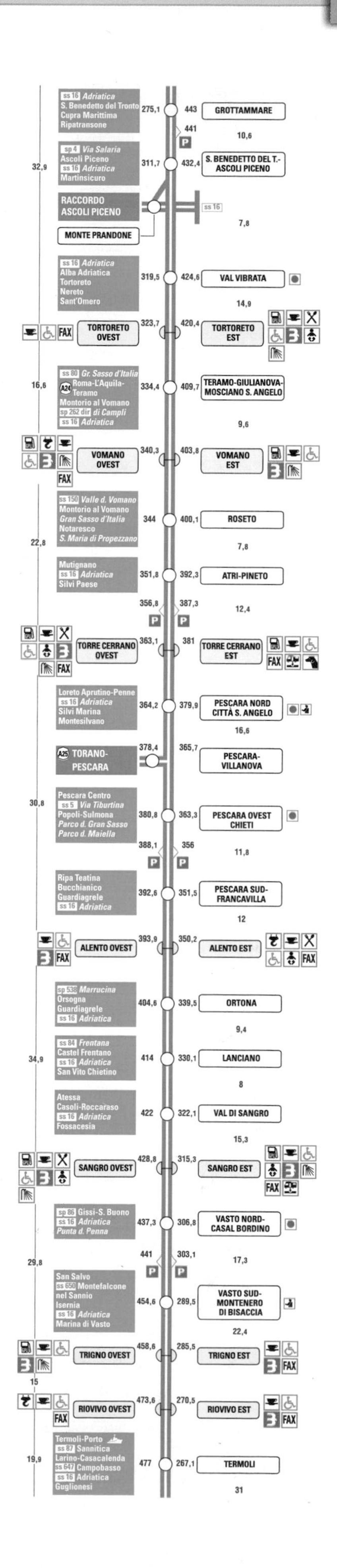
GROTTAMMARE
S. BENEDETTO DEL T.-ASCOLI PICENO
RACCORDO ASCOLI PICENO
MONTE PRANDONE
VAL VIBRATA
TORTORETO OVEST
TORTORETO EST
TERAMO-GIULIANOVA-MOSCIANO S. ANGELO
VOMANO OVEST
VOMANO EST
ROSETO
ATRI-PINETO
TORRE CERRANO OVEST
TORRE CERRANO EST
PESCARA NORD CITTÀ S. ANGELO
TORANO-PESCARA
PESCARA-VILLANOVA
PESCARA OVEST CHIETI
PESCARA SUD-FRANCAVILLA
ALENTO OVEST
ALENTO EST
ORTONA
LANCIANO
VAL DI SANGRO
SANGRO OVEST
SANGRO EST
VASTO NORD-CASAL BORDINO
VASTO SUD-MONTENERO DI BISACCIA
TRIGNO OVEST
TRIGNO EST
RIOVIVO OVEST
RIOVIVO EST
TERMOLI

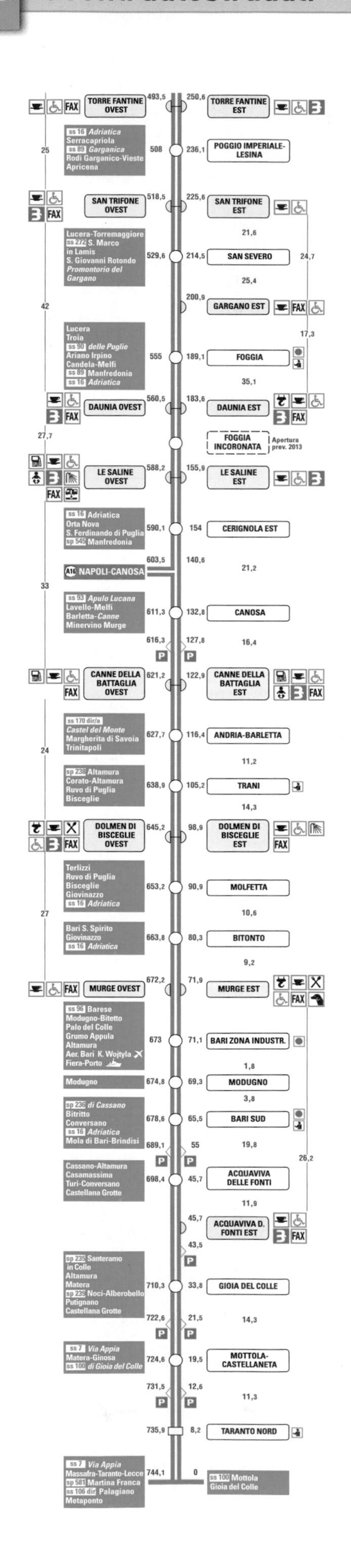

TORRE FANTINE OVEST
493,5
250,6
TORRE FANTINE EST
FAX
ss 16 Adriatica
Serracapriola
ss 89 Garganica
Rodi Garganico-Vieste
Apricena
25
508
236,1
POGGIO IMPERIALE-LESINA
SAN TRIFONE OVEST
518,5
225,6
SAN TRIFONE EST
FAX
Lucera-Torremaggiore
ss 272 S. Marco in Lamis
S. Giovanni Rotondo
Promontorio del Gargano
21,6
529,6
214,5
SAN SEVERO
24,7
25,4
200,9
GARGANO EST
FAX
42
Lucera
Troia
ss 90 delle Puglie
Ariano Irpino
Candela-Melfi
ss 89 Manfredonia
ss 16 Adriatica
17,3
555
189,1
FOGGIA
35,1
560,5
183,6
DAUNIA OVEST
DAUNIA EST
FAX
27,7
FOGGIA INCORONATA
Apertura prev. 2013
588,2
155,9
LE SALINE OVEST
LE SALINE EST
FAX
ss 16 Adriatica
Orta Nova
S. Ferdinando di Puglia
sp 545 Manfredonia
590,1
154
CERIGNOLA EST
603,5
140,6
A16 NAPOLI-CANOSA
21,2
33
ss 93 Apulo Lucana
Lavello-Melfi
Barletta-Canne
Minervino Murge
611,3
132,8
CANOSA
616,3
127,8
16,4
621,2
122,9
CANNE DELLA BATTAGLIA OVEST
CANNE DELLA BATTAGLIA EST
FAX
ss 170 dir/a
Castel del Monte
Margherita di Savoia
Trinitapoli
627,7
116,4
ANDRIA-BARLETTA
24
11,2
sp 238 Altamura
Corato-Altamura
Ruvo di Puglia
Bisceglie
638,9
105,2
TRANI
14,3
645,2
98,9
DOLMEN DI BISCEGLIE OVEST
DOLMEN DI BISCEGLIE EST
FAX
Terlizzi
Ruvo di Puglia
Bisceglie
Giovinazzo
ss 16 Adriatica
653,2
90,9
MOLFETTA
27
10,6
Bari S. Spirito
Giovinazzo
ss 16 Adriatica
663,8
80,3
BITONTO
9,2
672,2
71,9
MURGE OVEST
MURGE EST
FAX
ss 96 Barese
Modugno-Bitetto
Palo del Colle
Grumo Appula
Altamura
Aer. Bari K. Wojtyla
Fiera-Porto
673
71,1
BARI ZONA INDUSTR.
1,8
Modugno
674,8
69,3
MODUGNO
3,8
sp 236 di Cassano
Bitritto
Conversano
ss 16 Adriatica
Mola di Bari-Brindisi
678,6
65,5
BARI SUD
689,1
55
19,8
26,2
Cassano-Altamura
Casamassima
Turi-Conversano
Castellana Grotte
698,4
45,7
ACQUAVIVA DELLE FONTI
11,9
45,7
ACQUAVIVA D. FONTI EST
FAX
43,5
sp 235 Santeramo in Colle
Altamura
Matera
sp 239 Noci-Alberobello
Putignano
Castellana Grotte
710,3
33,8
GIOIA DEL COLLE
722,6
21,5
14,3
ss 7 Via Appia
Matera-Ginosa
ss 100 di Gioia del Colle
724,6
19,5
MOTTOLA-CASTELLANETA
731,5
12,6
11,3
735,9
8,2
TARANTO NORD
ss 7 Via Appia
Massafra-Taranto-Lecce
sp 581 Martina Franca
ss 106 dir Palagiano
Metaponto
744,1
0
ss 100 Mottola
Gioia del Colle

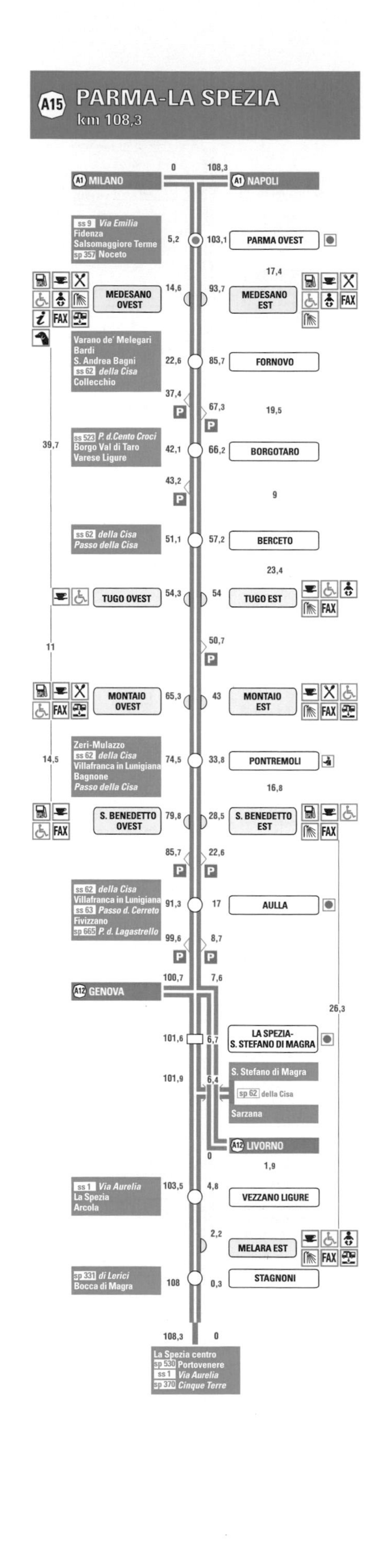

A15 PARMA-LA SPEZIA
km 108,3
0
108,3
A1 MILANO
A1 NAPOLI
ss 9 Via Emilia
Fidenza
Salsomaggiore Terme
sp 357 Noceto
5,2
103,1
PARMA OVEST
17,4
14,6
93,7
MEDESANO OVEST
MEDESANO EST
FAX
Varano de' Melegari
Bardi
S. Andrea Bagni
ss 62 della Cisa
Collecchio
22,6
85,7
FORNOVO
37,4
67,3
19,5
39,7
ss 523 P. d.Cento Croci
Borgo Val di Taro
Varese Ligure
42,1
66,2
BORGOTARO
43,2
9
ss 62 della Cisa
Passo della Cisa
51,1
57,2
BERCETO
23,4
TUGO OVEST
54,3
54
TUGO EST
FAX
50,7
11
MONTAIO OVEST
65,3
43
MONTAIO EST
FAX
Zeri-Mulazzo
ss 62 della Cisa
Villafranca in Lunigiana
Bagnone
Passo della Cisa
14,5
74,5
33,8
PONTREMOLI
16,8
S. BENEDETTO OVEST
79,8
28,5
S. BENEDETTO EST
FAX
85,7
22,6
ss 62 della Cisa
Villafranca in Lunigiana
ss 63 Passo d. Cerreto
Fivizzano
sp 665 P. d. Lagastrello
91,3
17
AULLA
99,6
8,7
100,7
7,6
A12 GENOVA
26,3
101,6
6,7
LA SPEZIA-S. STEFANO DI MAGRA
101,9
6,4
S. Stefano di Magra
sp 62 della Cisa
Sarzana
A12 LIVORNO
0
1,9
ss 1 Via Aurelia
La Spezia
Arcola
103,5
4,8
VEZZANO LIGURE
2,2
MELARA EST
FAX
sp 331 di Lerici
Bocca di Magra
108
0,3
STAGNONI
108,3
0
La Spezia centro
sp 530 Portovenere
ss 1 Via Aurelia
sp 370 Cinque Terre

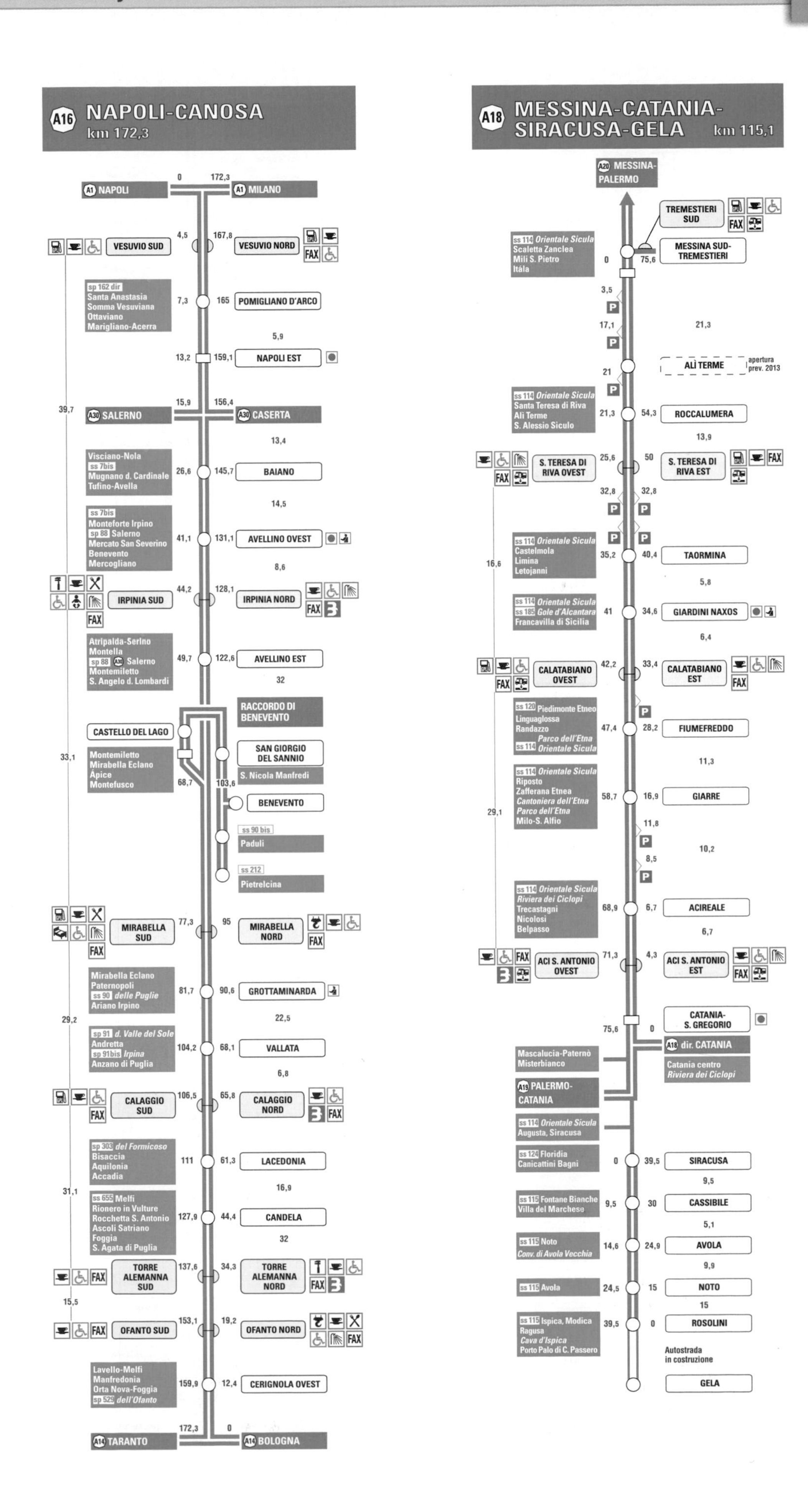
A16 NAPOLI-CANOSA
km 172,3
A1 NAPOLI
0
172,3
A1 MILANO
VESUVIO SUD
4,5
167,8
VESUVIO NORD
FAX
sp 162 dir
Santa Anastasia
Somma Vesuviana
Ottaviano
Marigliano-Acerra
7,3
165
POMIGLIANO D'ARCO
5,9
13,2
159,1
NAPOLI EST
39,7
15,9
156,4
A30 SALERNO
A30 CASERTA
13,4
Visciano-Nola
ss 7bis
Mugnano d. Cardinale
Tufino-Avella
26,6
145,7
BAIANO
14,5
ss 7bis
Monteforte Irpino
sp 88 Salerno
Mercato San Severino
Benevento
Mercogliano
41,1
131,1
AVELLINO OVEST
8,6
44,2
128,1
IRPINIA SUD
IRPINIA NORD
FAX
Atripalda-Serino
Montella
sp 88 A30 Salerno
Montemiletto
S. Angelo d. Lombardi
49,7
122,6
AVELLINO EST
32
RACCORDO DI BENEVENTO
CASTELLO DEL LAGO
SAN GIORGIO DEL SANNIO
S. Nicola Manfredi
33,1
Montemiletto
Mirabella Eclano
Apice
Montefusco
68,7
103,6
BENEVENTO
ss 90 bis
Paduli
ss 212
Pietrelcina
77,3
95
MIRABELLA SUD
MIRABELLA NORD
FAX
Mirabella Eclano
Paternopoli
ss 90 delle Puglie
Ariano Irpino
81,7
90,6
GROTTAMINARDA
22,5
29,2
sp 91 d. Valle del Sole
Andretta
sp 91bis Irpina
Anzano di Puglia
104,2
68,1
VALLATA
6,8
106,5
65,8
CALAGGIO SUD
CALAGGIO NORD
FAX
sp 303 del Formicoso
Bisaccia
Aquilonia
Accadia
111
61,3
LACEDONIA
16,9
31,1
ss 655 Melfi
Rionero in Vulture
Rocchetta S. Antonio
Ascoli Satriano
Foggia
S. Agata di Puglia
127,9
44,4
CANDELA
32
137,6
34,3
TORRE ALEMANNA SUD
TORRE ALEMANNA NORD
FAX
15,5
153,1
19,2
OFANTO SUD
OFANTO NORD
FAX
Lavello-Melfi
Manfredonia
Orta Nova-Foggia
sp 529 dell'Ofanto
159,9
12,4
CERIGNOLA OVEST
172,3
0
A14 TARANTO
A14 BOLOGNA
A18 MESSINA-CATANIA-SIRACUSA-GELA
km 115,1
A20 MESSINA-PALERMO
TREMESTIERI SUD
FAX
ss 114 Orientale Sicula
Scaletta Zanclea
Mili S. Pietro
Itála
0
75,6
MESSINA SUD-TREMESTIERI
3,5
17,1
21,3
21
ALÌ TERME
apertura prev. 2013
ss 114 Orientale Sicula
Santa Teresa di Riva
Alì Terme
S. Alessio Siculo
21,3
54,3
ROCCALUMERA
13,9
25,6
50
S. TERESA DI RIVA OVEST
S. TERESA DI RIVA EST
FAX
32,8
32,8
16,6
ss 114 Orientale Sicula
Castelmola
Limina
Letojanni
35,2
40,4
TAORMINA
5,8
ss 114 Orientale Sicula
ss 185 Gole d'Alcantara
Francavilla di Sicilia
41
34,6
GIARDINI NAXOS
6,4
42,2
33,4
CALATABIANO OVEST
CALATABIANO EST
FAX
ss 120 Piedimonte Etneo
Linguaglossa
Randazzo
Parco dell'Etna
ss 114 Orientale Sicula
47,4
28,2
FIUMEFREDDO
11,3
ss 114 Orientale Sicula
Riposto
Zafferana Etnea
Cantoniera dell'Etna
Parco dell'Etna
Milo-S. Alfio
29,1
58,7
16,9
GIARRE
11,8
10,2
8,5
ss 114 Orientale Sicula
Riviera dei Ciclopi
Trecastagni
Nicolosi
Belpasso
68,9
6,7
ACIREALE
6,7
71,3
4,3
ACI S. ANTONIO OVEST
ACI S. ANTONIO EST
FAX
CATANIA-S. GREGORIO
75,6
0
A18 dir. CATANIA
Catania centro
Riviera dei Ciclopi
Mascalucia-Paternò
Misterbianco
A19 PALERMO-CATANIA
ss 114 Orientale Sicula
Augusta, Siracusa
ss 124 Floridia
Canicattini Bagni
0
39,5
SIRACUSA
9,5
ss 115 Fontane Bianche
Villa del Marchese
9,5
30
CASSIBILE
5,1
ss 115 Noto
Conv. di Avola Vecchia
14,6
24,9
AVOLA
9,9
ss 115 Avola
24,5
15
NOTO
15
ss 115 Ispica, Modica
Ragusa
Cava d'Ispica
Porto Palo di C. Passero
39,5
0
ROSOLINI
Autostrada in costruzione
GELA

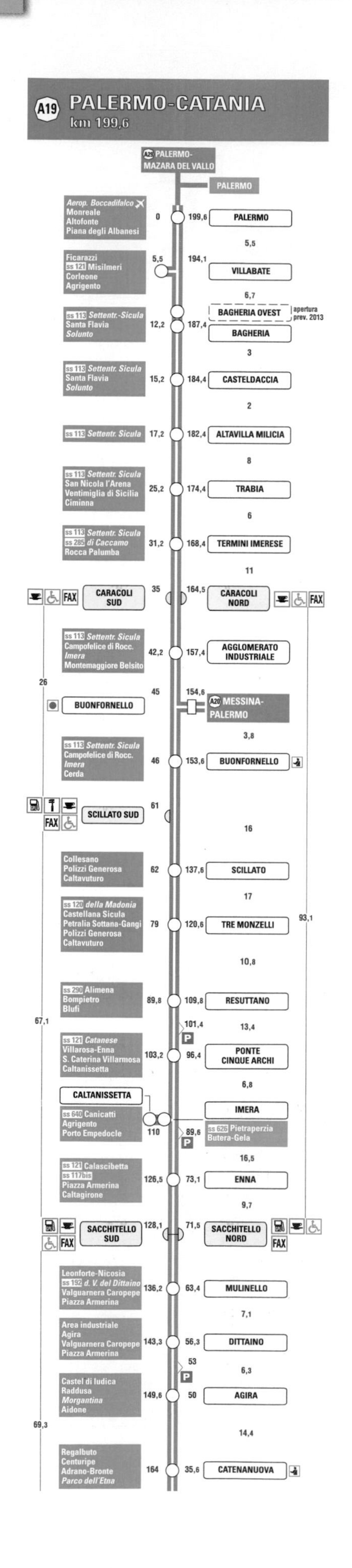
A19 PALERMO-CATANIA
km 199,6
A29 PALERMO-MAZARA DEL VALLO
PALERMO
Aerop. Boccadifalco
Monreale
Altofonte
Piana degli Albanesi
0
199,6
PALERMO
5,5
Ficarazzi
ss 121 Misilmeri
Corleone
Agrigento
5,5
194,1
VILLABATE
6,7
BAGHERIA OVEST
apertura prev. 2013
ss 113 Settentr.-Sicula
Santa Flavia
Solunto
12,2
187,4
BAGHERIA
3
ss 113 Settentr. Sicula
Santa Flavia
Solunto
15,2
184,4
CASTELDACCIA
2
ss 113 Settentr. Sicula
17,2
182,4
ALTAVILLA MILICIA
8
ss 113 Settentr. Sicula
San Nicola l'Arena
Ventimiglia di Sicilia
Ciminna
25,2
174,4
TRABIA
6
ss 113 Settentr. Sicula
ss 285 di Caccamo
Rocca Palumba
31,2
168,4
TERMINI IMERESE
11
CARACOLI SUD
35
164,5
CARACOLI NORD
FAX
ss 113 Settentr. Sicula
Campofelice di Rocc.
Imera
Montemaggiore Belsito
42,2
157,4
AGGLOMERATO INDUSTRIALE
26
45
154,6
BUONFORNELLO
A20 MESSINA-PALERMO
3,8
ss 113 Settentr. Sicula
Campofelice di Rocc.
Imera
Cerda
46
153,6
BUONFORNELLO
61
SCILLATO SUD
16
Collesano
Polizzi Generosa
Caltavuturo
62
137,6
SCILLATO
17
ss 120 della Madonia
Castellana Sicula
Petralia Sottana-Gangi
Polizzi Generosa
Caltavuturo
79
120,6
TRE MONZELLI
93,1
10,8
ss 290 Alimena
Bompietro
Blufi
89,8
109,8
RESUTTANO
67,1
101,4
13,4
ss 121 Catanese
Villarosa-Enna
S. Caterina Villarmosa
Caltanissetta
103,2
96,4
PONTE CINQUE ARCHI
6,8
CALTANISSETTA
IMERA
ss 640 Canicattì
Agrigento
Porto Empedocle
110
89,6
ss 626 Pietraperzia
Butera-Gela
16,5
ss 121 Calascibetta
ss 117bis
Piazza Armerina
Caltagirone
126,5
73,1
ENNA
9,7
SACCHITELLO SUD
128,1
71,5
SACCHITELLO NORD
Leonforte-Nicosia
ss 192 d. V. del Dittaino
Valguarnera Caropepe
Piazza Armerina
136,2
63,4
MULINELLO
7,1
Area industriale
Agira
Valguarnera Caropepe
Piazza Armerina
143,3
56,3
DITTAINO
53
6,3
Castel di Iudica
Raddusa
Morgantina
Aidone
149,6
50
AGIRA
69,3
14,4
Regalbuto
Centuripe
Adrano-Bronte
Parco dell'Etna
164
35,6
CATENANUOVA

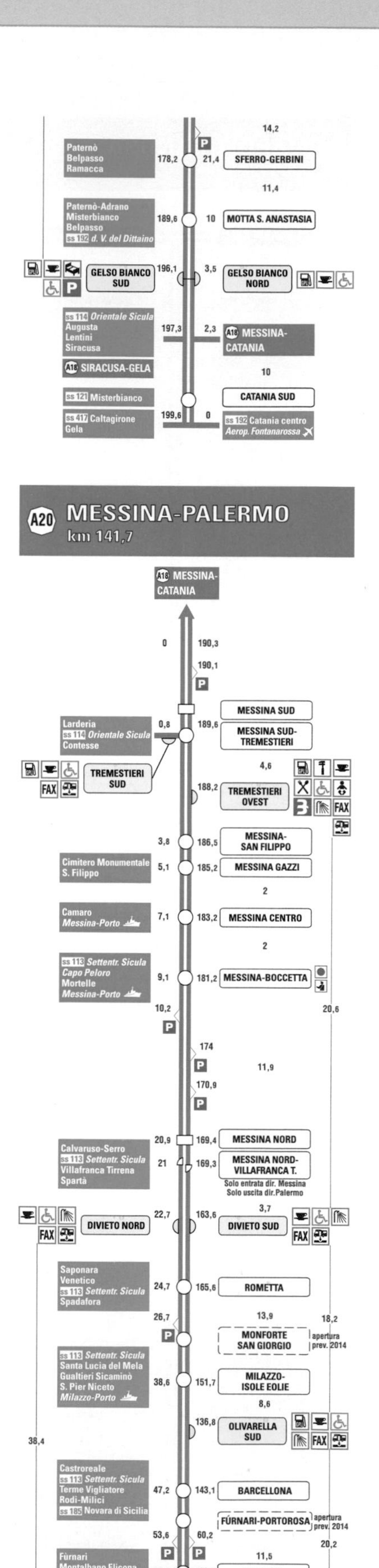
14,2
Paternò
Belpasso
Ramacca
178,2
21,4
SFERRO-GERBINI
11,4
Paternò-Adrano
Misterbianco
Belpasso
ss 192 d. V. del Dittaino
189,6
10
MOTTA S. ANASTASIA
GELSO BIANCO SUD
196,1
3,5
GELSO BIANCO NORD
ss 114 Orientale Sicula
Augusta
Lentini
Siracusa
197,3
2,3
A18 MESSINA-CATANIA
A18 SIRACUSA-GELA
10
ss 121 Misterbianco
CATANIA SUD
ss 417 Caltagirone
Gela
199,6
0
ss 192 Catania centro
Aerop. Fontanarossa
A20 MESSINA-PALERMO
km 141,7
A18 MESSINA-CATANIA
0
190,3
190,1
MESSINA SUD
Larderia
ss 114 Orientale Sicula
Contesse
0,8
189,6
MESSINA SUD-TREMESTIERI
TREMESTIERI SUD
FAX
4,6
188,2
TREMESTIERI OVEST
3,8
186,5
MESSINA-SAN FILIPPO
Cimitero Monumentale
S. Filippo
5,1
185,2
MESSINA GAZZI
2
Camaro
Messina-Porto
7,1
183,2
MESSINA CENTRO
2
ss 113 Settentr. Sicula
Capo Peloro
Mortelle
Messina-Porto
9,1
181,2
MESSINA-BOCCETTA
10,2
20,6
174
11,9
170,9
Calvaruso-Serro
ss 113 Settentr. Sicula
Villafranca Tirrena
Spartà
20,9
169,4
MESSINA NORD
21
169,3
MESSINA NORD-VILLAFRANCA T.
Solo entrata dir. Messina
Solo uscita dir. Palermo
3,7
DIVIETO NORD
22,7
163,6
DIVIETO SUD
FAX
Saponara
Venetico
ss 113 Settentr. Sicula
Spadafora
24,7
165,6
ROMETTA
26,7
13,9
18,2
MONFORTE SAN GIORGIO
apertura prev. 2014
ss 113 Settentr. Sicula
Santa Lucia del Mela
Gualtieri Sicaminò
S. Pier Niceto
Milazzo-Porto
38,6
151,7
MILAZZO-ISOLE EOLIE
8,6
136,8
OLIVARELLA SUD
38,4
Castroreale
ss 113 Settentr. Sicula
Terme Vigliatore
Rodì-Milici
ss 185 Novara di Sicilia
47,2
143,1
BARCELLONA
FURNARI-PORTOROSA
apertura prev. 2014
53,6
60,2
20,2
Furnari
Montalbano Elicona
ss 113 Settentr. Sicula
Oliveri-Tindari
58,7
131,6
11,5
FALCONE
60,8
129,5
8,5
TINDARI NORD
61,1
129,2
TINDARI SUD

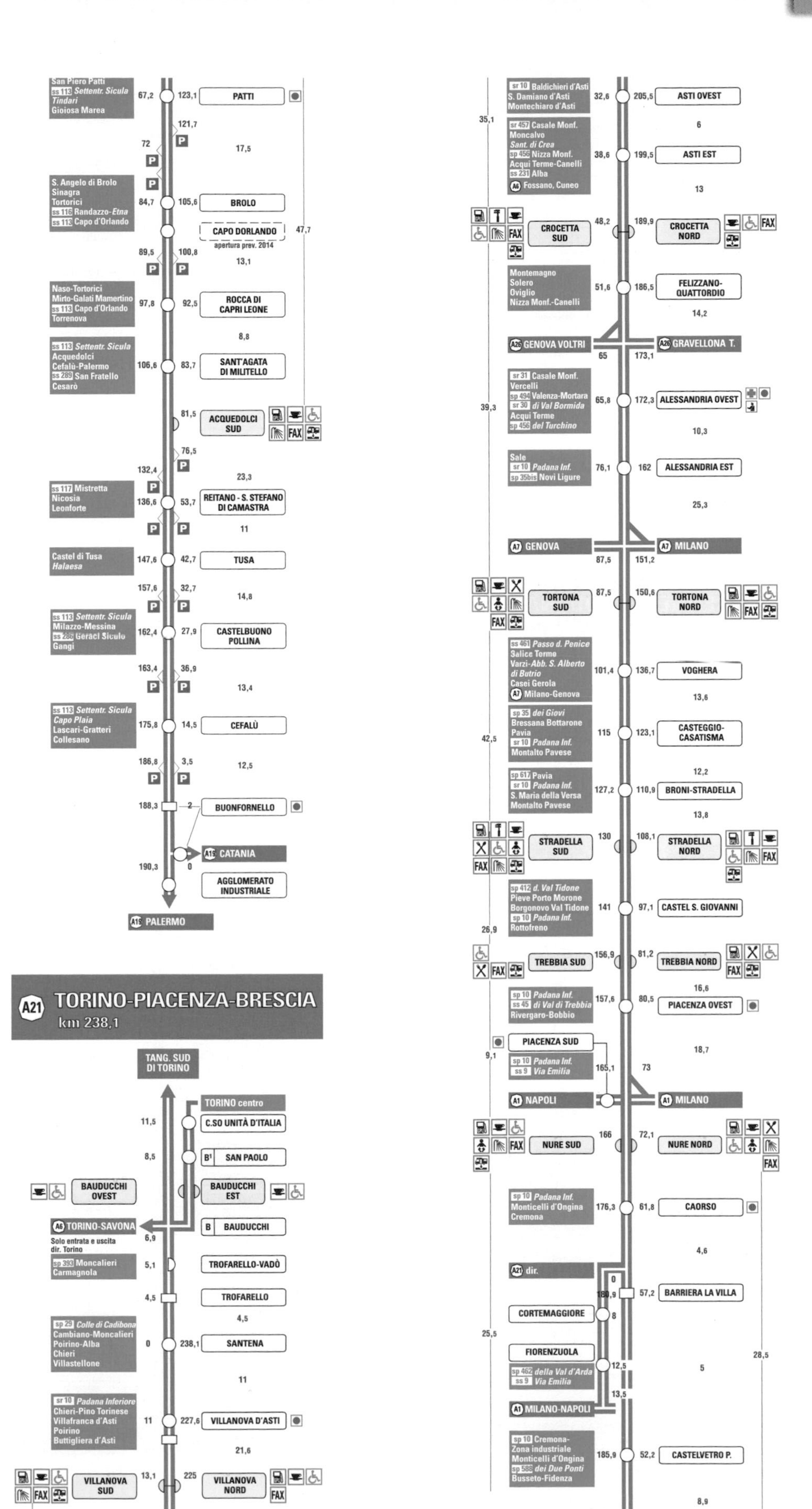

PATTI
BROLO
CAPO D'ORLANDO
apertura prev. 2014
ROCCA DI CAPRI LEONE
SANT'AGATA DI MILITELLO
ACQUEDOLCI SUD
REITANO - S. STEFANO DI CAMASTRA
TUSA
CASTELBUONO POLLINA
CEFALÙ
BUONFORNELLO
CATANIA
AGGLOMERATO INDUSTRIALE
PALERMO
A21 TORINO-PIACENZA-BRESCIA
km 238,1
TANG. SUD DI TORINO
TORINO centro
C.SO UNITÀ D'ITALIA
SAN PAOLO
BAUDUCCHI OVEST
BAUDUCCHI EST
TORINO-SAVONA
Solo entrata e uscita dir. Torino
BAUDUCCHI
TROFARELLO-VADÒ
TROFARELLO
SANTENA
VILLANOVA D'ASTI
VILLANOVA SUD
VILLANOVA NORD
ASTI OVEST
ASTI EST
CROCETTA SUD
CROCETTA NORD
FELIZZANO-QUATTORDIO
GENOVA VOLTRI
GRAVELLONA T.
ALESSANDRIA OVEST
ALESSANDRIA EST
GENOVA
MILANO
TORTONA SUD
TORTONA NORD
VOGHERA
CASTEGGIO-CASATISMA
BRONI-STRADELLA
STRADELLA SUD
STRADELLA NORD
CASTEL S. GIOVANNI
TREBBIA SUD
TREBBIA NORD
PIACENZA OVEST
PIACENZA SUD
NAPOLI
MILANO
NURE SUD
NURE NORD
CAORSO
A21 dir.
BARRIERA LA VILLA
CORTEMAGGIORE
FIORENZUOLA
MILANO-NAPOLI
CASTELVETRO P.

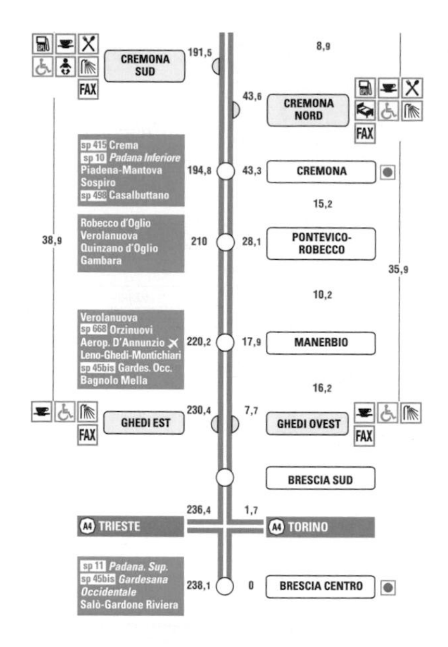
CREMONA SUD
191,5
FAX
8,9
43,6
CREMONA NORD
FAX
sp 415 Crema
sp 10 Padana Inferiore
Piadena-Mantova
Sospiro
sp 498 Casalbuttano
194,8
43,3
CREMONA
15,2
38,9
Robecco d'Oglio
Verolanuova
Quinzano d'Oglio
Gambara
210
28,1
PONTEVICO-ROBECCO
35,9
10,2
Verolanuova
sp 668 Orzinuovi
Aerop. D'Annunzio
Leno-Ghedi-Montichiari
sp 45bis Gardes. Occ.
Bagnolo Mella
220,2
17,9
MANERBIO
16,2
230,4
7,7
GHEDI EST
GHEDI OVEST
FAX
BRESCIA SUD
236,4
1,7
A4 TRIESTE
A4 TORINO
sp 11 Padana. Sup.
sp 45bis Gardesana Occidentale
Salò-Gardone Riviera
238,1
0
BRESCIA CENTRO

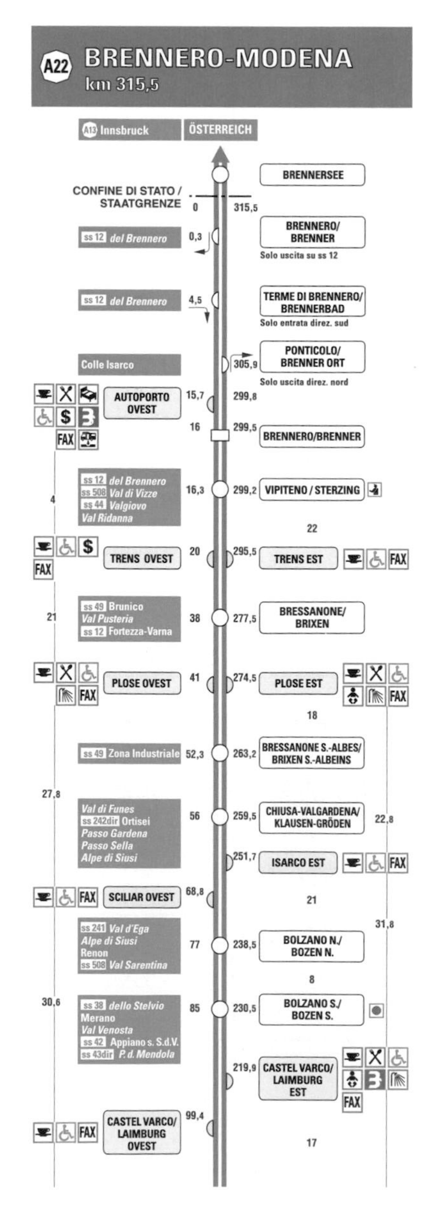
A22 BRENNERO-MODENA
km 315,5
A13 Innsbruck
ÖSTERREICH
BRENNERSEE
CONFINE DI STATO / STAATGRENZE
0
315,5
ss 12 del Brennero
0,3
BRENNERO/BRENNER
Solo uscita su ss 12
ss 12 del Brennero
4,5
TERME DI BRENNERO/BRENNERBAD
Solo entrata direz. sud
Colle Isarco
305,9
PONTICOLO/BRENNER ORT
Solo uscita direz. nord
AUTOPORTO OVEST
15,7
299,8
FAX
16
299,5
BRENNERO/BRENNER
ss 12 del Brennero
ss 508 Val di Vizze
ss 44 Valgiovo
Val Ridanna
4
16,3
299,2
VIPITENO / STERZING
22
TRENS OVEST
20
295,5
TRENS EST
FAX
ss 49 Brunico
Val Pusteria
ss 12 Fortezza-Varna
21
38
277,5
BRESSANONE/BRIXEN
PLOSE OVEST
41
274,5
PLOSE EST
FAX
18
ss 49 Zona Industriale
52,3
263,2
BRESSANONE S.-ALBES/BRIXEN S.-ALBEINS
27,8
Val di Funes
ss 242dir Ortisei
Passo Gardena
Passo Sella
Alpe di Siusi
56
259,5
CHIUSA-VALGARDENA/KLAUSEN-GRÖDEN
22,8
251,7
ISARCO EST
FAX
SCILIAR OVEST
68,8
21
31,8
ss 241 Val d'Ega
Alpe di Siusi
Renon
ss 508 Val Sarentina
77
238,5
BOLZANO N./BOZEN N.
8
30,6
ss 38 dello Stelvio
Merano
Val Venosta
ss 42 Appiano s. S.d.V.
ss 43dir P. d. Mendola
85
230,5
BOLZANO S./BOZEN S.
219,9
CASTEL VARCO/LAIMBURG EST
FAX
99,4
CASTEL VARCO/LAIMBURG OVEST
17

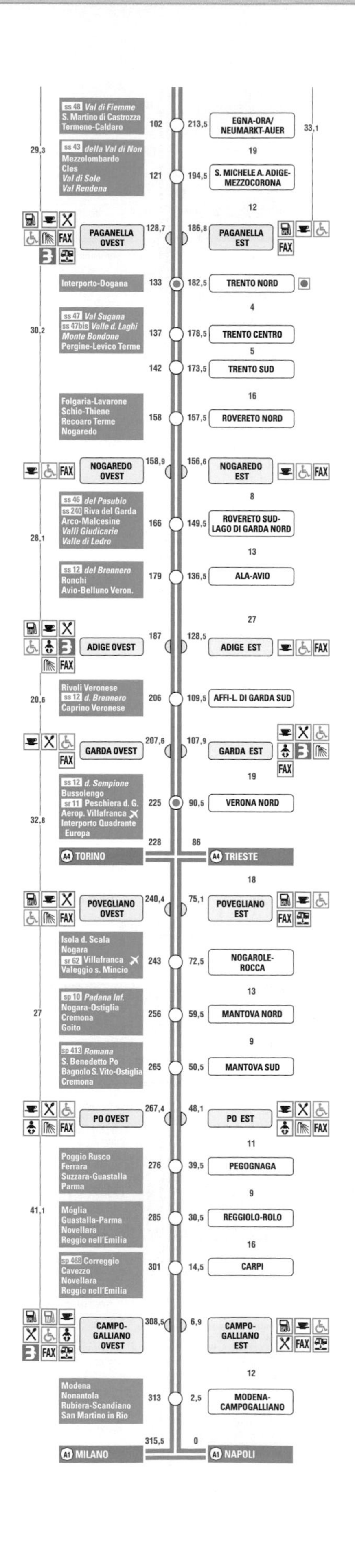
ss 48 Val di Fiemme
S. Martino di Castrozza
Termeno-Caldaro
102
213,5
EGNA-ORA/NEUMARKT-AUER
33,1
29,3
ss 43 della Val di Non
Mezzolombardo
Cles
Val di Sole
Val Rendena
19
121
194,5
S. MICHELE A. ADIGE-MEZZOCORONA
12
PAGANELLA OVEST
128,7
186,8
PAGANELLA EST
FAX
Interporto-Dogana
133
182,5
TRENTO NORD
4
30,2
ss 47 Val Sugana
ss 47bis Valle d. Laghi
Monte Bondone
Pergine-Levico Terme
137
178,5
TRENTO CENTRO
5
142
173,5
TRENTO SUD
16
Folgaria-Lavarone
Schio-Thiene
Recoaro Terme
Nogaredo
158
157,5
ROVERETO NORD
NOGAREDO OVEST
158,9
156,6
NOGAREDO EST
FAX
8
ss 46 del Pasubio
ss 240 Riva del Garda
Arco-Malcesine
Valli Giudicarie
Valle di Ledro
28,1
166
149,5
ROVERETO SUD-LAGO DI GARDA NORD
13
ss 12 del Brennero
Ronchi
Avio-Belluno Veron.
179
136,5
ALA-AVIO
27
187
128,5
ADIGE OVEST
ADIGE EST
FAX
20,6
Rivoli Veronese
ss 12 d. Brennero
Caprino Veronese
206
109,5
AFFI-L. DI GARDA SUD
207,6
107,9
GARDA OVEST
GARDA EST
FAX
19
ss 12 d. Sempione
Bussolengo
sr 11 Peschiera d. G.
Aerop. Villafranca
Interporto Quadrante Europa
32,8
225
90,5
VERONA NORD
228
86
A4 TORINO
A4 TRIESTE
18
240,4
75,1
POVEGLIANO OVEST
POVEGLIANO EST
FAX
Isola d. Scala
Nogara
sr 62 Villafranca
Valeggio s. Mincio
243
72,5
NOGAROLE-ROCCA
13
sp 10 Padana Inf.
Nogara-Ostiglia
Cremona
Goito
27
256
59,5
MANTOVA NORD
9
sp 413 Romana
S. Benedetto Po
Bagnolo S. Vito-Ostiglia
Cremona
265
50,5
MANTOVA SUD
267,4
48,1
PO OVEST
PO EST
FAX
11
Poggio Rusco
Ferrara
Suzzara-Guastalla
Parma
276
39,5
PEGOGNAGA
9
41,1
Moglia
Guastalla-Parma
Novellara
Reggio nell'Emilia
285
30,5
REGGIOLO-ROLO
16
sp 468 Correggio
Cavezzo
Novellara
Reggio nell'Emilia
301
14,5
CARPI
308,5
6,9
CAMPOGALLIANO OVEST
CAMPOGALLIANO EST
FAX
12
Modena
Nonantola
Rubiera-Scandiano
San Martino in Rio
313
2,5
MODENA-CAMPOGALLIANO
315,5
0
A1 MILANO
A1 NAPOLI

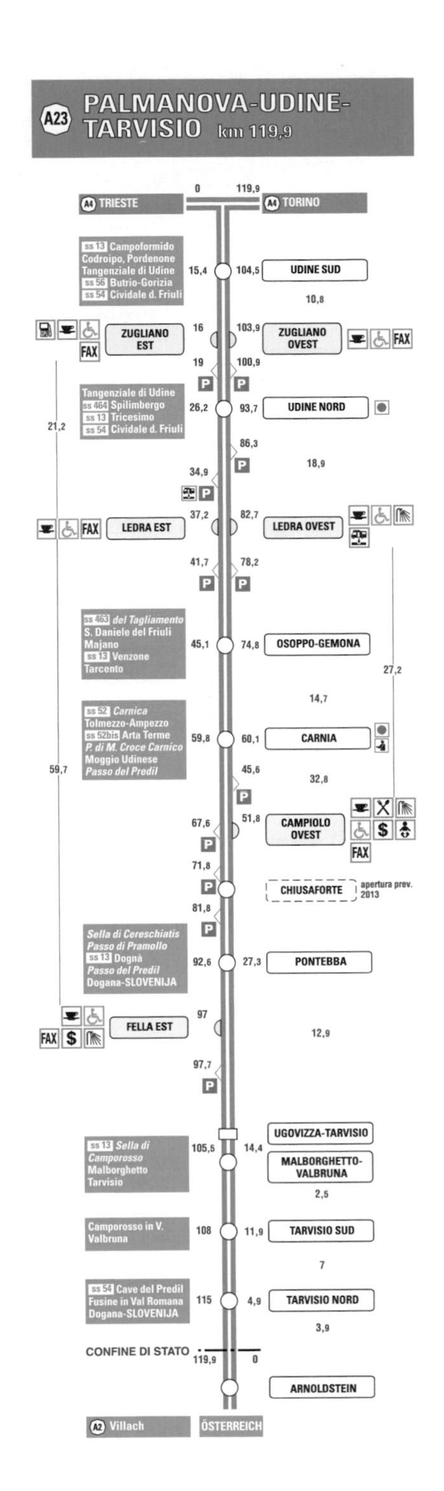

A23 PALMANOVA-UDINE-TARVISIO km 119,9
A4 TRIESTE
0
119,9
A4 TORINO
ss 13 Campoformido
Codroipo, Pordenone
Tangenziale di Udine
ss 56 Butrio-Gorizia
ss 54 Cividale d. Friuli
15,4
104,5
UDINE SUD
10,8
ZUGLIANO EST
16
103,9
ZUGLIANO OVEST
FAX
19
100,9
Tangenziale di Udine
ss 464 Spilimbergo
ss 13 Tricesimo
ss 54 Cividale d. Friuli
26,2
93,7
UDINE NORD
21,2
86,3
18,9
34,9
37,2
82,7
LEDRA EST
LEDRA OVEST
41,7
78,2
ss 463 del Tagliamento
S. Daniele del Friuli
Majano
ss 13 Venzone
Tarcento
45,1
74,8
OSOPPO-GEMONA
27,2
14,7
ss 52 Carnica
Tolmezzo-Ampezzo
ss 52bis Arta Terme
P. di M. Croce Carnico
Moggio Udinese
Passo del Predil
59,8
60,1
CARNIA
59,7
45,6
32,8
67,6
51,8
CAMPIOLO OVEST
$
71,8
CHIUSAFORTE
apertura prev. 2013
81,8
Sella di Cereschiatis
Passo di Pramollo
ss 13 Dogna
Passo del Predil
Dogana-SLOVENIJA
92,6
27,3
PONTEBBA
97
FELLA EST
12,9
97,7
ss 13 Sella di Camporosso
Malborghetto
Tarvisio
105,5
14,4
UGOVIZZA-TARVISIO
MALBORGHETTO-VALBRUNA
2,5
Camporosso in V.
Valbruna
108
11,9
TARVISIO SUD
7
ss 54 Cave del Predil
Fusine in Val Romana
Dogana-SLOVENIJA
115
4,9
TARVISIO NORD
3,9
CONFINE DI STATO
119,9
0
ARNOLDSTEIN
A2 Villach
ÖSTERREICH

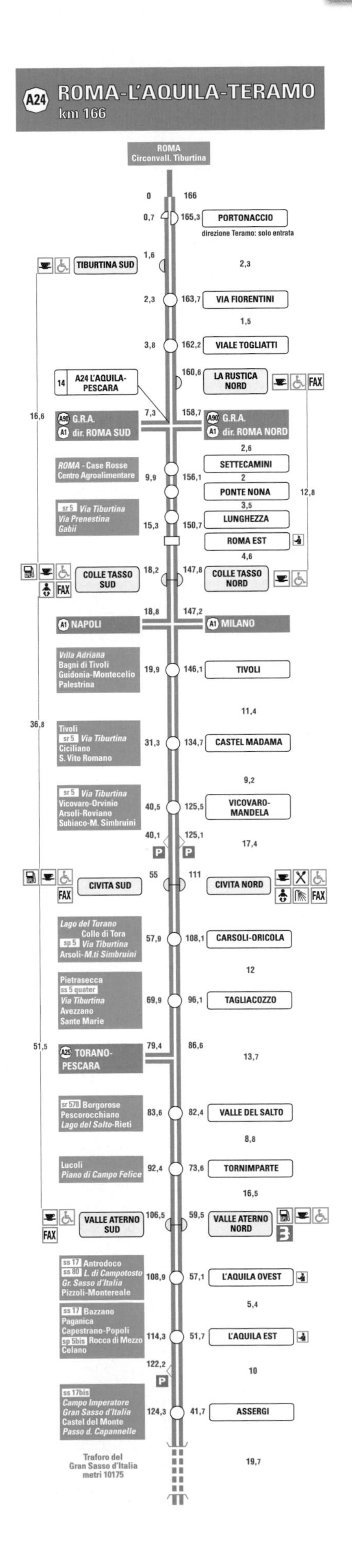

A24 ROMA-L'AQUILA-TERAMO km 166
ROMA
Circonvall. Tiburtina
0
166
0,7
165,3
PORTONACCIO
direzione Teramo: solo entrata
1,6
TIBURTINA SUD
2,3
2,3
163,7
VIA FIORENTINI
1,5
3,8
162,2
VIALE TOGLIATTI
14
A24 L'AQUILA-PESCARA
160,6
LA RUSTICA NORD
FAX
16,6
A90 G.R.A.
A1 dir. ROMA SUD
7,3
158,7
A90 G.R.A.
A1 dir. ROMA NORD
2,6
ROMA - Case Rosse
Centro Agroalimentare
9,9
156,1
SETTECAMINI
2
PONTE NONA
12,8
3,5
sr 5 Via Tiburtina
Via Prenestina
Gabii
15,3
150,7
LUNGHEZZA
ROMA EST
4,6
COLLE TASSO SUD
18,2
147,8
COLLE TASSO NORD
FAX
18,8
147,2
A1 NAPOLI
A1 MILANO
Villa Adriana
Bagni di Tivoli
Guidonia-Montecelio
Palestrina
19,9
146,1
TIVOLI
11,4
36,8
Tivoli
sr 5 Via Tiburtina
Ciciliano
S. Vito Romano
31,3
134,7
CASTEL MADAMA
9,2
sr 5 Via Tiburtina
Vicovaro-Orvinio
Arsoli-Roviano
Subiaco-M. Simbruini
40,5
125,5
VICOVARO-MANDELA
40,1
125,1
17,4
55
111
CIVITA SUD
CIVITA NORD
FAX
Lago del Turano
Colle di Tora
sp 5 Via Tiburtina
Arsoli-M.ti Simbruini
57,9
108,1
CARSOLI-ORICOLA
12
Pietrasecca
ss 5 quater
Via Tiburtina
Avezzano
Sante Marie
69,9
96,1
TAGLIACOZZO
51,5
79,4
86,6
A25 TORANO-PESCARA
13,7
sr 578 Borgorose
Pescorocchiano
Lago del Salto-Rieti
83,6
82,4
VALLE DEL SALTO
8,8
Lucoli
Piano di Campo Felice
92,4
73,6
TORNIMPARTE
16,5
106,5
59,5
VALLE ATERNO SUD
VALLE ATERNO NORD
FAX
ss 17 Antrodoco
ss 80 L. di Campotosto
Gr. Sasso d'Italia
Pizzoli-Montereale
108,9
57,1
L'AQUILA OVEST
5,4
ss 17 Bazzano
Paganica
Capestrano-Popoli
sp 5bis Rocca di Mezzo
Celano
114,3
51,7
L'AQUILA EST
122,2
10
ss 17bis
Campo Imperatore
Gran Sasso d'Italia
Castel del Monte
Passo d. Capannelle
124,3
41,7
ASSERGI
Traforo del Gran Sasso d'Italia metri 10175
19,7

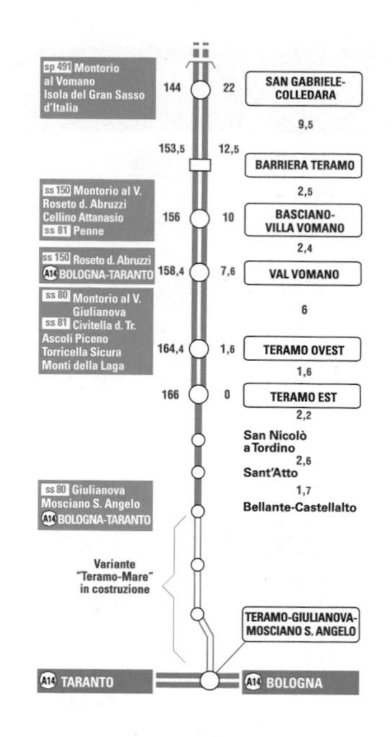
Montorio al Vomano
Isola del Gran Sasso d'Italia
SAN GABRIELE-COLLEDARA
BARRIERA TERAMO
Montorio al V.
Roseto d. Abruzzi
Cellino Attanasio
Penne
BASCIANO-VILLA VOMANO
Roseto d. Abruzzi
BOLOGNA-TARANTO
VAL VOMANO
Montorio al V.
Giulianova
Civitella d. Tr.
Ascoli Piceno
Torricella Sicura
Monti della Laga
TERAMO OVEST
TERAMO EST
San Nicolò a Tordino
Sant'Atto
Bellante-Castellalto
Giulianova
Mosciano S. Angelo
BOLOGNA-TARANTO
Variante "Teramo-Mare" in costruzione
TERAMO-GIULIANOVA-MOSCIANO S. ANGELO
TARANTO
BOLOGNA

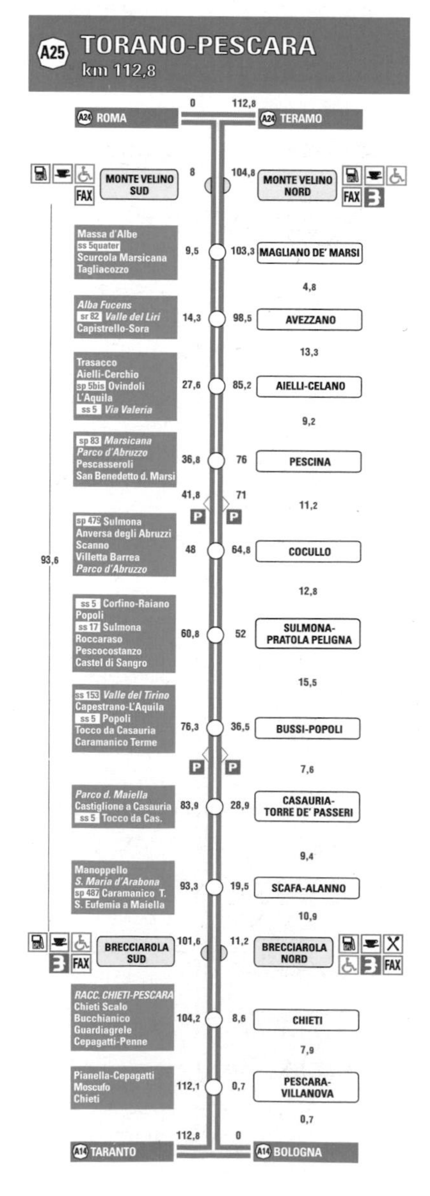
A25 TORANO-PESCARA
km 112,8
ROMA
TERAMO
MONTE VELINO SUD
MONTE VELINO NORD
Massa d'Albe
Scurcola Marsicana
Tagliacozzo
MAGLIANO DE' MARSI
Alba Fucens
Valle del Liri
Capistrello-Sora
AVEZZANO
Trasacco
Aielli-Cerchio
Ovindoli
L'Aquila
Via Valeria
AIELLI-CELANO
Marsicana
Parco d'Abruzzo
Pescasseroli
San Benedetto d. Marsi
PESCINA
Sulmona
Anversa degli Abruzzi
Scanno
Villetta Barrea
Parco d'Abruzzo
COCULLO
Corfino-Raiano
Popoli
Sulmona
Roccaraso
Pescocostanzo
Castel di Sangro
SULMONA-PRATOLA PELIGNA
Valle del Tirino
Capestrano-L'Aquila
Popoli
Tocco da Casauria
Caramanico Terme
BUSSI-POPOLI
Parco d. Maiella
Castiglione a Casauria
Tocco da Cas.
CASAURIA-TORRE DE' PASSERI
Manoppello
S. Maria d'Arabona
Caramanico T.
S. Eufemia a Maiella
SCAFA-ALANNO
BRECCIAROLA SUD
BRECCIAROLA NORD
RACC. CHIETI-PESCARA
Chieti Scalo
Bucchianico
Guardiagrele
Cepagatti-Penne
CHIETI
Pianella-Cepagatti
Moscufo
Chieti
PESCARA-VILLANOVA
TARANTO
BOLOGNA

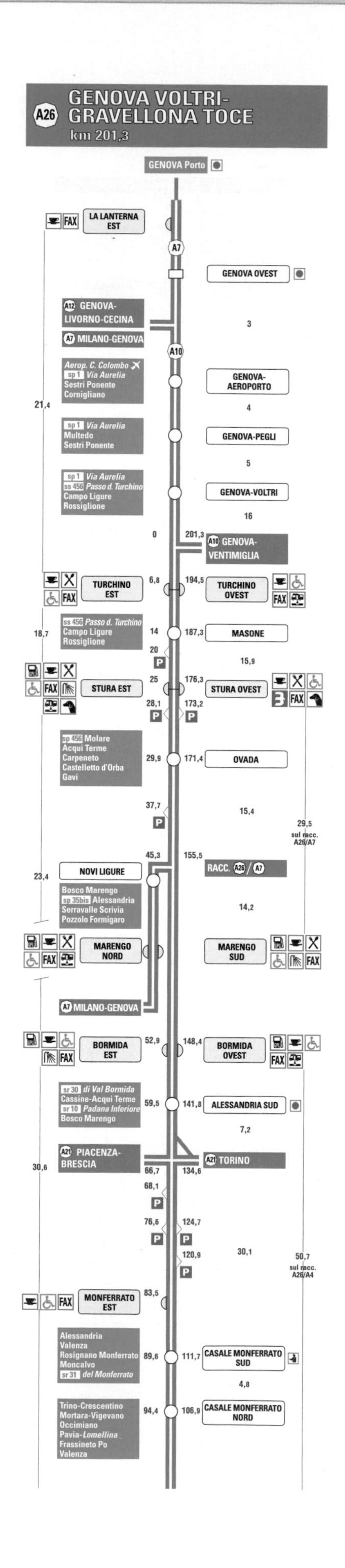
A26 GENOVA VOLTRI-GRAVELLONA TOCE
km 201,3
GENOVA Porto
LA LANTERNA EST
GENOVA OVEST
GENOVA-LIVORNO-CECINA
MILANO-GENOVA
Aerop. C. Colombo
Via Aurelia
Sestri Ponente
Cornigliano
GENOVA-AEROPORTO
Via Aurelia
Multedo
Sestri Ponente
GENOVA-PEGLI
Via Aurelia
Passo d. Turchino
Campo Ligure
Rossiglione
GENOVA-VOLTRI
GENOVA-VENTIMIGLIA
TURCHINO EST
TURCHINO OVEST
Passo d. Turchino
Campo Ligure
Rossiglione
MASONE
STURA EST
STURA OVEST
Molare
Acqui Terme
Carpeneto
Castelletto d'Orba
Gavi
OVADA
sul racc. A26/A7
NOVI LIGURE
RACC. A26 / A7
Bosco Marengo
Alessandria
Serravalle Scrivia
Pozzolo Formigaro
MARENGO NORD
MARENGO SUD
MILANO-GENOVA
BORMIDA EST
BORMIDA OVEST
di Val Bormida
Cassine-Acqui Terme
Padana Inferiore
Bosco Marengo
ALESSANDRIA SUD
PIACENZA-BRESCIA
TORINO
sul racc. A26/A4
MONFERRATO EST
Alessandria
Valenza
Rosignano Monferrato
Moncalvo
del Monferrato
CASALE MONFERRATO SUD
Trino-Crescentino
Mortara-Vigevano
Occimiano
Pavia-Lomellina
Frassineto Po
Valenza
CASALE MONFERRATO NORD

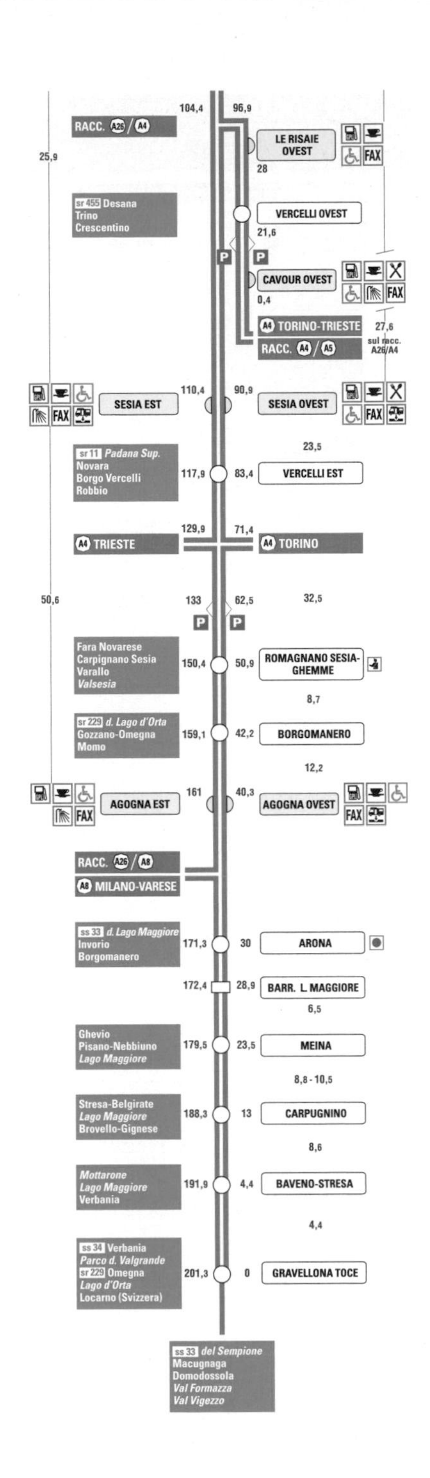
RACC. A26/A4
104,4
96,9
LE RISAIE OVEST
28
25,9
sr 455 Desana
Trino
Crescentino
VERCELLI OVEST
21,6
CAVOUR OVEST
0,4
A4 TORINO-TRIESTE
RACC. A4/A5
27,6
sul racc. A26/A4
SESIA EST
110,4
90,9
SESIA OVEST
23,5
sr 11 Padana Sup.
Novara
Borgo Vercelli
Robbio
117,9
83,4
VERCELLI EST
129,9
71,4
A4 TRIESTE
A4 TORINO
50,6
133
62,5
32,5
Fara Novarese
Carpignano Sesia
Varallo
Valsesia
150,4
50,9
ROMAGNANO SESIA-GHEMME
8,7
sr 229 d. Lago d'Orta
Gozzano-Omegna
Momo
159,1
42,2
BORGOMANERO
12,2
AGOGNA EST
161
40,3
AGOGNA OVEST
RACC. A26/A8
A8 MILANO-VARESE
ss 33 d. Lago Maggiore
Invorio
Borgomanero
171,3
30
ARONA
172,4
28,9
BARR. L. MAGGIORE
6,5
Ghevio
Pisano-Nebbiuno
Lago Maggiore
179,5
23,5
MEINA
8,8 - 10,5
Stresa-Belgirate
Lago Maggiore
Brovello-Gignese
188,3
13
CARPUGNINO
8,6
Mottarone
Lago Maggiore
Verbania
191,9
4,4
BAVENO-STRESA
4,4
ss 34 Verbania
Parco d. Valgrande
sr 229 Omegna
Lago d'Orta
Locarno (Svizzera)
201,3
0
GRAVELLONA TOCE
ss 33 del Sempione
Macugnaga
Domodossola
Val Formazza
Val Vigezzo

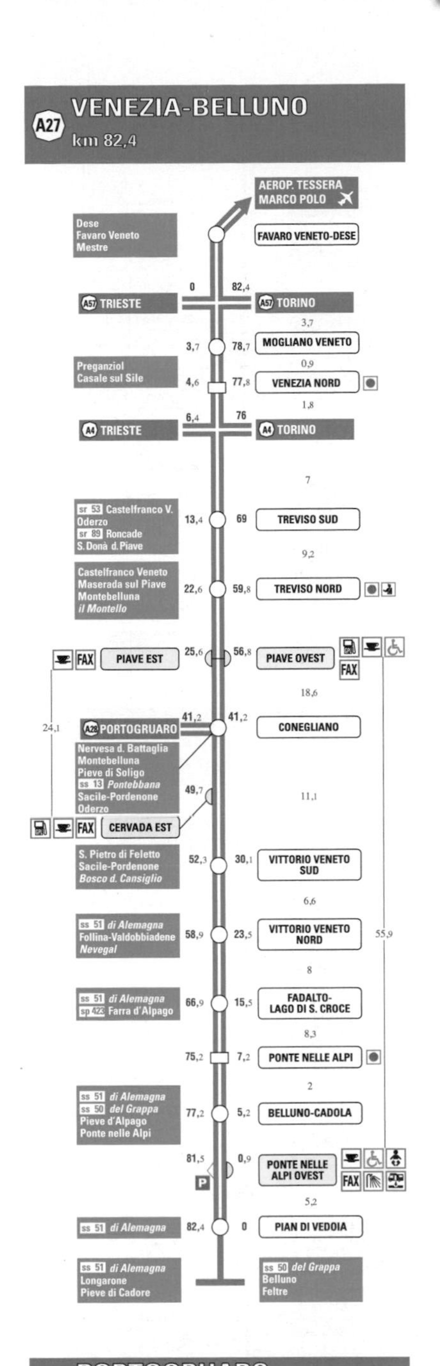
A27 VENEZIA-BELLUNO
km 82,4
AEROP. TESSERA MARCO POLO
Dese
Favaro Veneto
Mestre
FAVARO VENETO-DESE
0
82,4
A57 TRIESTE
A57 TORINO
3,7
3,7
78,7
MOGLIANO VENETO
0,9
Preganziol
Casale sul Sile
4,6
77,8
VENEZIA NORD
1,8
6,4
76
A4 TRIESTE
A4 TORINO
7
sr 53 Castelfranco V.
Oderzo
sr 89 Roncade
S. Donà d. Piave
13,4
69
TREVISO SUD
9,2
Castelfranco Veneto
Maserada sul Piave
Montebelluna
il Montello
22,6
59,8
TREVISO NORD
PIAVE EST
25,6
56,8
PIAVE OVEST
18,6
24,1
A28 PORTOGRUARO
41,2
41,2
CONEGLIANO
Nervesa d. Battaglia
Montebelluna
Pieve di Soligo
ss 13 Pontebbana
Sacile-Pordenone
Oderzo
49,7
11,1
CERVADA EST
S. Pietro di Feletto
Sacile-Pordenone
Bosco d. Cansiglio
52,3
30,1
VITTORIO VENETO SUD
6,6
ss 51 di Alemagna
Follina-Valdobbiadene
Nevegal
58,9
23,5
VITTORIO VENETO NORD
55,9
8
ss 51 di Alemagna
sp 423 Farra d'Alpago
66,9
15,5
FADALTO-LAGO DI S. CROCE
8,3
75,2
7,2
PONTE NELLE ALPI
2
ss 51 di Alemagna
ss 50 del Grappa
Pieve d'Alpago
Ponte nelle Alpi
77,2
5,2
BELLUNO-CADOLA
81,5
0,9
PONTE NELLE ALPI OVEST
5,2
ss 51 di Alemagna
82,4
0
PIAN DI VEDOIA
ss 51 di Alemagna
Longarone
Pieve di Cadore
ss 50 del Grappa
Belluno
Feltre

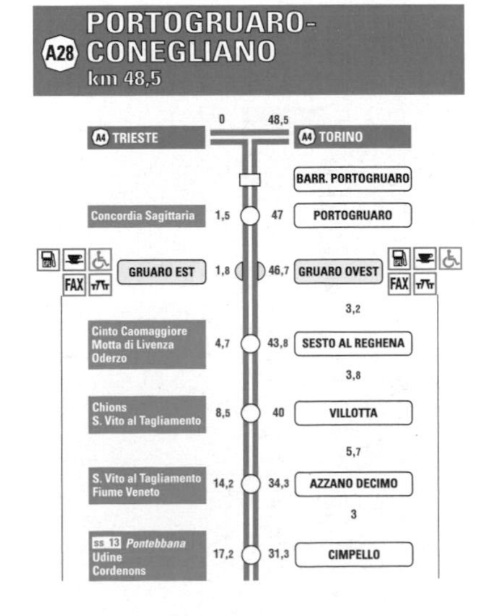
A28 PORTOGRUARO-CONEGLIANO
km 48,5
0
48,5
A4 TRIESTE
A4 TORINO
BARR. PORTOGRUARO
Concordia Sagittaria
1,5
47
PORTOGRUARO
GRUARO EST
1,8
46,7
GRUARO OVEST
3,2
Cinto Caomaggiore
Motta di Livenza
Oderzo
4,7
43,8
SESTO AL REGHENA
3,8
Chions
S. Vito al Tagliamento
8,5
40
VILLOTTA
5,7
S. Vito al Tagliamento
Fiume Veneto
14,2
34,3
AZZANO DECIMO
3
ss 13 Pontebbana
Udine
Cordenons
17,2
31,3
CIMPELLO

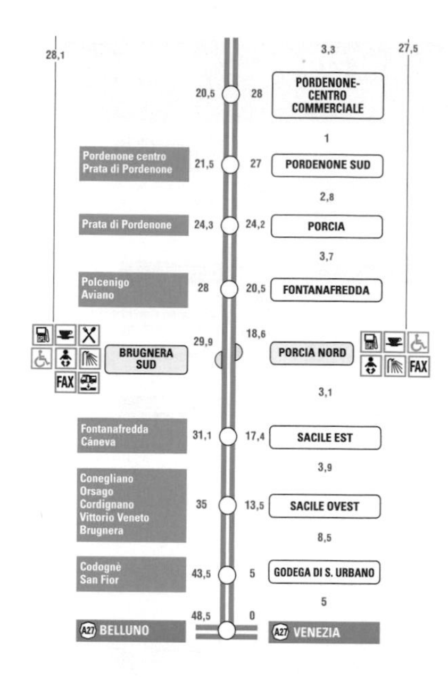

DIRAMAZIONE A29 ALCAMO-TRAPANI-BIRGI km 43,7

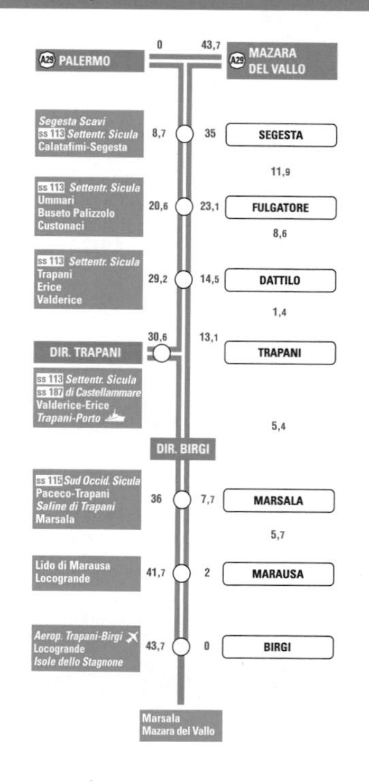

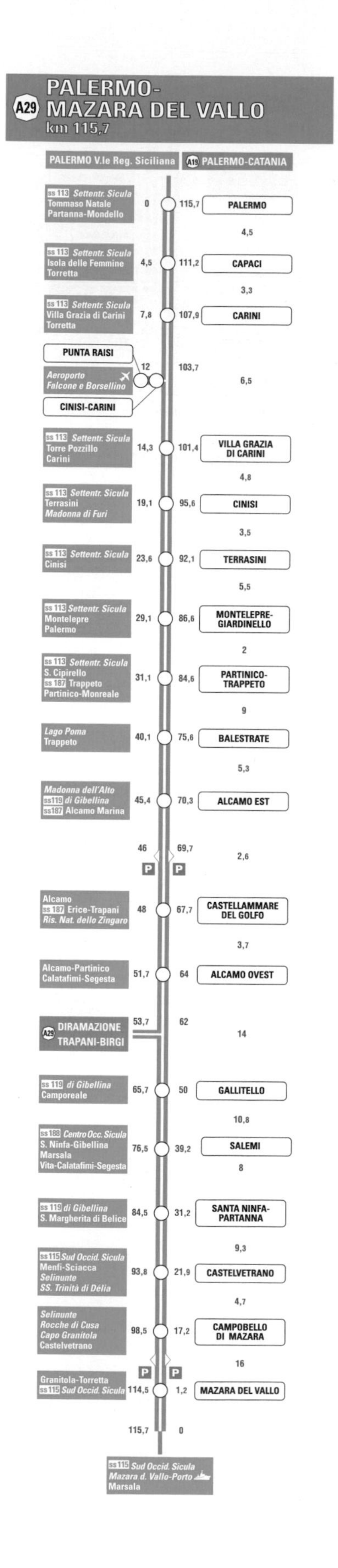

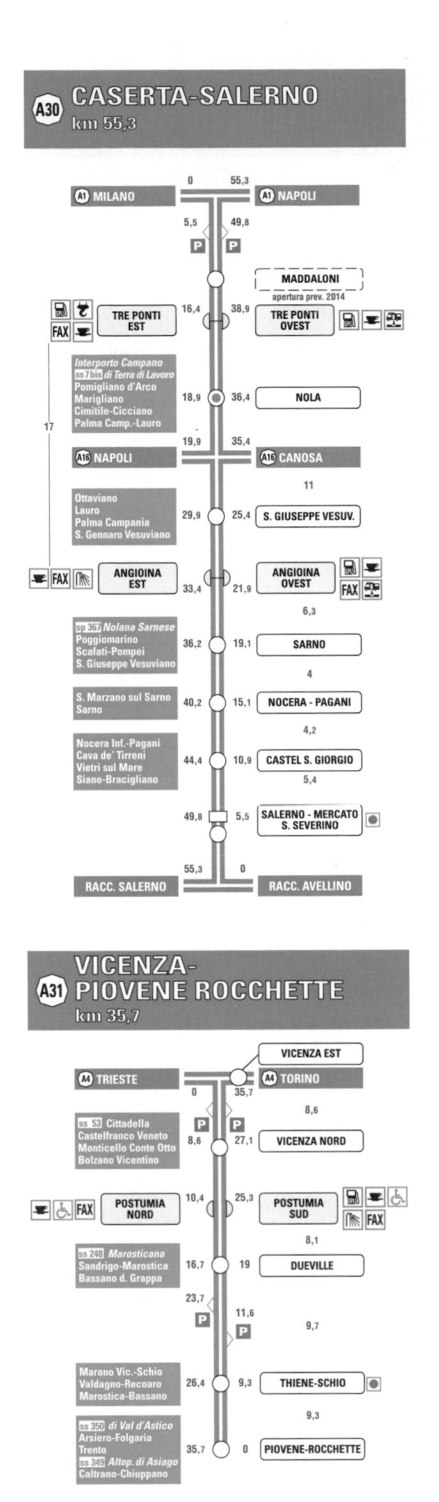
A30 CASERTA-SALERNO
km 55,3
A1 MILANO
A1 NAPOLI
MADDALONI
apertura prev. 2014
TRE PONTI EST
TRE PONTI OVEST
FAX
Interporto Campano
ss 7bis di Terra di Lavoro
Pomigliano d'Arco
Marigliano
Cimitile-Cicciano
Palma Camp.-Lauro
NOLA
A16 NAPOLI
A16 CANOSA
Ottaviano
Lauro
Palma Campania
S. Gennaro Vesuviano
S. GIUSEPPE VESUV.
ANGIOINA EST
ANGIOINA OVEST
sp 367 Nolana Sarnese
Poggiomarino
Scafati-Pompei
S. Giuseppe Vesuviano
SARNO
S. Marzano sul Sarno
Sarno
NOCERA - PAGANI
Nocera Inf.-Pagani
Cava de' Tirreni
Vietri sul Mare
Siano-Bracigliano
CASTEL S. GIORGIO
SALERNO - MERCATO S. SEVERINO
RACC. SALERNO
RACC. AVELLINO
A31 VICENZA-PIOVENE ROCCHETTE
km 35,7
VICENZA EST
A4 TRIESTE
A4 TORINO
ss 53 Cittadella
Castelfranco Veneto
Monticello Conte Otto
Bolzano Vicentino
VICENZA NORD
POSTUMIA NORD
POSTUMIA SUD
ss 248 Marosticana
Sandrigo-Marostica
Bassano d. Grappa
DUEVILLE
Marano Vic.-Schio
Valdagno-Recoaro
Marostica-Bassano
THIENE-SCHIO
ss 350 di Val d'Astico
Arsiero-Folgaria
Trento
ss 349 Altop. di Asiago
Caltrano-Chiuppano
PIOVENE-ROCCHETTE

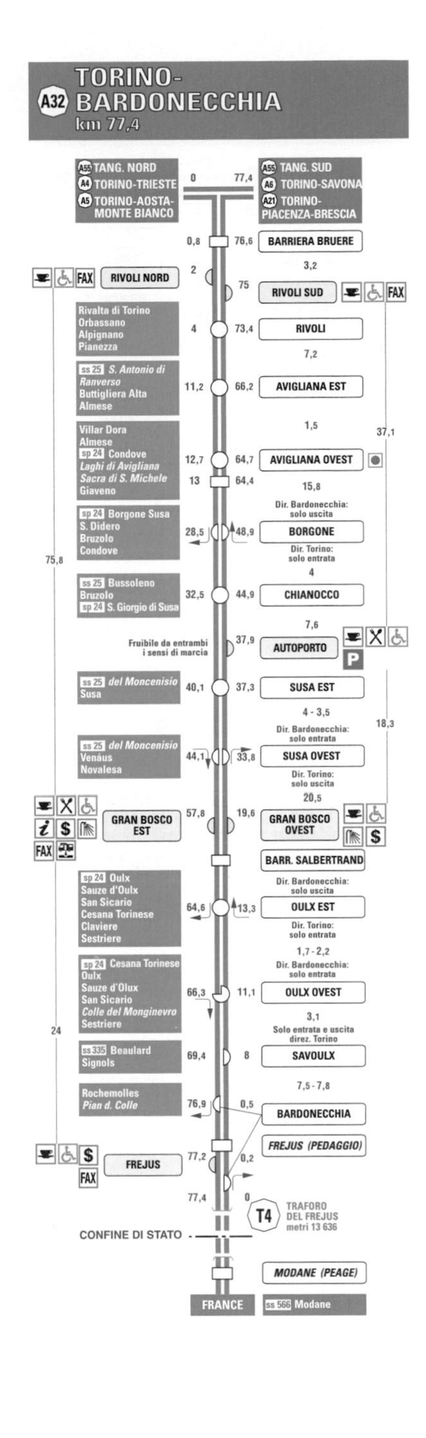
A32 TORINO-BARDONECCHIA
km 77,4
A55 TANG. NORD
A4 TORINO-TRIESTE
A5 TORINO-AOSTA-MONTE BIANCO
A55 TANG. SUD
A6 TORINO-SAVONA
A21 TORINO-PIACENZA-BRESCIA
BARRIERA BRUERE
RIVOLI NORD
RIVOLI SUD
FAX
Rivalta di Torino
Orbassano
Alpignano
Pianezza
RIVOLI
ss 25 S. Antonio di Ranverso
Buttigliera Alta
Almese
AVIGLIANA EST
Villar Dora
Almese
sp 24 Condove
Laghi di Avigliana
Sacra di S. Michele
Giaveno
AVIGLIANA OVEST
Dir. Bardonecchia: solo uscita
sp 24 Borgone Susa
S. Didero
Bruzolo
Condove
BORGONE
Dir. Torino: solo entrata
ss 25 Bussoleno
Bruzolo
sp 24 S. Giorgio di Susa
CHIANOCCO
Fruibile da entrambi i sensi di marcia
AUTOPORTO
ss 25 del Moncenisio
Susa
SUSA EST
Dir. Bardonecchia: solo entrata
ss 25 del Moncenisio
Venaus
Novalesa
SUSA OVEST
Dir. Torino: solo uscita
GRAN BOSCO EST
GRAN BOSCO OVEST
BARR. SALBERTRAND
Dir. Bardonecchia: solo uscita
sp 24 Oulx
Sauze d'Oulx
San Sicario
Cesana Torinese
Claviere
Sestriere
OULX EST
Dir. Torino: solo entrata
Dir. Bardonecchia: solo entrata
sp 24 Cesana Torinese
Oulx
Sauze d'Oulx
San Sicario
Colle del Monginevro
Sestriere
OULX OVEST
Solo entrata e uscita direz. Torino
ss 335 Beaulard
Signols
SAVOULX
Rochemolles
Pian d. Colle
BARDONECCHIA
FREJUS (PEDAGGIO)
FREJUS
T4 TRAFORO DEL FREJUS metri 13 636
CONFINE DI STATO
MODANE (PEAGE)
FRANCE
ss 566 Modane

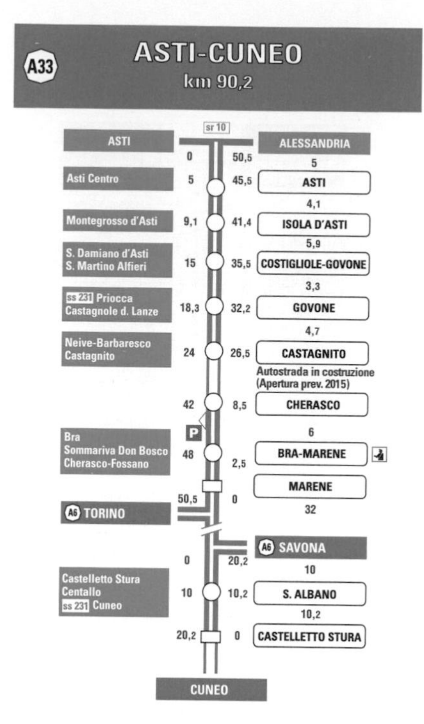
ASTI-CUNEO
km 90,2
ASTI
ALESSANDRIA
Asti Centro
ASTI
Montegrosso d'Asti
ISOLA D'ASTI
S. Damiano d'Asti
S. Martino Alfieri
COSTIGLIOLE-GOVONE
Priocca
Castagnole d. Lanze
GOVONE
Neive-Barbaresco
Castagnito
CASTAGNITO
Autostrada in costruzione
(Apertura prev. 2015)
CHERASCO
Bra
Sommariva Don Bosco
Cherasco-Fossano
BRA-MARENE
MARENE
TORINO
SAVONA
Castelletto Stura
Centallo
Cuneo
S. ALBANO
CASTELLETTO STURA
CUNEO

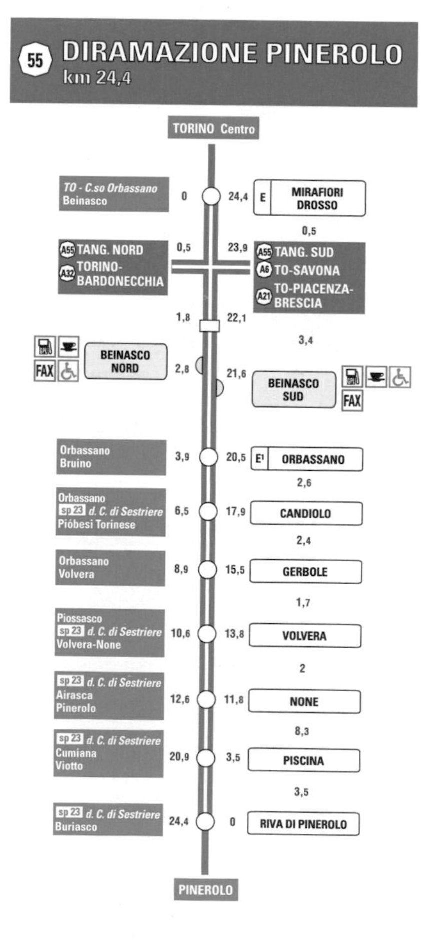
DIRAMAZIONE PINEROLO
km 24,4
TORINO Centro
TO - C.so Orbassano
Beinasco
MIRAFIORI
DROSSO
TANG. NORD
TORINO-
BARDONECCHIA
TANG. SUD
TO-SAVONA
TO-PIACENZA-
BRESCIA
BEINASCO
NORD
BEINASCO
SUD
Orbassano
Bruino
ORBASSANO
Orbassano
d. C. di Sestriere
Piòbesi Torinese
CANDIOLO
Orbassano
Volvera
GERBOLE
Piossasco
d. C. di Sestriere
Volvera-None
VOLVERA
d. C. di Sestriere
Airasca
Pinerolo
NONE
d. C. di Sestriere
Cumiana
Viotto
PISCINA
d. C. di Sestriere
Buriasco
RIVA DI PINEROLO
PINEROLO

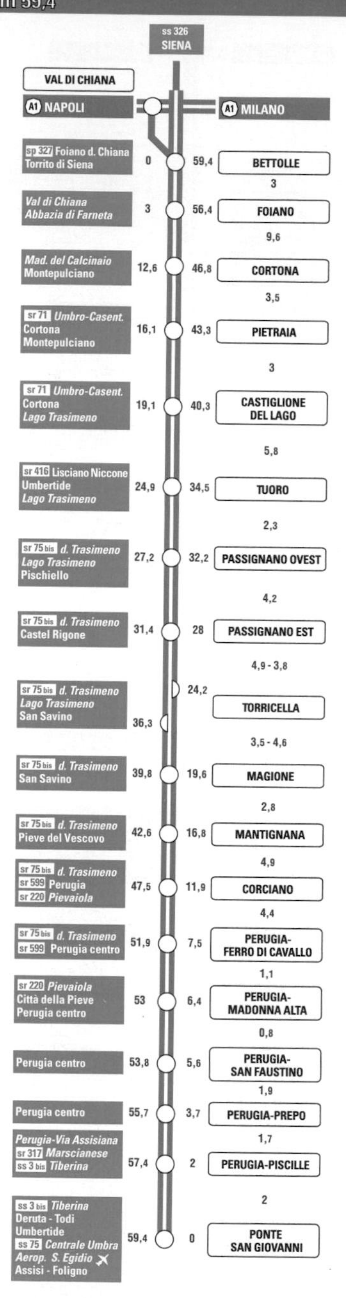
RACCORDO AUTOSTRADALE
- BETTOLLE - PERUGIA
km 59,4
SIENA
VAL DI CHIANA
NAPOLI
MILANO
Foiano d. Chiana
Torrita di Siena
BETTOLLE
Val di Chiana
Abbazia di Farneta
FOIANO
Mad. del Calcinaio
Montepulciano
CORTONA
Umbro-Casent.
Cortona
Montepulciano
PIETRAIA
Umbro-Casent.
Cortona
Lago Trasimeno
CASTIGLIONE
DEL LAGO
Lisciano Niccone
Umbertide
Lago Trasimeno
TUORO
d. Trasimeno
Lago Trasimeno
Pischiello
PASSIGNANO OVEST
d. Trasimeno
Castel Rigone
PASSIGNANO EST
d. Trasimeno
Lago Trasimeno
San Savino
TORRICELLA
d. Trasimeno
San Savino
MAGIONE
d. Trasimeno
Pieve del Vescovo
MANTIGNANA
d. Trasimeno
Perugia
Pievaiola
CORCIANO
d. Trasimeno
Perugia centro
PERUGIA-
FERRO DI CAVALLO
Pievaiola
Città della Pieve
Perugia centro
PERUGIA-
MADONNA ALTA
Perugia centro
PERUGIA-
SAN FAUSTINO
Perugia centro
PERUGIA-PREPO
Perugia-Via Assisiana
Marscianese
Tiberina
PERUGIA-PISCILLE
Tiberina
Deruta - Todi
Umbertide
Centrale Umbra
Aerop. S. Egidio
Assisi - Foligno
PONTE
SAN GIOVANNI

RACCORDO AUTOSTRADALE A14 - ASCOLI PICENO
km 26,2

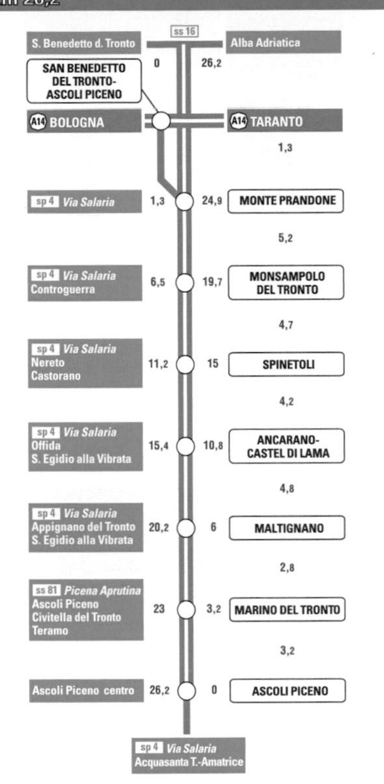

RACCORDO AUTOSTRADALE FERRARA-PORTO GARIBALDI
km 54

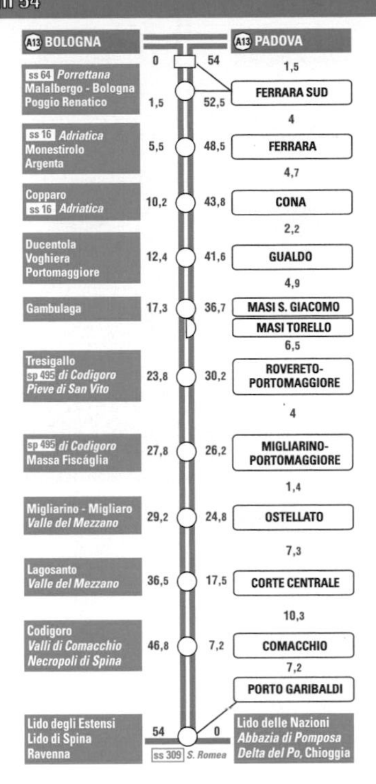

RACCORDO AUTOSTRADALE AVELLINO-SALERNO
km 31,2

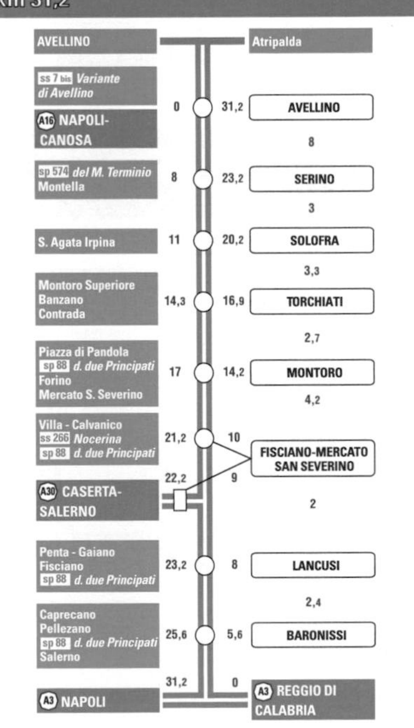

RACCORDO AUTOSTRADALE FIRENZE-SIENA
km 56,5

FIRENZE Centro

A1 MILANO — A1 NAPOLI

Connections	km	km	Exit
sr 2 Via Cassia, Galluzzo, Tavarnuzze	0	56,5	FIRENZE CERTOSA
		5,4	
sr 2 Via Cassia, Greve in Chianti, Impruneta	5,4	51,1	SAN CASCIANO NORD
		3,3	
sr 2 Via Cassia, Mercatale, Cerbaia, Montespertoli	8,7	47,8	SAN CASCIANO SUD
		3	
sr 2 Via Cassia, Montefiridolfi	11,7	44,8	BARGINO
		4	
sr 2 Via Cassia, Sambuca, Badia a Passignano	15,7	40,8	TAVARNELLE
		5,3	
sr 2 Via Cassia, Castellina in Chianti, Barberino Val d'Elsa, Tavernelle V. di Pesa	21	35,5	SAN DONATO
		10,2	
sr 2 Via Cassia, Barberino Val d'Elsa, sr 429 di Val d'Elsa, Castellina in Chianti, Certaldo, San Gimignano	31,2	25,3	POGGIBONSI NORD
		2,2	
sr 429 di Val d'Elsa, Castellina in Chianti, Certaldo, San Gimignano	33,4	23,1	POGGIBONSI
		4,3	
sr 2 Via Cassia, sr 68 di Val Cecina, Poggibonsi, San Gimignano, Volterra	37,7	18,8	COLLE VAL D'ELSA NORD
		2,3	
sr 2 Via Cassia, sr 68 di Val Cecina, Volterra, Casole d'Elsa	40	16,5	COLLE VAL D'ELSA SUD

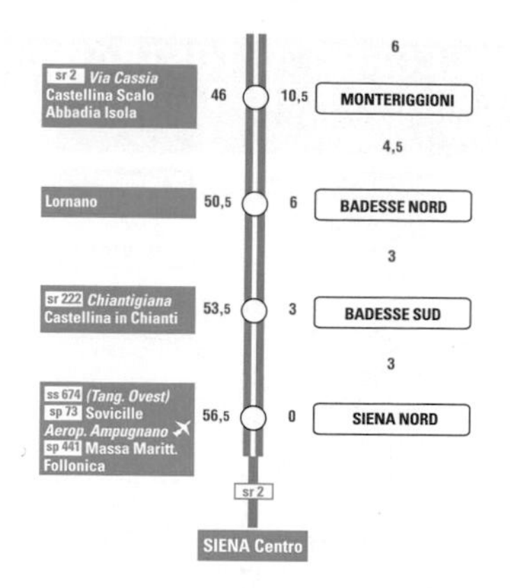

RACCORDO AUTOSTRADALE SICIGNANO-POTENZA
km 50,3

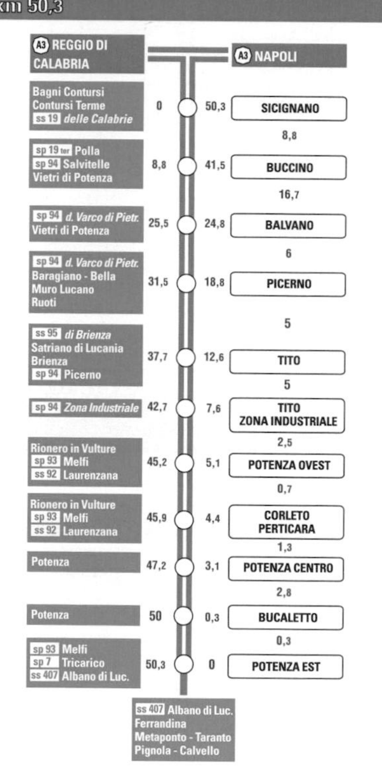

RACCORDO AUTOSTRADALE TOLENTINO-CIVITANOVA M.
km 36,6

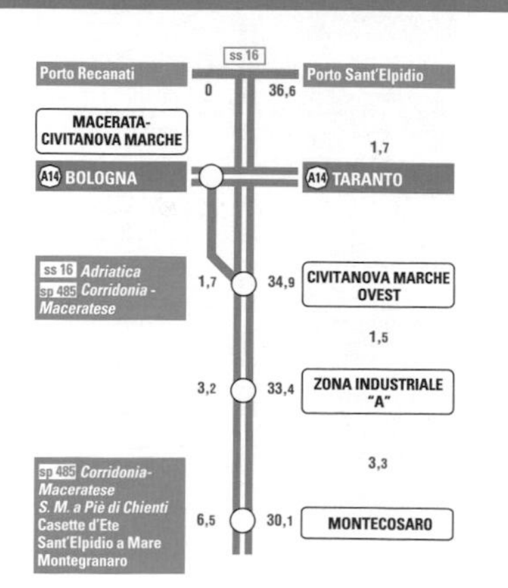

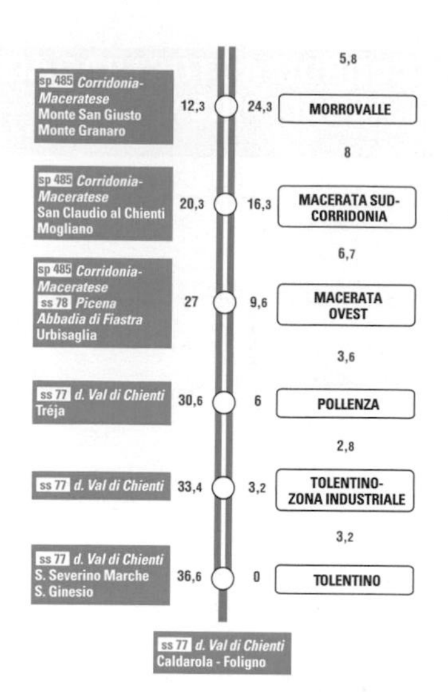

T1 TRAFORO DEL MONTE BIANCO
km 11,6

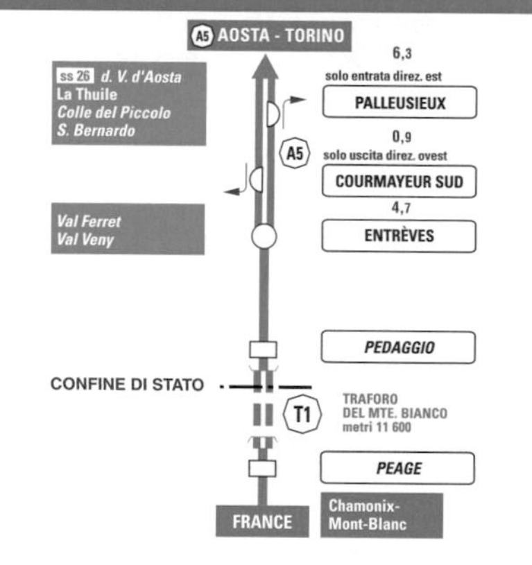

T2 TRAFORO DEL GRAN S. BERNARDO
km 15,2

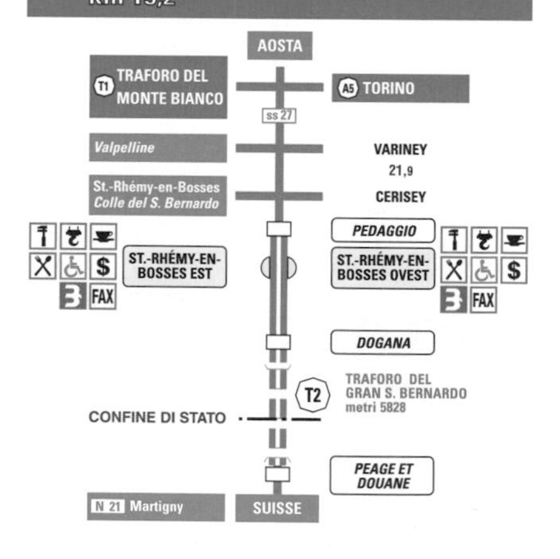

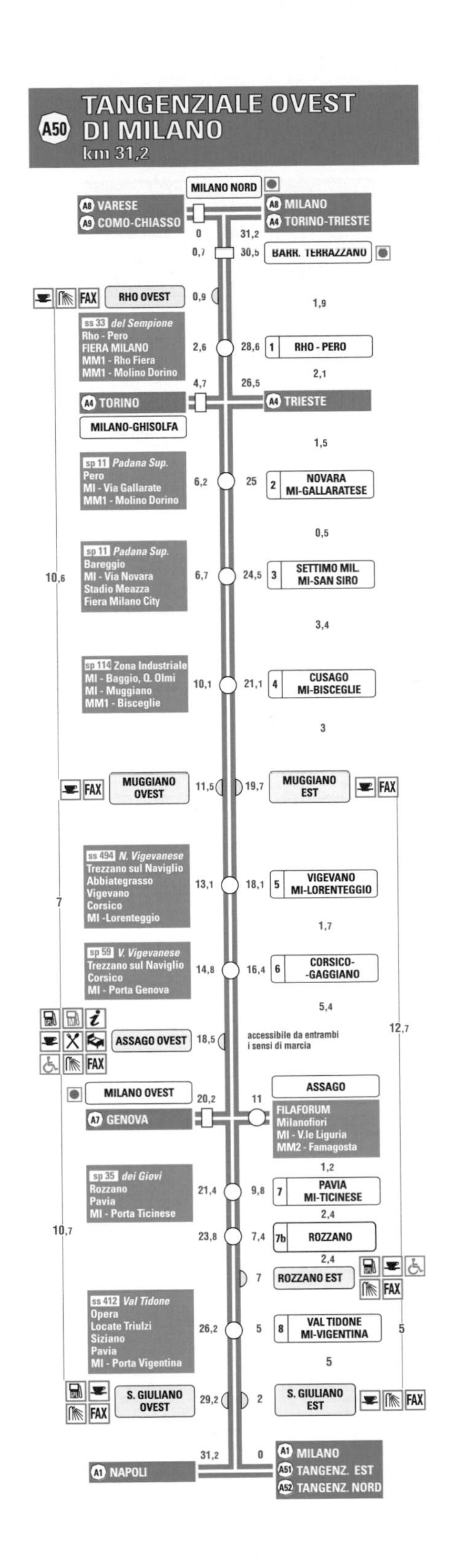
A50 TANGENZIALE OVEST DI MILANO
km 31,2
MILANO NORD
A8 VARESE
A9 COMO-CHIASSO
A8 MILANO
A4 TORINO-TRIESTE
0 31,2
0,7 30,5 BARR. TERRAZZANO
RHO OVEST 0,9
1,9
ss 33 del Sempione
Rho - Pero
FIERA MILANO
MM1 - Rho Fiera
MM1 - Molino Dorino
2,6 28,6 1 RHO - PERO
2,1
4,7 26,5
A4 TORINO
A4 TRIESTE
MILANO-GHISOLFA
1,5
sp 11 Padana Sup.
Pero
MI - Via Gallarate
MM1 - Molino Dorino
6,2 25 2 NOVARA MI-GALLARATESE
0,5
sp 11 Padana Sup.
Bareggio
MI - Via Novara
Stadio Meazza
Fiera Milano City
10,6
6,7 24,5 3 SETTIMO MIL. MI-SAN SIRO
3,4
sp 114 Zona Industriale
MI - Baggio, Q. Olmi
MI - Muggiano
MM1 - Bisceglie
10,1 21,1 4 CUSAGO MI-BISCEGLIE
3
MUGGIANO OVEST 11,5
19,7 MUGGIANO EST
ss 494 N. Vigevanese
Trezzano sul Naviglio
Abbiategrasso
Vigevano
Corsico
MI -Lorenteggio
7
13,1 18,1 5 VIGEVANO MI-LORENTEGGIO
1,7
sp 59 V. Vigevanese
Trezzano sul Naviglio
Corsico
MI - Porta Genova
14,8 16,4 6 CORSICO--GAGGIANO
5,4
ASSAGO OVEST 18,5
accessibile da entrambi i sensi di marcia
12,7
MILANO OVEST
A7 GENOVA
20,2 11
ASSAGO
FILAFORUM
Milanofiori
MI - V.le Liguria
MM2 - Famagosta
1,2
sp 35 dei Giovi
Rozzano
Pavia
MI - Porta Ticinese
21,4 9,8 7 PAVIA MI-TICINESE
2,4
10,7
23,8 7,4 7b ROZZANO
2,4
7 ROZZANO EST
ss 412 Val Tidone
Opera
Locate Triulzi
Siziano
Pavia
MI - Porta Vigentina
26,2 5 8 VAL TIDONE MI-VIGENTINA
5
5
S. GIULIANO OVEST 29,2
2 S. GIULIANO EST
31,2 0
A1 NAPOLI
A1 MILANO
A51 TANGENZ. EST
A52 TANGENZ. NORD

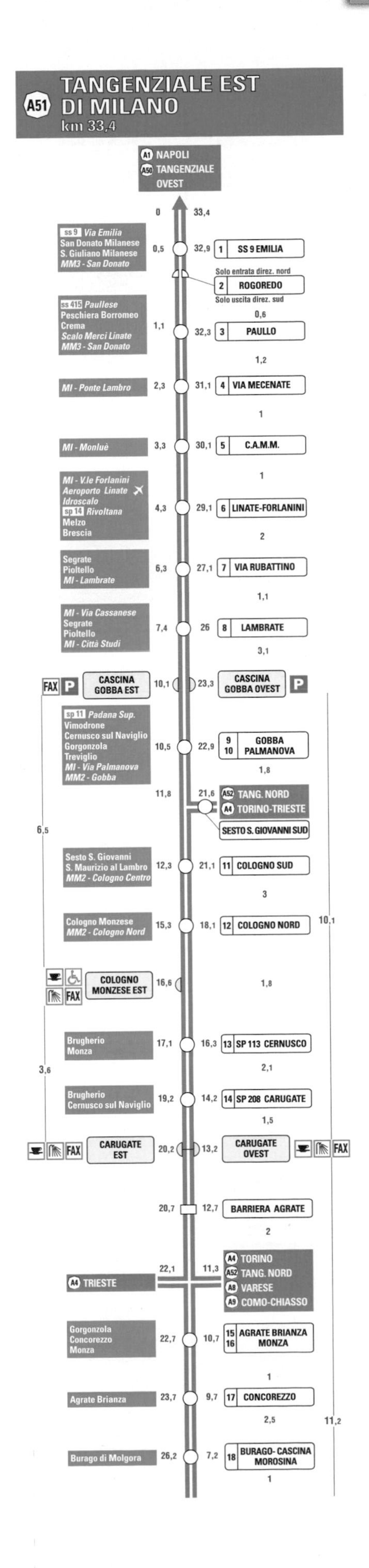
A51 TANGENZIALE EST DI MILANO
km 33,4
A1 NAPOLI
A50 TANGENZIALE OVEST
0 33,4
ss 9 Via Emilia
San Donato Milanese
S. Giuliano Milanese
MM3 - San Donato
0,5 32,9 1 SS 9 EMILIA
Solo entrata direz. nord
2 ROGOREDO
Solo uscita direz. sud
0,6
ss 415 Paullese
Peschiera Borromeo
Crema
Scalo Merci Linate
MM3 - San Donato
1,1 32,3 3 PAULLO
1,2
MI - Ponte Lambro
2,3 31,1 4 VIA MECENATE
1
MI - Monluè
3,3 30,1 5 C.A.M.M.
1
MI - V.le Forlanini
Aeroporto Linate
Idroscalo
sp 14 Rivoltana
Melzo
Brescia
4,3 29,1 6 LINATE-FORLANINI
2
Segrate
Pioltello
MI - Lambrate
6,3 27,1 7 VIA RUBATTINO
1,1
MI - Via Cassanese
Segrate
Pioltello
MI - Città Studi
7,4 26 8 LAMBRATE
3,1
CASCINA GOBBA EST 10,1
23,3 CASCINA GOBBA OVEST
sp 11 Padana Sup.
Vimodrone
Cernusco sul Naviglio
Gorgonzola
Treviglio
MI - Via Palmanova
MM2 - Gobba
10,5 22,9 9 10 GOBBA PALMANOVA
1,8
11,8 21,6
A52 TANG. NORD
A4 TORINO-TRIESTE
SESTO S. GIOVANNI SUD
6,5
Sesto S. Giovanni
S. Maurizio al Lambro
MM2 - Cologno Centro
12,3 21,1 11 COLOGNO SUD
3
Cologno Monzese
MM2 - Cologno Nord
15,3 18,1 12 COLOGNO NORD
10,1
COLOGNO MONZESE EST 16,6
1,8
Brugherio
Monza
17,1 16,3 13 SP 113 CERNUSCO
2,1
3,6
Brugherio
Cernusco sul Naviglio
19,2 14,2 14 SP 208 CARUGATE
1,5
CARUGATE EST 20,2
13,2 CARUGATE OVEST
20,7 12,7 BARRIERA AGRATE
2
22,1 11,3
A4 TRIESTE
A4 TORINO
A52 TANG. NORD
A8 VARESE
A9 COMO-CHIASSO
Gorgonzola
Concorezzo
Monza
22,7 10,7 15 16 AGRATE BRIANZA MONZA
1
Agrate Brianza
23,7 9,7 17 CONCOREZZO
2,5
11,2
Burago di Molgora
26,2 7,2 18 BURAGO- CASCINA MOROSINA
1

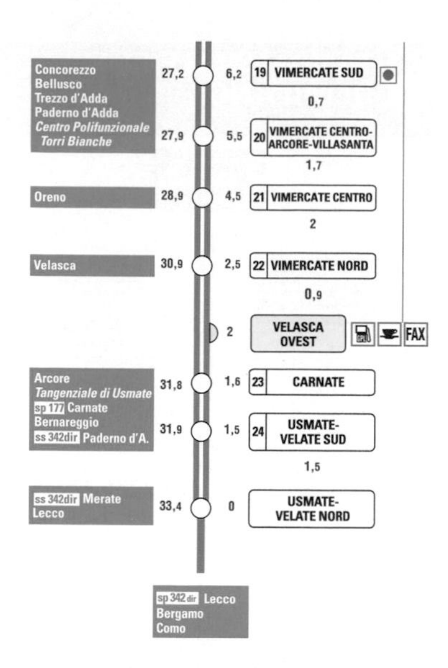

Concorezzo Bellusco Trezzo d'Adda Paderno d'Adda Centro Polifunzionale Torri Bianche
27,2
6,2
19 VIMERCATE SUD
0,7
27,9
5,5
20 VIMERCATE CENTRO-ARCORE-VILLASANTA
1,7
Oreno
28,9
4,5
21 VIMERCATE CENTRO
2
Velasca
30,9
2,5
22 VIMERCATE NORD
0,9
2
VELASCA OVEST
FAX
Arcore Tangenziale di Usmate sp 177 Carnate Bernareggio ss 342dir Paderno d'A.
31,8
1,6
23 CARNATE
31,9
1,5
24 USMATE-VELATE SUD
1,5
ss 342dir Merate Lecco
33,4
0
USMATE-VELATE NORD
sp 342dir Lecco Bergamo Como

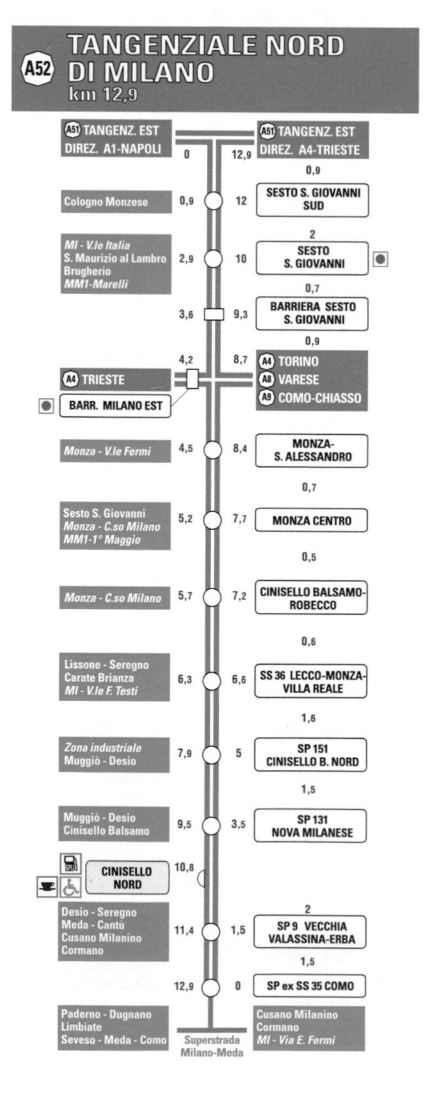

A52 TANGENZIALE NORD DI MILANO
km 12,9
A51 TANGENZ. EST DIREZ. A1-NAPOLI
0
12,9
A51 TANGENZ. EST DIREZ. A4-TRIESTE
0,9
Cologno Monzese
0,9
12
SESTO S. GIOVANNI SUD
2
MI - V.le Italia S. Maurizio al Lambro Brugherio MM1-Marelli
2,9
10
SESTO S. GIOVANNI
0,7
3,6
9,3
BARRIERA SESTO S. GIOVANNI
0,9
4,2
8,7
A4 TORINO
A8 VARESE
A9 COMO-CHIASSO
A4 TRIESTE
BARR. MILANO EST
Monza - V.le Fermi
4,5
8,4
MONZA-S. ALESSANDRO
0,7
Sesto S. Giovanni Monza - C.so Milano MM1-1° Maggio
5,2
7,7
MONZA CENTRO
0,5
Monza - C.so Milano
5,7
7,2
CINISELLO BALSAMO-ROBECCO
0,6
Lissone - Seregno Carate Brianza MI - V.le F. Testi
6,3
6,6
SS 36 LECCO-MONZA-VILLA REALE
1,6
Zona industriale Muggiò - Desio
7,9
5
SP 151 CINISELLO B. NORD
1,5
Muggiò - Desio Cinisello Balsamo
9,5
3,5
SP 131 NOVA MILANESE
CINISELLO NORD
10,8
2
Desio - Seregno Meda - Cantù Cusano Milanino Cormano
11,4
1,5
SP 9 VECCHIA VALASSINA-ERBA
1,5
12,9
0
SP ex SS 35 COMO
Paderno - Dugnano Limbiate Seveso - Meda - Como
Superstrada Milano-Meda
Cusano Milanino Cormano MI - Via E. Fermi

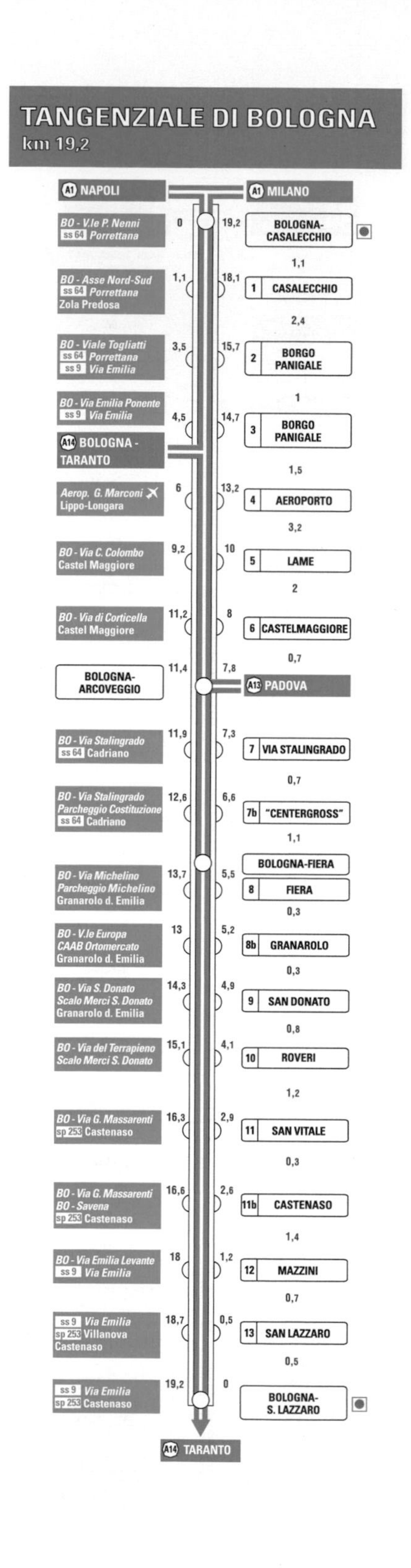

TANGENZIALE DI BOLOGNA
km 19,2
A1 NAPOLI
A1 MILANO
BO - V.le P. Nenni ss 64 Porrettana
0
19,2
BOLOGNA-CASALECCHIO
1,1
BO - Asse Nord-Sud ss 64 Porrettana Zola Predosa
1,1
18,1
1 CASALECCHIO
2,4
BO - Viale Togliatti ss 64 Porrettana ss 9 Via Emilia
3,5
15,7
2 BORGO PANIGALE
1
BO - Via Emilia Ponente ss 9 Via Emilia
4,5
14,7
3 BORGO PANIGALE
A14 BOLOGNA - TARANTO
1,5
Aerop. G. Marconi Lippo-Longara
6
13,2
4 AEROPORTO
3,2
BO - Via C. Colombo Castel Maggiore
9,2
10
5 LAME
2
BO - Via di Corticella Castel Maggiore
11,2
8
6 CASTELMAGGIORE
0,7
BOLOGNA-ARCOVEGGIO
11,4
7,8
A13 PADOVA
BO - Via Stalingrado ss 64 Cadriano
11,9
7,3
7 VIA STALINGRADO
0,7
BO - Via Stalingrado Parcheggio Costituzione ss 64 Cadriano
12,6
6,6
7b "CENTERGROSS"
1,1
BOLOGNA-FIERA
BO - Via Michelino Parcheggio Michelino Granarolo d. Emilia
13,7
5,5
8 FIERA
0,3
BO - V.le Europa CAAB Ortomercato Granarolo d. Emilia
13
5,2
8b GRANAROLO
0,3
BO - Via S. Donato Scalo Merci S. Donato Granarolo d. Emilia
14,3
4,9
9 SAN DONATO
0,8
BO - Via del Terrapieno Scalo Merci S. Donato
15,1
4,1
10 ROVERI
1,2
BO - Via G. Massarenti sp 253 Castenaso
16,3
2,9
11 SAN VITALE
0,3
BO - Via G. Massarenti BO - Savena sp 253 Castenaso
16,6
2,6
11b CASTENASO
1,4
BO - Via Emilia Levante ss 9 Via Emilia
18
1,2
12 MAZZINI
0,7
ss 9 Via Emilia sp 253 Villanova Castenaso
18,7
0,5
13 SAN LAZZARO
0,5
ss 9 Via Emilia sp 253 Castenaso
19,2
0
BOLOGNA-S. LAZZARO
A14 TARANTO

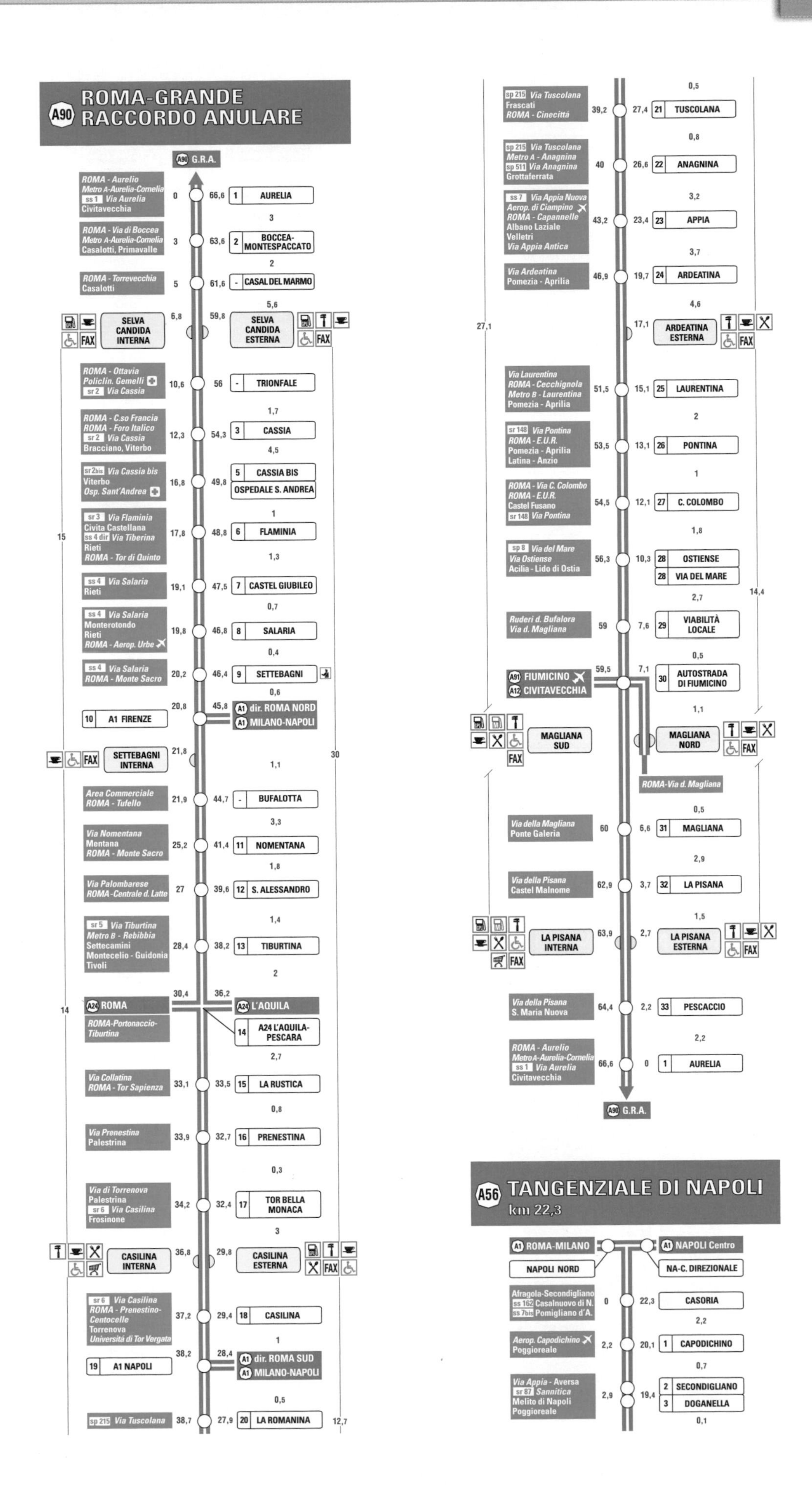
A90 ROMA-GRANDE RACCORDO ANULARE
A90 G.R.A.
ROMA - Aurelio
Metro A-Aurelia-Cornelia
ss1 Via Aurelia
Civitavecchia
0
66,6
1 AURELIA
3
ROMA - Via di Boccea
Metro A-Aurelia-Cornelia
Casalotti, Primavalle
3
63,6
2 BOCCEA-MONTESPACCATO
2
ROMA - Torrevecchia
Casalotti
5
61,6
- CASAL DEL MARMO
5,6
SELVA CANDIDA INTERNA
6,8
59,8
SELVA CANDIDA ESTERNA
FAX
ROMA - Ottavia
Policlin. Gemelli
sr2 Via Cassia
10,6
56
- TRIONFALE
1,7
ROMA - C.so Francia
ROMA - Foro Italico
sr2 Via Cassia
Bracciano, Viterbo
12,3
54,3
3 CASSIA
4,5
sr2bis Via Cassia bis
Viterbo
Osp. Sant'Andrea
16,8
49,8
5 CASSIA BIS
OSPEDALE S. ANDREA
1
sr3 Via Flaminia
Civita Castellana
ss4 dir Via Tiberina
Rieti
ROMA - Tor di Quinto
17,8
48,8
6 FLAMINIA
1,3
ss4 Via Salaria
Rieti
19,1
47,5
7 CASTEL GIUBILEO
0,7
ss4 Via Salaria
Monterotondo
Rieti
ROMA - Aerop. Urbe
19,8
46,8
8 SALARIA
0,4
ss4 Via Salaria
ROMA - Monte Sacro
20,2
46,4
9 SETTEBAGNI
0,6
20,8
45,8
A1 dir. ROMA NORD
A1 MILANO-NAPOLI
10 A1 FIRENZE
SETTEBAGNI INTERNA
21,8
1,1
Area Commerciale
ROMA - Tufello
21,9
44,7
- BUFALOTTA
3,3
Via Nomentana
Mentana
ROMA - Monte Sacro
25,2
41,4
11 NOMENTANA
1,8
Via Palombarese
ROMA-Centrale d. Latte
27
39,6
12 S. ALESSANDRO
1,4
sr5 Via Tiburtina
Metro B - Rebibbia
Settecamini
Montecelio - Guidonia
Tivoli
28,4
38,2
13 TIBURTINA
2
30,4
36,2
A24 ROMA
A24 L'AQUILA
ROMA-Portonaccio-Tiburtina
14 A24 L'AQUILA-PESCARA
2,7
Via Collatina
ROMA - Tor Sapienza
33,1
33,5
15 LA RUSTICA
0,8
Via Prenestina
Palestrina
33,9
32,7
16 PRENESTINA
0,3
Via di Torrenova
Palestrina
sr6 Via Casilina
Frosinone
34,2
32,4
17 TOR BELLA MONACA
3
CASILINA INTERNA
36,8
29,8
CASILINA ESTERNA
sr6 Via Casilina
ROMA - Prenestino-Centocelle
Torrenova
Università di Tor Vergata
37,2
29,4
18 CASILINA
1
38,2
28,4
A1 dir. ROMA SUD
A1 MILANO-NAPOLI
19 A1 NAPOLI
0,5
sp215 Via Tuscolana
38,7
27,9
20 LA ROMANINA
15
14
30
12,7
0,5
sp215 Via Tuscolana
Frascati
ROMA - Cinecittà
39,2
27,4
21 TUSCOLANA
0,8
sp215 Via Tuscolana
Metro A - Anagnina
sp511 Via Anagnina
Grottaferrata
40
26,6
22 ANAGNINA
3,2
ss7 Via Appia Nuova
Aerop. di Ciampino
ROMA - Capannelle
Albano Laziale
Velletri
Via Appia Antica
43,2
23,4
23 APPIA
3,7
Via Ardeatina
Pomezia - Aprilia
46,9
19,7
24 ARDEATINA
4,6
17,1
ARDEATINA ESTERNA
27,1
Via Laurentina
ROMA - Cecchignola
Metro B - Laurentina
Pomezia - Aprilia
51,5
15,1
25 LAURENTINA
2
sr148 Via Pontina
ROMA - E.U.R.
Pomezia - Aprilia
Latina - Anzio
53,5
13,1
26 PONTINA
1
ROMA - Via C. Colombo
ROMA - E.U.R.
Castel Fusano
sr148 Via Pontina
54,5
12,1
27 C. COLOMBO
1,8
sp8 Via del Mare
Via Ostiense
Acilia - Lido di Ostia
56,3
10,3
28 OSTIENSE
28 VIA DEL MARE
2,7
14,4
Ruderi d. Bufalora
Via d. Magliana
59
7,6
29 VIABILITÀ LOCALE
0,5
A91 FIUMICINO
A12 CIVITAVECCHIA
59,5
7,1
30 AUTOSTRADA DI FIUMICINO
1,1
MAGLIANA SUD
MAGLIANA NORD
ROMA-Via d. Magliana
0,5
Via della Magliana
Ponte Galeria
60
6,6
31 MAGLIANA
2,9
Via della Pisana
Castel Malnome
62,9
3,7
32 LA PISANA
1,5
LA PISANA INTERNA
63,9
2,7
LA PISANA ESTERNA
Via della Pisana
S. Maria Nuova
64,4
2,2
33 PESCACCIO
2,2
ROMA - Aurelio
Metro A-Aurelia-Cornelia
ss1 Via Aurelia
Civitavecchia
66,6
0
1 AURELIA
A90 G.R.A.
A56 TANGENZIALE DI NAPOLI
km 22,3
A1 ROMA-MILANO
A1 NAPOLI Centro
NAPOLI NORD
NA-C. DIREZIONALE
Afragola-Secondigliano
ss162 Casalnuovo di N.
ss7bis Pomigliano d'A.
0
22,3
CASORIA
2,2
Aerop. Capodichino
Poggioreale
2,2
20,1
1 CAPODICHINO
0,7
Via Appia - Aversa
sr87 Sannitica
Melito di Napoli
Poggioreale
2,9
19,4
2 SECONDIGLIANO
3 DOGANELLA
0,1

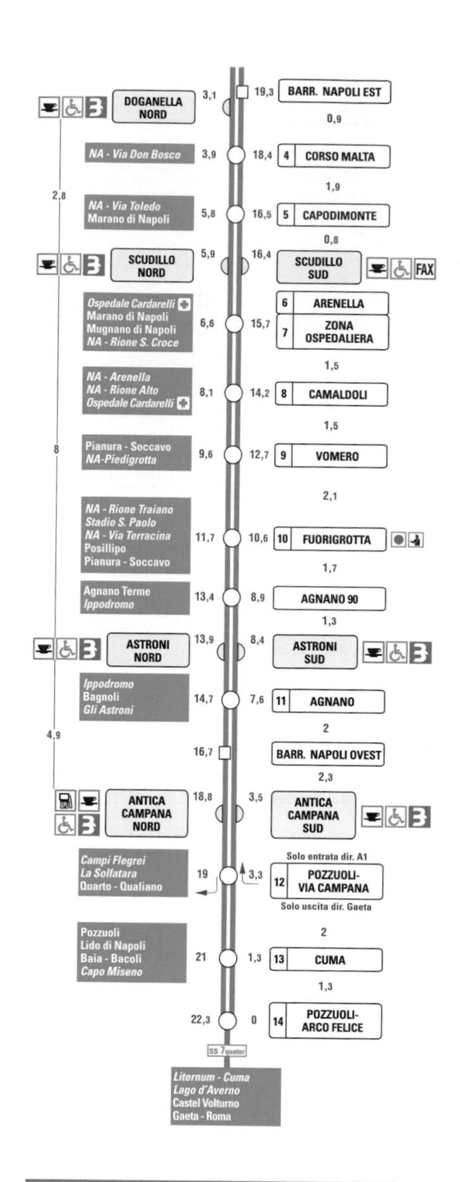

A55 TANGENZIALI NORD-SUD DI TORINO km 39,7

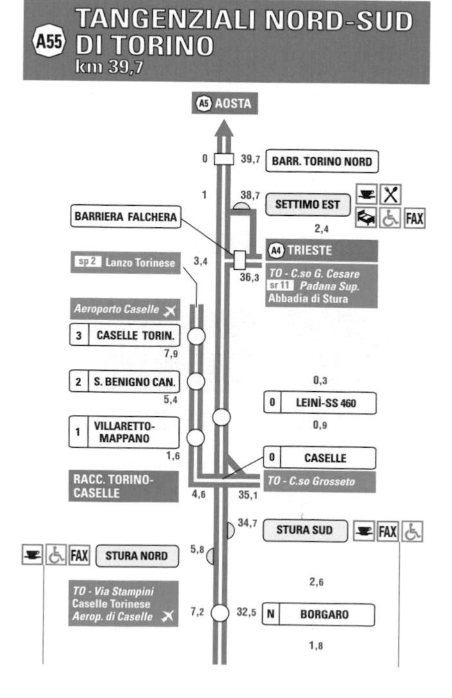

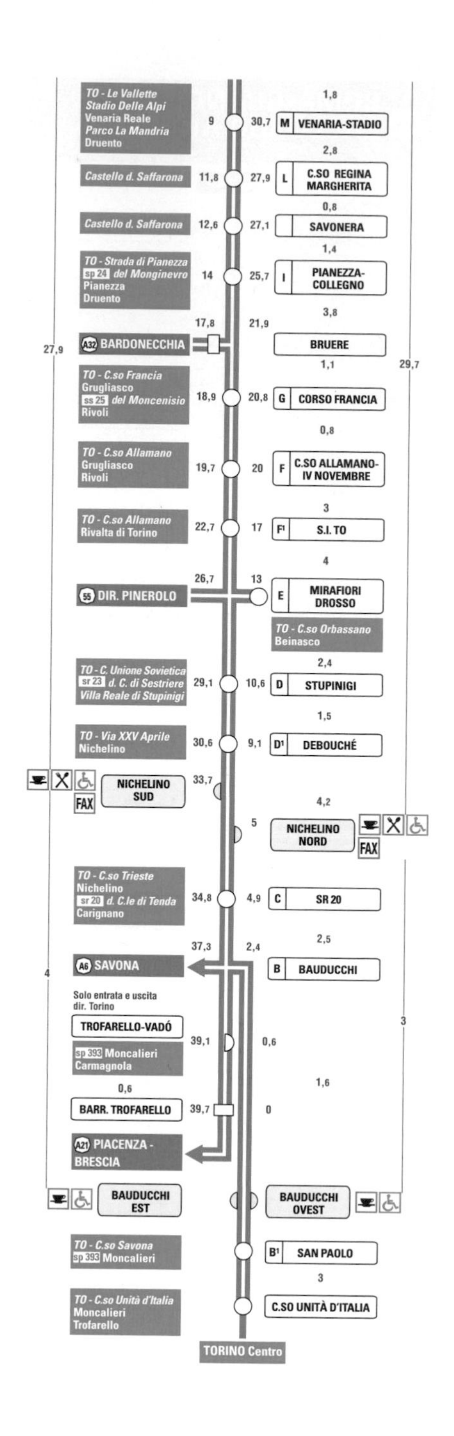

Piante di città
Tangenziali e attraversamenti

By-passes and main through roads

Tangentiales et traversées

Stadtpläne

Umgehungsstraßen und Durchfahrten

LEGENDA DELLE TANGENZIALI

BY-PASSES REFERENCE
LÉGENDE DES BOULEVARDS PÉRIPHÉRIQUES
LEGENDE ZU DEN UMFAHRUNGEN

A4 — **Autostrada e numero di autostrada**
Motorway with number
Autoroute et son numéro
Autobahn mit Nummer

CORMANO — **Autostrada con ingressi**
Motorway with access points
Autoroute avec accès
Autobahn mit Anschlüßen

Barriera di pedaggio
Toll barrier
Barrière de péage
Autobahngebührenstelle

PERO — **Area di servizio sull'autostrada**
Motorway service area
Aires de service
Tankstelle an Autobahn

13 — **Distanze in chilometri sulle autostrade**
Distances in kilometres along the motorway
Distances en kilomètres le long de l'autoroute
Entfernungen in Kilometern auf der Autobahn

Ferrovie
Railways
Chemins de fer
Eisenbahnlinien

Trasporto auto per nave traghetto
Car ferries
Bac pour autos
Autofähre

Strada a doppia carreggiata
Dual carriageway road
Route à chaussées séparées
Zweibahnige Schnellstraße

Strade di attraversamento o circonvallazioni
Through route or by-pass
Routes de traversée ou chemin de ceinture
Durchfahrts- oder Umgehungsstraße

Altre strade
Other roads
Autres routes
Übrige Straßen

ss 11 — **Numero di strada statale**
National road number
Numéro de route nationale
Nationalstraße-Nummer

Chiese e Monumenti
Churches and monuments
Églises et monuments
Kirchen und Denkmäler

Dogana
Customs
Douane
Zollamt

Polizia stradale
Police
Police
Polizeistation

Pronto soccorso
First Aid
Poste de secours
Unfallhilfe

Principali aeroporti
Main airports
Principaux aéroports
Wictigste Flughäfen

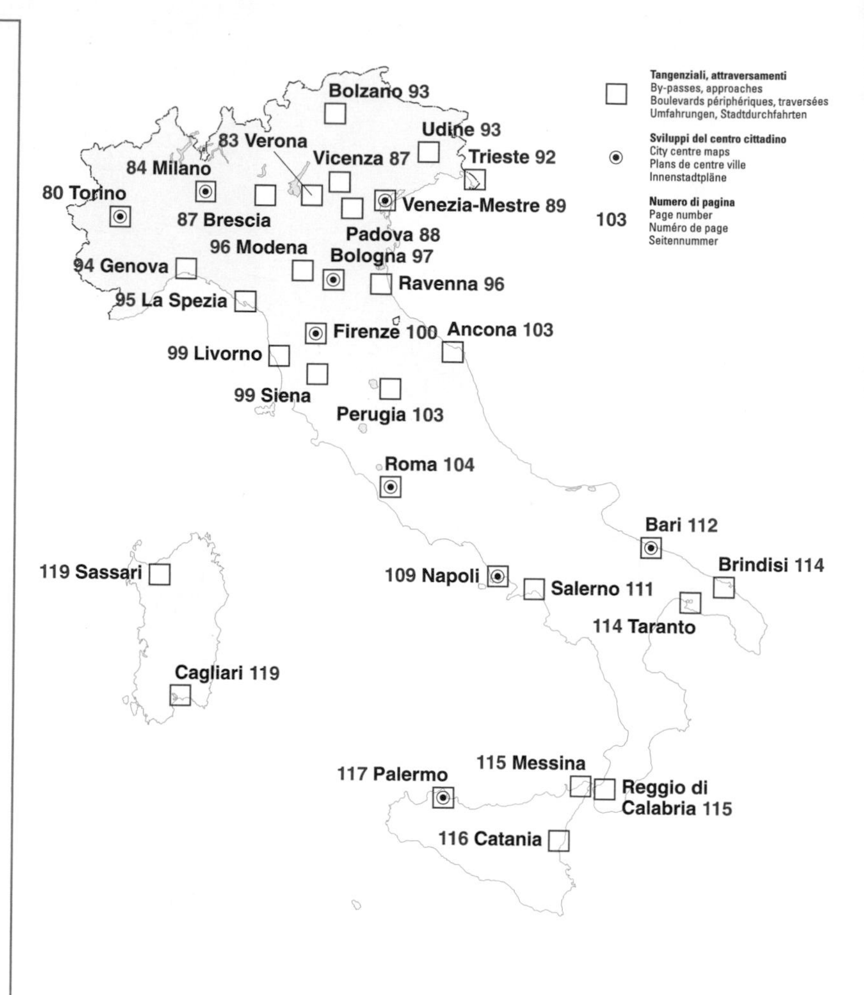

LEGENDA DELLE PIANTE DI CITTÀ

MAPS OF THE TOWNS KEY - LÉGENDE DES PLANS DE VILLE - ZEICHENERKLÄRUNG DER STADTPLÄNE

Strade di attraversamento
Through routes
Routes de traversée
Durchfahrtsstraßen

Altre strade
Other roads
Autres routes
Übrige Straßen

S.S.11 — **Numerazione delle strade statali**
Numbering of national roads
Numérotage des routes nationales
Numerierung der Staatsstraßen

Scalinate, gradinate, rampe pedonali
Staircases, gradins, pedestrian ramps
Grand escaliers, rampes pour piétons
Treppen, Fußgängerrampen

Ferrovie e stazioni
Railways and stations
Chemins de fer et gares
Eisenbahnen und Bahnhöfe

Traghetti, linee di navigazione
Ferries, shipping lines
Bacs, lignes de navigation
Fähren, Schiffahrtslinien

Funicolari
Funiculars
Funicolaires
Schwebebahnen

Caseggiati, monumenti, servizi ecc.
Buildings, monuments, public services
Immeubles, monuments, services etc
Wohnblöcke, Denkmäler, Dienste u.s.w.

Chiese, cappelle, santuari
Churches, chapels, sanctuaries
Eglises, chapelles, sanctuaires
Kirchen, Kapellen, Wallfahrtskirchen

Giardini
Greens
Jardins
Grünanlagen

Aree pedonali
Pedestrian area
Zone réservée aux piétons
Fußgängerzone

CAVOUR — **Linee della metropolitana e stazioni**
Underground lines with stations
Lignes de métro avec stations
U-Bahnlinien mit Bahnhöfen

Rovine, zona archeologica
Ruins, archeological site
Ruines, centre archéologique
Ruinen, archäologisches Zentrum

PORTA D' ARCE — **Mura, bastioni, porte**
Walls, remparts, gates
Murs, remparts, portes
Mauern, Bollwerke, Tore

Faro
Lighthouse
Phare
Leuchtturm

NORD — **Orientamento**
Orientation
Orientation
Orientierung

Ospedale
Hospital
Hôpital
Krankenhaus

P — **Parcheggio**
Parking
Parking
Parkplatz

ACI — **Automobile Club**
Italian Automobile Club
Automobile Club d' Italie
Italienische Automobile Club

M — **Municipio**
Townhall
Hôtel de Ville
Rathaus

PR — **Prefettura**
Prefecture
Préfecture
Provinzgebäude

AA — **Azienda Autonoma**
Local Tourist Board
Syndicat d' initiative
Fremdenverkehrsverein

EPT — **Ente Provinciale del Turismo**
Provincial Tourist Board
Office départemental du tourisme
Fremdenverkehrsamt der Provinz

i — **Ufficio Informazioni**
Tourist Information agency
Bureau d' information touristique
Touristisches Auskunftbüro

APT — **Azienda Promozione Turismo**
Tourist promotion Board
Office de promotion touristique
Touristisches Förderungsbüro

PT — **Poste e Telegrafi**
Post offices
Bureaux de poste
Postämter

T — **Telefono pubblico**
Public telephone cabin
Cabine publique de téléphone
Öffentliche Fernsprechzelle

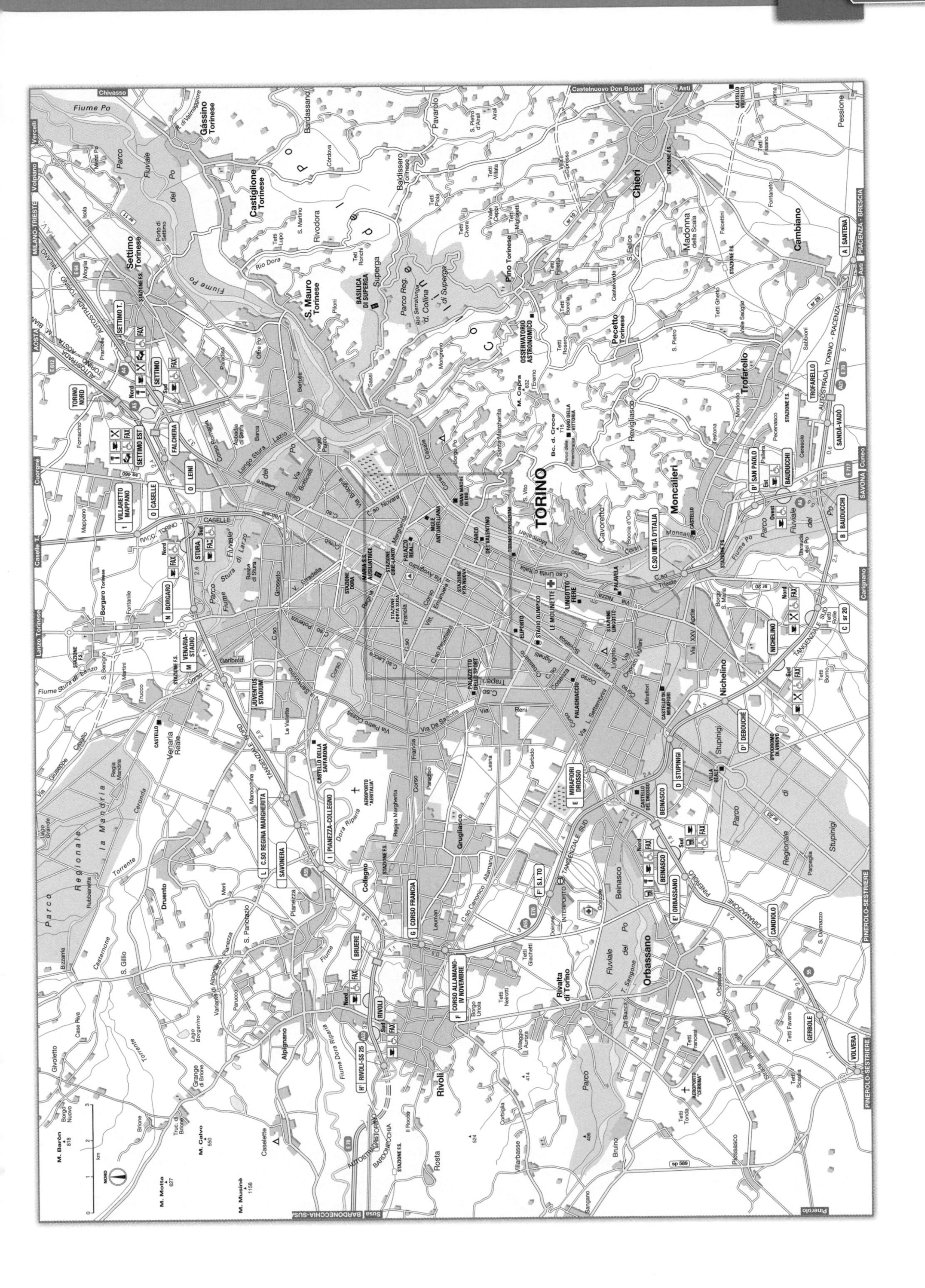
TORINO
Moncalieri
Chieri
Rivoli
Collegno
Grugliasco
Nichelino
Orbassano
Settimo Torinese
Venaria Reale
Alpignano
Druento
Beinasco
Trofarello
Cambiano
Pecetto Torinese
Pino Torinese
S. Mauro Torinese
Castiglione Torinese
Gassino Torinese
Borgaro Torinese
Rivalta di Torino
Stupinigi
Superga
Chivasso
Castelnuovo Don Bosco
Asti
Pinerolo
Susa
TANGENZIALE NORD
TANGENZIALE SUD
Fiume Po
JUVENTUS STADIUM
PALAZZETTO DELLO SPORT
LINGOTTO FIERE
STADIO OLIMPICO
MOLE ANTONELLIANA
PALAZZO REALE
STAZIONE PORTA NUOVA
STAZIONE PORTA SUSA

Parella
Campidoglio
MAU Museo d'Arte Urbana
Ospedale M. Vittoria
Piazza Chironi
Largo Fabrizi
Piazza Moncenisio
Piazza Risorgimento
Il Santus Giardini Dispersi sul Fronte Russo
Parco
La Tesoriera
Pubblico
Piazza Rivoli
RIVOLI
RACCONIGI
BERNINI
Piazza Bernini
PRINCIPI D ACAJA
Corso Francia
Piazzale Barcellona
S. Zita
S. Donato
Piazza A. Peyron
Largo Cibrario
Piazza Statuto
Stazione Porta Susa
Ospedale Oftalmico
XVIII DICEMBRE
Piazza XVIII Dicembre
Gesù Nazareno
Giardini L. Martini
Cit Turin
Museo Etnografico e di Scienze Naturali dell'Ist. Missioni Consolata
S. Pellegrino
Cenisia
Piazza Adriano Imperatore
Palazzo di Giustizia
Giardino Artiglieri di Montagna
PORTA SUSA
Intendenza di Finanza
Museo P. Micca
Caserme Cernaia e Pietro Micca
Questura
Ex Carceri Giudiziarie "Le Nuove"
Terminal Autobus
Officine Grandi Riparazioni
VINZAGLIO
Museo Civico di Numismatica Etnografia e Arti Orientali
Largo Vittorio Emanuele II
Galleria Civica d'Arte Moderna e Contemporanea
Gesù Adolescente
Piazza Sabotino
3
MONGINEVRO
Fondazione Merz
Piazzale A. Chiribiri
Largo Lancia
Piazza Galvagno
Piazza C. Di Robilant
San Paolo
Campo Sportivo Lancia
Largo S. Paolo
Politecnico
Piazzale Duca d'Aosta
Pzza Gen. Dalla Chiesa
Giardini Caduti di Cefalonia e Corfù
Centro per l'Arte Contemporanea Fondazione S. Re Rebaudengo
Largo Racconigi
La Crocetta
Teatro Gioiello
Largo Cassini
Scalo Merci San Paolo
Piazza Marmolada
Largo Orbassano
Largo Tirreno
Santa Rita
Ospedale Mauriziano
Largo Re Umberto
Largo Turati
Giard. Valperga
De Nicola

Giardini Sassari
Istituto Salesiano
SS. Maria Ausiliatrice
Piazza M. Ausiliatrice
Cottolengo
Ponte Domenico Carpanini
Ponte Mosca
Ponte Bologna
Largo Brescia
Staz. Merci Vanchiglia
Corso Regio Parco
Cimitero Generale
Anagrafe
Chiesa del S. Sudario (Museo d. Sindone)
Consolata
Piazza della Repubblica
Centro Culturale Dar Al Hikma
Autostazione Dora
Ospedale M. Adelaide
Largo Regio Parco
Ponte Regio Parco
Ponte Carlo Emanuele I
Stab. Tortona GTT
Chiesa del Carmine
S. Chiara
S. Agostino
Pal. Barolo
MAO
Basilica Mauriziana
Galleria Umberto I°
Porta Palatina
Piazza C. Augusto
San Domenico
Teatro Romano
Museo di Antichità
Giardini Reali
Ponte Rossini
Vanchiglia
S. Dalmazzo
Giardino Cittadella
Palazzo di Città (Municipio)
Cattedrale
Palazzo Chiablese
Palazzo Reale
SS. Martiri
S. Maria a Piazza
S. Rocco
SS. Trinità
San Lorenzo
Piazzetta Reale
Armeria Reale
Biblioteca Reale
Largo Montebello
Largo Maresciallo Berardi
Cittadella e Museo Storico Naz. dell'Artiglieria
Giardino La Marmora
Piazza Madama
Centro
Teatro Regio
Castello
Teatro Alfieri
San Tommaso
S. Giuseppe
Galleria d. Industria Subalpina
Auditorium RAI
Teatro Carignano
Palazzo Carignano e Mus. Naz. d. Risorgimento
Università
Mole Antonelliana (Museo Naz. del Cinema)
Osp. Gradenigo
P.le Regina Margherita
Ponte Regina Margherita
S. Teresa
Museo Egizio e Galleria Sabauda
Museo d. Marionette
Piazza Carlo Alberto
S. Filippo Neri
S. Francesco da Paola
Accademia Albertina (Pinacoteca)
Università d. Studi
P.le A. Mora
Piazza San Carlo
S. Carlo
S. Cristina
Palazzo Carpano
SS. Annunziata
Museo Accorsi-Ometto
Chiesa d. Visitazione
Fondazione Palazzo Bricherasio
Sala Bolaffi
Piazza Carlo Emanuele II
S. Croce
S. Pelagia
Michelotti
RE UMBERTO
Teatro Vittoria
Piazza Carlo Felice
Chiesa d. Madonna degli Angeli
Piazzale Valdo Fusi
ex Ospedale S. Giovanni Battista (Museo Reg. di Scienze Naturali)
Piazza Vittorio Veneto
Borgo Po
ACI
S. Michele
Piazza Cavour
Piazza Maria Teresa
Aiuola Balbo
Piazza Bodoni
Conservatorio G. Verdi
Ponte Vittorio Emanuele I
Piazza Gran Madre
Via Bonsignore
Gran Madre di Dio
L.go Moncalvo
S. Secondo
PORTA NUOVA
Stazione Porta Nuova
S. Massimo
SS. Sacramento
Tempio Israelita
Chiesa Valdese
Giardino L. Ginzburg
Monte dei Cappuccini
i Murazzi
Museo Nazionale della Montagna Duca degli Abruzzi
S. Maria d. Monte
Piazzale Villa d. Regina
Piazza San Secondo
S. Giovanni Evangelista
Piazza Madama Cristina
Ponte Umberto I
Largo Saluzzo
Villa Ferrero
Villa Regina
MARCONI
Ospedale Evangelico Valdese
Parco
Orto Botanico
8
Villa Tenino
CRIMEA
Villa S. Cuore
Piazza Crimea
Largo Mentana
Villa Genero
S. Cuore di Maria
Castello del Valentino (Facoltà di Architettura)
Piazza Donatello
San Salvario
Società Promotrice Belle Arti
NIZZA
Piazza Nizza
Università
P.le Adua
Monum. equestre al Princ. Amedeo
Valentino
Fiume Po
Ospedale San Vito
Parco di Villa Genero
NORD
0
200
400
m
1

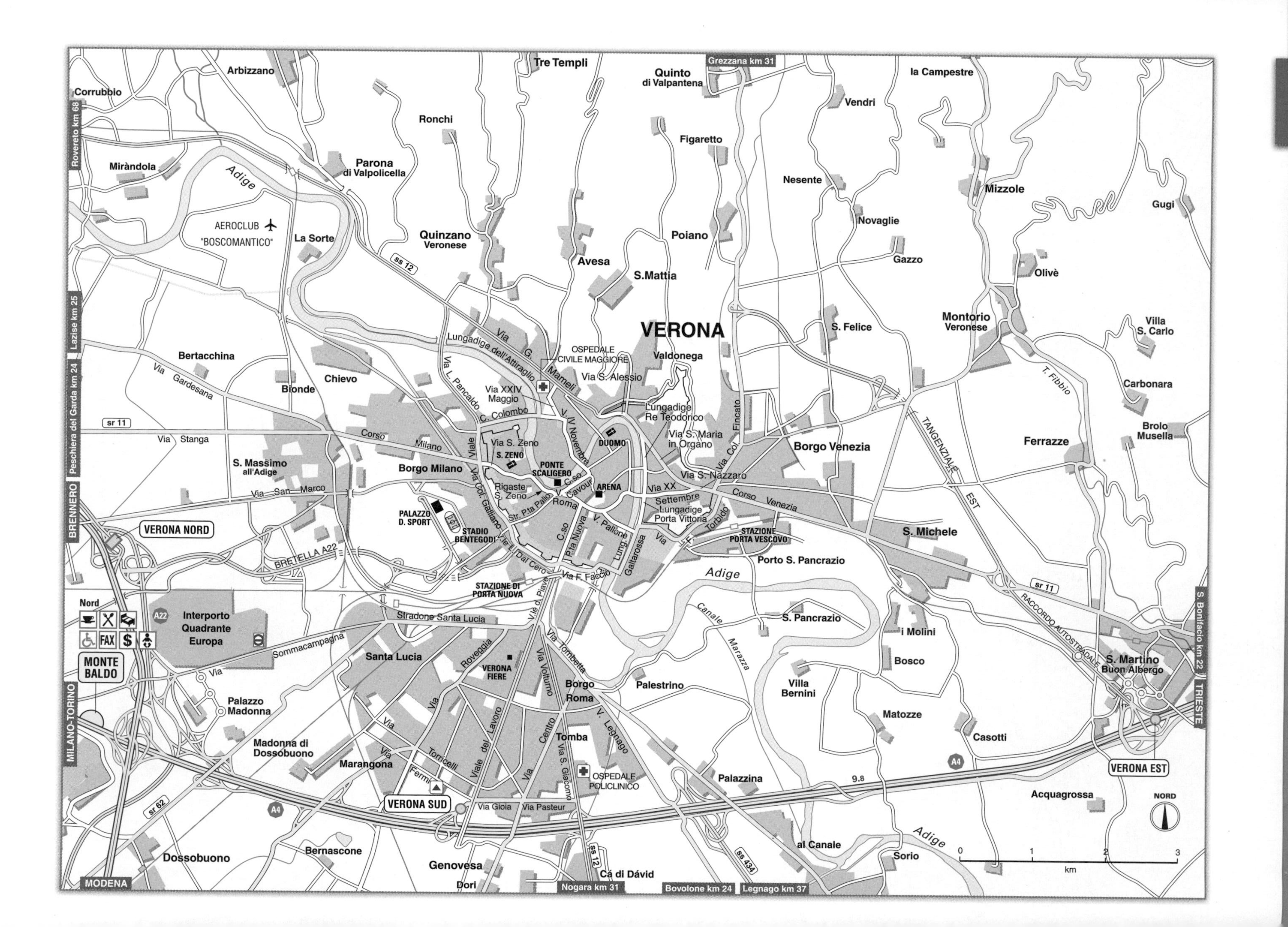
VERONA
Rovereto km 68
Lazise km 25
Peschiera del Garda km 24
BRENNERO
MILANO-TORINO
MODENA
Nogara km 31
Bovolone km 24
Legnago km 37
TRIESTE
S. Bonifacio km 22
Grezzana km 31
Corrubbio
Arbizzano
Tre Templi
Quinto di Valpantena
la Campestre
Vendri
Ronchi
Figaretto
Miràndola
Parona di Valpolicella
Nesente
Mizzole
Gugi
Adige
AEROCLUB "BOSCOMANTICO"
La Sorte
Quinzano Veronese
Poiano
Novaglie
Avesa
S.Mattia
Gazzo
Olivè
ss 12
S. Felice
Montorio Veronese
Villa S. Carlo
Bertacchina
Via Gardesana
Bionde
Chievo
OSPEDALE CIVILE MAGGIORE
Valdonega
T. Fibbio
Carbonara
Via G. Mameli
Lungadige dell'Attiraglio
Via S. Alessio
Via L. Pancaldo
Via XXIV Maggio
C. Colombo
Lungadige Re Teodorico
Via Col. Fincato
Brolo Musella
sr 11
Via Stanga
Corso Milano
Viale
Via S. Zeno
S. ZENO
V. IV Novembre
DUOMO
Via S. Maria in Organo
Borgo Venezia
Ferrazze
TANGENZIALE EST
S. Massimo all'Adige
Borgo Milano
PONTE SCALIGERO
C.so Cavour
Via S. Nazzaro
Via San Marco
Via Col. Galliano
Rigaste S. Zeno
Roma
ARENA
Via XX Settembre
Corso Venezia
Lungadige Porta Vittoria
Str. Pta Palio
PALAZZO D. SPORT
STADIO BENTEGODI
C.so P.ta Nuova
V. Pallone
Lung. Gallarossa
Via Torbido
STAZIONE PORTA VESCOVO
S. Michele
VERONA NORD
BRETELLA A22
Viale L. Dal Cero
Porto S. Pancrazio
STAZIONE DI PORTA NUOVA
Via F. Faccio
Adige
sr 11
Vle d. Piave
RACCORDO AUTOSTRADALE
Nord
A22
Interporto Quadrante Europa
FAX
Stradone Santa Lucia
Canale Marazza
S. Pancrazio
i Molini
Sommacampagna
Santa Lucia
Roveggia
VERONA FIERE
Via Volturno
Via Tombetta
Bosco
S. Martino Buon Albergo
MONTE BALDO
Via
Borgo Roma
Palestrino
Villa Bernini
Palazzo Madonna
Via
Viale del Lavoro
Centro
V. Legnago
Matozze
Madonna di Dossobuono
Via
Torricelli
Tomba
Via S. Giacomo
Casotti
Marangona
Fermi
OSPEDALE POLICLINICO
Palazzina
A4
VERONA EST
9.8
VERONA SUD
Via Gioia
Via Pasteur
Acquagrossa
NORD
sr 62
A4
Bernascone
al Canale
Adige
Dossobuono
Genovesa
ss 12
ss 434
Sorio
0
1
2
3
km
Dori
Cà di Dàvid

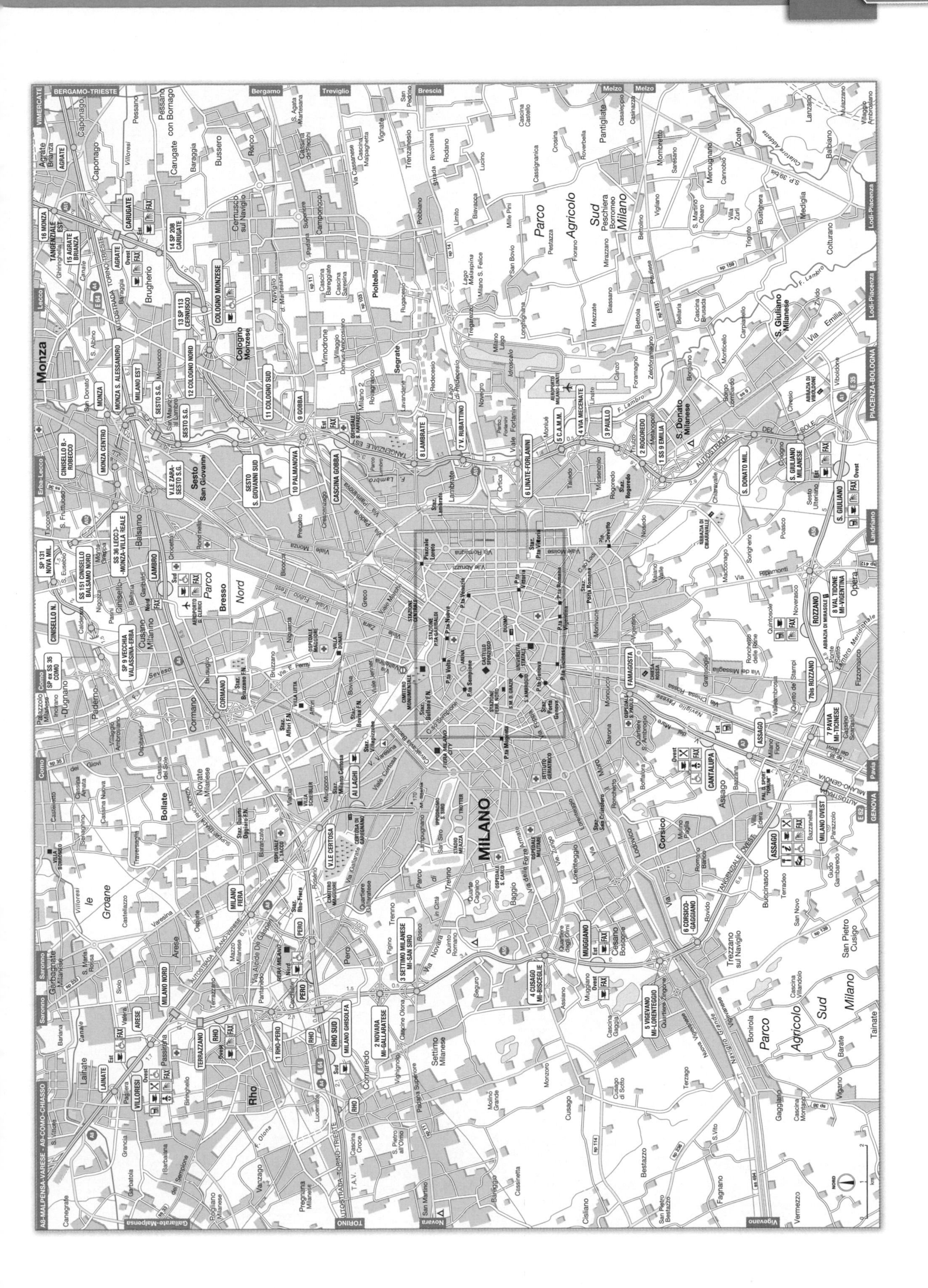
MILANO
Monza
Sesto San Giovanni
Cologno Monzese
Rho
Corsico
S. Donato Milanese
S. Giuliano Milanese
Parco Agricolo Sud Milano
Parco Nord
Bresso
Bollate
Pero
Pioltello
Segrate

(Bullona)
Sempione
Corso Sempione
Velodromo Vigorelli
Staz. Domodossola
Viale Duilio
R.A.I.
Melzi
Porta Sempione
Piazza Arco della Pace
Porta Sempione
Parco
Sempione
Arena
Monumento a Napoleone III
Acquario Civico
Torre Branca
Palazzo dell'Arte
Castello Sforzesco (Musei Civici)
STAZ. FNM CADORNA
(AIR TERMINAL MALPENSA)
MALPENSA-EXPRESS
S4
S3
Pagano
Porta Magenta
Magenta
Cenacolo Vinciano
S. Maria d. Grazie
Museo Teatrale alla Scala
Palazzo delle Stelline
Ospedale S. Giuseppe
Museo Naz. d. Scienza e d. Tecnica
Casa Circondariale di San Vittore
S. Ambrogio
Università Cattolica
Museo Civico Archeologico
Palazzo Litta
Palazzo Borromeo
Porta Volta
Piazzale Cimitero Monumentale
Fabbrica del Vapore
STAZ. F.S. PORTA GARIBALDI
Centro Direzionale
Porta Garibaldi
Porta Tenaglia
Ospedale Fatebenefratelli e Oftalmico
Pal. di Brera
Zona
Orto Botanico
Monte di Pietà
Museo Civico del Risorgimento
Teatro alla Scala
Galleria Vittorio Emanuele II
DUOMO
Duomo
Pal. Reale
Poste Centrali
Borsa
Pinac. Ambrosiana
S. Satiro
S. Lorenzo
Parco delle Basiliche
S. Eustorgio
Museo Diocesano
Parco dell'Anfit. Romano
Porta Genova
Porta Ticinese
Solari
Museo Fondazione Arnaldo Pomodoro
Museo dell'Energia e del Territorio AEM
MUBA (Museo del Bambino)
Conca del Naviglio
Viale Papiniano
Corso Genova
Corso Magenta
Corso Vercelli
Viale G. D'Annunzio
V.le Gian Galeazzo
Via Solari
Via Vincenzo Foppa

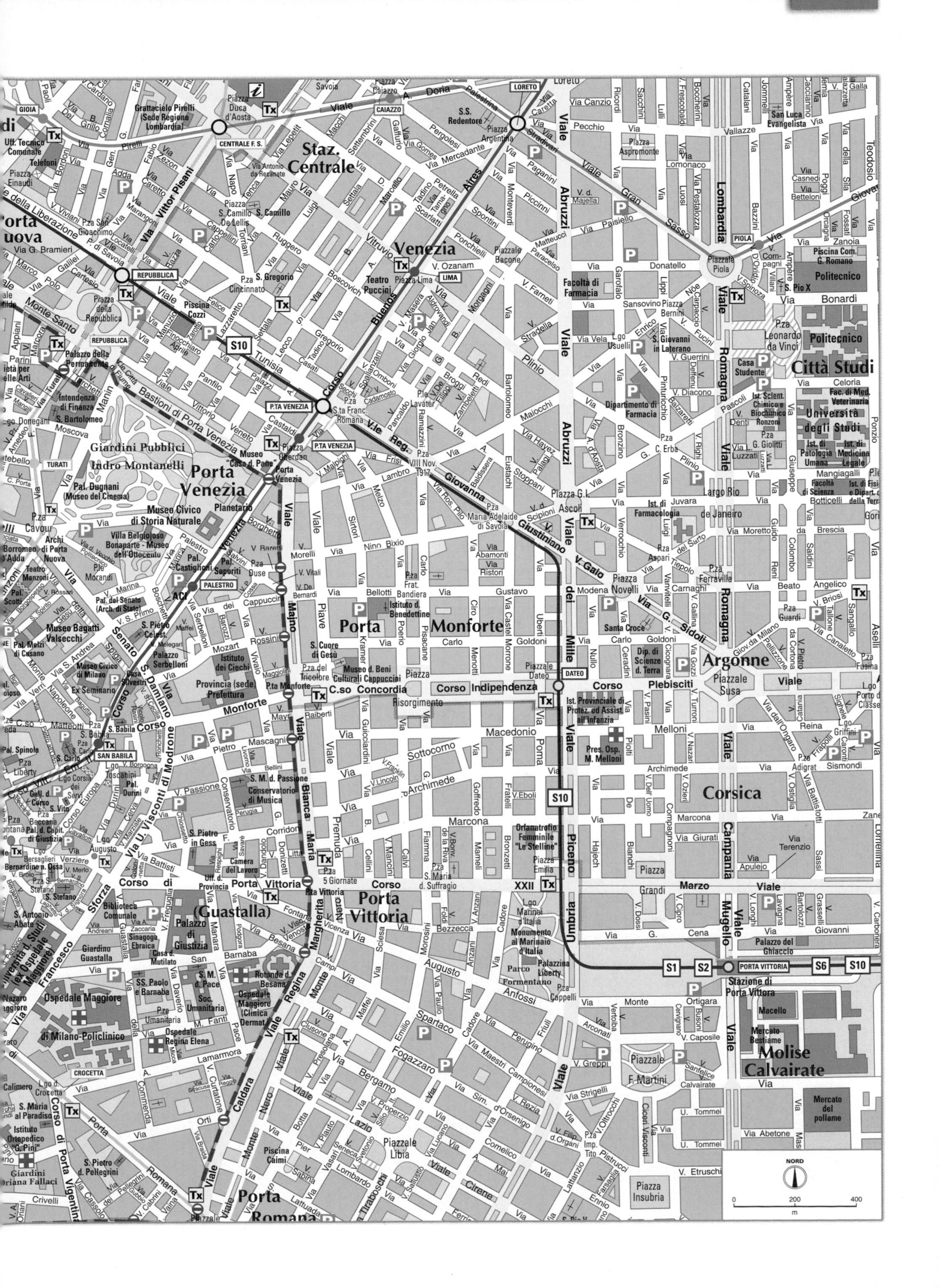

Staz. Centrale
CENTRALE F.S.
Grattacielo Pirelli (Sede Regione Lombardia)
Piazza Duca d'Aosta
LORETO
Piazzale Loreto
S.S. Redentore
Piazza Argentina
CAIAZZO
Piazza Caiazzo
GIOIA
Uff. Tecnico Comunale
Telefoni
Piazza Einaudi
Porta Nuova
Via G. Bramieri
REPUBBLICA
Piazza della Repubblica
Viale Vittor Pisani
Piscina Cozzi
S10
Viale Tunisia
Corso Buenos Aires
Venezia
Teatro Puccini
Piazza Lima
LIMA
V. Ozanam
Piazzale Bacone
Facoltà di Farmacia
Viale Abruzzi
Viale Lombardia
Viale Romagna
PIOLA
Piazzale Piola
Piscina Com. G. Romano
Politecnico
P.za Leonardo da Vinci
Città Studi
Casa Studente
Ist. Scient. Chimico e Biochimico Ronzoni
Fac. di Med. Veterinaria
Università degli Studi
Ist. di Patologia Umana
Ist. di Medicina Legale
Facoltà di Scienza
S. Giovanni in Laterano
Dipartimento di Farmacia
Largo Rio de Janeiro
Ist. di Farmacologia
Palazzo della Permanente
Intendenza di Finanza
S. Bartolomeo
TURATI
Giardini Pubblici Indro Montanelli
Pal. Dugnani (Museo del Cinema)
Museo Civico di Storia Naturale
Planetario
Bastioni di Porta Venezia
P.TA VENEZIA
Porta Venezia
Museo "Casa d. Pane"
Piazza Oberdan
Villa Belgioioso Bonaparte - Museo dell'Ottocento
Archi di Porta Nuova
Teatro Manzoni
PALESTRO
Pal. Castiglioni
Pal. Saporiti
ACI
Pal. del Senato (Arch. di Stato)
Museo Bagatti Valsecchi
S. Pietro Celest.
Palazzo Serbelloni
Istituto dei Ciechi
Provincia (sede) Prefettura
Museo Civico di Milano
Casa Silvestri
Ex Seminario
Viale Piave
Viale Majno
Viale Bianca Maria
Porta Monforte
Istituto d. Benedettine
Piazza Frat. Bandiera
S. Cuore di Gesù
Museo d. Beni Culturali Cappuccini
P.zza del Tricolore
C.so Concordia
Corso Indipendenza
Piazza Risorgimento
Piazzale Dateo
DATEO
Viale Piceno
Viale Umbria
Viale dei Mille
Piazza Novelli
Santa Croce
Dip. di Scienze d. Terra
Argonne
Piazzale Susa
Corso Plebisciti
Ist. Provinciale di Protez. ed Assist. all'Infanzia
Pres. Osp. M. Melloni
Corsica
Viale Campania
S. BABILA
Corso Monforte
Corso Venezia
S. Damiano
Via U. Visconti di Modrone
S. M. d. Passione
Conservatorio di Musica
S. Pietro in Gess.
Camera del Lavoro
Corso di Porta Vittoria
Porta Vittoria
Orfanatrofio Femminile "Le Stelline"
Piazza Emilia
Corso XXII Marzo
Piazza Grandi
Viale Mugello
Palazzo del Ghiaccio
S1
S2
PORTA VITTORIA
S6
Stazione di Porta Vittoria
Macello
Mercato Bestiame
Molise Calvairate
Mercato del pollame
Piazzale F. Martini
Monumento al Marinaio d'Italia
Palazzina Liberty
Parco Formentano
Palazzo di Giustizia
(Guastalla)
Biblioteca Comunale
Sinagoga Ebraica
Giardino Guastalla
Casa d. Mutilato
Rotonda d. Besana
SS. Paolo e Barnaba
S. M. d. Pace
Soc. Umanitaria
Ospedale Maggiore (Clinica Dermat.)
Ospedale Maggiore
di Milano-Policlinico
Ospedale Regina Elena
Università d. Studi (ex Ospedale Maggiore)
Corso di Porta Romana
Viale Regina Margherita
Viale Caldara
CROCETTA
S. Maria al Paradiso
Istituto Ortopedico "G. Pini"
S. Pietro d. Pellegrini
Giardini Oriana Fallaci
Corso di Porta Vigentina
Porta Romana
Piazzale Libia
Piscina Caimi
Piazza Insubria
Viale Cirene
NORD
0
200
400
m

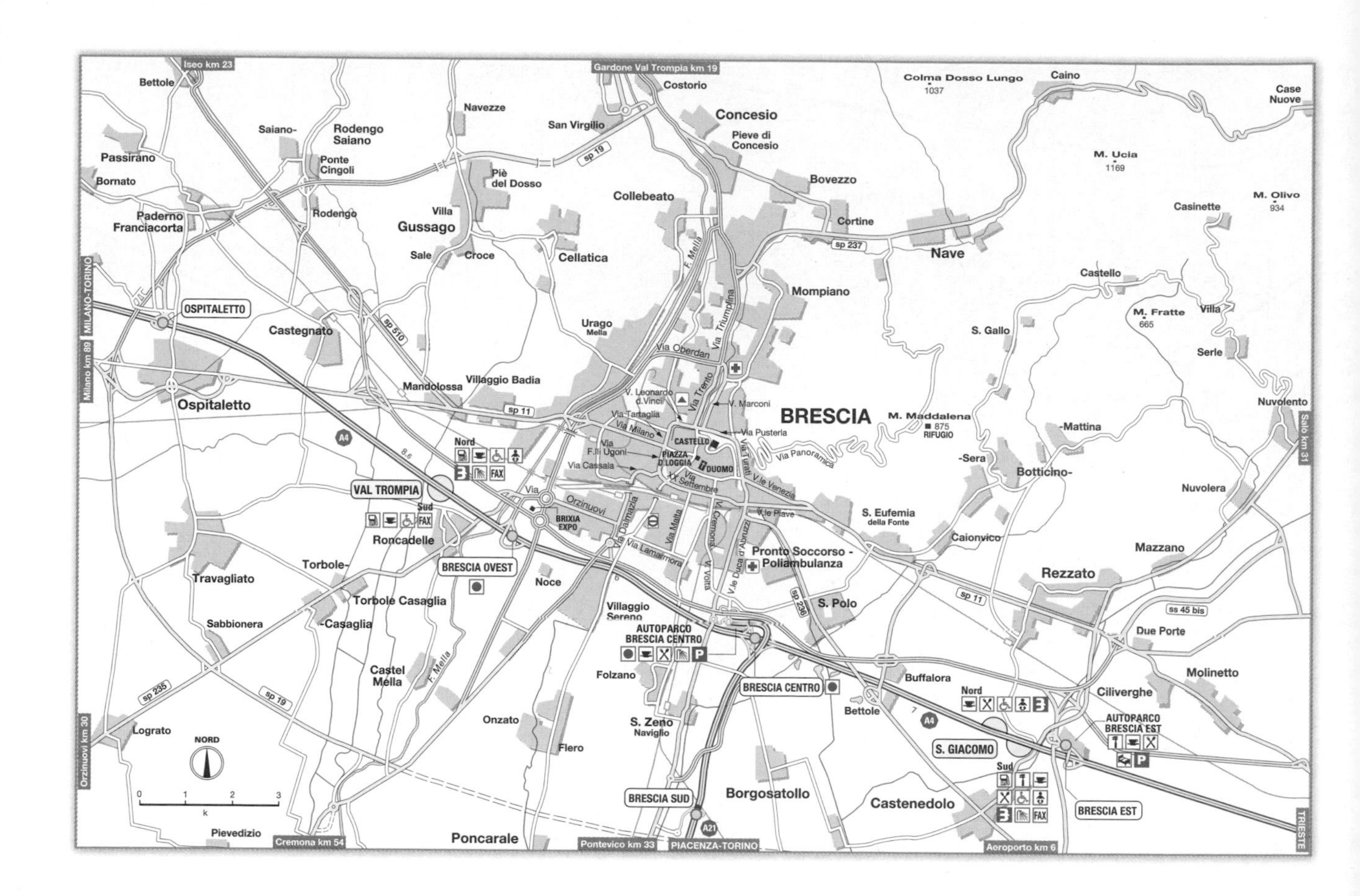
Iseo km 23
Gardone Val Trompia km 19
Costorio
Colma Dosso Lungo
1037
Caino
Case Nuove
Bettole
Navezze
Concesio
Pieve di Concesio
Saiano-
Rodengo Saiano
San Virgilio
Passirano
Ponte Cingoli
Piè del Dosso
M. Ucia
1169
Bornato
Collebeato
Bovezzo
M. Olivo
934
Paderno Franciacorta
Rodengo
Villa
Gussago
Casinette
Cortine
Sale
Croce
Cellatica
Nave
Castello
Mompiano
OSPITALETTO
Urago Mella
S. Gallo
M. Fratte
665
Villa
Castegnato
Serle
Villaggio Badia
Mandolossa
Ospitaletto
BRESCIA
M. Maddalena
875
RIFUGIO
Nuvolento
-Mattina
-Sera
Botticino-
VAL TROMPIA
Nuvolera
BRIXIA EXPO
S. Eufemia della Fonte
Roncadelle
Caionvico
Mazzano
Pronto Soccorso - Poliambulanza
BRESCIA OVEST
Torbole-
Travagliato
Noce
Rezzato
Torbole Casaglia
Villaggio Sereno
S. Polo
Sabbionera
-Casaglia
AUTOPARCO BRESCIA CENTRO
Due Porte
Castel Mella
Folzano
Buffalora
Molinetto
BRESCIA CENTRO
Ciliverghe
Bettole
AUTOPARCO BRESCIA EST
Onzato
S. Zeno Naviglio
S. GIACOMO
Lograto
NORD
Flero
Borgosatollo
Castenedolo
BRESCIA SUD
BRESCIA EST
Pievedizio
Poncarale
Cremona km 54
Pontevico km 33
PIACENZA-TORINO
Aeroporto km 6
TRIESTE
MILANO-TORINO
Milano km 89
Orzinuovi km 30
Salò km 31
FAX
Nord
Sud

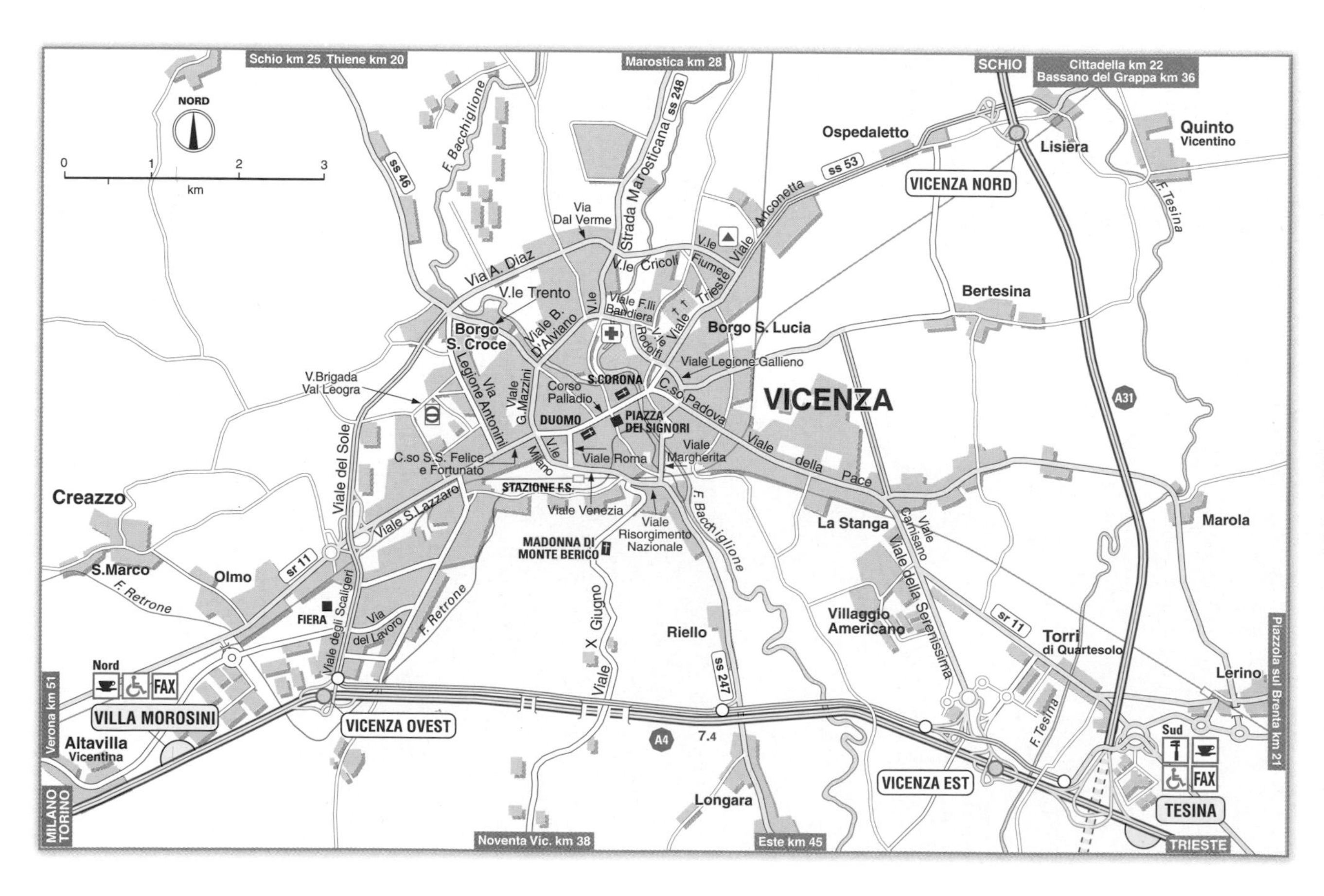
Schio km 25 Thiene km 20
Marostica km 28
SCHIO
Cittadella km 22
Bassano del Grappa km 36
NORD
km
Ospedaletto
Quinto Vicentino
Lisiera
VICENZA NORD
Via Dal Verme
Strada Marosticana
Viale Anconetta
Via A. Diaz
V.le Trento
Bertesina
Borgo S. Croce
Borgo S. Lucia
Viale Legione Gallieno
V.Brigada Val Leogra
Corso Palladio
S.CORONA
VICENZA
DUOMO
PIAZZA DEI SIGNORI
Viale Roma
Viale Margherita
Viale della Pace
C.so S.S. Felice e Fortunato
STAZIONE F.S.
Creazzo
Viale Venezia
Viale Risorgimento Nazionale
La Stanga
Marola
MADONNA DI MONTE BERICO
S.Marco
Olmo
F. Retrone
FIERA
Villaggio Americano
Riello
Torri di Quartesolo
Nord
FAX
Lerino
VILLA MOROSINI
VICENZA OVEST
Altavilla Vicentina
VICENZA EST
Sud
TESINA
Longara
Verona km 51
MILANO TORINO
Noventa Vic. km 38
Este km 45
TRIESTE
Piazzola sul Brenta km 21

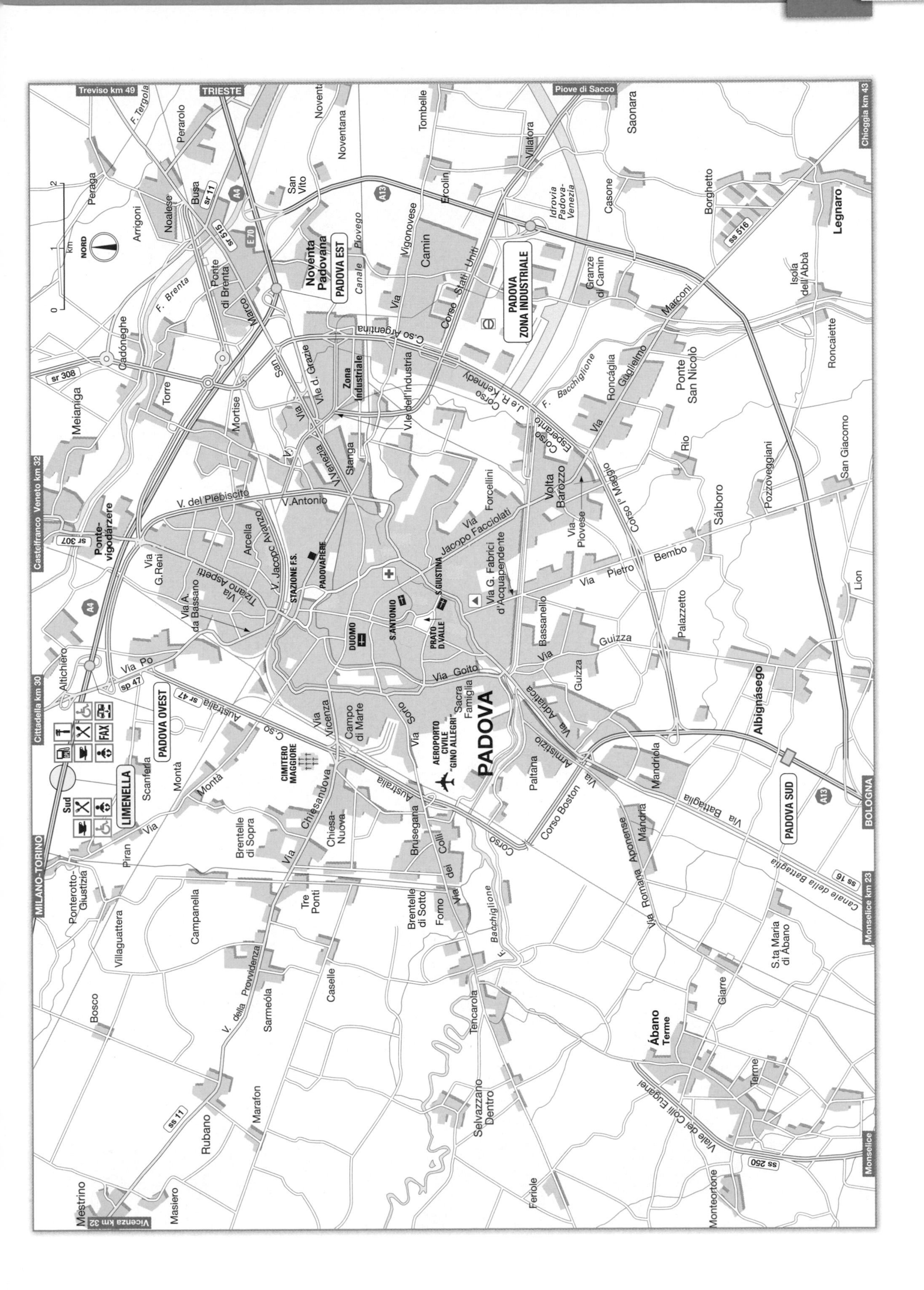
Treviso km 49
TRIESTE
Piove di Sacco
Chioggia km 43
BOLOGNA
Monselice km 23
Monselice
Vicenza km 32
MILANO-TORINO
Cittadella km 30
Castelfranco Veneto km 32
NORD
km
PADOVA
PADOVA EST
PADOVA OVEST
PADOVA SUD
PADOVA ZONA INDUSTRIALE
LIMENELLA
Sud
FAX
STAZIONE F.S.
PADOVAFIERE
DUOMO
S.ANTONIO
S.GIUSTINA
PRATO D.VALLE
CIMITERO MAGGIORE
AEROPORTO CIVILE "GINO ALLEGRI"
Zona Industriale
Noventa Padovana
Albignásego
Ábano Terme
Legnaro
Selvazzano Dentro
Rubano
Mestrino
Masiero
Marafon
Sarmeola
Caselle
Tencarola
Feriole
Monteortone
Giarre
Terme
S.ta Maria di Abano
Mandria
Mandriola
Paltana
Bassanello
Guizza
Palazzetto
Lion
Sálboro
Pozzoveggiani
San Giacomo
Roncaiette
Isola dell'Abbà
Borghetto
Saonara
Casone
Villatora
Granze di Camin
Camin
Ercolin
Tombelle
Noventana
Vigonovese
San Vito
Peraga
Perarolo
Arrigoni
Noalese
Busa
Ponte di Brenta
Cadoneghe
Meianiga
Torre
Mortise
Ponte-vigodárzere
Altichiero
Montà
Scanferla
Piran
Ponterotto-Giustizia
Villaguattera
Bosco
Campanella
Brentelle di Sopra
Brentelle di Sotto
Tre Ponti
Chiesa-Nuova
Brusegana
Forno
Campo di Marte
Sacra Famiglia
Stanga
Arcella
Forcellini
Volta Barozzo
Roncáglia
Ponte San Nicolò
Rio
F. Brenta
F. Bacchiglione
F. Tergola
Canale Piovego
Canale della Battaglia
Idrovia Padova-Venezia
Via Po
Corso Australia
Via Chiesanuova
Via Vicenza
Via Sorio
Via Goito
Via Guizza
Via Armistizio
Via Adriatica
Corso Boston
Via Battaglia
Via Romana Aponense
Viale dei Colli Euganei
Via dei Colli
V. della Provvidenza
Via G. Reni
Via A. da Bassano
Via Tiziano Aspetti
V. Jacopo Avanzo
V. del Plebiscito
V. Antonio
V. Venezia
V.le d. Grazie
V.le dell'Industria
C.so Argentina
Corso Stati Uniti
Corso J. e R. Kennedy
Corso Esperanto
Via Guglielmo Marconi
Corso I° Maggio
Via Piovese
Via Jacopo Facciolati
Via G. Fabrici d'Acquapendente
Via Pietro Bembo
A4
A13
E 70
sr 11
sr 515
sr 308
sr 307
sp 47
sr 47
ss 11
ss 16
ss 250
ss 516

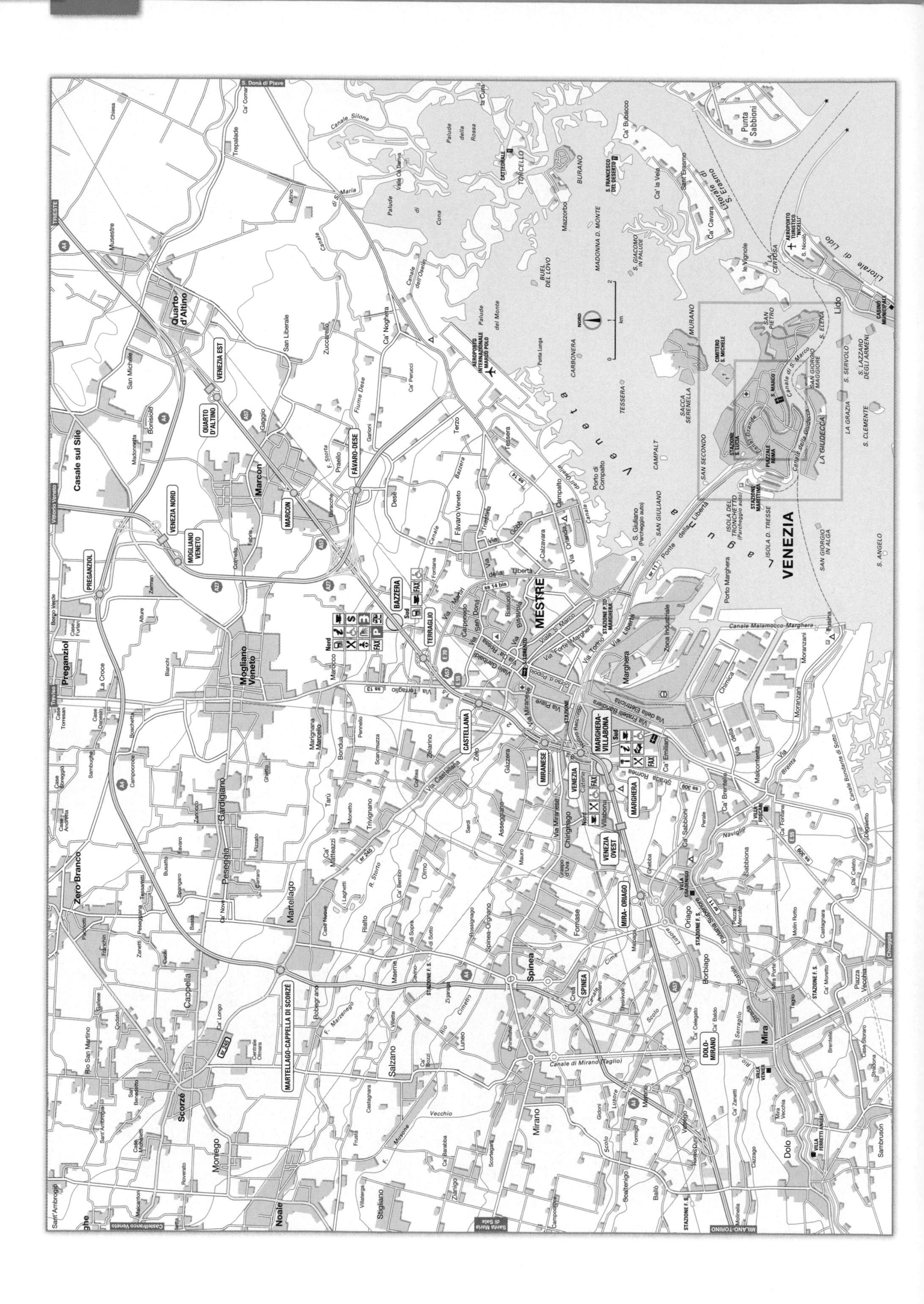

VENEZIA
MESTRE
Murano
Burano
Torcello
Lido
Marghera
Mogliano Veneto
Marcon
Quarto d'Altino
Preganziol
Casale sul Sile
Spinea
Mirano
Mira
Dolo
Noale
Scorzè
Martellago
Salzano
Zero Branco
Punta Sabbioni
La Giudecca

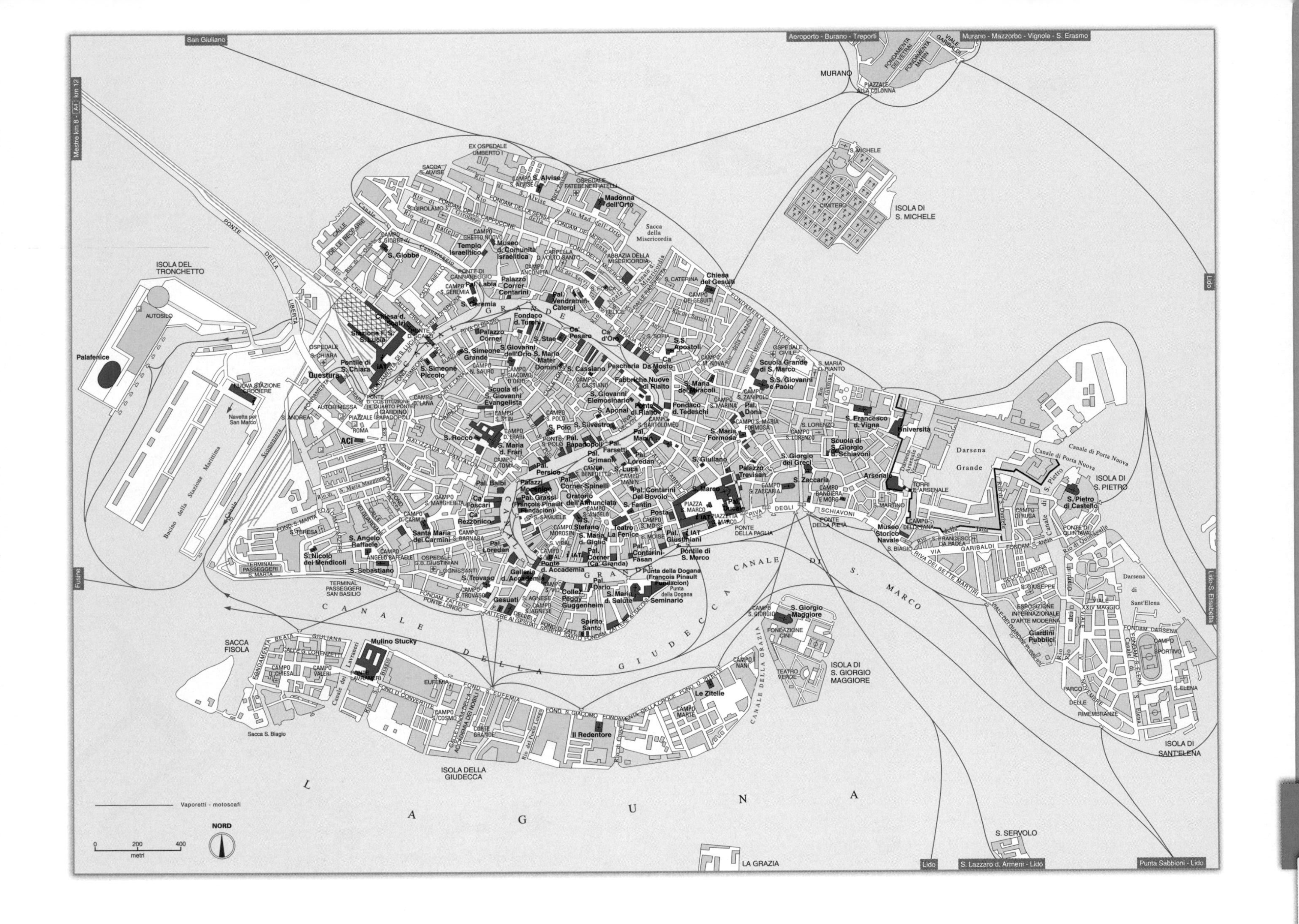

San Giuliano
Aeroporto - Burano - Treporti
Murano - Mazzorbo - Vignole - S. Erasmo
Mestre km 8 - A4 km 12
Lido
Lido-S. Elisabetta
Fusine
Lido
S. Lazzaro d. Armeni - Lido
Punta Sabbioni - Lido
MURANO
ISOLA DI S. MICHELE
ISOLA DEL TRONCHETTO
PONTE DELLA LIBERTÀ
Palafenice
AUTOSILO
Bacino della Stazione Marittima
Sacca della Misericordia
Madonna dell'Orto
S. Giobbe
Chiesa d. Scalzi
Stazione F.S. S. Lucia
Questura
ACI
S. Rocco
Santa Maria dei Carmini
S. Nicolò dei Mendicoli
S. Sebastiano
Ca' Rezzonico
Ca' Foscari
Gallerie d. Accademia
Peggy Guggenheim
S. Maria d. Salute
Punta della Dogana
S. Marco
Pal. Ducale
Ponte di Rialto
Ca' d'Oro
Chiesa dei Gesuiti
Scuola Grande di S. Marco
S.S. Giovanni e Paolo
Arsenale
Museo Storico Navale
Darsena Grande
ISOLA DI S. PIETRO
S. Pietro di Castello
Giardini Pubblici
ISOLA DI SANT'ELENA
CANALE DI S. MARCO
CANALE DELLA GIUDECCA
ISOLA DI S. GIORGIO MAGGIORE
S. Giorgio Maggiore
SACCA FISOLA
Mulino Stucky
ISOLA DELLA GIUDECCA
Il Redentore
Le Zitelle
LAGUNA
S. SERVOLO
LA GRAZIA
Vaporetti - motoscafi
NORD
0 200 400 metri

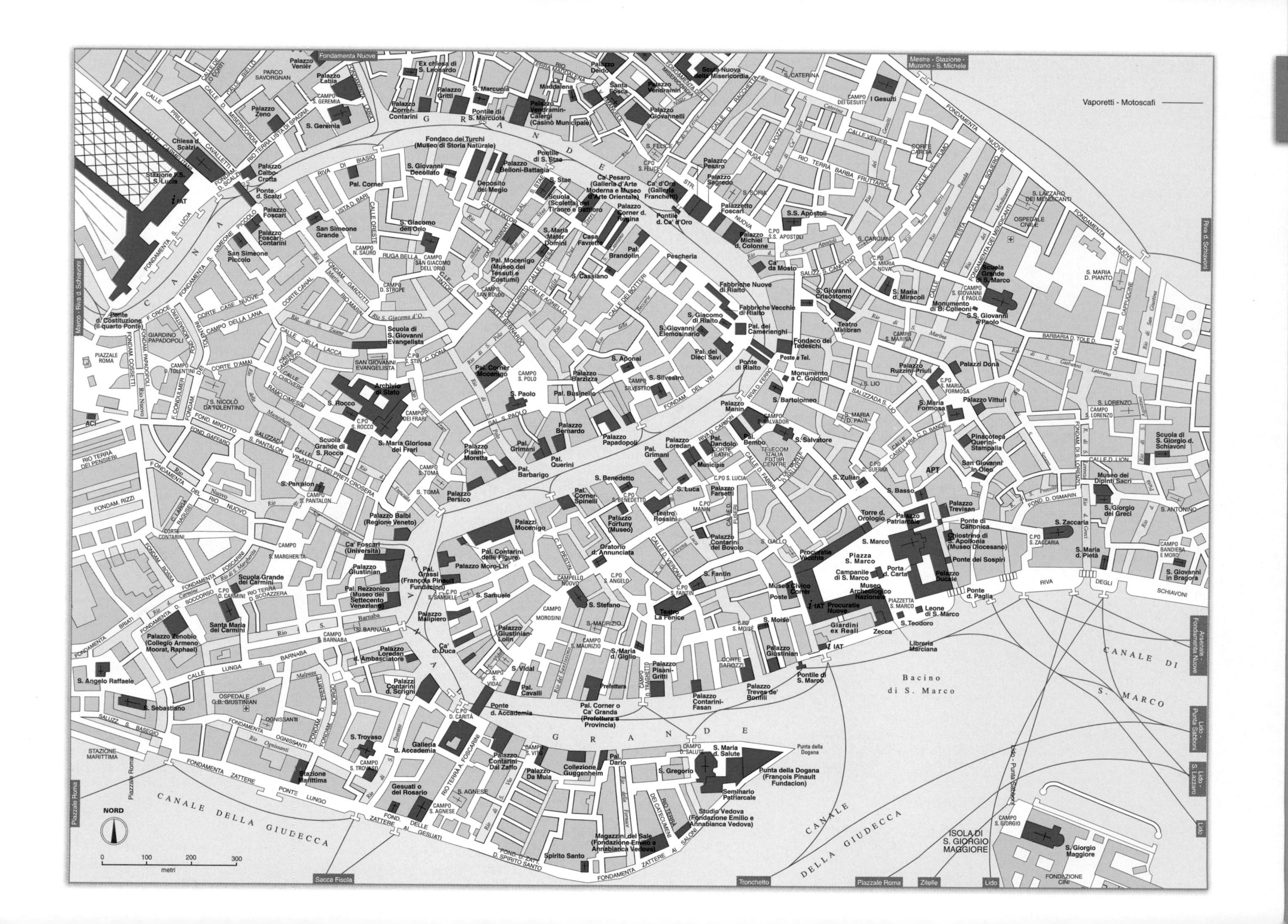

Riva d. Schiavoni
Arsenale - Fondamenta Nuove
Lido - Punta Sabboni
Lido - S. Lazzaro
Lido
Vaporetti - Motoscafi
CANALE DI S. MARCO
Bacino di S. Marco
CANALE DELLA GIUDECCA
ISOLA DI S. GIORGIO MAGGIORE
S. Giorgio Maggiore
Palazzo Ducale
Piazza S. Marco
S. Marco
Ponte dei Sospiri
Ponte di Rialto
Fondaco dei Tedeschi
S.S. Giovanni e Paolo
Scuola Grande di S. Marco
I Gesuiti
Ca' d'Oro
Ca' Pesaro
Fondaco dei Turchi (Museo di Storia Naturale)
Palazzo Vendramin-Calergi (Casinò Municipale)
Stazione F.S. S. Lucia
Ponte d. Costituzione (il quarto Ponte)
Piazzale Roma
Archivio di Stato
S. Maria Gloriosa dei Frari
S. Rocco
Scuola Grande di S. Rocco
Ca' Foscari (Università)
Ca' Rezzonico (Museo del Settecento Veneziano)
Palazzo Grassi (François Pinault Fundation)
Galleria d. Accademia
Ponte d. Accademia
Collezione Guggenheim
S. Maria d. Salute
Punta della Dogana (François Pinault Fundacion)
Teatro La Fenice
S. Stefano
Santa Maria dei Carmini
S. Sebastiano
Stazione Marittima
NORD
metri
0
100
200
300

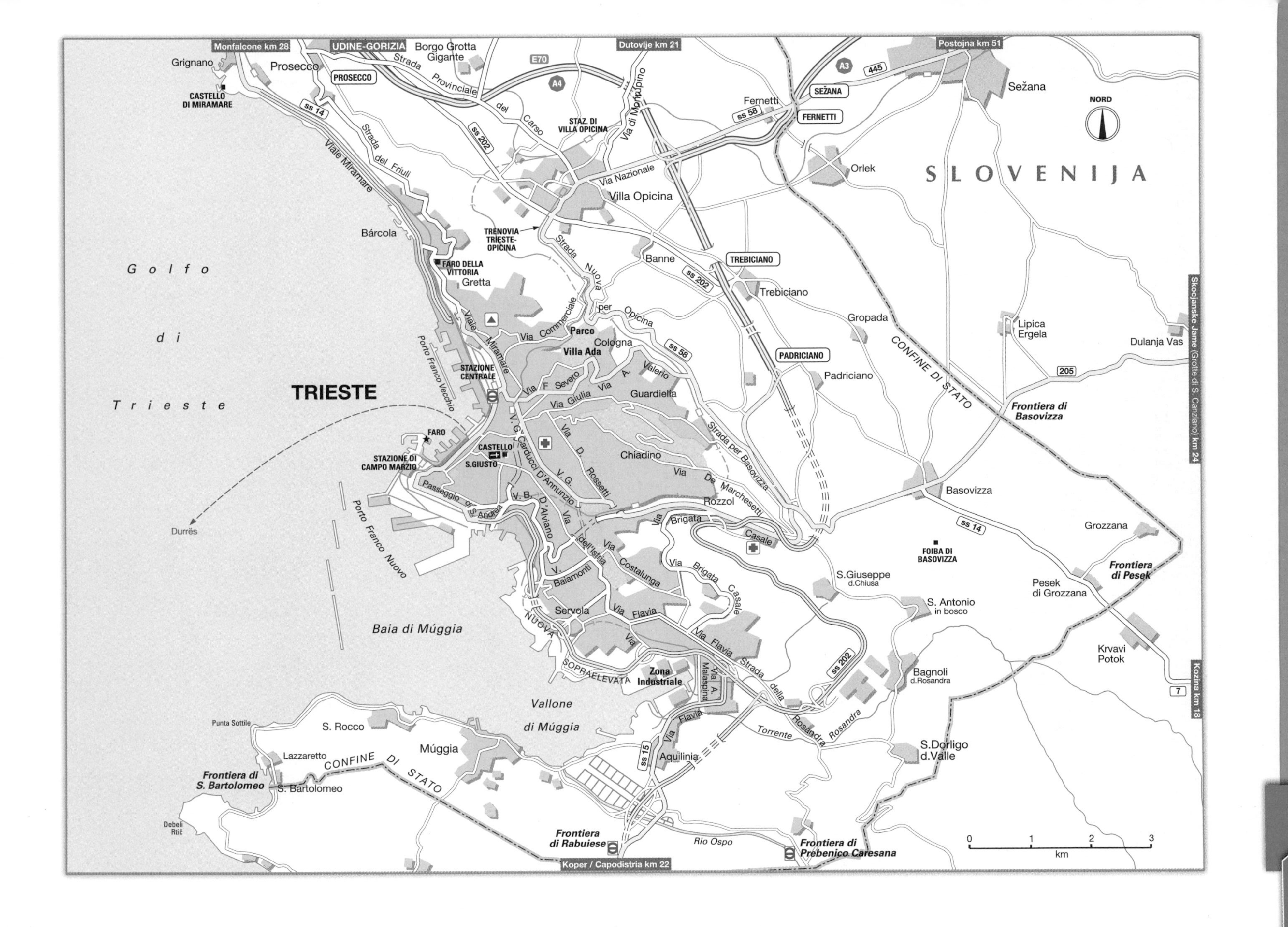

Monfalcone km 28
UDINE-GORIZIA
Dutovlje km 21
Postojna km 51
Skocjanske Jame (Grotte di S. Canziano) km 24
Kozina km 18
Koper / Capodistria km 22
SLOVENIJA
NORD
Golfo di Trieste
TRIESTE
Baia di Múggia
Vallone di Múggia
CONFINE DI STATO
Grignano
CASTELLO DI MIRAMARE
Prosecco
PROSECCO
Borgo Grotta Gigante
Strada Provinciale
E70
A4
A3
445
Sežana
SEŽANA
Fernetti
FERNETTI
SS 58
SS 14
SS 202
SS 15
Strada del Friuli
Viale Miramare
del Carso
STAZ. DI VILLA OPICINA
Via di Monrupino
Via Nazionale
Villa Opicina
Orlek
Bárcola
TRENOVIA TRIESTE-OPICINA
FARO DELLA VITTORIA
Gretta
Strada Nuova per Opicina
Banne
TREBICIANO
Trebiciano
Gropada
Lipica Ergela
Dulanja Vas
205
Via Commerciale
Parco Villa Ada
Cologna
Viale Miramare
Porto Franco Vecchio
STAZIONE CENTRALE
PADRICIANO
Padriciano
Via F. Severo
Via A. Valerio
Guardiella
Via Giulia
Frontiera di Basovizza
FARO
CASTELLO S.GIUSTO
STAZIONE DI CAMPO MARZIO
V. G. Carducci
Via D. Rossetti
Chiadino
Strada per Basovizza
Via De Marchesetti
Basovizza
Passeggio di S. Andrea
V. B. D'Alviano
V. G. D'Annunzio
Rozzol
Durrës
Porto Franco Nuovo
Via Brigata Casale
Grozzana
FOIBA DI BASOVIZZA
Frontiera di Pesek
Via dell'Istria
Via Costalunga
V. Baiamonti
S.Giuseppe d.Chiusa
Pesek di Grozzana
S. Antonio in bosco
Servola
Via Flavia
NUOVA SOPRAELEVATA
Zona Industriale
Via A. Malaspina
Strada della Rosandra
Krvavi Potok
Bagnoli d.Rosandra
7
Punta Sottile
S. Rocco
Múggia
Torrente Rosandra
S.Dorligo d.Valle
Lazzaretto
Aquilinia
Frontiera di S. Bartolomeo
S. Bartolomeo
Debeli Rtič
Frontiera di Rabuiese
Rio Ospo
Frontiera di Prebenico Caresana
0 1 2 3 km

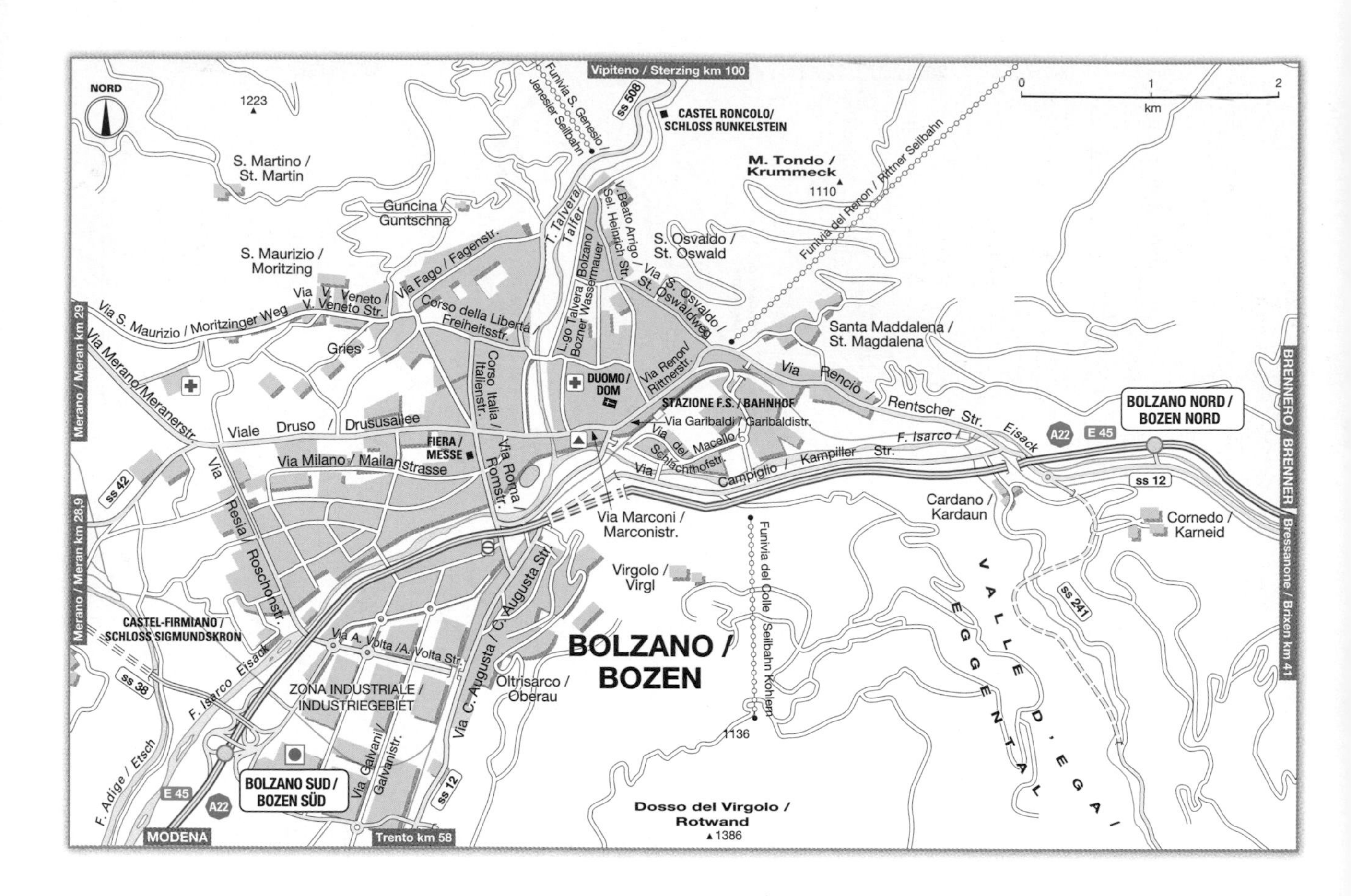

NORD
Vipiteno / Sterzing km 100
0
1
2
km
1223
S. Martino /
St. Martin
Funivia S. Genesio
Jenesier Seilbahn
ss 508
CASTEL RONCOLO/
SCHLOSS RUNKELSTEIN
M. Tondo /
Krummeck
1110
Funivia del Renon / Rittner Seilbahn
Guncina /
Guntschna
S. Maurizio /
Moritzing
T. Talvera
Taifer
V. Beato Arrigo
Sel. Heinrich Str.
S. Osvaldo /
St. Oswald
Via V. Veneto /
V. Veneto Str.
Via Fago / Fagenstr.
Corso della Libertà /
Freiheitsstr.
L.go Talvera Bolzano
Bozner Wassermauer
Via S. Osvaldo /
St. Oswaldweg
Santa Maddalena /
St. Magdalena
Via S. Maurizio / Moritzinger Weg
Merano / Meran km 29
Via Merano/Meranerstr.
Gries
Corso Italia
Italienstr.
DUOMO/
DOM
Via Renon/
Rittnerstr.
Via Rencio / Rentscher Str.
BRENNERO / BRENNER
Viale Druso / Drususallee
STAZIONE F.S. / BAHNHOF
Via Garibaldi / Garibaldistr.
Via del Macello /
Schlachthofstr.
FIERA /
MESSE
Via Roma /
Romstr.
Via Milano / Mailandstrasse
Via Campiglio / Kampiller Str.
F. Isarco / Eisack
A22
E 45
BOLZANO NORD /
BOZEN NORD
ss 12
ss 42
Via Resia / Reschenstr.
Via Marconi /
Marconistr.
Cardano /
Kardaun
Cornedo /
Karneid
Merano / Meran km 28,9
Via Augusta / C. Augusta Str.
Virgolo /
Virgl
Funivia del Colle / Seilbahn Kohlern
VALLE D'EGA /
EGGENTAL
ss 241
Bressanone / Brixen km 41
CASTEL-FIRMIANO /
SCHLOSS SIGMUNDSKRON
Via A. Volta / A. Volta Str.
BOLZANO /
BOZEN
ss 38
F. Isarco Eisack
ZONA INDUSTRIALE /
INDUSTRIEGEBIET
Oltrisarco /
Oberau
1136
F. Adige / Etsch
Via Galvani /
Galvanistr.
Via C. Augusta
BOLZANO SUD /
BOZEN SÜD
ss 12
E 45
A22
Dosso del Virgolo /
Rotwand
1386
MODENA
Trento km 58

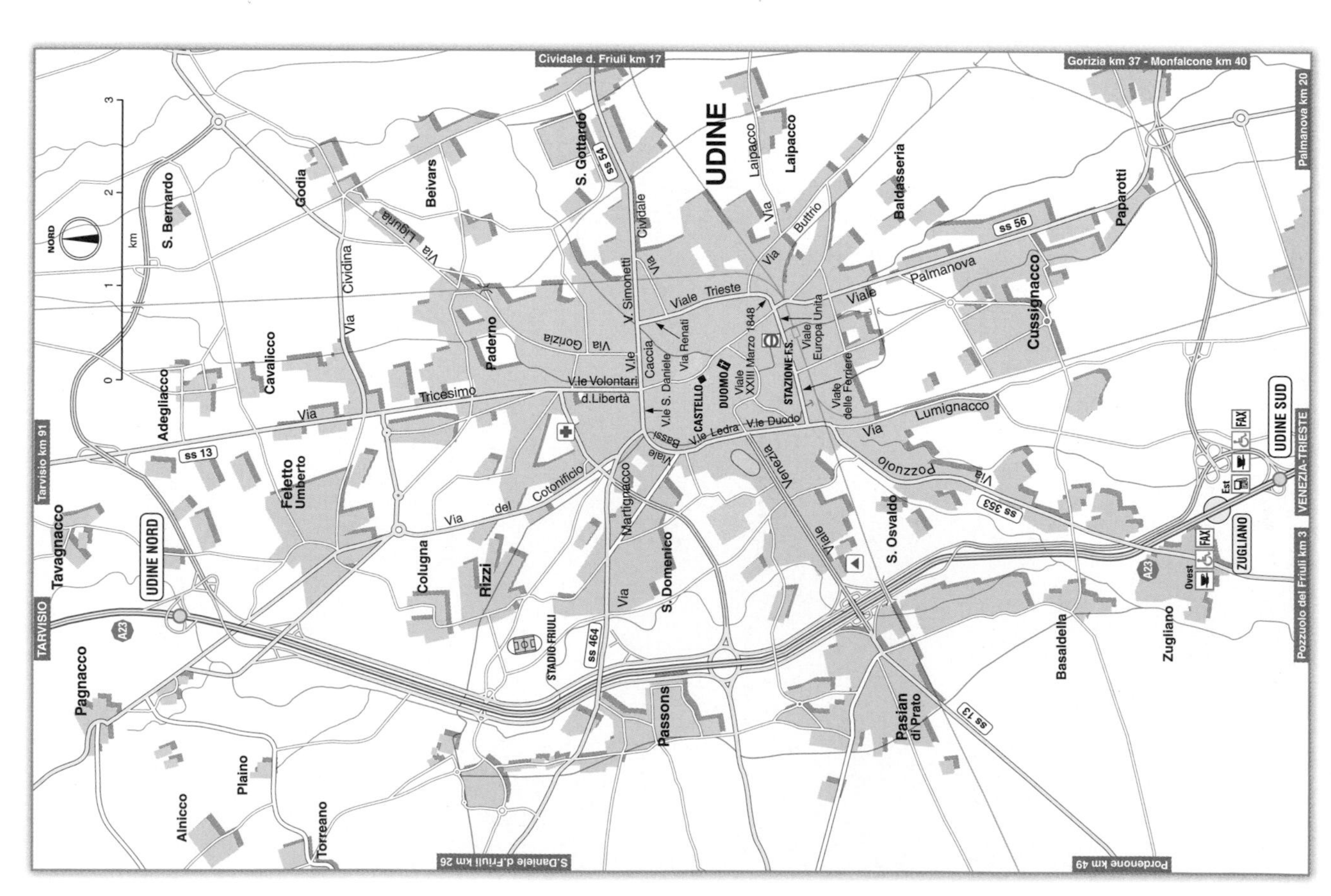

Cividale d. Friuli km 17
Gorizia km 37 - Monfalcone km 40
Palmanova km 20
NORD
0
1
2
3
km
UDINE
S. Bernardo
Godia
Beivars
S. Gottardo
ss 54
Laipacco
Laipacco
Baldasseria
Paparotti
Via Liguria
Via Cividale
Via Buttrio
ss 56
Via Cividina
V. Simonetti
Viale Trieste
Viale Palmanova
Cussignacco
Cavalicco
Paderno
Via Gorizia
Caccia
Via Renati
Viale XXIII Marzo 1848
Viale Europa Unita
Adegliacco
V.le Volontari d.Libertà
Vle S. Daniele
CASTELLO
DUOMO
STAZIONE F.S.
Viale delle Ferriere
Via Tricesimo
V.le Duodo
Via Lumignacco
Tarvisio km 91
ss 13
Bassi
Vle Ledra
Viale Venezia
Via Pozzuolo
UDINE SUD
FAX
Est
Feletto Umberto
Via del Cotonificio
Martignacco
ss 353
VENEZIA-TRIESTE
Tavagnacco
UDINE NORD
Colugna
Rizzi
Via S. Domenico
Viale
S. Osvaldo
ZUGLIANO
FAX
Ovest
A23
Pozzuolo del Friuli km 3
TARVISIO
A23
STADIO FRIULI
ss 464
Basaldella
Zugliano
Pagnacco
Passons
Pasian di Prato
ss 13
Plaino
Alnicco
Torreano
S.Daniele d.Friuli km 26
Pordenone km 49

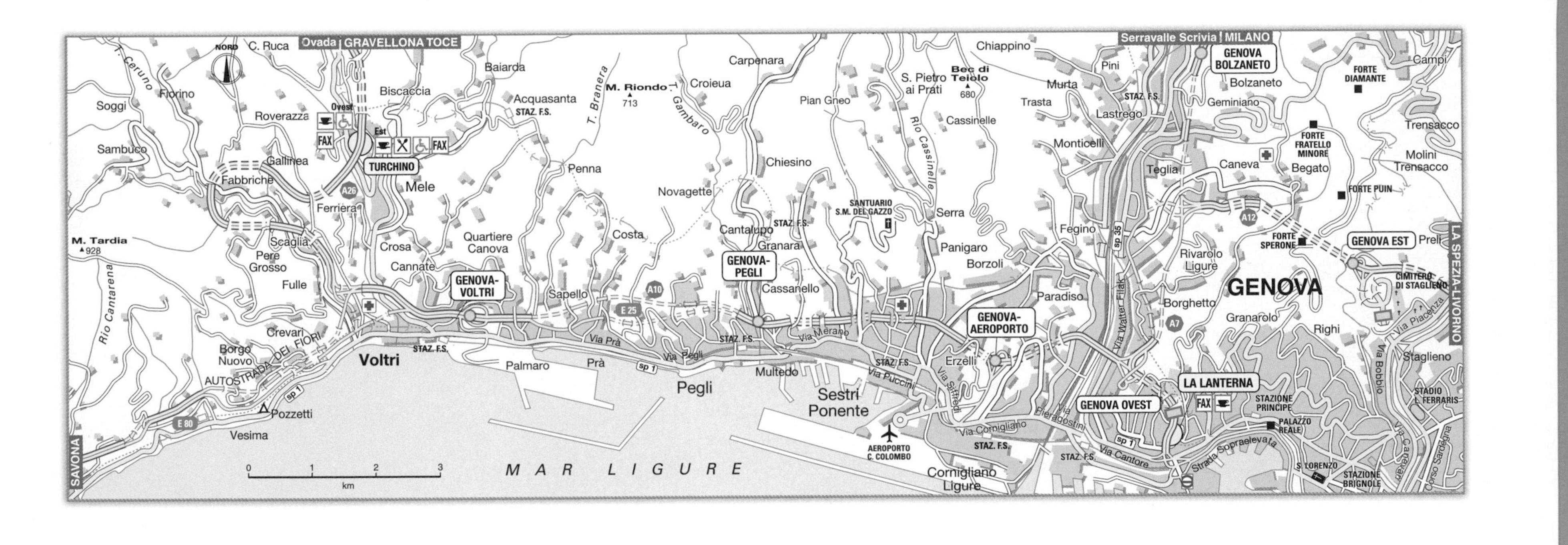
Ovada | GRAVELLONA TOCE
Serravalle Scrivia | MILANO
LA SPEZIA-LIVORNO
SAVONA
NORD
C. Ruca
T. Ceruno
Fiorino
Soggi
Sambuco
Roverazza
Gallinea
Fabbriche
Biscaccia
Baiarda
Acquasanta
STAZ. F.S.
TURCHINO
Ovest
Est
FAX
Mele
A26
Ferriera
M. Tardia
928
Scaglia
Pere Grosso
Fulle
Crosa
Cannate
Quartiere Canova
GENOVA-VOLTRI
Crevari
Borgo Nuovo
AUTOSTRADA DEI FIORI
sp 1
E 80
Pozzetti
Vesima
Voltri
STAZ. F.S.
Rio Cantarena
T. Branera
M. Riondo
713
Gambaro
Croieua
Carpenara
Penna
Novagette
Costa
Sapello
A10
E 25
Via Prà
Palmaro
Prà
Pegli
Via Pegli
Chiesino
Cantalupo
Granara
GENOVA-PEGLI
Cassanello
SANTUARIO S.M. DEL GAZZO
Pian Gneo
S. Pietro ai Prati
Bec di Teiolo
680
Rio Cassinelle
Cassinelle
Serra
Panigaro
Borzoli
Via Merano
Multedo
Sestri Ponente
Via Puccini
Via Siffredi
AEROPORTO C. COLOMBO
Erzelli
GENOVA-AEROPORTO
Via Cornigliano
Cornigliano Ligure
Chiappino
Murta
Trasta
Monticelli
Pini
Lastrego
STAZ. F.S.
Fegino
Paradiso
Teglia
sp 35
Via Walter Fillak
Rivarolo Ligure
Borghetto
A7
GENOVA BOLZANETO
Bolzaneto
Geminiano
Caneva
FORTE FRATELLO MINORE
Begato
FORTE DIAMANTE
FORTE PUIN
A12
FORTE SPERONE
GENOVA
Granarolo
Righi
GENOVA EST
Preli
CIMITERO DI STAGLIENO
Via Piacenza
Via Bobbio
Staglieno
STADIO L. FERRARIS
Campi
Trensacco
Molini Trensacco
LA LANTERNA
FAX
STAZIONE PRINCIPE
PALAZZO REALE
GENOVA OVEST
Via Pieragostini
Via Cantore
Strada Sopraelevata
S. LORENZO
STAZIONE BRIGNOLE
Via Canevari
Corso Sardegna
0
1
2
3
km
MAR LIGURE

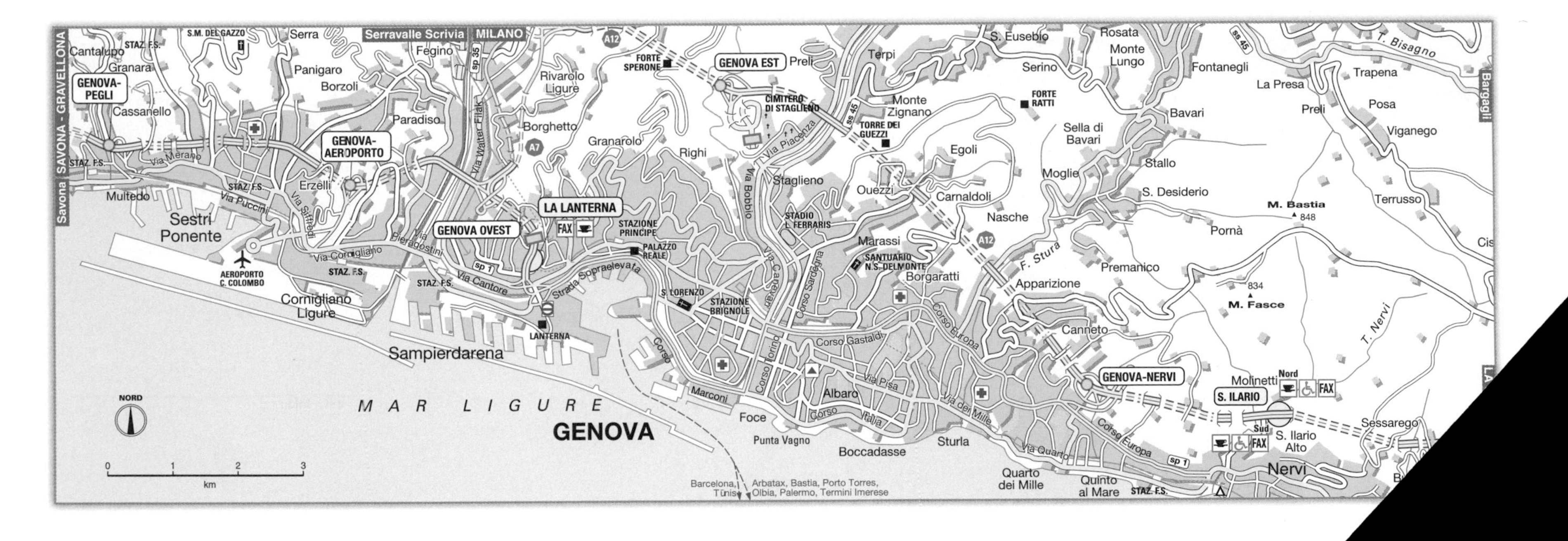
Savona | SAVONA - GRAVELLONA
Serravalle Scrivia | MILANO
Bargagli
Cantalupo
STAZ. F.S.
Granara
GENOVA-PEGLI
Cassanello
S.M. DEL GAZZO
Serra
Panigaro
Borzoli
Fegino
Paradiso
GENOVA-AEROPORTO
Via Merano
Multedo
Erzelli
Via Puccini
Via Siffredi
Sestri Ponente
AEROPORTO C. COLOMBO
Via Cornigliano
Cornigliano Ligure
sp 35
Via Walter Fillak
Rivarolo Ligure
Borghetto
A7
Granarolo
GENOVA OVEST
LA LANTERNA
FAX
STAZIONE PRINCIPE
PALAZZO REALE
Via Pieragostini
Via Cantore
Strada Sopraelevata
LANTERNA
Sampierdarena
A12
FORTE SPERONE
GENOVA EST
Preli
CIMITERO DI STAGLIENO
Righi
Via Bobbio
Via Piacenza
Staglieno
STADIO L. FERRARIS
S. LORENZO
STAZIONE BRIGNOLE
Via Canevari
Corso Sardegna
Corso Torino
Corso Marconi
Foce
Punta Vagno
Terpi
ss 45
Monte Zignano
TORRE DEI GUEZZI
Ouezzi
Marassi
SANTUARIO N.S. DEL MONTE
Egoli
Carnaldoli
Nasche
Borgaratti
Corso Gastaldi
Corso Europa
Via Pisa
Albaro
Corso Italia
Boccadasse
Via dei Mille
Sturla
S. Eusebio
Serino
FORTE RATTI
Sella di Bavari
Moglie
Rosata
Monte Lungo
Fontanegli
Bavari
Stallo
S. Desiderio
F. Stura
Apparizione
Premanico
Canneto
GENOVA-NERVI
Via Quarto
Quarto dei Mille
Quinto al Mare
STAZ. F.S.
T. Bisagno
La Presa
Trapena
Preli
Posa
Viganego
Terrusso
M. Bastia
848
Pornà
834
M. Fasce
T. Nervi
Molinetti
Nord
S. ILARIO
FAX
Sud
S. Ilario Alto
Sessarego
Corso Europa
sp 1
Nervi
NORD
0
1
2
3
km
MAR LIGURE
GENOVA
Barcelona, Tunis
Arbatax, Bastia, Porto Torres, Olbia, Palermo, Termini Imerese

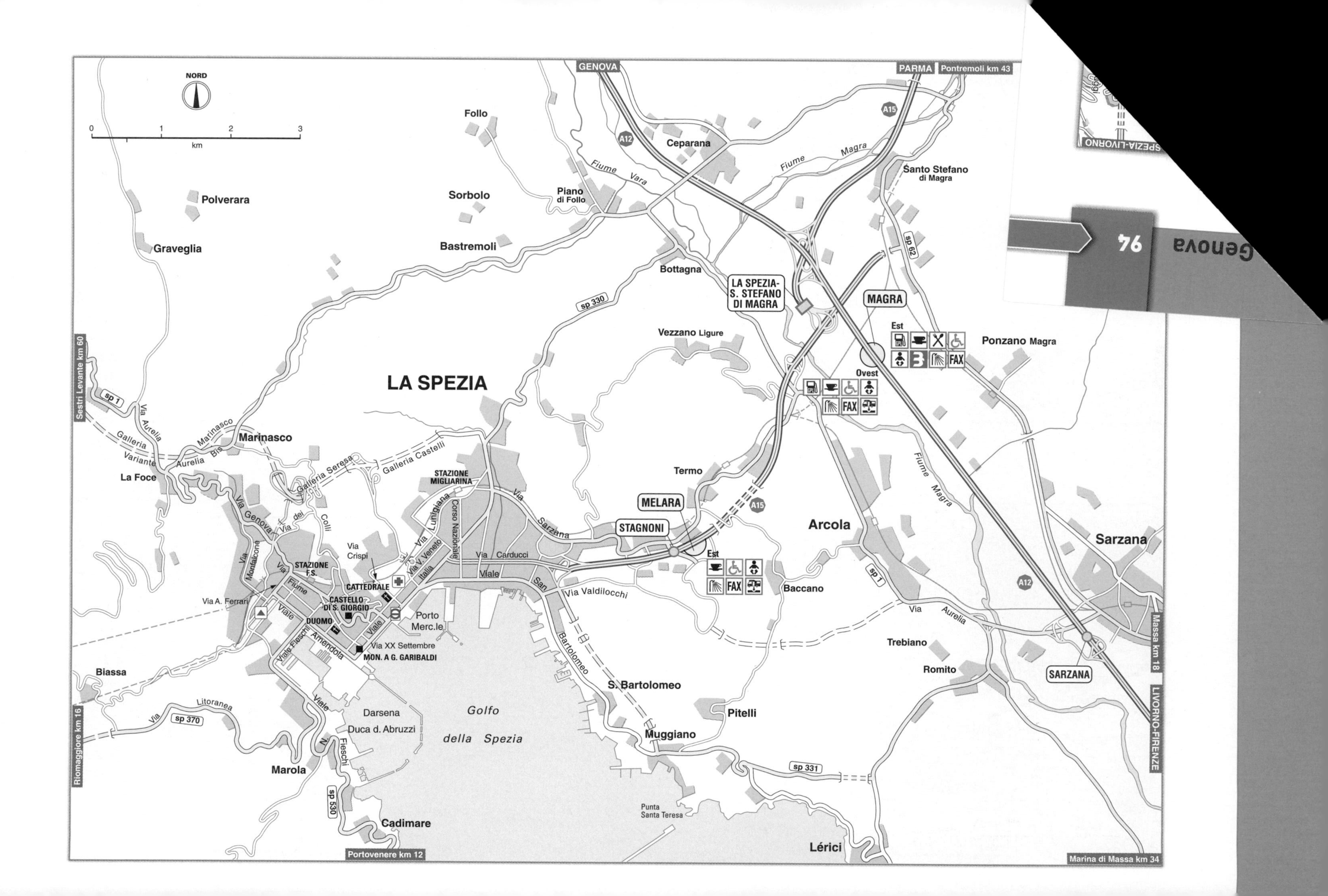

94
Genova
LA SPEZIA
NORD
0
1
2
3
km
GENOVA
PARMA
Pontremoli km 43
Sestri Levante km 60
Riomaggiore km 16
Portovenere km 12
Marina di Massa km 34
Massa km 18
LIVORNO-FIRENZE
LA SPEZIA-
S. STEFANO
DI MAGRA
MAGRA
MELARA
STAGNONI
SARZANA
Est
Ovest
FAX
Follo
Polverara
Graveglia
Sorbolo
Piano
di Follo
Bastremoli
Ceparana
Bottagna
Santo Stefano
di Magra
Ponzano Magra
Vezzano Ligure
Termo
Arcola
Sarzana
Baccano
Trebiano
Romito
Pitelli
S. Bartolomeo
Muggiano
Lérici
Punta
Santa Teresa
Marinasco
La Foce
Biassa
Marola
Cadimare
Golfo
della Spezia
Darsena
Duca d. Abruzzi
Porto
Merc.le
STAZIONE
MIGLIARINA
STAZIONE
F.S.
CATTEDRALE
CASTELLO
DI S. GIORGIO
DUOMO
MON. A G. GARIBALDI
Via XX Settembre
Corso Nazionale
Via Carducci
Viale San Bartolomeo
Via Valdilocchi
Via Sarzana
Via Lunigiana
Via V. Veneto
Viale Italia
Via Crispi
Via dei Colli
Via Genova
Via Fiume
Via Monfalcone
Via A. Ferrari
Viale Fieschi
Viale Amendola
Galleria Seresa
Galleria Castelli
Galleria Variante Aurelia
Via Aurelia
Marinasco Aurelia Bis
Via Litoranea
Fiume Vara
Fiume Magra
sp 1
sp 62
sp 330
sp 331
sp 370
sp 530
A12
A15

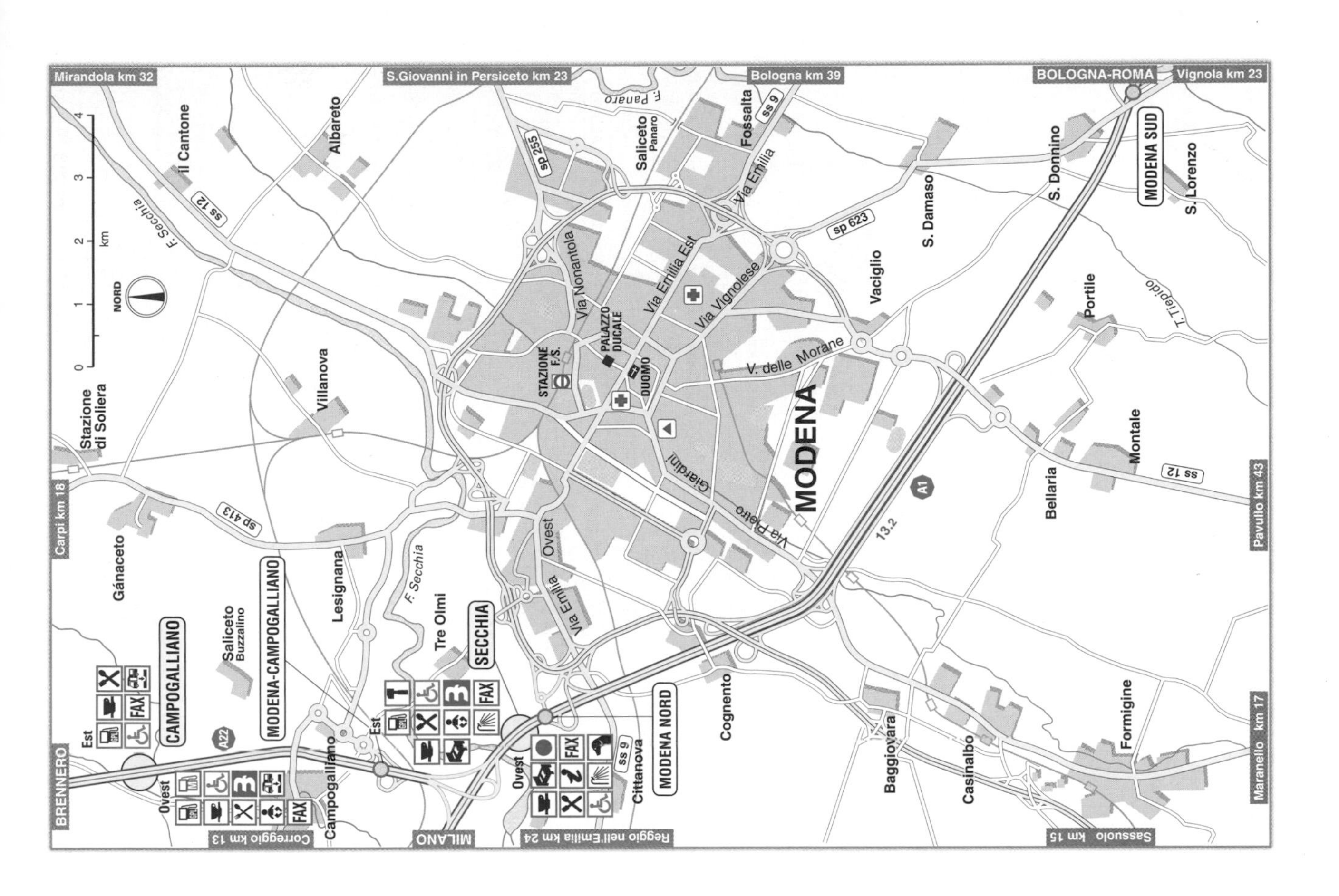
Mirandola km 32
S.Giovanni in Persiceto km 23
Bologna km 39
BOLOGNA-ROMA
Vignola km 23
MODENA SUD
MODENA
MODENA NORD
SECCHIA
CAMPOGALLIANO
MODENA-CAMPOGALLIANO
BRENNERO
MILANO
Reggio nell'Emilia km 24
Correggio km 13
Sassuolo km 15
Maranello km 17
Pavullo km 43
Carpi km 18
Stazione di Soliera
il Cantone
Albareto
Villanova
Gánaceto
Saliceto Buzzalino
Lesignana
Tre Olmi
Campogalliano
Cittanova
Cognento
Baggiovara
Casinalbo
Formigine
Bellaria
Montale
Portile
Vaciglio
S. Damaso
S. Donnino
S. Lorenzo
Saliceto Panaro
Fossalta
STAZIONE F.S.
PALAZZO DUCALE
DUOMO
Via Nonantola
Via Emilia Est
Via Vignolese
Via Emilia
Via Emilia Ovest
V. delle Morane
Giardini
Via Pietro
F. Secchia
F. Panaro
T. Tiepido
ss 12
ss 9
sp 255
sp 623
sp 413
A1
A22
13,2
Est
Ovest
FAX
NORD
km
0
1
2
3
4

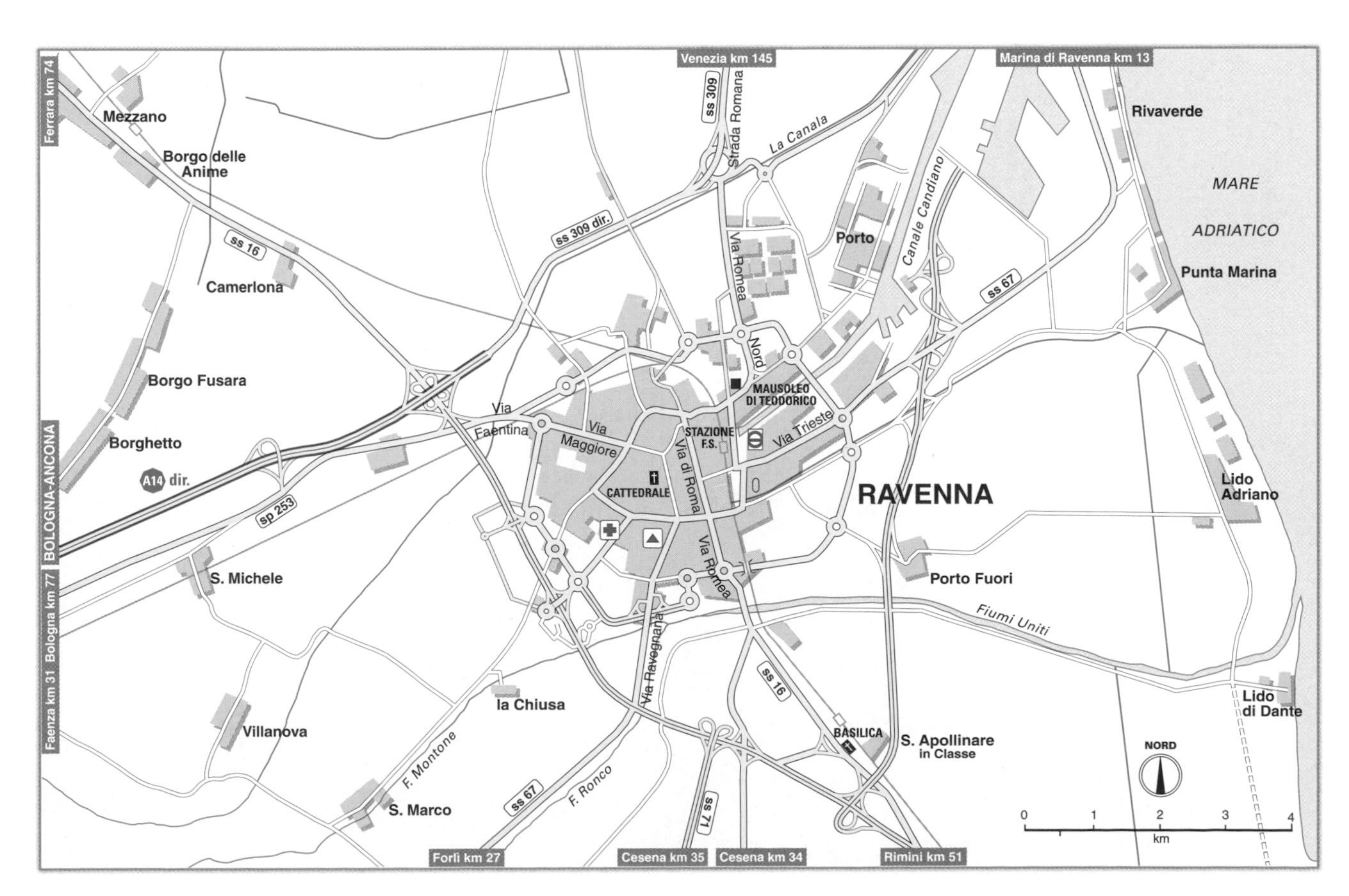
Venezia km 145
Marina di Ravenna km 13
Ferrara km 74
BOLOGNA-ANCONA
Faenza km 31 Bologna km 77
Forlì km 27
Cesena km 35
Cesena km 34
Rimini km 51
RAVENNA
MARE ADRIATICO
Mezzano
Borgo delle Anime
Camerlona
Borgo Fusara
Borghetto
S. Michele
Villanova
la Chiusa
S. Marco
Rivaverde
Porto
Punta Marina
Lido Adriano
Porto Fuori
Lido di Dante
S. Apollinare in Classe
BASILICA
MAUSOLEO DI TEODORICO
STAZIONE F.S.
CATTEDRALE
Strada Romana
La Canala
Canale Candiano
Via Romea
Via Romea Nord
Via Faentina
Via Maggiore
Via di Roma
Via Trieste
Via Ravegnana
Fiumi Uniti
F. Montone
F. Ronco
ss 309
ss 309 dir.
ss 16
ss 67
ss 71
sp 253
A14 dir.
NORD
km
0
1
2
3
4

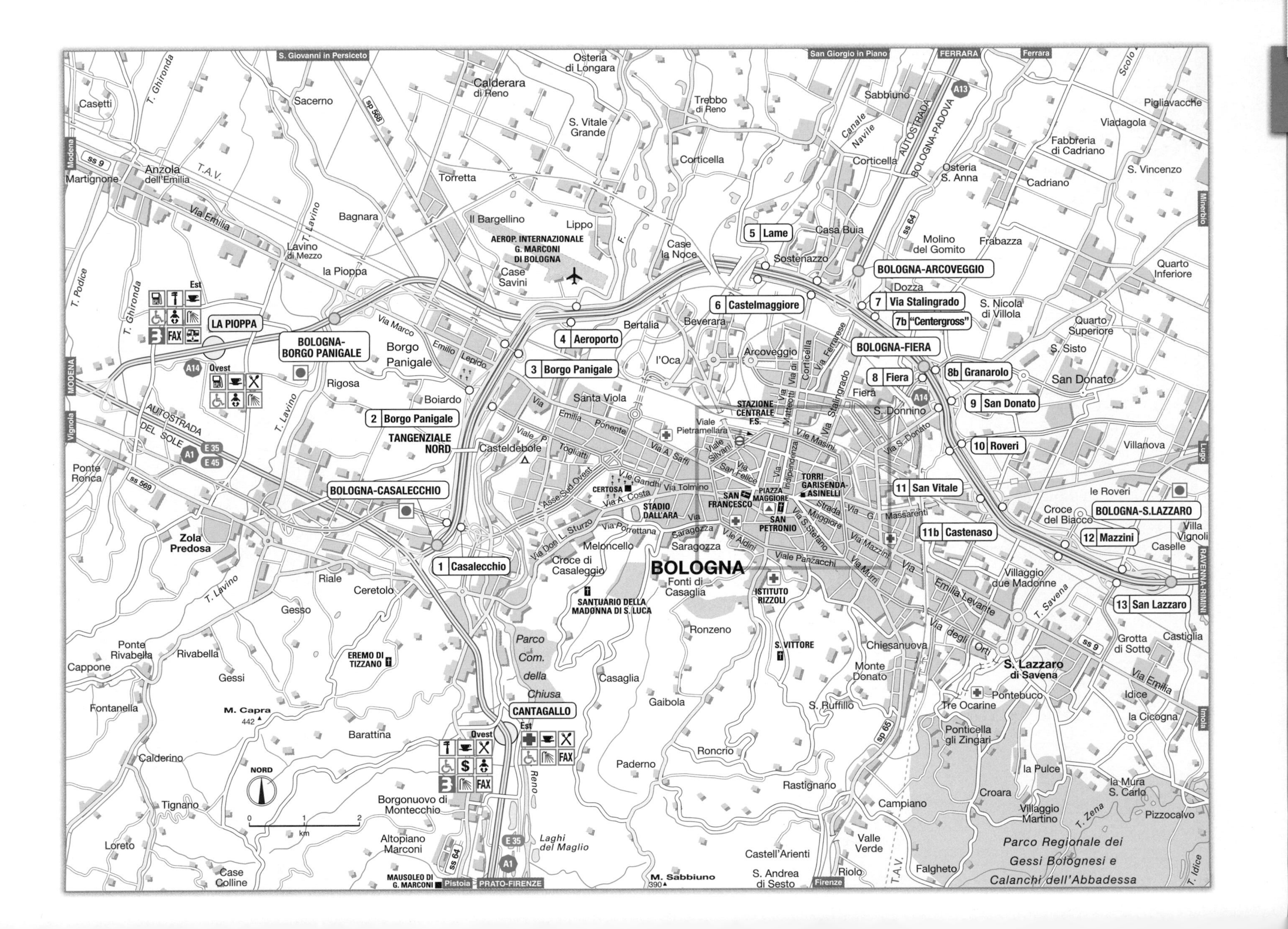

BOLOGNA
BOLOGNA-BORGO PANIGALE
BOLOGNA-CASALECCHIO
BOLOGNA-ARCOVEGGIO
BOLOGNA-FIERA
BOLOGNA-S.LAZZARO
LA PIOPPA
CANTAGALLO
TANGENZIALE NORD
1 Casalecchio
2 Borgo Panigale
3 Borgo Panigale
4 Aeroporto
5 Lame
6 Castelmaggiore
7 Via Stalingrado
7b "Centergross"
8 Fiera
8b Granarolo
9 San Donato
10 Roveri
11 San Vitale
11b Castenaso
12 Mazzini
13 San Lazzaro
AEROP. INTERNAZIONALE G. MARCONI DI BOLOGNA
STAZIONE CENTRALE F.S.
TORRI GARISENDA-ASINELLI
PIAZZA MAGGIORE
SAN PETRONIO
SAN FRANCESCO
STADIO DALL'ARA
CERTOSA
ISTITUTO RIZZOLI
S. VITTORE
SANTUARIO DELLA MADONNA DI S. LUCA
EREMO DI TIZZANO
MAUSOLEO DI G. MARCONI
Parco Regionale dei Gessi Bolognesi e Calanchi dell'Abbadessa
Parco Com. della Chiusa
S. Lazzaro di Savena
Zola Predosa
Casalecchio
AUTOSTRADA DEL SOLE
AUTOSTRADA BOLOGNA-PADOVA
Minerbio
Lugo
RAVENNA-RIMINI
Imola
Ferrara
FERRARA
San Giorgio in Piano
S. Giovanni in Persiceto
Modena
MODENA
Vignola
Pistoia
PRATO-FIRENZE
Firenze
M. Sabbiuno 390
M. Capra 442
NORD
km

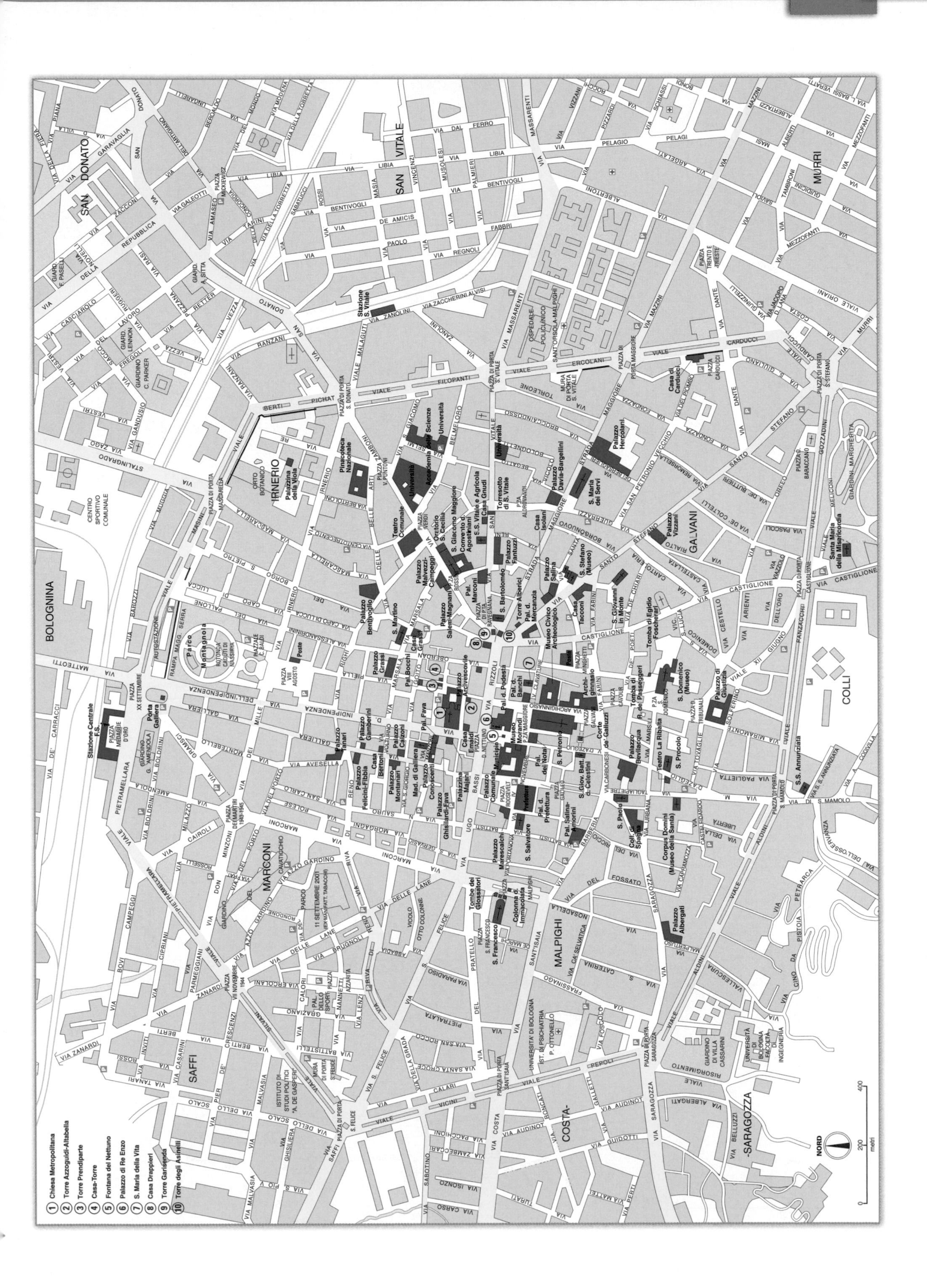
1 Chiesa Metropolitana
2 Torre Azzoguidi-Altabella
3 Torre Prendiparte
4 Casa-Torre
5 Fontana del Nettuno
6 Palazzo di Re Enzo
7 S. Maria della Vita
8 Casa Drappieri
9 Torre Garisenda
10 Torre degli Asinelli
NORD
0 200 400
metri

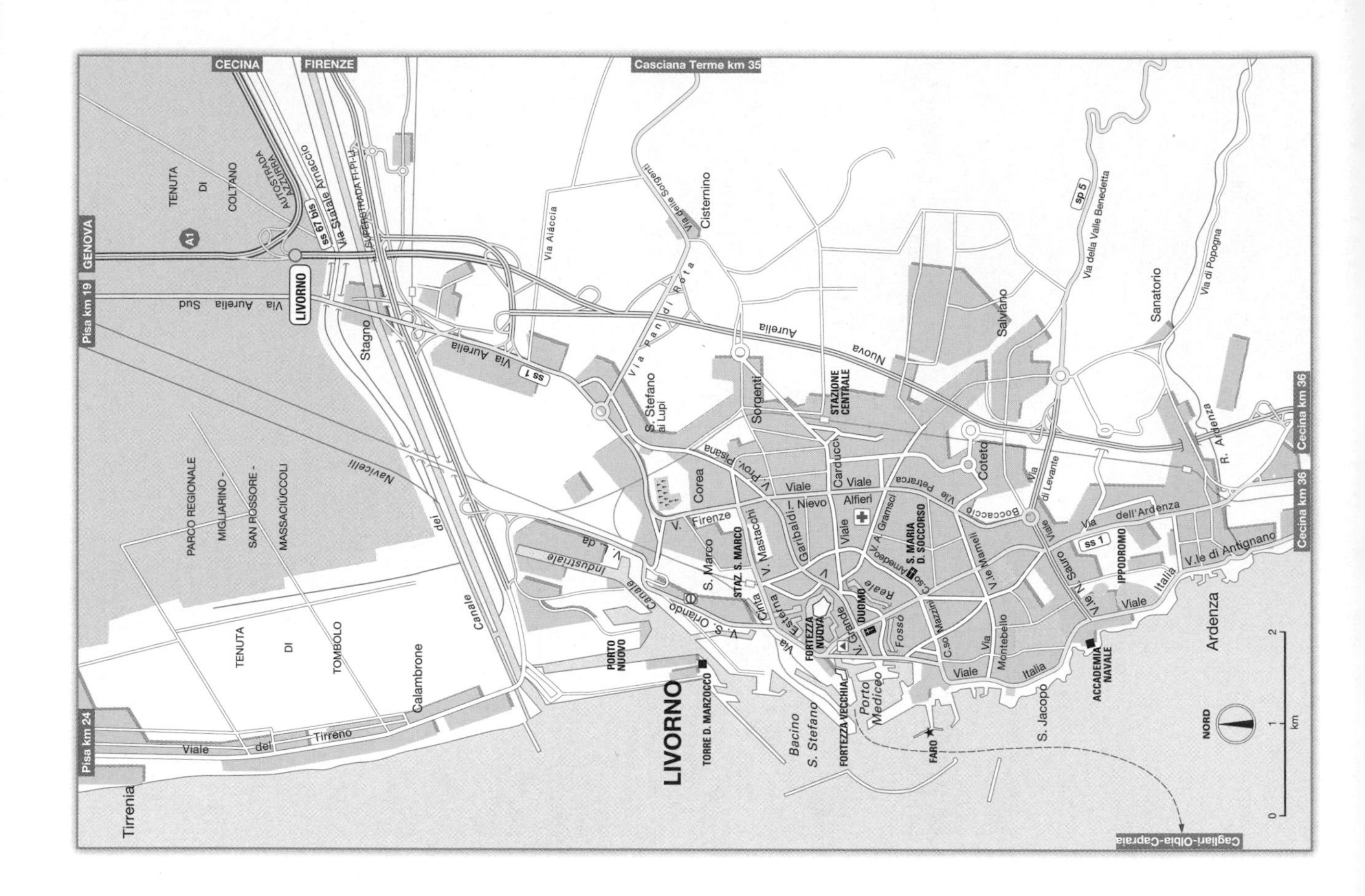
CECINA
FIRENZE
Casciana Terme km 35
GENOVA
Pisa km 19
Pisa km 24
Cecina km 36
Cecina km 36
Cagliari-Olbia-Capraia
LIVORNO
TENUTA DI COLTANO
PARCO REGIONALE MIGLIARINO - SAN ROSSORE - MASSACIUCCOLI
TENUTA DI TOMBOLO
Tirrenia
Viale del Tirreno
Calambrone
Canale dei Navicelli
Stagno
Cisternino
Via Aurelia
Aurelia Nuova
Sorgenti
Salviano
Sanatorio
Coteto
Ardenza
S. Stefano ai Lupi
Corea
STAZIONE CENTRALE
STAZ. S. MARCO
FORTEZZA NUOVA
DUOMO
S. MARIA D. SOCCORSO
FORTEZZA VECCHIA
TORRE D. MARZOCCO
PORTO NUOVO
Porto Mediceo
Bacino S. Stefano
FARO
ACCADEMIA NAVALE
IPPODROMO
S. Jacopo
Viale Italia
V.le di Antignano
Via dell'Ardenza
NORD
0
1
2
km

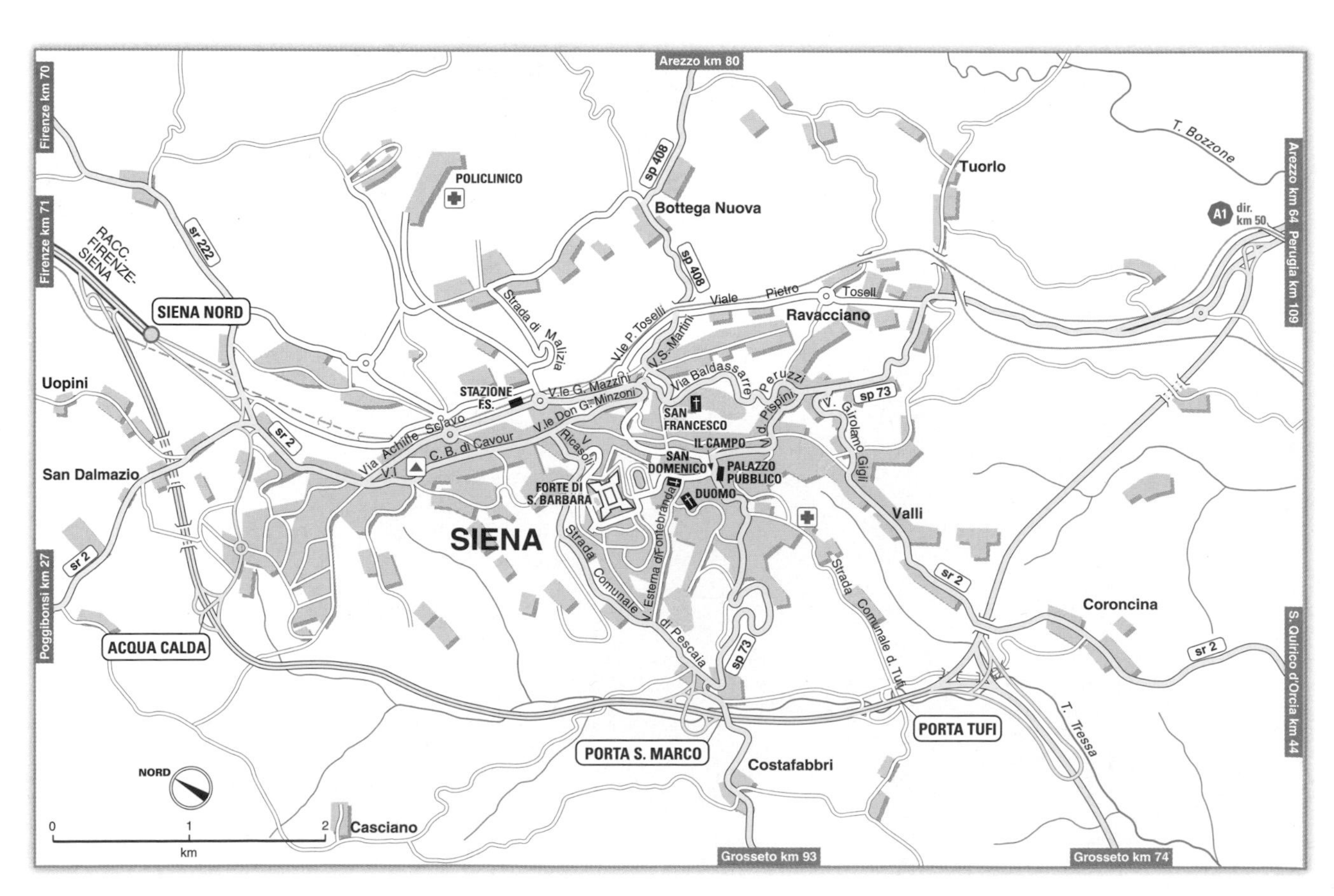
Arezzo km 80
Firenze km 70
Firenze km 71
Arezzo km 64 Perugia km 109
Poggibonsi km 27
S. Quirico d'Orcia km 44
Grosseto km 93
Grosseto km 74
RACC. FIRENZE-SIENA
SIENA NORD
A1 dir. km 50
POLICLINICO
Bottega Nuova
Tuorlo
T. Bozzone
Uopini
San Dalmazio
Ravacciano
STAZIONE F.S.
SAN FRANCESCO
IL CAMPO
SAN DOMENICO
PALAZZO PUBBLICO
DUOMO
FORTE DI S. BARBARA
SIENA
Valli
Coroncina
ACQUA CALDA
PORTA S. MARCO
PORTA TUFI
Costafabbri
Casciano
T. Tressa
NORD
0
1
2
km

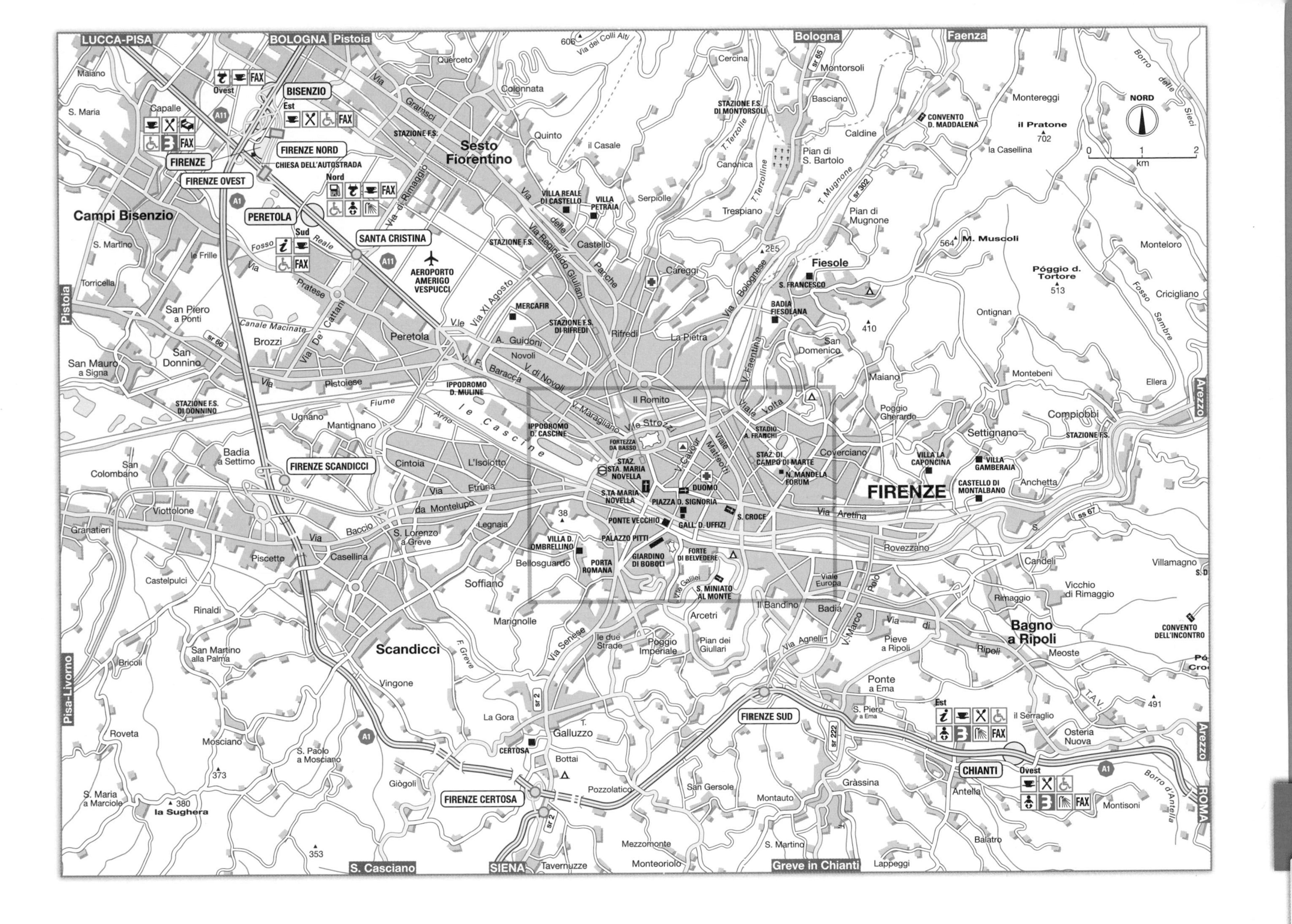
LUCCA-PISA
BOLOGNA
Pistoia
Bologna
Faenza
Arezzo
ROMA
Pisa-Livorno
S. Casciano
SIENA
Greve in Chianti
NORD
0
1
2
km
FIRENZE
Sesto Fiorentino
Campi Bisenzio
Scandicci
Bagno a Ripoli
Fiesole
BISENZIO
FIRENZE NORD
CHIESA DELL'AUTOSTRADA
FIRENZE OVEST
PERETOLA
SANTA CRISTINA
AEROPORTO AMERIGO VESPUCCI
FIRENZE SCANDICCI
FIRENZE CERTOSA
FIRENZE SUD
CHIANTI
STAZIONE F.S.
STAZIONE F.S. DI MONTORSOLI
STAZIONE F.S. DI RIFREDI
STAZIONE F.S. DI DONNINO
CONVENTO D. MADDALENA
CONVENTO DELL'INCONTRO
VILLA REALE DI CASTELLO
VILLA PETRAIA
MERCAFIR
IPPODROMO D. MULINE
IPPODROMO D. CASCINE
FORTEZZA DA BASSO
STAZ. STA. MARIA NOVELLA
S.TA MARIA NOVELLA
DUOMO
PIAZZA D. SIGNORIA
S. CROCE
GALL. D. UFFIZI
PONTE VECCHIO
PALAZZO PITTI
GIARDINO DI BOBOLI
FORTE DI BELVEDERE
S. MINIATO AL MONTE
PORTA ROMANA
VILLA D. OMBRELLINO
STADIO A. FRANCHI
STAZ. DI CAMPO DI MARTE
N. MANDELA FORUM
VILLA LA CAPONCINA
VILLA GAMBERAIA
CASTELLO DI MONTALBANO
S. FRANCESCO
BADIA FIESOLANA
M. Muscoli
il Pratone
Póggio d. Tortore
Peretola
Brozzi
Careggi
Rifredi
Coverciano
Settignano
Galluzzo
Certosa
Montorsoli
Monteloro
Ellera

il Romito
San Jacopino
Ippodromo delle Cascine
Stazione Leopolda
Fortezza da Basso
Palazzo delle Esposizioni
Pignone
Monticelli
Monte Uliveto
Villa Strozzi
San Frediano
Santo Spirito
Palazzo Pitti
Giardino di Boboli
Bellosguardo
Bobolino
Giardino Bardini
Forte di Belvedere
Ponte Vecchio
Ponte della Vittoria
Porta Romana
Porta al Prato
ARNO
FIUME
Viale Francesco Petrarca
Viale Belfiore
Viale Fratelli Rosselli
Viale Filippo Strozzi
Santa Maria Novella
Cappelle Medicee
Palazzo Medici-Riccardi
Palazzo Vecchio
Galleria degli Uffizi
Villa Fabbricotti
Torrente Mugnone
NORD
0
200
400
m

il Pellegrino
le Cure
Villa Maria Assunta
Villa Chiari
Villa Pestellini
la Squadra
Villa Baldi
la Favorita
la Meridiana
C.R.I. Preventorio "A. Torrigiani"
Villa Camerata
Villa Primavera
Villa Rasponi
Fontallerta
Novo Gondi
Collegio alla Querce
le Forbici
Villa Piazza
Villa Stella
Giardino dell'Orticoltura
Palazzo delle Esposizioni
Fortezza
Viale Don G. Minzoni
Viale Alessandro Volta
Via Augusto Righi
Istituto Naz. dei Ciechi
San Gervasio
Ospedale Anna Meyer
Ospedale Oftalmico
Stadio Comunale
Scuola Nazionale di Pallavolo
Campo di baseball
Campo di Marte
Stadio Militare
Campo Sportivo ex Padovani
Stazione F.S. Campo di Marte
Nelson Mandela Forum
Piscina Costoli
Centro C.O.N.I.
U.S. Affrico
Viale Pasquale Paoli
V.le Cialdini
Filarocca
San Salvi
Cenacolo di Andrea del Sarto
Centro di igiene pubblica
Cimitero della Misericordia
Cimitero degli Inglesi
Giardino dei Semplici
Giardino della Gherardesca
Palazzo Capponi
Museo Botanico
SS. Annunziata
Museo Archeologico
Spedale d. Innocenti (Galleria)
Rotonda di S. Maria d. Angeli
Ospedale di Maria Nuova
Teatro d. Pergola
S. Maria Madd. de' Pazzi
Sinagoga
S. Ambrogio
Penitenziario S. Teresa
Carceri di S. Verdiana
Piazza C. Beccaria
Viale Antonio Gramsci
Viale Giacomo Matteotti
Viale della Giovine Italia
Viale Giovanni Amendola
Viale Giuseppe Mazzini
Sacra Famiglia
A.C.I.
Madonnone
Bellariva
Piscina di Bellariva
Teatro Saschall (ex Teatro Tenda)
S. Croce
Cappella de' Pazzi
Biblioteca Naz. Centrale
Casa Buonarroti
Teatro G. Verdi
Lungarno del Tempio
Lungarno Cristoforo Colombo
Lungarno Aldo Moro
Lungarno G. Pecori Giraldi
ARNO
FIUME
Ponte a S. Niccolò
Ponte G. da Verrazzano
Lungarno Francesco Ferrucci
Ricorboli
Chiesa di Ricorboli
Gavinana
Viale Donato Giannotti
Villa Rusciano
Istituto del Sacro Cuore
Istituto Gualandi
Villa Fasola
il Bandino
Viale Europa
Acquedotto dell'Anconella
Palazzo Serristori
Porta S. Niccolò
Porta S. Miniato
Piazzale Michelangiolo
Viale Michelangiolo
S. Salvatore al Monte
S. Miniato al Monte
Convento delle Stimmatine
Monte alle Croci
La Lucciola
Campo Sportivo A.S.S.I.
Villa l'Oriolino
Viale Galileo

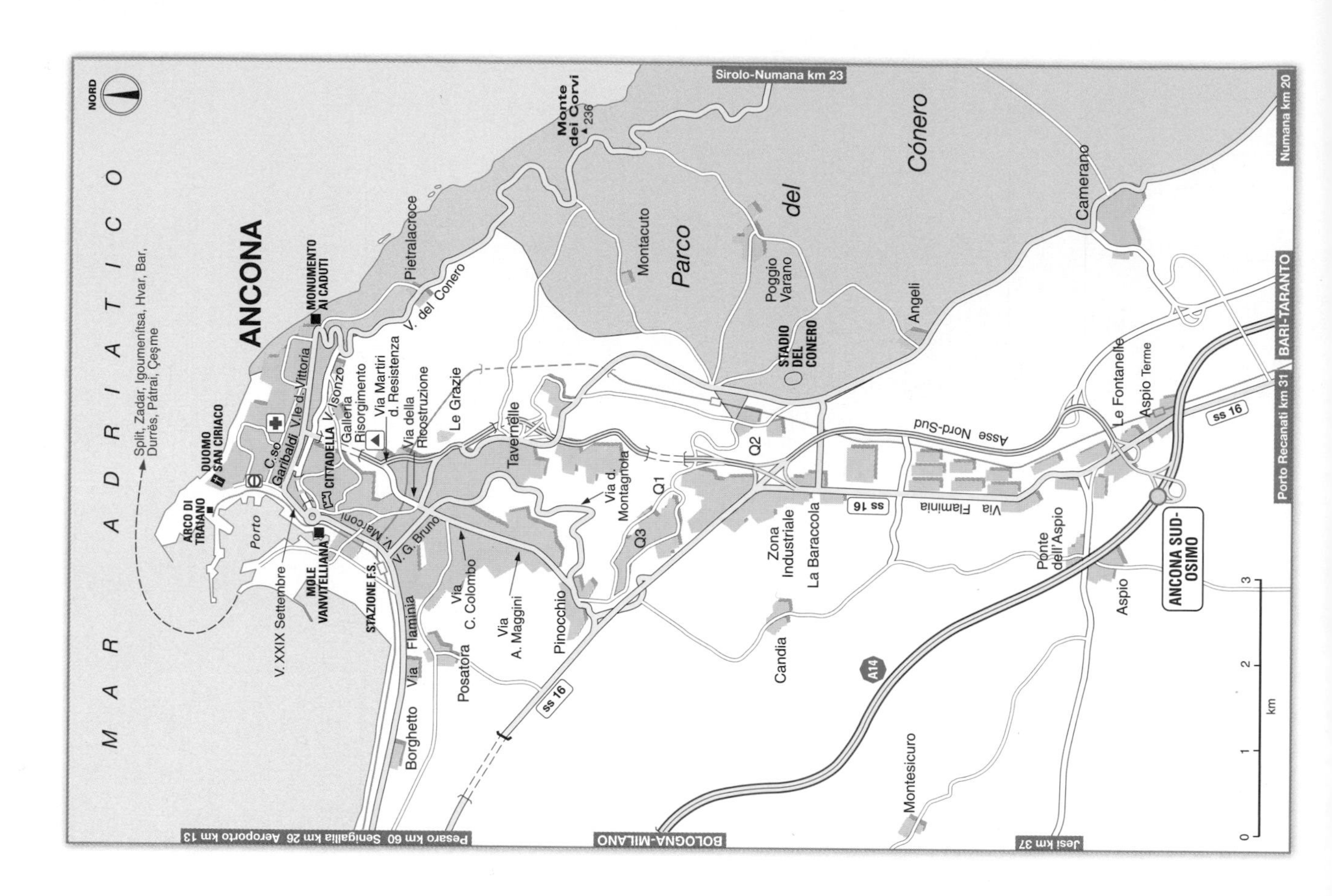

NORD
MAR ADRIATICO
Split, Zadar, Igoumenitsa, Hvar, Bar, Durrës, Pátrai, Çeşme
ANCONA
ARCO DI TRAIANO
DUOMO SAN CIRIACO
MONUMENTO AI CADUTI
CITTADELLA
MOLE VANVITELLIANA
STAZIONE F.S.
Porto
C.so Garibaldi
V.le d. Vittoria
V. Isonzo
Galleria Risorgimento
Via Martiri d. Resistenza
Via della Ricostruzione
V. del Conero
Pietralacroce
Le Grazie
Tavernelle
V. Marconi
V. G. Bruno
V. XXIX Settembre
Via Flaminia
Via C. Colombo
Via A. Maggini
Pinocchio
Posatora
Borghetto
Via d. Montagnola
Q1
Q2
Q3
Monte dei Corvi
236
Montacuto
Parco del Cónero
Poggio Varano
STADIO DEL CONERO
Angeli
Camerano
Zona Industriale
La Baracola
Candia
Asse Nord-Sud
Via Flaminia
ss 16
A14
Ponte dell'Aspio
Aspio
Aspio Terme
Le Fontanelle
ANCONA SUD-OSIMO
Montesicuro
Sirolo-Numana km 23
Numana km 20
BARI-TARANTO
Porto Recanati km 31
Pesaro km 60 Senigallia km 26 Aeroporto km 13
BOLOGNA-MILANO
Jesi km 37
0
1
2
3
km

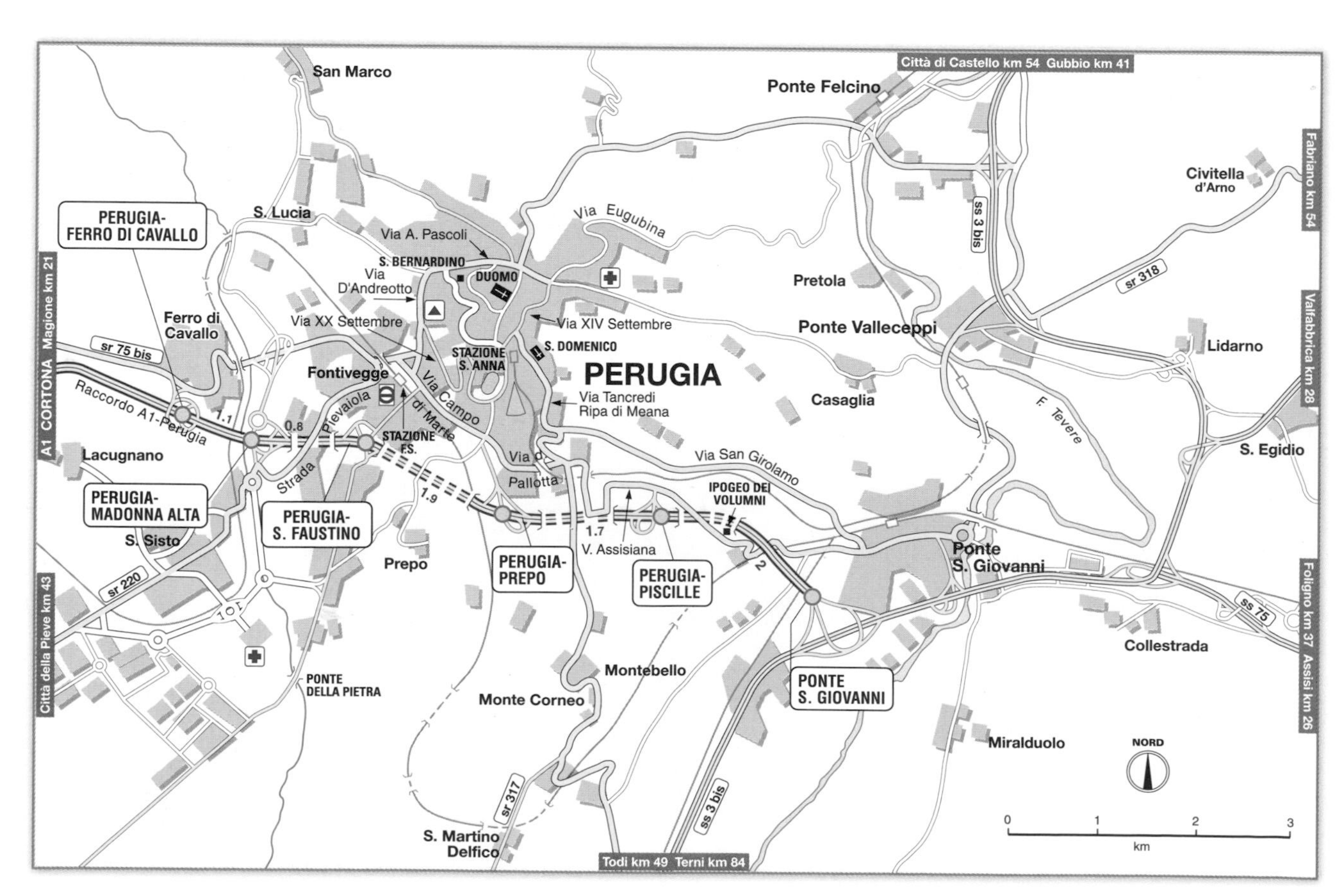

San Marco
Città di Castello km 54 Gubbio km 41
Ponte Felcino
Fabriano km 54
Civitella d'Arno
PERUGIA-FERRO DI CAVALLO
S. Lucia
Via A. Pascoli
Via Eugubina
S. BERNARDINO
Via D'Andreotto
DUOMO
Pretola
ss 3 bis
sr 318
Via XX Settembre
Via XIV Settembre
Ferro di Cavallo
S. DOMENICO
Ponte Valleceppi
Lidarno
Valfabbrica km 28
STAZIONE S. ANNA
PERUGIA
sr 75 bis
A1 CORTONA Magione km 21
Fontivegge
Via Campo di Marte
Via Tancredi Ripa di Meana
Casaglia
F. Tevere
Raccordo A1-Perugia
Strada Prevalola
0.8
1.1
STAZIONE F.S.
Via San Girolamo
S. Egidio
Lacugnano
Via d. Pallotta
1.9
IPOGEO DEI VOLUMNI
PERUGIA-MADONNA ALTA
PERUGIA-S. FAUSTINO
1.7
V. Assisiana
S. Sisto
Prepo
PERUGIA-PREPO
PERUGIA-PISCILLE
2
Ponte S. Giovanni
sr 220
Foligno km 37 Assisi km 26
ss 75
Collestrada
Città della Pieve km 43
PONTE DELLA PIETRA
Montebello
Monte Corneo
PONTE S. GIOVANNI
Miralduolo
NORD
sr 317
ss 3 bis
0
1
2
3
km
S. Martino Delfico
Todi km 49 Terni km 84

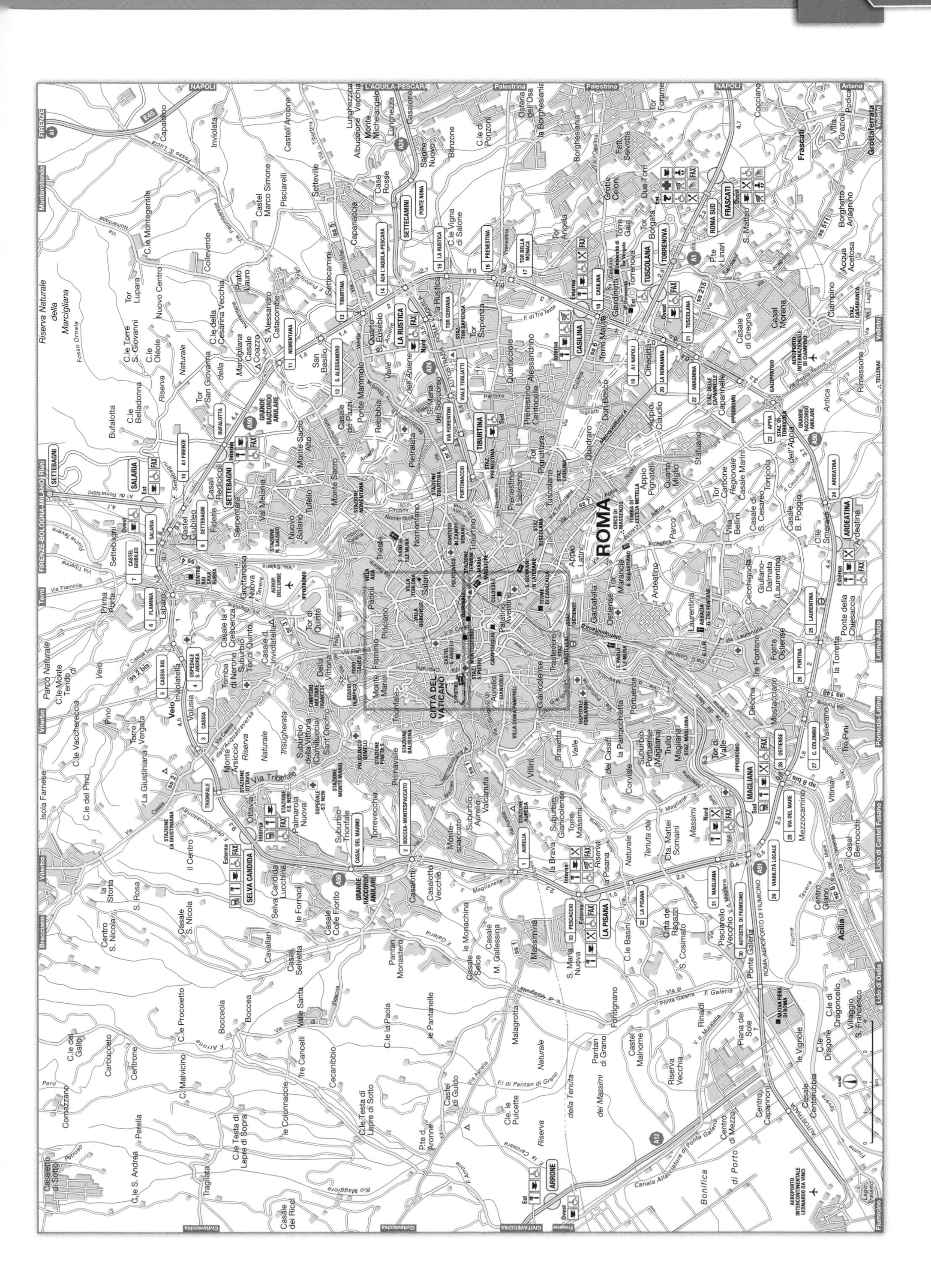
ROMA
CITTÀ DEL VATICANO
GRANDE RACCORDO ANULARE
Riserva Naturale della Marcigliana
Parco Naturale di Veio
Frascati
Grottaferrata
Acilia

Monte Mario
Parco della Vittoria
Torre del Meridiano di Monte Mario
Villa Mellini (Osservatorio Astronomico)
Ostello della Gioventù
Casa della Scherma
Ponte della Musica
Piazza Gentile da Fabriano
FLAMINIO
Villa Flaminia
Stadio Flaminio
P.le dello Stadio Flaminio
Teatro Olimpico
Piazzale Maresciallo Giardino
Ist. Storico e Museo del Genio
Lungotevere d. Vittoria
Lungotev. Oberdan
Ponte Risorgimento
Piazzale Manila
Madonna d. Rosario
Rampa di Monte Mario
Villa Miani
Città Giudiziaria
Piazzale Clodio
S. Lucia
Giard. P. Lombardi
Cristo Re
RAI
Piazza G. Mazzini
Viale G. Mazzini
Viale Angelico
Ministero d. Marina
Ponte G. Matteotti
Piazza Cinque Giornate
Scalo De Pinedo
Ponte Pietro Nenni
Lungotevere delle Armi
Lungotevere delle Navi
S. Giovanna A. Thouret
S. Giuseppe
Largo Trionfale
Piazza d. Eroi
LEPANTO
OTTAVIANO-SAN PIETRO
CIPRO MUSEI VATICANI
Viale Giulio Cesare
Via Cola di Rienzo
S. Gioacchino
SS. Rosario
Piazza dell'Unità
PRATI
Teatro Adriano
Piazza Cavour
Palazzo di Giustizia
Castel S. Angelo
Mausoleo di Adriano
Ponte S. Angelo
Ponte Umberto I
Ponte Vittorio Emanuele II
Lungotevere Castello
Piazza del Risorgimento
Pinacoteca
Musei Vaticani
Giardini Vaticani
CITTÀ DEL VATICANO
Basilica di S. Pietro
Cappella Sistina
Piazza S. Pietro
Piazza Pio XII
Via della Conciliazione
Governatorato
Seminario Etiopico
S. Stefano d. Abissini
Stazione
Piazza S. Marta
Sagrestia
Aula delle Udienze
Palazzo del S. Uffizio
Porta Cavalleggeri
BORGO
S. Spirito in Sassia
Ospedale di S. Spirito in Sassia
Ss. Michele e Magno
PONTE
Piazza Adriana
Sacro Cuore del Suffragio
Ponte Regina Margherita
Piazza della Libertà

NORD
0
200
400
metri
Parco
Y. Rabin
PINCIANO
Villa
Borghese
Galoppatoio
Parcheggio
Sotterraneo
Bioparco
Museo Africano di Zoologia
Galleria Nazionale d'Arte Moderna
Museo Naz. di Villa Giulia
Acc. di Romania
Acc. Britannica
Acc. Belga
Facoltà di Architettura
Ist. Storico Olandese
Villa Strohl Fern
Villa Ruffo
Villa Svezia
Tempio di Esculapio
Giardino del Lago
Museo Canonica
Teatro S. Toti (Globe Theatre)
Pal. d. Orologio
Piazza di Siena
Cas. d. Raffaello
Museo Carlo Bilotti
Galleria e Museo Borghese
Pincio
Piazzale Napoleone I
Villa Medici
Casa di Goethe
Accademia di Belle Arti
CAMPO
MARZIO
Ara Pacis
Mausoleo di Augusto
SPAGNA
Trinità dei Monti
Piazza di Spagna
Fontana d. Barcaccia
COLONNA
Pal. Borghese
Pal. Ruspoli
S. Lorenzo in Lucina
Posta Centrale
Pal. Chigi
Pal. di Montecitorio
Camera dei Deputati
Fontana di Trevi
TREVI
Pal. Barberini
BARBERINI/ FONT. TREVI
Giardini del Quirinale
Traforo Umberto I
S. Carlo alle Quattro Fontane
S. Andrea al Quirinale
LUDOVISI
SALLUSTIANO
Casino dell'Aurora
Pal. Boncompagni (Pal. Margherita)
Min. del Lavoro e Politiche Sociali
Min. per le Politiche Agricole e Forestali
Ministero della Difesa
Ministero dell'Economia e Finanze
Museo Naz. Romano
Terme di Diocleziano
Aula Ottagona
S. Maria d. Angeli
S. Susanna
S. Bernardo
P.za della Repubblica
REPUBBLICA/ TEATRO OPERA
Teatro dell'Opera
Piazza dei Cinquecento
TERMINI
Villa Paolina
Porta Pia
S. Cuore di Gesù
PRETOR
CAST
SALARI
Villa Albani
Mausoleo di Lucilio Peto
Poligrafico dello Stato
S. Roberto Bellarmino
Comando Generale dei Carabinieri
Villa Grazioli
FLAMINIO/ P.ZA DEL POPOLO
Porta del Popolo
S. Maria del Popolo
Piazza del Popolo
S. Maria di Montesanto
S. Maria dei Miracoli
Porta Pinciana
Villa Balestra
Villa Elia
Staz. P.za Euclide
S. Eugenio
S. Teresa
Viale del Muro Torto
Viale dei Parioli
Viale Bruno Buozzi
Viale Liegi
Viale Regina
Via Salaria
Via Pinciana
Via Veneto
Via XX Settembre
Via Nazionale
Corso d'Italia
Via del Corso
Via Flaminia

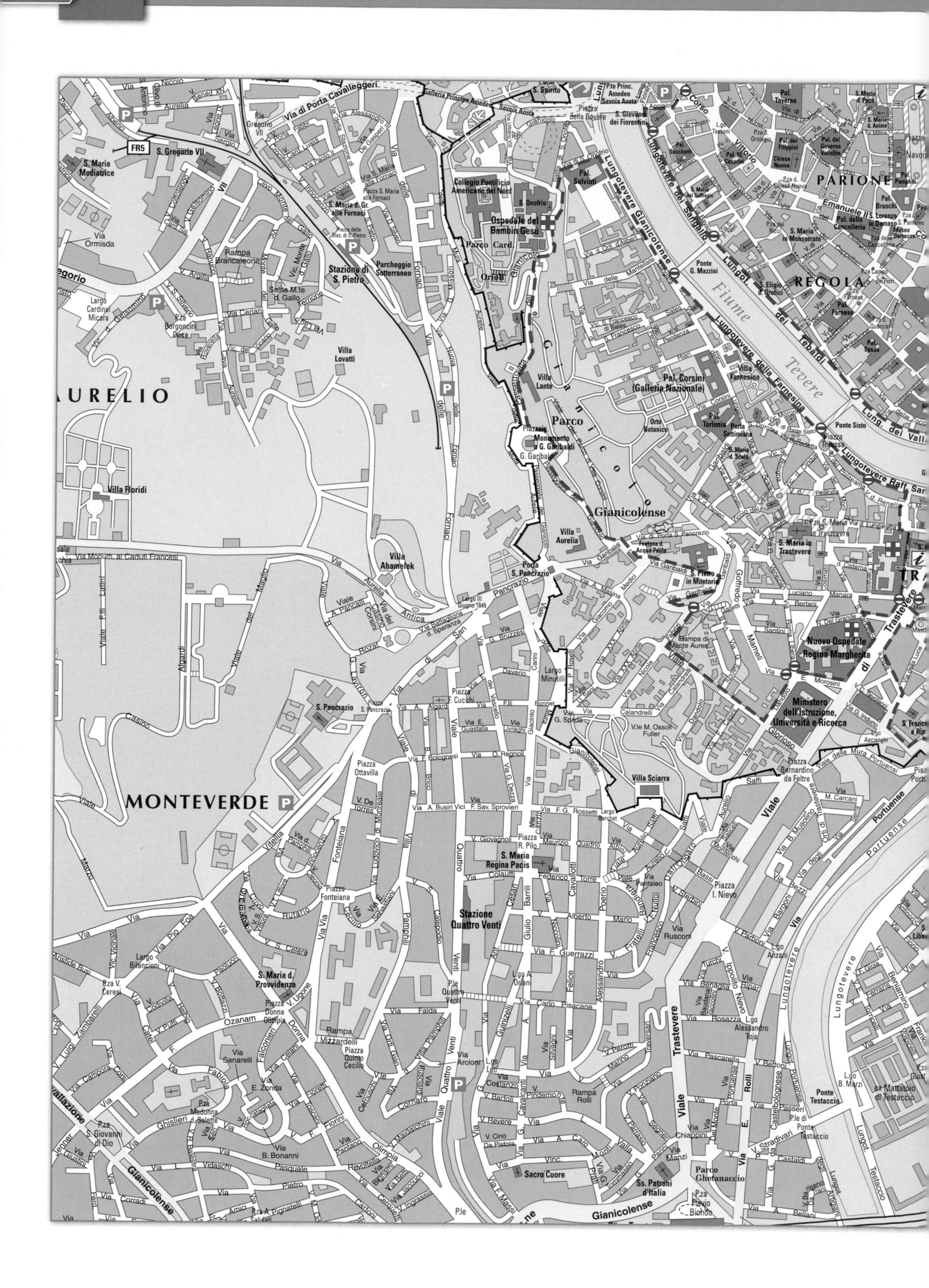
AURELIO
MONTEVERDE
PARIONE
REGOLA
Gianicolense
Fiume Tevere
Villa Floridi
Villa Lovatti
Villa Abamelek
Villa Lante
Villa Aurelia
Villa Sciarra
Villa Farnesina
Parco Gianicolo
Stazione di S. Pietro
Parcheggio Sotterraneo
Stazione Quattro Venti
Collegio Pontificio Americano del Nord
Ospedale del Bambin Gesù
S. Onofrio
Pal. Salviati
Pal. Corsini (Galleria Nazionale)
Orto Botanico
Pal. Torlonia
Porta Settimiana
S. Maria in Trastevere
Nuovo Ospedale Regina Margherita
Ministero dell'Istruzione, Università e Ricerca
S. Pietro in Montorio
Fontana d. Acqua Paola
Porta S. Pancrazio
Piazzale Monumento a G. Garibaldi
S. Pancrazio
S. Maria Regina Pacis
S. Maria d. Provvidenza
Sacro Cuore
Ss. Patroni d'Italia
S. Maria Mediatrice
S. Gregorio VII
S. Maria d. Gr. alle Fornaci
Pal. Farnese
Pal. Spada
Pal. Braschi
Pal. della Cancelleria
S. Maria in Monserrato
Chiesa Nuova
Ponte G. Mazzini
Ponte Sisto
Ponte Testaccio
ex Mattatoio di Testaccio
Parco Ghetanaccio
Via Aurelia Antica
Viale di Trastevere
Lungotevere Gianicolense
Lungotevere della Farnesina
Lungotevere dei Tebaldi
Via Portuense
Circonvallazione Gianicolense
Viale Quattro Venti
Via delle Fornaci
Via di Porta Cavalleggeri
Corso Vittorio Emanuele II
Via Monum. ai Caduti Francesi
FR5

Quirinale
Piazza del Quirinale
Pal. d. Consulta
Pal. Pallavicini Rospigliosi
S. Vitale
Pal. delle Esposizioni
Palazzo del Viminale
Ministero dell'Interno
Istituto Nazionale di Statistica
S. Maria Maggiore
Piazza S. Maria Maggiore
Via Cavour
Pantheon
S. Maria sopra Minerva
Collegio Romano
Pal. Odescalchi
Ss. Apostoli
Pal. Colonna
Galleria Doria Pamphili
S. Ignazio
Pal. Sciarra
Pal. d. Borsa
Senato Palazzo Madama
S. Eustachio
PIGNA
Largo Torre Argentina
Area Sacra d. Argentina
Teatro Argentina
Via del Plebiscito
Pal. Venezia (Museo Nazionale)
Piazza Venezia
Chiesa del Gesù
Altare della Patria
S. Maria in Aracoeli
Musei Capitolini
Pal. Nuovo
Pal. Senatorio
Pal. Conservatori
Via dei Fori Imperiali
Foro Romano
Foro di Cesare
Foro Traiano
Basilica Ulpia
Mercati di Traiano
Torre delle Milizie
S. Pietro in Vincoli
Facoltà di Ingegneria
MONTI
CAVOUR
S. Martino ai Monti
Museo d'Arte Orientale
Pal. Brancaccio
S. Prassede
S. Alfonso de Liguori
Via Merulana
Sette Sale
Domus Aurea
Parco di Traiano
Terme di Traiano
Colle Oppio
COLOSSEO
Colosseo
Piazza del Colosseo
Meta Sudante
Arco di Costantino
Via Labicana
S. Clemente
Ss. Quattro
Via Capo d'Africa
S. ANGELO
Teatro di Marcello
Via del Teatro Marcello
Sinagoga
Lungotevere dei Cenci
Ospedale Fatebenefratelli
ISOLA TIBERINA
Ponte Fabricio
Ponte Cestio
Ponte Rotto
Ponte Palatino
S. Nicola in Carcere
S. Maria d. Consolazione
S. Teodoro
S. Giorgio in Velabro
S. Giovanni Decollato
Piazza Bocca della Verità
Tempio di Vesta
S. Maria in Cosmedin
CAMPITELLI
Palatino
Orti Farnesiani
Palazzo dei Flavi
Palazzo di Augusto
Stadio di Domiziano
Domus Severiana
S. Bonaventura
S. Anastasia
S. Sebastiano al Palatino
Basilica Julia
Basilica di Massenzio
S. Francesca Romana
Tempio di Venere e Roma
Circo Massimo
CIRCO MASSIMO
Via del Circo Massimo
Parco del Celio
Ss. Giovanni e Paolo
Piazza Celimontana
Ospedale Militare del Celio
S. Gregorio Magno
CELIO
Villa Celimontana
S. Stefano Rotondo
Ospizio dell'Addolorata
Ospedale Britannico
Ospedale San Giovanni
Parco di Porta Capena
Viale delle Terme di Caracalla
F.A.O.
Stadio N. Martellini
S. Balbina
Terme di Caracalla
SAN SABA
S. Saba
Ss. Nereo e Achilleo
S. Sisto Vecchio
Parco Egerio
S. Cesareo de Appia
Casina Bessarione
Parco degli Scipioni
Porta Metronia
TEVERE
Monopoli di Stato
S. Cecilia in Trastevere
Ministero dei Beni e Attività Culturali
Porto di Ripa Grande
Porta Portese
Ponte Sublicio
Lungotevere Aventino
Aventino
Parco Savello
Parco di S. Alessio
S. Sabina
S. Alessio
S. Maria del Priorato
Ord. Cav. di Malta
S. Anselmo
RIPA
Viale Aventino
S. Prisca
Piazza Albania
TESTACCIO
Piazza Testaccio
Parco d. Resistenza dell' 8 Settembre
Via Marmorata
Viale Piramide Cestia
Piramide di Caio Cestio
Porta San Paolo (Museo)
PIRAMIDE
Cimitero Acattolico
Parco Monte Testaccio
Via Ostiense
Staz. Roma Ostia
Piazzale d. Partigiani
Stazione Ostiense
Viale Marco Polo
Via Cristoforo Colombo
Vle d. Terme di Caracalla
NORD
0 200 400
metri

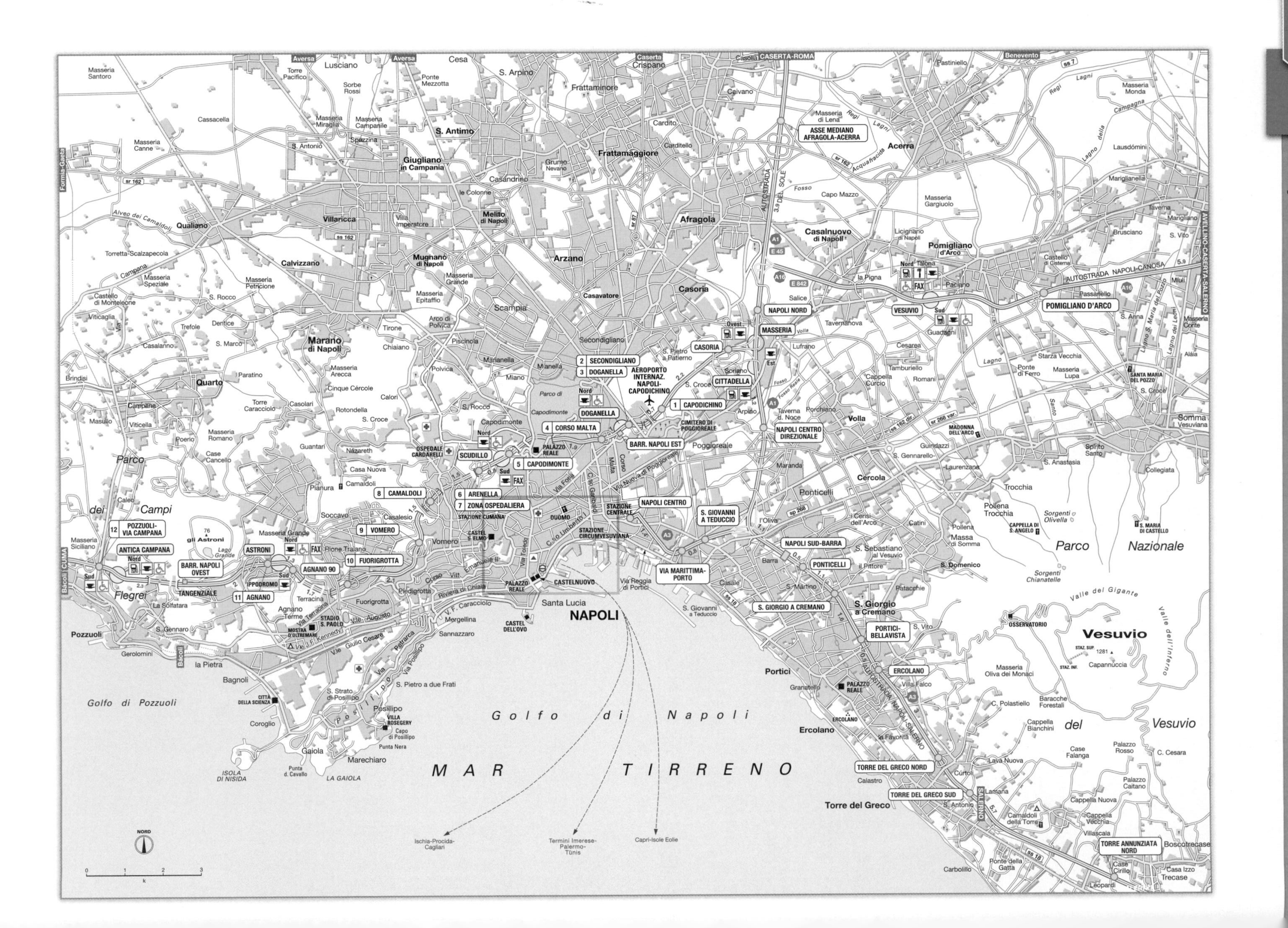

NAPOLI
MAR TIRRENO
Golfo di Napoli
Golfo di Pozzuoli
Vesuvio
Parco Nazionale del Vesuvio
Campi Flegrei
AVELLINO-CASERTA-SALERNO
CASERTA-ROMA
AUTOSTRADA DEL SOLE
AUTOSTRADA NAPOLI-SALERNO
AUTOSTRADA NAPOLI-CANOSA
Pozzuoli
Portici
Ercolano
Torre del Greco
S. Giorgio a Cremano
Casoria
Afragola
Acerra
Pomigliano d'Arco
Casalnuovo di Napoli
Frattamaggiore
Giugliano in Campania
Marano di Napoli
Quarto
Villaricca
Calvizzano
Mugnano di Napoli
Arzano
Casavatore
Cercola
Volla
Ponticelli
Vomero
Posillipo
Santa Lucia
AEROPORTO INTERNAZ. NAPOLI-CAPODICHINO
Ischia-Procida-Cagliari
Termini Imerese-Palermo-Tūnis
Capri-Isole Eolie

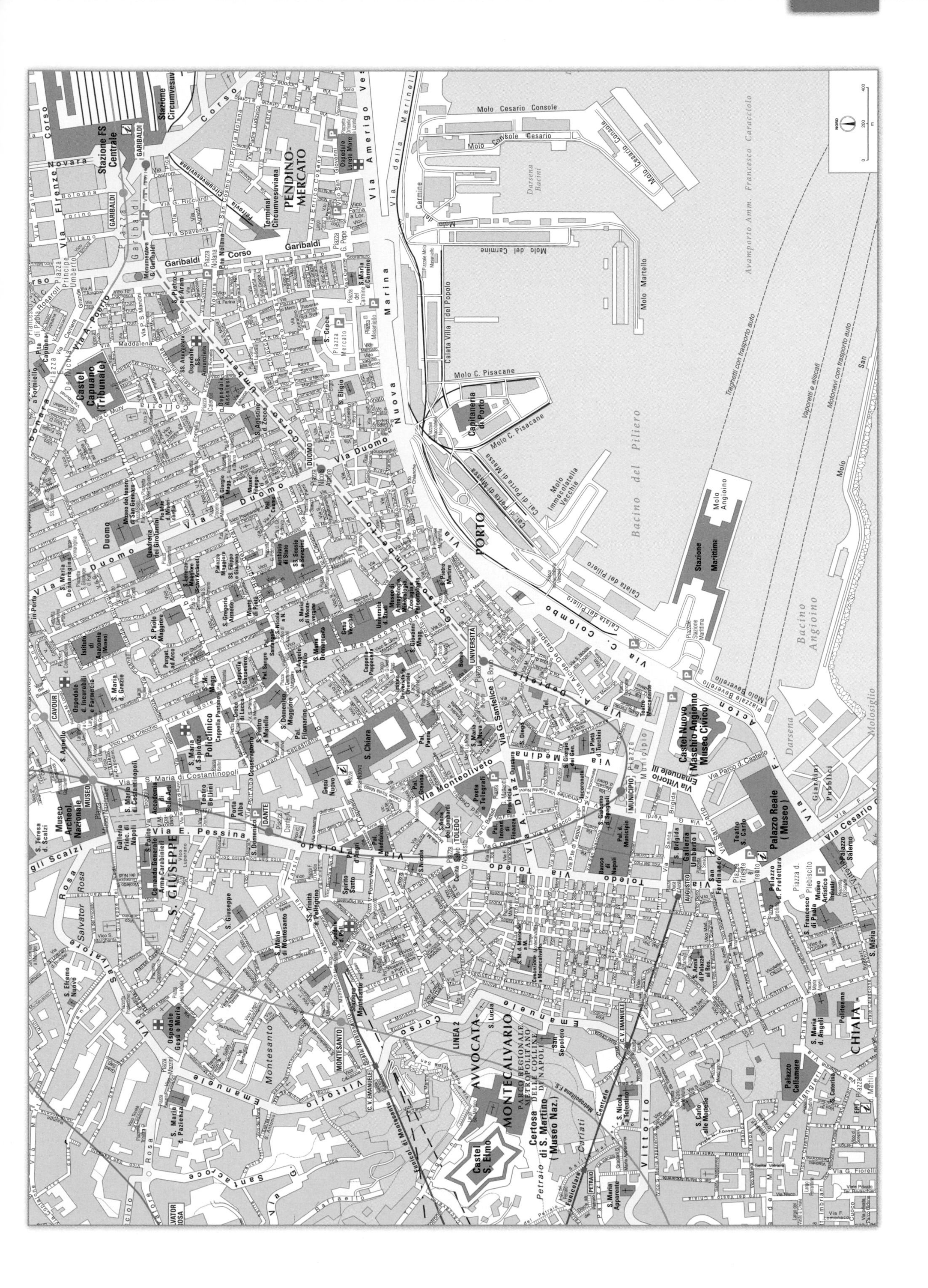
Stazione FS Centrale
Stazione Circumvesuviana
PENDINO-MERCATO
Terminal Circumvesuviana
Castel Capuano (Tribunale)
Duomo
PORTO
Capitaneria di Porto
Stazione Marittima
Molo Angioino
Bacino del Piliero
Bacino Angioino
Darsena Bacini
Molo Cesario Console
Molo del Carmine
Molo Martello
Molo C. Pisacane
Via Nuova Marina
Via Amerigo Vespucci
Corso Garibaldi
Corso Umberto I
Via Duomo
Via A. Depretis
Via C. Colombo
Via Acton
Via Toledo
Via Monteoliveto
Corso Vittorio Emanuele
Castel Nuovo Maschio Angioino Museo Civico
Palazzo Reale (Museo)
Teatro S. Carlo
Galleria Umberto I
Piazza Municipio
Piazza Dante
Museo Archeol. Nazionale
S. Chiara
Gesù Nuovo
Policlinico
S. GIUSEPPE
AVVOCATA-MONTECALVARIO
Castel S. Elmo
Certosa di S. Martino (Museo Naz.)
CHIAIA
Palazzo Cellamare
Piazza del Plebiscito
Avamporto Amm. Francesco Caracciolo
Traghetti con trasporto auto
Vaporetti e aliscafi
Motonavi con trasporto auto

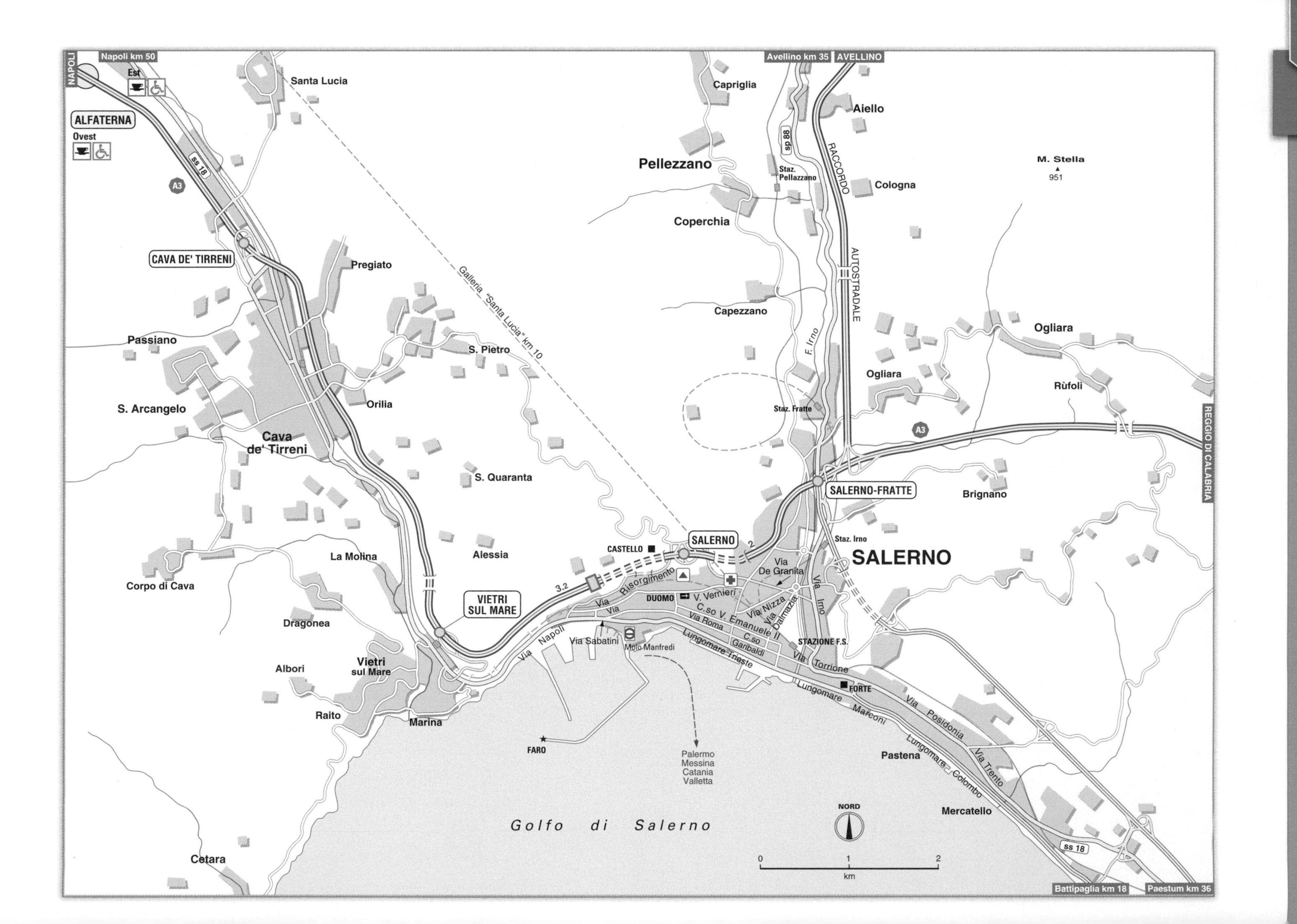
NAPOLI
Napoli km 50
Est
ALFATERNA
Ovest
ss 18
A3
Santa Lucia
CAVA DE' TIRRENI
Pregiato
Galleria "Santa Lucia" km 10
Passiano
S. Pietro
S. Arcangelo
Orilia
Cava de' Tirreni
S. Quaranta
La Molina
Alessia
Corpo di Cava
Dragonea
VIETRI SUL MARE
Albori
Vietri sul Mare
Raito
Marina
Cetara
Avellino km 35
AVELLINO
Capriglia
Aiello
sp 88
Pellezzano
Staz. Pellazzano
RACCORDO
Cologna
M. Stella
951
Coperchia
AUTOSTRADALE
Capezzano
F. Irno
Ogliara
Ogliara
Rùfoli
Staz. Fratte
REGGIO DI CALABRIA
SALERNO-FRATTE
Brignano
Staz. Irno
SALERNO
CASTELLO
SALERNO
2
3.2
Via Risorgimento
Via De Granita
Via Irno
DUOMO
V. Vernieri
Via Nizza
Via Dalmazia
C.so V. Emanuele II
Via Roma
C.so Garibaldi
STAZIONE F.S.
Via Torrione
Via Napoli
Via Sabatini
Molo Manfredi
Lungomare Trieste
FORTE
Lungomare Marconi
Via Posidonia
Via Trento
Lungomare Colombo
Pastena
Mercatello
FARO
Palermo
Messina
Catania
Valletta
NORD
Golfo di Salerno
0
1
2
km
Battipaglia km 18
Paestum km 36

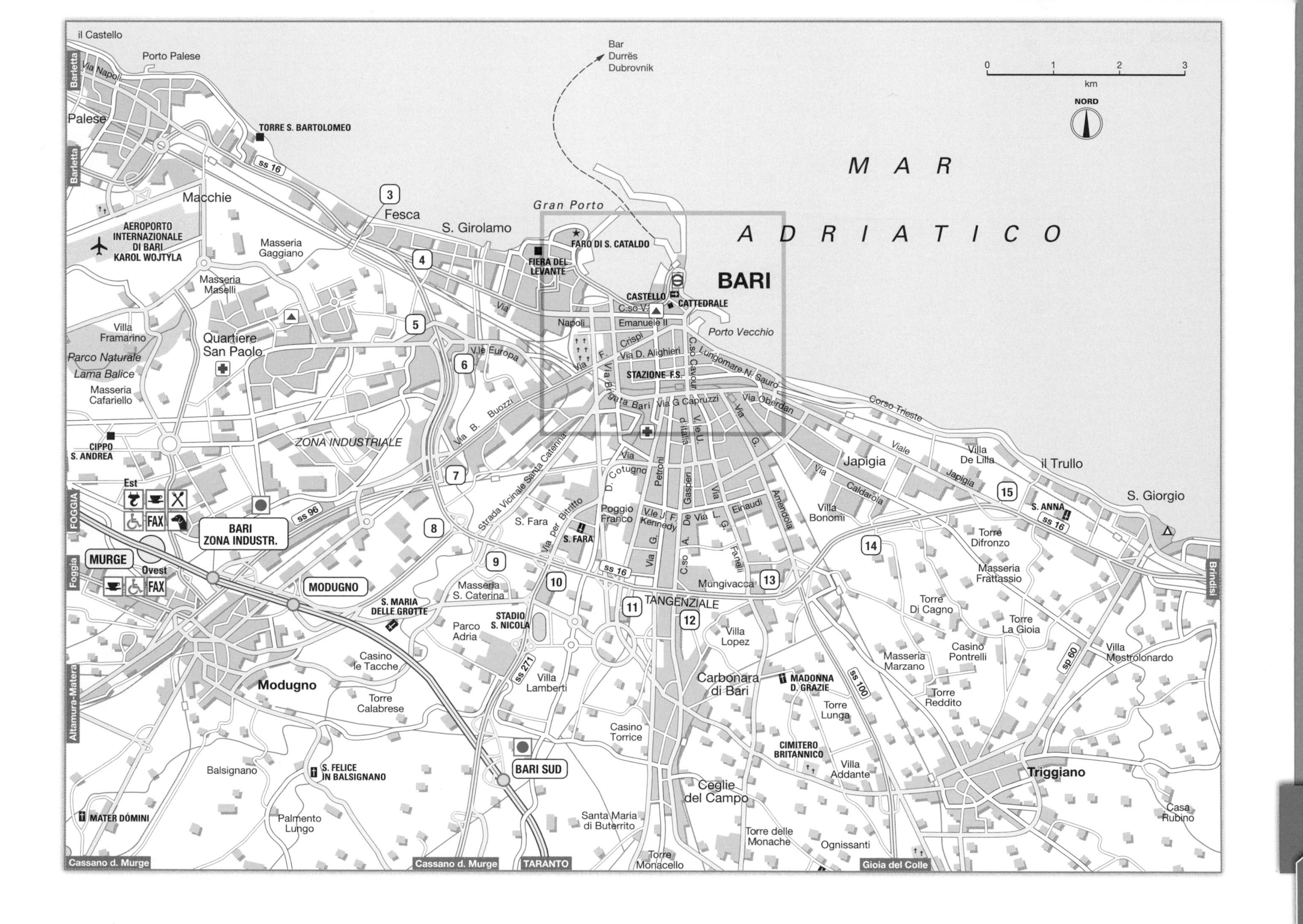
MAR ADRIATICO
BARI
NORD
km
0
1
2
3
Bar
Durrës
Dubrovnik
Gran Porto
Porto Vecchio
FARO DI S. CATALDO
CASTELLO
CATTEDRALE
FIERA DEL LEVANTE
STAZIONE F.S.
C.so V. Emanuele II
Via Napoli
Via Crispi
Via F.
Via D. Alighieri
C.so Cavour
Lungomare N. Sauro
Via Brigata Bari
Via G Capruzzi
V.le U. d'Italia
Via Oberdan
Via G.
Corso Trieste
Viale Japigia
Japigia
Via Caldarola
Via Amendola
Via Einaudi
Via L. G. Fanelli
Via De Gasperi
Via Petroni
C.so A. De Gasperi
Via D. Cotugno
V.le J. F. Kennedy
Via G.
Poggio Franco
Villa Bonomi
Villa De Lilla
il Trullo
S. Giorgio
S. ANNA
Torre Difronzo
Masseria Frattassio
Torre La Gioia
Villa Mostrolonardo
Casa Rubino
Triggiano
Casino Pontrelli
Torre Reddito
Torre Di Cagno
Masseria Marzano
Villa Addante
Torre Lunga
MADONNA D. GRAZIE
CIMITERO BRITANNICO
Ognissanti
Gioia del Colle
Torre delle Monache
Carbonara di Bari
Villa Lopez
Mungivacca
TANGENZIALE
Ceglie del Campo
Torre Monacello
Santa Maria di Buterrito
Casino Torrice
Villa Lamberti
BARI SUD
TARANTO
Cassano d. Murge
S. FARA
S. Fara
Via per Bitritto
Strada Vicinale Santa Caterina
Masseria S. Caterina
STADIO S. NICOLA
Parco Adria
S. MARIA DELLE GROTTE
MODUGNO
Modugno
Casino le Tacche
Torre Calabrese
S. FELICE IN BALSIGNANO
Palmento Lungo
Balsignano
MATER DÓMINI
Altamura-Matera
Foggia
FOGGIA
MURGE
Ovest
Est
FAX
BARI ZONA INDUSTR.
ZONA INDUSTRIALE
Via B. Buozzi
V.le Europa
Quartiere San Paolo
Masseria Maselli
Masseria Gaggiano
Macchie
AEROPORTO INTERNAZIONALE DI BARI KAROL WOJTYLA
Villa Framarino
Parco Naturale Lama Balice
Masseria Cafariello
CIPPO S. ANDREA
Palese
Porto Palese
il Castello
Via Napoli
Barletta
TORRE S. BARTOLOMEO
Fesca
S. Girolamo
Brindisi
ss 16
ss 96
ss 100
ss 271
sp 60
1
2
3
4
5
6
7
8
9
10
11
12
13
14
15

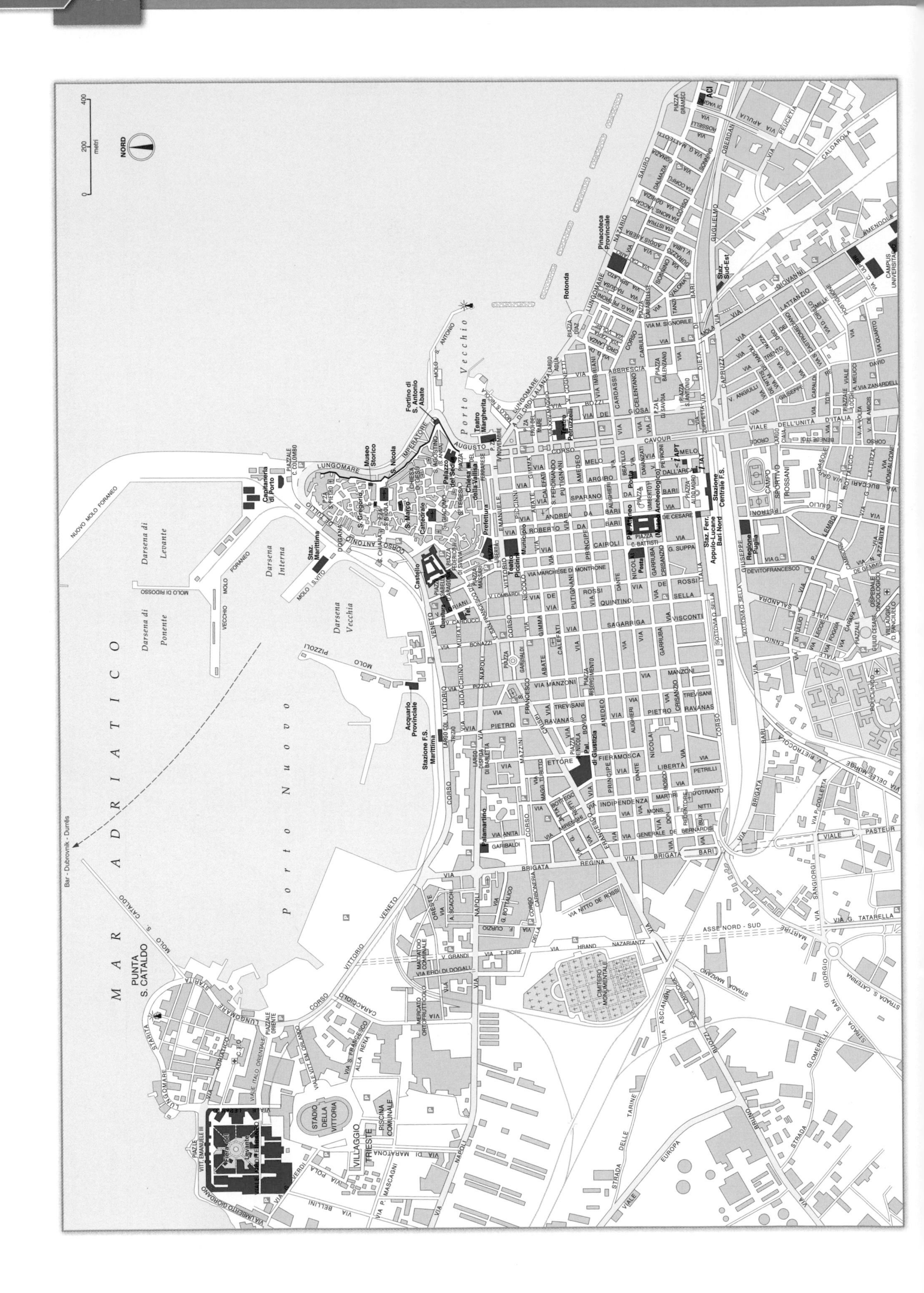

MAR ADRIATICO
Porto Nuovo
Porto Vecchio
Darsena di Levante
Darsena Interna
Darsena di Ponente
Darsena Vecchia
PUNTA S. CATALDO
NORD
metri
Bar - Dubrovnik - Durrës
Capitaneria di Porto
Staz. Marittima
Museo Storico
S. Nicola
Fortino di S. Antonio Abate
Teatro Margherita
Castello
Cattedrale
Prefettura
Municipio
Teatro Piccinni
Teatro Petruzzelli
Pinacoteca Provinciale
Rotonda
Acquario Provinciale
Stazione F.S. Marittima
Pal. di Giustizia
Stazione Centrale F.S.
Staz. Sud-Est
Regione Puglia
Campo Sportivo
Stadio della Vittoria
Piscina Comunale
Villaggio Trieste
Cimitero Monumentale

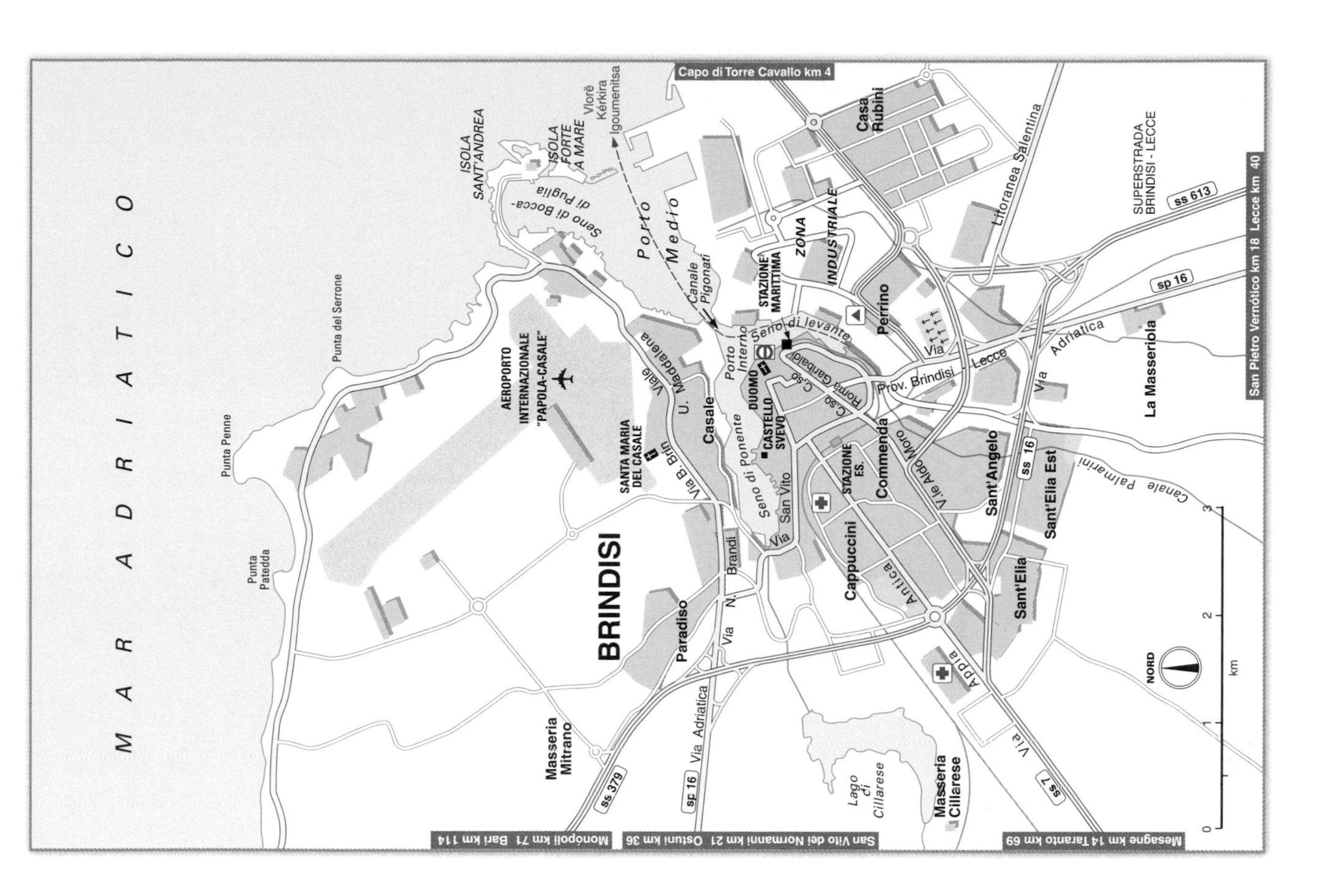
Capo di Torre Cavallo km 4
MAR ADRIATICO
ISOLA SANT'ANDREA
ISOLA FORTE A MARE
Vlorë
Kérkira
Igoumenitsa
Seno di Bocca di Puglia
Porto Medio
Canale Pigonati
Casa Rubini
ZONA INDUSTRIALE
STAZIONE MARITTIMA
Seno di levante
Porto Interno
Perrino
Litoranea Salentina
SUPERSTRADA BRINDISI - LECCE
ss 613
Lecce km 40
sp 16
San Pietro Vernòtico km 18
La Masseriola
Via Adriatica
Via Lecce
Prov. Brindisi
Punta del Serrone
Punta Penne
Punta Patedda
AEROPORTO INTERNAZIONALE "PAPOLA-CASALE"
SANTA MARIA DEL CASALE
Viale Maddalena
Via B. Buozzi
Casale
DUOMO
CASTELLO SVEVO
Seno di Ponente
San Vito
C.so Roma
C.so Garibaldi
STAZIONE F.S.
Commenda
Cappuccini
Via Appia Antica
Viale Aldo Moro
Sant'Angelo
ss 16
Sant'Elia Est
Sant'Elia
Canale Palmarini
BRINDISI
Paradiso
Via N. Brandi
Masseria Mitrano
ss 379
sp 16
Via Adriatica
Lago di Cillarese
Masseria Cillarese
Via Appia
ss 7
NORD
km
0
1
2
3
Monòpoli km 71 Bari km 114
San Vito dei Normanni km 21 Ostuni km 36
Mesagne km 14 Taranto km 69

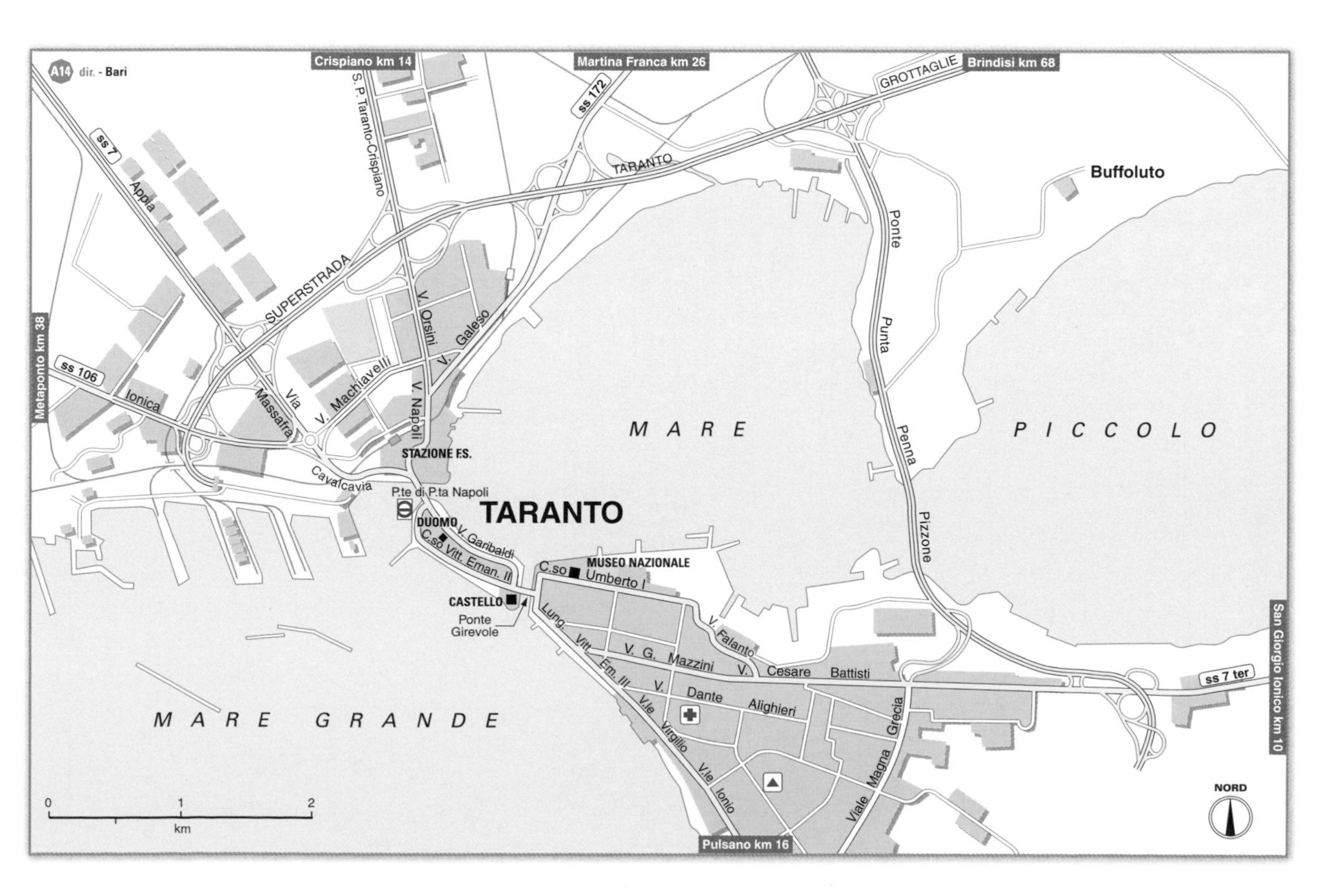
A14 dir. - Bari
Crispiano km 14
Martina Franca km 26
ss 172
GROTTAGLIE
Brindisi km 68
S.P. Taranto-Crispiano
ss 7
Appia
TARANTO
Buffoluto
SUPERSTRADA
V. Orsini
V. Galeso
Ponte Punta Penna Pizzone
Metaponto km 38
ss 106
Ionica
Via Massafra
V. Machiavelli
V. Napoli
STAZIONE FS.
MARE PICCOLO
Cavalcavia
P.te di P.ta Napoli
DUOMO
V. Garibaldi
C.so Vitt. Eman. II
TARANTO
C.so Umberto I
MUSEO NAZIONALE
CASTELLO
Ponte Girevole
V. Falanto
Lung. Vitt. Em. III
V. G. Mazzini
V. Cesare Battisti
ss 7 ter
San Giorgio Ionico km 10
V. Dante Alighieri
V.le Virgilio
V.le Ionio
Viale Magna Grecia
MARE GRANDE
0
1
2
km
NORD
Pulsano km 16

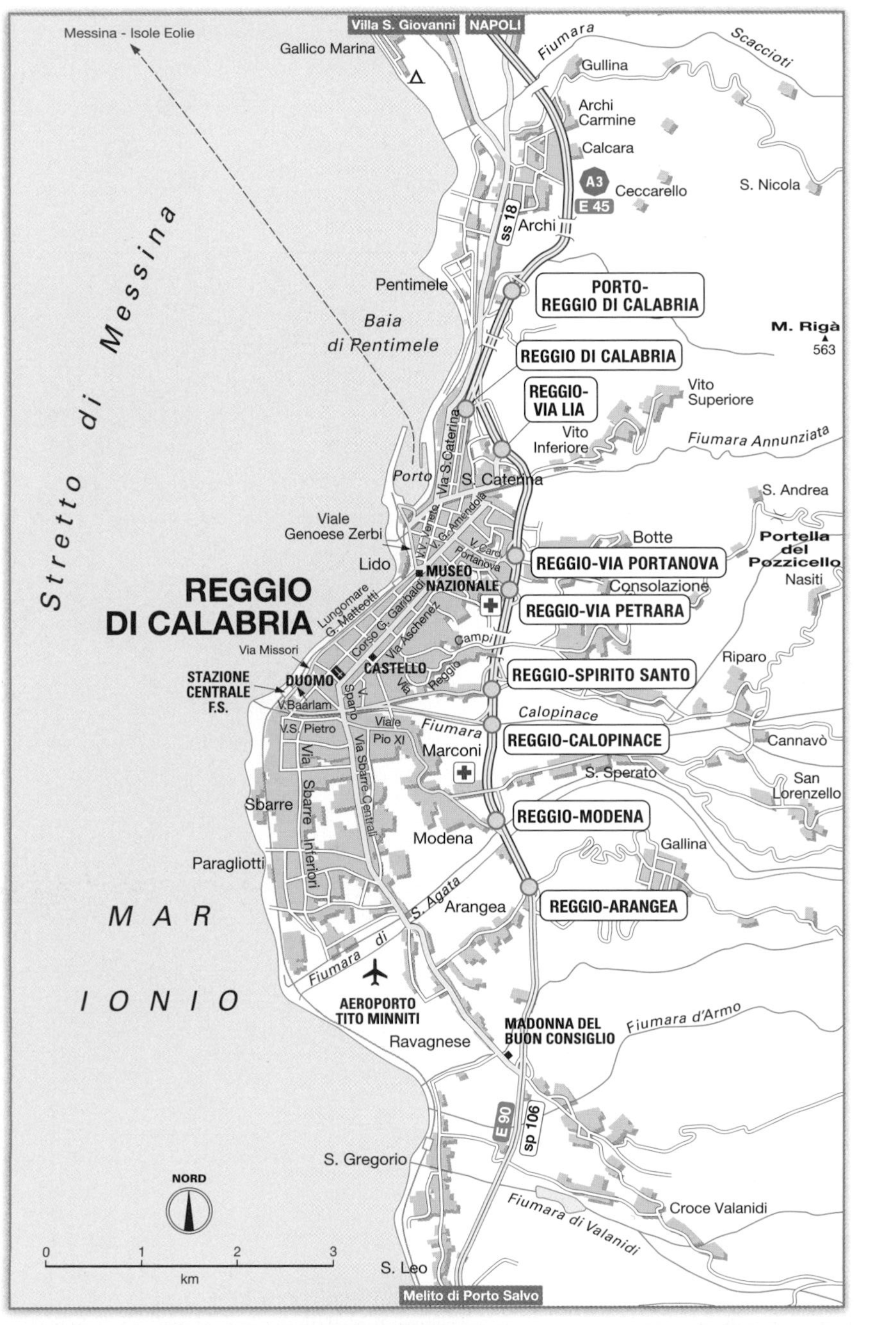

Messina - Isole Eolie
Villa S. Giovanni
NAPOLI
Gallico Marina
Fiumara
Scacciotí
Gullina
Archi Carmine
Calcara
Ceccarello
S. Nicola
Archi
Stretto di Messina
Pentimele
Baia di Pentimele
PORTO-REGGIO DI CALABRIA
M. Rigà 563
REGGIO DI CALABRIA
REGGIO-VIA LIA
Vito Superiore
Vito Inferiore
Fiumara Annunziata
Porto
S. Caterina
S. Andrea
Viale Genoese Zerbi
Botte
Portella del Pozzicello
Nasiti
Lido
MUSEO NAZIONALE
REGGIO-VIA PORTANOVA
Consolazione
REGGIO DI CALABRIA
REGGIO-VIA PETRARA
Via Missori
STAZIONE CENTRALE F.S.
DUOMO
CASTELLO
REGGIO-SPIRITO SANTO
Riparo
Calopinace
REGGIO-CALOPINACE
Cannavò
Marconi
S. Sperato
San Lorenzello
Sbarre
Via Sbarre Centrali
Via Sbarre Inferiori
REGGIO-MODENA
Modena
Gallina
Paragliotti
Arangea
REGGIO-ARANGEA
MAR IONIO
AEROPORTO TITO MINNITI
MADONNA DEL BUON CONSIGLIO
Fiumara d'Armo
Ravagnese
S. Gregorio
Croce Valanidi
Fiumara di Valanidi
S. Leo
Melito di Porto Salvo
NORD
0 1 2 3
km

Cefalù km 189
MILAZZO-PALERMO
Galleria Telegrafo
Via Nuova
Ciaramita
Torre Faro km 17
Contemplazione
San Michele
Annunziata
Paradiso
Baglio
Isole Eolie, Napoli, Salerno
Portella di Rizzo
Badiazza
Scala
Ritiro
Salvatore dei Greci
Villa S. Giovanni
Trapani
Scoppo
FIERA DI MESSINA
Madonnuzza
MESSINA-BOCCETTA
FORTE SAN SALVATORE
Cataratti
DUOMO
Porto
Mandrazzi
Camaro
CITTADELLA
STAZIONE CENTRALE
MESSINA-CENTRO
Reggio di Calabria
Bordonaro
S. Pantaleo
MESSINA
CIMITERO MONUMENTALE
Cumia-
-Inf.
Santo
-Sup.
MESSINA-GAZZI
S. Filippo-
Badia Brasiliani
Gazzi
MESSINA-SAN FILIPPO
Villaggio CEP
Case Moralla
Contesse
Zafferia
Santa Lucia
C. Cianciolo
Ovest
Stretto di Messina
Larderia
TREMESTIERI
Pistunina
Tremestieri
MESSINA SUD-TREMESTIERI
Sud
FORTE CAVALLI
Annunziatella
MAR IONIO
MESSINA SUD
Mili S. Marco
Mili Marina
Galati-
Moleti
Cavaliere
Ortara
Galati Marina
CATANIA / Taormina km 47
NORD
0 1 2 3
km

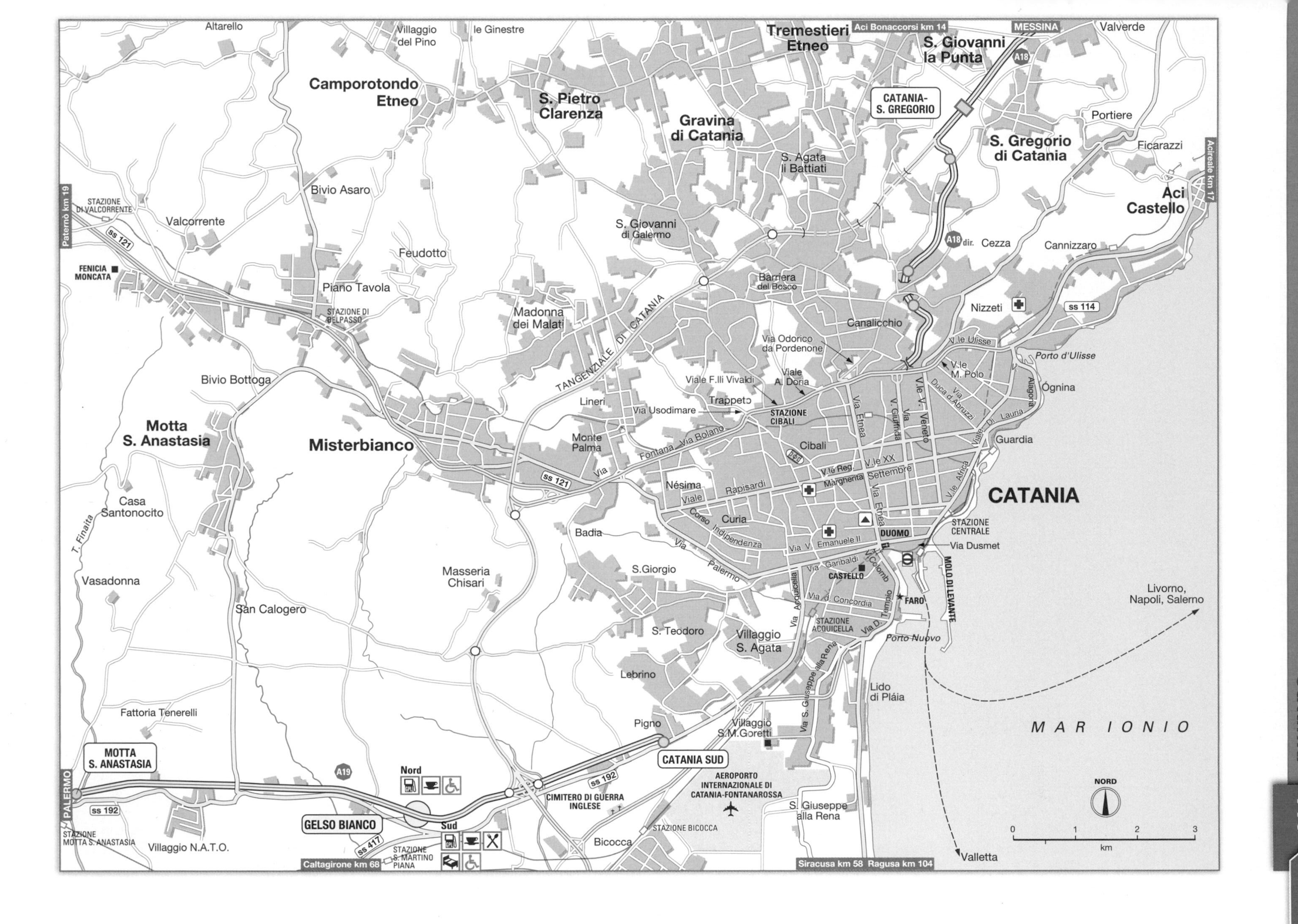
Altarello
Villaggio del Pino
le Ginestre
Tremestieri Etneo
Aci Bonaccorsi km 14
MESSINA
S. Giovanni la Punta
Valverde
Camporotondo Etneo
S. Pietro Clarenza
Gravina di Catania
CATANIA-S. GREGORIO
Portiere
S. Gregorio di Catania
Ficarazzi
S. Agata li Battiati
Acireale km 17
Aci Castello
Paternò km 19
STAZIONE DI VALCORRENTE
Bivio Asaro
Valcorrente
S. Giovanni di Galermo
Cezza
Cannizzaro
FENICIA MONCATA
Feudotto
Piano Tavola
Barriera del Bosco
STAZIONE DI BELPASSO
Madonna dei Malati
Nizzeti
TANGENZIALE DI CATANIA
Canalicchio
Via Odorico da Pordenone
V.le Ulisse
Porto d'Ulisse
Bivio Bottoga
Viale F.lli Vivaldi
Viale A. Doria
V.le M. Polo
Ógnina
Lineri
Trappeto
Via Usodimare
STAZIONE CIBALI
Via Etnea
V. Giuffrida
Via Duca d.Abruzzi
V.le V. Veneto
Viale Di Lauria
Alagona
Motta S. Anastasia
Misterbianco
Monte Palma
Via Fontana
Via Bolano
Cibali
Guardia
V.le Reg. Margherita
V.le XX Settembre
V.le Africa
Nésima
Viale Rapisardi
CATANIA
Casa Santonocito
Curia
Corso Indipendenza
DUOMO
STAZIONE CENTRALE
Via Dusmet
T. Finaita
Badia
Via V. Emanuele II
Via Palermo
S.Giorgio
Via Garibaldi
CASTELLO
V. Colombo
MOLO DI LEVANTE
Vasadonna
Masseria Chisari
Via Acquicella
Via d. Concordia
Via D. Tempio
FARO
Livorno, Napoli, Salerno
San Calogero
STAZIONE ACQUICELLA
S. Teodoro
Villaggio S. Agata
Porto Nuovo
Lebrino
Via S. Giuseppe alla Rena
Lido di Pláia
Fattoria Tenerelli
Pigno
Villaggio S.M.Goretti
MAR IONIO
MOTTA S. ANASTASIA
CATANIA SUD
Nord
AEROPORTO INTERNAZIONALE DI CATANIA-FONTANAROSSA
NORD
PALERMO
CIMITERO DI GUERRA INGLESE
S. Giuseppe alla Rena
GELSO BIANCO
Sud
STAZIONE BICOCCA
0 1 2 3
km
STAZIONE MOTTA S. ANASTASIA
Villaggio N.A.T.O.
Bicocca
STAZIONE S. MARTINO PIANA
Caltagirone km 68
Siracusa km 58 Ragusa km 104
Valletta

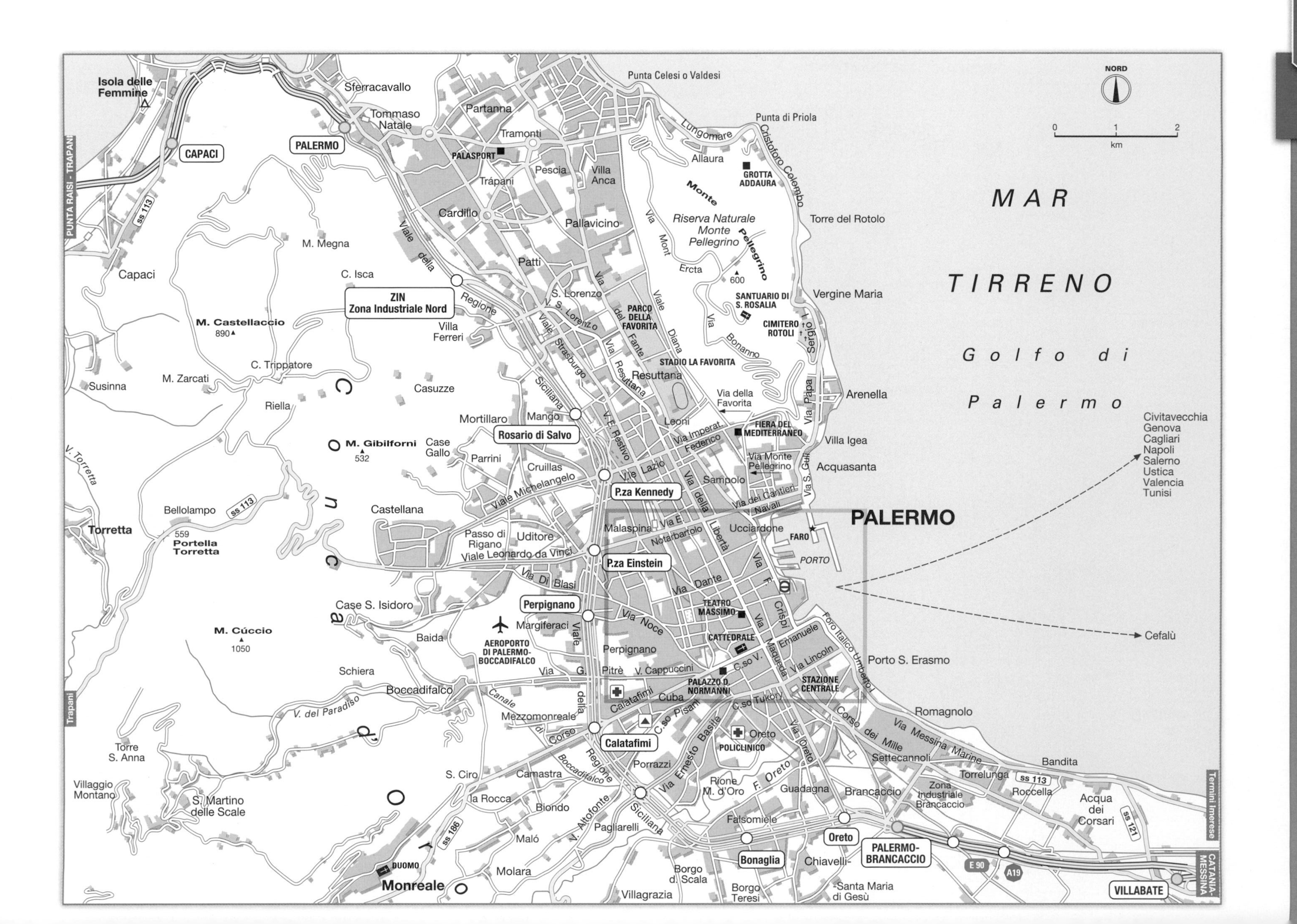

NORD
0
1
2
km
MAR
TIRRENO
Golfo di
Palermo
Civitavecchia
Genova
Cagliari
Napoli
Salerno
Ustica
Valencia
Tunisi
Cefalù
PALERMO
PORTO
FARO
Porto S. Erasmo
Romagnolo
Bandita
Acqua dei Corsari
VILLABATE
CATANIA-MESSINA
Termini Imerese
PALERMO-BRANCACCIO
Oreto
Bonaglia
Calatafimi
Perpignano
P.za Einstein
P.za Kennedy
Rosario di Salvo
ZIN Zona Industriale Nord
PALERMO
CAPACI
PUNTA RAISI - TRAPANI
Trapani
Isola delle Femmine
Capaci
Sferracavallo
Tommaso Natale
Punta Celesi o Valdesi
Punta di Priola
Torre del Rotolo
Vergine Maria
Arenella
Villa Igea
Acquasanta
GROTTA ADDAURA
SANTUARIO DI S. ROSALIA
CIMITERO ROTOLI
Monte Pellegrino
Riserva Naturale Monte Pellegrino
600
PARCO DELLA FAVORITA
STADIO LA FAVORITA
FIERA DEL MEDITERRANEO
TEATRO MASSIMO
CATTEDRALE
PALAZZO D. NORMANNI
STAZIONE CENTRALE
POLICLINICO
AEROPORTO DI PALERMO-BOCCADIFALCO
PALASPORT
Partanna
Tramonti
Pallavicino
Villa Anca
Pescia
Cardillo
Trápani
Patti
Mortillaro
Mango
Cruillas
Parrini
Casuzze
Villa Ferreri
Case Gallo
M. Gibilforni
532
Castellana
Passo di Rigano
Uditore
Margifaraci
Baida
Boccadifalco
Schiera
Case S. Isidoro
Mezzomonreale
S. Ciro
la Rocca
Molara
Maló
Biondo
Camastra
Porrazzi
Pagliarelli
Villagrazia
Borgo d. Scala
Borgo Teresi
Falsomiele
Rione M. d'Oro
Guadagna
Chiavelli
Santa Maria di Gesù
Brancaccio
Settecannoli
Zona Industriale Brancaccio
Torrelunga
Roccella
Monreale
DUOMO
Conca d'Oro
M. Megna
C. Isca
M. Castellaccio
890
C. Trippatore
Riella
M. Zarcati
Susinna
Bellolampo
559
Portella Torretta
Torretta
M. Cúccio
1050
S. Martino delle Scale
Torre S. Anna
Villaggio Montano
ss 113
ss 121
ss 186
A19
E 90

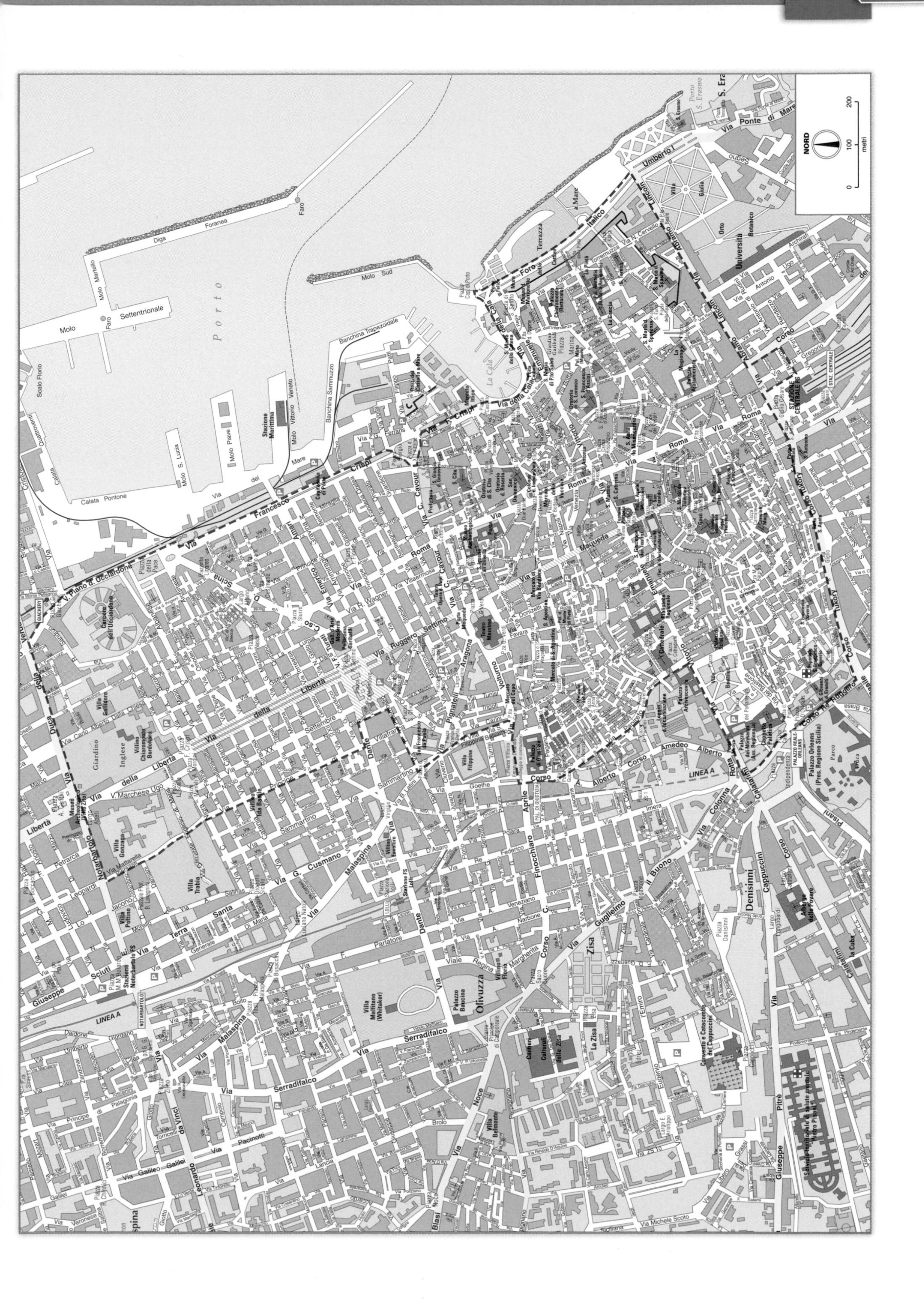
NORD
0
100
200
metri
Porto
Diga Foranea
Molo Sud
Molo Settentrionale
Banchina Trapezoidale
Banchina Sammuzzo
Stazione Marittima
Molo Vittorio Veneto
Molo Piave
Molo S. Lucia
Calata Pontone
Scalo Florio
La Cala
Via Francesco Crispi
Foro Italico
Villa Giulia
Orto Botanico
Università
Via Lincoln
Via Roma
Via Maqueda
Corso Vittorio Emanuele
Teatro Massimo
Via della Libertà
Giardino Inglese
Carcere dell'Ucciardone
Via Ruggero Settimo
Via Volturno
Via Dante
Via Notarbartolo
Villa Trabia
Villa Malfitano (Whitaker)
Zisa
Olivuzza
Palazzo Orleans (Pres. Regione Sicilia)
Cappella Palatina
Cattedrale
Corso Calatafimi
Via Serradifalco
Via Noce
Via Leonardo da Vinci
Via Galileo Galilei
Via Giuseppe Pitrè
Via Colonna Rotta
Cappuccini
Danisinni
La Cuba
LINEA A

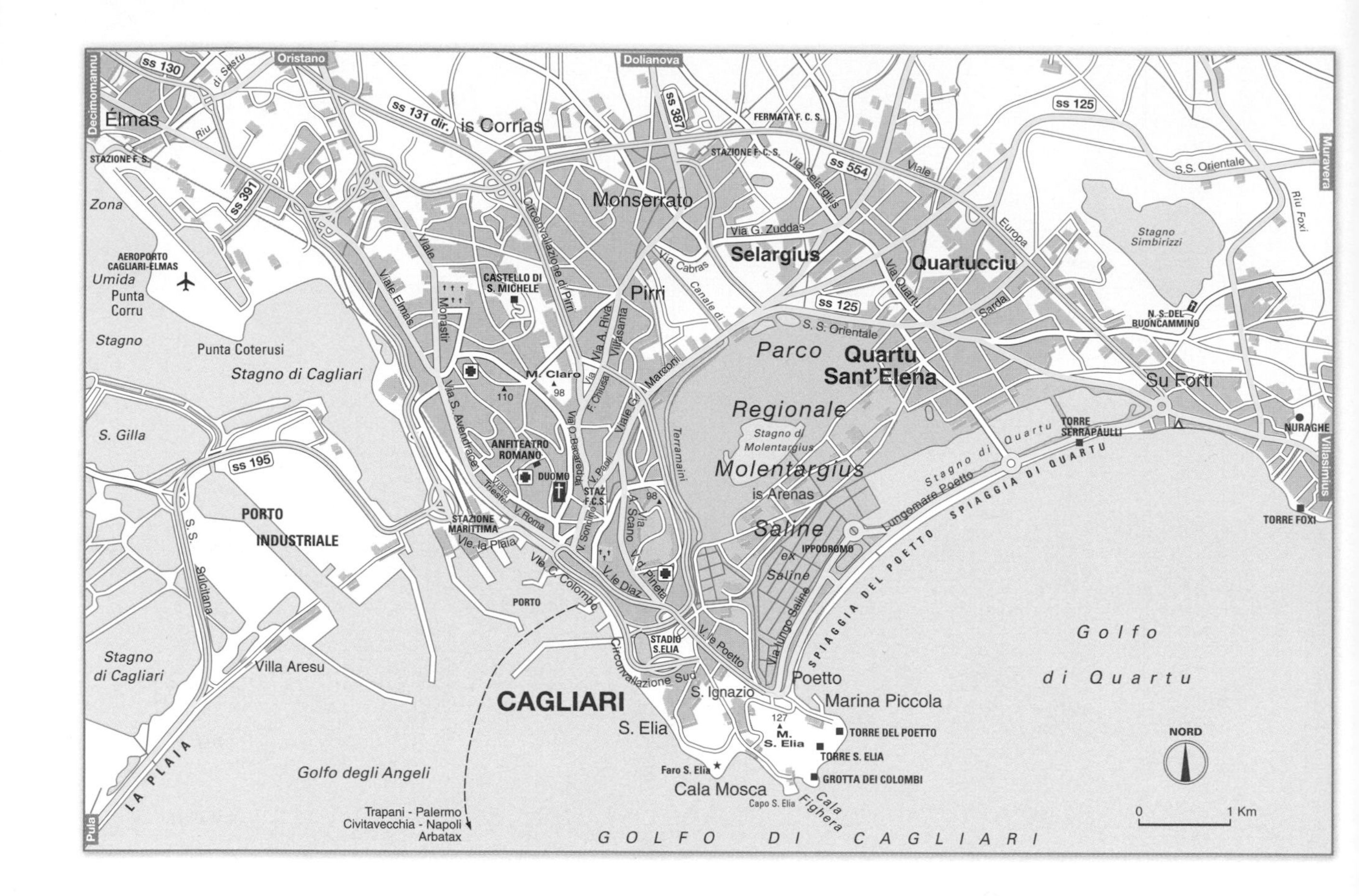
Oristano
Dolianova
Decimomannu
Muravera
Villasimius
Pula
ss 130
ss 131 dir.
ss 387
ss 125
ss 554
ss 391
ss 195
Élmas
is Corrias
STAZIONE F.S.
FERMATA F. C. S.
STAZIONE F. C. S.
Zona
AEROPORTO CAGLIARI-ELMAS
Umida
Punta Corru
Stagno
Punta Coterusi
Stagno di Cagliari
S. Gilla
Monserrato
Via G. Zuddas
Selargius
Quartucciu
Viale Europa
S.S. Orientale
Stagno Simbirizzi
Riu Foxi
N. S. DEL BUONCAMMINO
Su Forti
NURAGHE
TORRE FOXI
Pirri
CASTELLO DI S. MICHELE
M. Claro
110
98
Parco Regionale Molentargius
Stagno di Molentargius
Quartu Sant'Elena
is Arenas
Saline
ex Saline
IPPODROMO
TORRE SERRAPAULLI
Stagno di Quartu
Lungomare Poetto
SPIAGGIA DI QUARTU
SPIAGGIA DEL POETTO
ANFITEATRO ROMANO
DUOMO
STAZ. F.C.S.
STAZIONE MARITTIMA
V. Roma
Vle. la Plaia
Vle C. Colombo
PORTO
PORTO INDUSTRIALE
S.S. Sulcitana
Villa Aresu
Stagno di Cagliari
STADIO S.ELIA
Circonvallazione Sud
V.le Poetto
Poetto
Marina Piccola
S. Ignazio
CAGLIARI
S. Elia
127
M. S. Elia
TORRE DEL POETTO
TORRE S. ELIA
GROTTA DEI COLOMBI
Faro S. Elia
Cala Mosca
Capo S. Elia
Cala Fighera
Golfo degli Angeli
LA PLAIA
Trapani - Palermo
Civitavecchia - Napoli
Arbatax
Golfo di Quartu
GOLFO DI CAGLIARI
NORD
0
1 Km

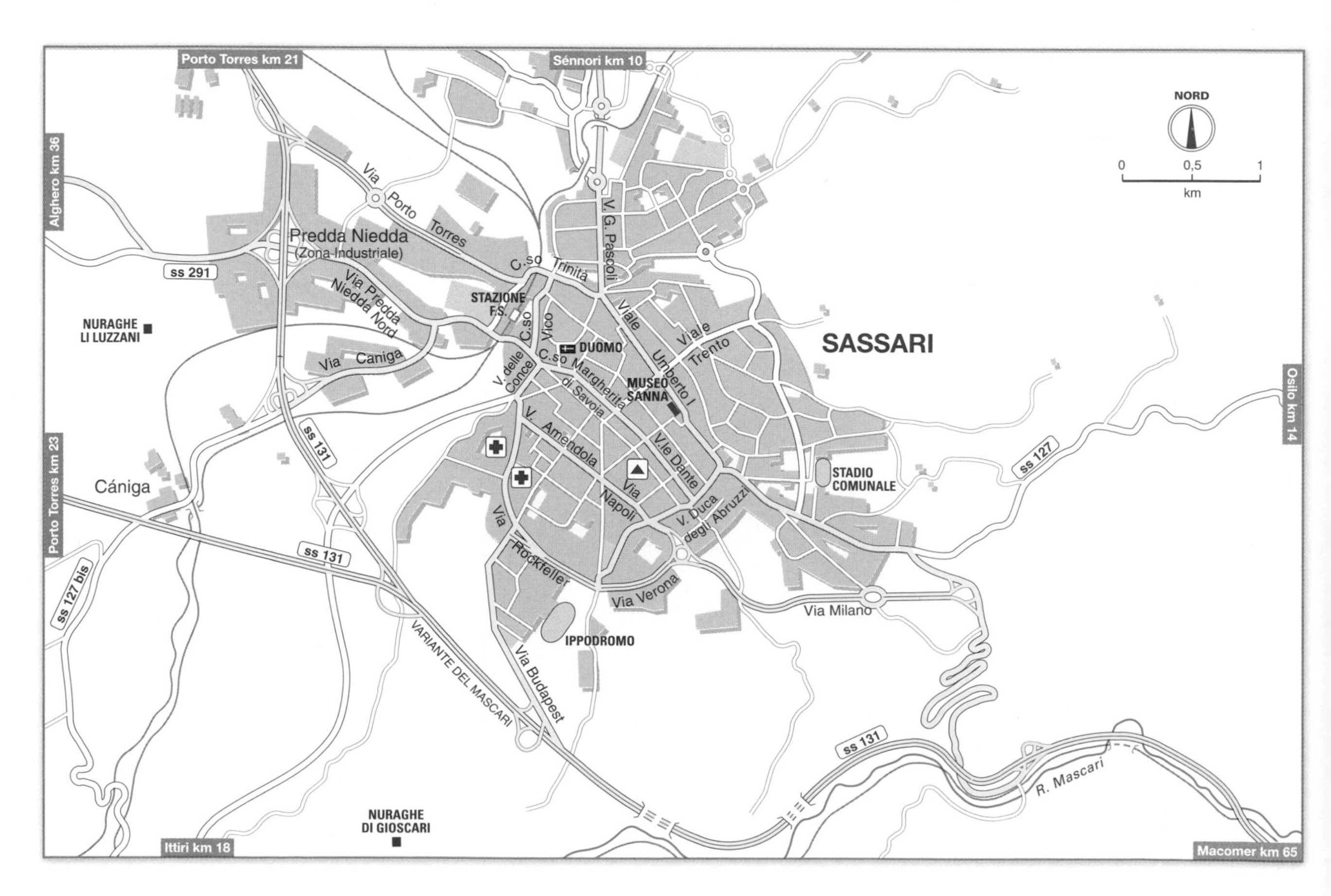
Porto Torres km 21
Sénnori km 10
Alghero km 36
Porto Torres km 23
Osilo km 14
Ittiri km 18
Macomer km 65
NORD
0
0,5
1
km
Via Porto Torres
Predda Niedda
(Zona Industriale)
ss 291
Via Predda Niedda Nord
Via Caniga
NURAGHE LI LUZZANI
STAZIONE F.S.
C.so Trinità
V. G. Pascoli
C.so Vico
DUOMO
C.so Margherita di Savoia
V. delle Conce
Viale Umberto I
Viale Trento
MUSEO SANNA
SASSARI
V. Amendola
Via Napoli
Vle Dante
V. Duca degli Abruzzi
STADIO COMUNALE
ss 127
Cániga
ss 131
ss 127 bis
Via Rockfeller
Via Verona
Via Milano
IPPODROMO
Via Budapest
VARIANTE DEL MASCARI
NURAGHE DI GIOSCARI
R. Mascari

Avvertenze per la ricerca
L'indice elenca in ordine alfabetico i nomi contenuti nelle carte alla scala 1:600 000, seguiti dal numero di pagina e dalle lettere indicanti il riquadro in cui sono rintracciabili.
Se le lettere sono più di due, i nomi vanno ricercati nelle immediate vicinanze del reticolato geografico da esse individuato.
Per semplicità tutti i nomi contenuti in due pagine affiancate sono riferiti alla pagina di numero dispari.
I nomi dei centri abitati e i casi di omonimia sono seguiti dalla sigla indicante la Provincia, la Regione o lo Stato di appartenenza.
Dei principali toponimi stranieri è riportata la forma italiana accompagnata dalla sigla (I).

Locating Remarks
The index lists in alphabetic order the names contained in the maps 1:600 000, followed by the page number and by letters which indicate the grid square where they are traceable.
If the letters are more than two, the names shall be sought in immediate vicinity of the geographic reticulate located by them.
For easiness all names contained in two adjoining pages are referred to the odd page.
The names of inhabited places and the cases of homonymy are followed by the abbreviation showing the Province, the Region or the State to which belong.
The Italian form of the main foreign place-names is here followed by the abbreviation (I).

Notices pour la recherche
L'index récense en suivant l'ordre alphabétique les noms contenus dans les cartes au 1:600 000, suivis par le numéro de page et par des lettres qui indiquent le carré où sont retrouvables.
Dans le cas où les lettres soient plus que deux, les noms vont recherchés près du réseau géographique localisé par les lettres mêmes.
Pour faciliter la tâche du lecteur, tous les noms contenus dans deux pages contiguës sont rapportés à la page impaire.
Les noms des localités et les cas d'homonymie sont suivis par le sigle qui indique la Province, la Région ou le Pays d'appartenance.
Des principaux toponymes étrangers on indique la forme italienne avec le sigle (I).

Erläuterungen des Suchsystems
Der Index enthält die in den Karten 1:600 000 vorhandenen Namen nach alphabetischer Reihenfolge; jedem Namen folgen die Seitennummer und Buchstaben, die auf das Gitterfeld weisen, wo sie aufzufinden sind.
Falls es mehr als zwei Buchstaben gibt, soll man die Namen in nächster Nähe des von ihnen bestimmten geographischen Kartennetzes suchen.
Zur Einfachheit sind alle in zwei anliegenden Seiten enthaltenen Namen auf die ungerade Seite bezogen.
Die Ortsnamen und die Gleichnamigkeiten werden von dem zugehörigen Provinz-, Region- oder Staatskennzeichen gefolgt.
Von den wichtigsten ausländischen Ortsnamen wird hier die italienische, von der Abkürzung (I) begleitete Form übertragen.

Sigle presenti nell'indice
Abbreviations contained in the index
Sigles contenus dans l'index
Im Index vorhandene Kennzeichen

AG	Agrigento
AL	Alessandria
AN	Ancona
AO	Aosta
AP	Ascoli Piceno
AQ	L'Aquila
AR	Arezzo
AT	Asti
AV	Avellino
BA	Bari
BG	Bergamo
BI	Biella
BL	Belluno
BN	Benevento
BO	Bologna
BR	Brindisi
BS	Brescia
BT	Barletta-Andria-Trani
BZ	Bolzano
CA	Cagliari
CB	Campobasso
CE	Caserta
CH	Chieti
CI	Carbonia-Iglesias
CL	Caltanissetta
CN	Cuneo
CO	Como
CR	Cremona
CS	Cosenza
CT	Catania
CZ	Catanzaro
EN	Enna
FC	Forlì-Cesena
FE	Ferrara
FG	Foggia
FI	Firenze
FM	Fermo
FR	Frosinone
GE	Genova
GO	Gorizia
GR	Grosseto
IM	Imperia
IS	Isernia
KR	Crotone
LC	Lecco
LE	Lecce
LI	Livorno
LO	Lodi
LT	Latina
LU	Lucca
MB	Monza e Brianza
MC	Macerata
ME	Messina
MI	Milano
MN	Mantova
MO	Modena
MS	Massa-Carrara
MT	Matera
NA	Napoli
NO	Novara
NU	Nuoro
OG	Ogliastra
OR	Oristano
OT	Olbia-Tempio
PA	Palermo
PC	Piacenza
PD	Padova
PE	Pescara
PG	Perugia
PI	Pisa
PN	Pordenone
PO	Prato
PR	Parma
PT	Pistoia
PU	Pesaro e Urbino
PV	Pavia
PZ	Potenza
RA	Ravenna
RC	Reggio di Cal.
RE	Reggio nell'Em.
RG	Ragusa
RI	Rieti
RN	Rimini
RO	Rovigo
ROMA	
SA	Salerno
SI	Siena
SO	Sondrio
SP	La Spezia
SR	Siracusa
SS	Sassari
SV	Savona
TA	Taranto
TE	Teramo
TN	Trento
TO	Torino
TP	Trapani
TR	Terni
TS	Trieste
TV	Treviso
UD	Udine
VA	Varese
VB	Verbano-Cusio-Ossola
VC	Vercelli
VE	Venezia
VI	Vicenza
VR	Verona
VS	Medio Campidano
VT	Viterbo
VV	Vibo Valentia
Abr.	Abruzzo
Camp.	Campania
Em. Rom.	Emilia-Romagna
Fr. V. G.	Friuli-Venezia Giulia
Marc.	Marche
Pugl.	Puglia
Sard.	Sardegna
A	Austria
CRO	Croazia
Eur.	Europa
FL	Liechtenstein
Fr.	Francia
It.	Italia
PMC	Principato di Monaco
RSM	San Marino
SLO	Slovenia
Svizz.	Svizzera

Aba - Bad

A

Ábano Terme [PD] 11 Bb
Abbadia [VT] 17 Ec
Abbadia di Fiastra 15 Dc
Abbadia San Salvatore [SI] 17 Eb
Abbasanta [OR] 37 Cc
Abbiategrasso [MI] 1 Ec
Abetone [PT] 13 Da
Abetone, Passo dell'- 13 Da
Abfaltersbach [A] 5 Db
Abondance [Fr.] 1 Aa
Abriès [Fr.] 7 Ab
Abriola [PZ] 25 Dcd
Abruzzo, Lazio e Molise, Parco Nazionale d'- 19 Ed
Abtei / Badia [BZ] 5 Bb
Acate [RG] 35 Cc
Accadía [FG] 25 Cb
Accéglio [CN] 7 ABc
Accettura [MT] 25 Ecd
Acciaroli [SA] 29 Aa
Accúmoli [RI] 19 Db
Acerenza [PZ] 25 Dc
Acerno [SA] 25 Cc
Acero, Forca d'- 19 Ed
Acerra [NA] 23 Ec
Aci Castello [CT] 35 Eb
Aci Catena [CT] 35 Eb
Acireale [CT] 35 Eb
Aci Trezza [CT] 35 Eb
Acquabona, Passo di- 29 Cc
Acquacadda [CI] 39 Cc
Acquacalda [ME] 31 Ba
Acquaformosa [CS] 29 Cb
Acquafredda, Castello di- 39 Cc
Acqualagna [PU] 15 Cb
Acquanegra Cremonese [CR] 9 Bb
Acquanegra sul Chiese [MN] 9 Cb
Acquapendente [VT] 17 Eb
Acquaro [VV] 31 Ea
Acquasanta Terme [AP] 19 Db
Acquasparta [TR] 19 Cb
Acquaviva Collecroce [CB] 21 Cd
Acquaviva delle Fonti [BA] 27 Bb
Acquaviva Picena [AP] 19 Eb
Acquedolci [ME] 31 Bb
Acqui Terme [AL] 7 Db
Acri [CS] 29 Cbc
Adamello 3 CDc
Adda 9 Bb
Adélfia [BA] 27 Bab
Ádige / Etsch 11 Cb
Ádige, Foce dell'- 11 Cb
Adrano [CT] 31 Bc
Ádria [RO] 11 Cb
Adriatico, Mar- 15 DEab
Affi [VR] 9 Da
Affrica, o Formica di Montecristo, Scoglio d'- 17 Bc
Afragóla [NA] 23 Ec
Afritz [A] 5 Fb
Agazzano [PC] 9 ABc
Agerola [NA] 23 Fc
Aggius [OT] 37 Db
Agira [EN] 35 CDb
Agliana [PT] 13 DEb
Agliè [TO] 1 Cc
Aglientu [OT] 37 Da
Agnello, Colle dell'- 7 Ab
Agno [Svizz.] 1 Eab
Agnone [IS] 21 Bd
Agnone Bagni [SR] 35 Ec
Agogna 1 Ec
Ágordo [BL] 5 Cc
Agrigento [AG] 33 Dc
Agropoli [SA] 25 BCd
Agro Pontino 23 Bb
Agugia, Scoglio dell'- 7 Ec
Agugliano [AN] 15 Db
Aidone [EN] 35 Cc
Aiello Calabro [CS] 29 Cc
Aigle [Svizz.] 1 Aa
Aiguilles [Fr.] 7 Ab
Aime [Fr.] 1 Ab
Ainet [A] 5 Db
Airasca [TO] 7 Bb
Airola [BN] 23 Fb
Airole [IM] 7 Cd
Ajdovščina [SLO] 5 Fd
Akrai 35 Dc
Ala [TN] 3 DEd
Ala, Punta- 17 Cb
Alá dei Sardi [OT] 37 Db
Ala di Stura [TO] 1 Bc
Alagna Valsesia [VC] 1 Cb
Alanno [PE] 19 Ec
Alassio [SV] 7 Dcd
Alatri [FR] 19 Dd
Alba [CN] 7 Db
Alba Adriatica [TE] 19 Eb
Alba Fucens 19 Dc
Albagiara [OR] 39 Cb
Albanella [SA] 25 Ccd
Albani, Colli- 19 Cd
Albano, Lago- 19 Cd
Albano di Lucánia [PZ] 25 Ec
Albano Laziale [ROMA] 19 Cd
Albano Vercellese [VC] 1 Dc
Albaredo d'Ádige [VR] 9 Eb
Albarella 11 Cb
Albareto [PR] 9 Bd
Albegna 17 Db
Albenga [SV] 7 Dc
Alberese [GR] 17 Db
Alberobello [BA] 27 Cb
Alberona [FG] 25 Cb
Alberoni [VE] 11 Cb
Albidona [CS] 29 Cb
Albignásego [PD] 11 Bb
Albinia [GR] 17 Dbc
Albino [BG] 3 Bd
Albisola Marina [SV] 7 DEc
Albisola Superiore [SV] 7 DEc
Albo, Monte- 37 Eb
Álcamo [TP] 33 Bab
Alcantara, Gola d'- 31 Cc
Alcara li Fusi [ME] 31 Bb
Áles [OR] 39 Cb
Alessandria [AL] 7 Eb
Alessandria del Carretto [CS] 29 Cb
Alessandria della Rocca [AG] 33 Cb
Alessano [LE] 27 Ed
Aletschhorn 1 CDa
Alézio [LE] 27 Ec
Alfedena [AQ] 21 Bd
Alfonsine [RA] 11 Ccd
Alghero [SS] 37 Bb
Alghero, Rada d'- 37 Bb
Algund / Lagundo [BZ] 3 Eb
Alí [ME] 31 Cb
Alia [PA] 33 Db
Aliano [MT] 25 Ed
Alice, Punta- 29 Ec
Alicudi 31 Aab
Alife [CE] 23 Eb
Alimena [CL] 33 Eb
Aliminusa [PA] 33 Db
Alí Terme [ME] 31 Cb
Álleghe [BL] 5 BCc
Allerona [TR] 17 Eb
Allumiere [ROMA] 17 Ec
Almè [BG] 3 Bd
Almenno San Salvatore [BG] 3 Bd
Almese [TO] 1 Bc
Alpignano [TO] 1 BCc
Alseno [PC] 9 Bc
Alta, Croda- / Hohe-Wand-Spitze 5 Ba
Alta Engadina 3 Bb
Altamura [BA] 27 Bb
Alta Murgia, Parco Nazionale dell'- 25 EFbc
Altare [SV] 7 Dc
Altare, Bocchetta di- → Cadibona, Colle di- 7 Dc
Altavilla Irpina [AV] 25 Bb
Altavilla Milicia [PA] 33 Da
Altavilla Silentina [SA] 25 Cc
Altipiani di Arcinazzo [FR] 19 Dd
Alto del Flumendosa, Lago- 39 Db
Altofonte [PA] 33 Ca
Altolia [ME] 31 Cb
Altomonte [CS] 29 Cb
Altopáscio [LU] 13 Db
Alvaneu [Svizz.] 3 Bb
Alvignano [CE] 23 Eb
Alvito [FR] 19 Ed
Alzano Lombardo [BG] 3 Bd
Amalfi [SA] 23 Fc
Amándola [FM] 19 Dab
Amantea [CS] 29 Cc
Amaro, Monte- 21 Bc
Amaroni [CZ] 31 Ea
Amaseno [CA] 23 Cb
Amatrice [RI] 19 Db
Ámbria [SO] 3 Bc
Ambrogio [FE] 11 Bc
Ameglia [SP] 13 Ba
Amélia [TR] 19 Bb
Amendolara [CS] 29 Db
Amiata, Monte- 17 Eb
Amiternum 19 Dc
Amorosi [BN] 23 Eb
Ampezzo [UD] 5 Dc
Ampezzo, Valle d'- 5 Cbc
Ampollino, Lago- 29 Dc
Anacapri [NA] 23 Ec
Anagni [FR] 19 Dd
Ancipa, Lago di- 31 Bc
Ancona [AN] 15 DEb
Ándalo [TN] 3 DEc
Andeer [Svizz.] 3 Ab
Andora [SV] 7 Dd
Andora, Castello di- 7 Dd
Andorno Micca [BI] 1 Db
Andrano [LE] 27 Ecd
Andraz [BL] 5 Bbc
Andretta [AV] 25 Cc
Andria [BT] 25 Eb
Anfo [BS] 3 Cd
Angera [VA] 1 Eb
Angern [A] 3 Eb
Ánghelu Rúiu, Necropoli- 37 Bb
Anghiari [AR] 15 Bb
Angitola, Lago dell'- 31 Ea
Anglona 37 Cb
Angri [SA] 23 Fc
Anguillara Sabázia [ROMA] 19 Bc
Anguillara Véneta [PD] 11 Bb
Aniene 19 Ccd
Ankaran [SLO] 11 Fa
Annone Véneto [VE] 5 Dd
Anqua [SI] 13 Dc
Anras [A] 5 Db
Ansedonia [GR] 17 Dc
Antelao 5 Cc
Anterselva di Sopra / Antholz Obertal [BZ] 5 Cb
Antey-Saint-André [AO] 1 Cb
Antholz Obertal / Anterselva di Sopra [BZ] 5 Cb
Antignana (I) = Tinjan [CRO] 11 Fb
Antignano [LI] 13 Cbc
Antigório, Val- 1 Da
Antillo [ME] 31 Cc
Antonimina [RC] 31 Eb
Antrodoco [RI] 19 Dc
Antronapiana [VB] 1 Da
Anversa degli Abruzzi [AQ] 19 Ecd
Anzano di Púglia [FG] 25 Cb
Anzasca, Valle- 1 Db
Anzère [Svizz.] 1 Ba
Anzi [PZ] 25 Dc
Ánzio [ROMA] 23 Bb
Anzio, Capo d'- 23 Bb
Anzola dell'Emília [BO] 9 Ec
Aosta / Aoste [AO] 1 Bb
Aoste / Aosta [AO] 1 Bb
Apécchio [PU] 15 Bb
Apice [BN] 25 Bb
Apiro [MC] 15 Dc
Appennino Lucano-Val d'Agri-Lagonegrese, Parco Nazionale dell'- 25 DEd
Appennino Tosco-Emiliano, Parco Nazionale dell'- 13 Ca
Appia, Via- 19 BCd
Appia Antica, Via- 27 Db
Appiano Gentile [CO] 1 Eb
Appiano sulla Strada del Vino / Eppan an der Weinstrasse [BZ] 3 Ec
Appignano [MC] 15 Dc
Aprica [SO] 3 Cc
Aprica, Passo dell'- 3 Cc
Apricena [FG] 21 Dd
Aprigliano [CS] 29 Cc
Áprilia [LT] 23 Ba
Ápulo, Villaggio- 27 Bb
Aquara [SA] 25 Cd
Áquila, L'- [AQ] 19 Dc
Aquiléia [UD] 5 Ed
Aquilónia [AV] 25 Cbc
Aquino [FR] 23 Dab
Arabba [BL] 5 Bbc
Aradeo [LE] 27 Ec
Aragona [AG] 33 Dc
Arancio, Lago- 33 Cb
Árbatax [OG] 39 Eb
Arboréa [OR] 39 Cb
Arbório [VC] 1 Dbc
Árbus [VS] 39 Cb
Arc [Fr.] 1 Ab
Arcévia [AN] 15 Cbc
Archi [CH] 21 Bc
Archittu, s'- [OR] 39 BCa
Arci, Monte- 39 Cb
Arcidosso [GR] 17 Eb
Arcille [GR] 17 Db
Arcinazzo Romano [ROMA] 19 Dd
Arcipelago de la Maddalena, Parco Nazionale dell'- 37 DEa
Arcipelago Toscano, Parco Nazionale dell'- 13 Bc
Arco [TN] 3 Dd
Árcole [VR] 9 Eb
Arcugnano [VI] 11 Bab
Árdara [SS] 37 Cb
Ardauli [OR] 39 Ca
Ardéa [ROMA] 23 Ba
Ardenza [LI] 13 Cb
Ardez [Svizz.] 3 Cb
Ardore [RC] 31 Eb
Ardore Marina [RC] 31 Eb
Arèches [Fr.] 1 Ab
Arenzano [GE] 7 Ec
Arezzo [AR] 15 Ac
Argegno [CO] 1 Fb
Argenta [FE] 11 Bc
Argentario, Monte- 17 Dc
Argentera [CN] 7 Ac
Argentera [CN] 7 Bc
Argentiera [SS] 37 Bb
Argentière [Fr.] 1 Aab
Ari [CH] 21 Bc
Ariamácina, Lago di- 29 Dc
Ariano Irpino [AV] 25 Cb
Ariano nel Polesine [RO] 11 Cc
Aríccia [ROMA] 19 Cd
Aringo [AQ] 19 Db
Aríschia [AQ] 19 Dc
Aritzo [NU] 39 Db
Arlena di Castro [VT] 17 Ec
Arluno [MI] 1 Ebc
Arma di Taggia [IM] 7 Cd
Armeno [NO] 1 Db
Armi, Capo dell'- 31 Dc
Armungia [CA] 39 Db
Arnbach [A] 5 Cb
Arno 13 Cb
Arnoga [SO] 3 Cc
Arnoldstein [A] 5 Fb
Arolla [Svizz.] 1 Ba
Arona [NO] 1 Eb
Arosa [Svizz.] 3 Bb
Arosio [CO] 1 Fb
Arpino [FR] 19 Ed
Arquá Petrarca [PD] 11 Bb
Arquata del Tronto [AP] 19 Db
Arquata Scrivia [AL] 7 Eb
Arriach [A] 5 Fb
Arrone [TR] 19 Cb
Arroscia 7 CDc
Arsiè [BL] 5 Bcd
Arsiero [VI] 3 Ed
Ársoli [ROMA] 19 Dc
Arta Terme [UD] 5 Ec
Artegna [UD] 5 Ec
Arten [BL] 5 Bcd
Artena [ROMA] 19 Cd
Artimino [PO] 13 Eb
Arvieux [Fr.] 7 Ab
Arvigo [Svizz.] 1 Fa
Arvo, Lago- 29 Cc
Arzachena [OT] 37 Da
Árzana [OG] 39 DEb
Arzignano [VI] 9 Ea
Ascea [SA] 29 Aa
Ascensione, Monte dell'- 19 Eb
Asciano [PI] 13 Cb
Asciano [SI] 13 Fc
Ascione, Colle d'- 29 Cc
Áscoli Piceno [AP] 19 Eb
Áscoli Satriano [FG] 25 Db
Ascona [Svizz.] 1 Ea
Asiago [VI] 3 EFd
Asinara 37 Ba
Asinara, Golfo dell'- 37 Cab
Asola [MN] 9 Cb
Ásolo [TV] 5 Bd
Aspromonte 31 DEb
Aspromonte, Parco Nazionale dell'- 31 DEb
Assémini [CA] 39 CDc
Assergi [AQ] 19 DEc
Assisi [PG] 15 Cc
Ássoro [EN] 35 Cb
Assy [Fr.] 1 Ab
Asta, Cima d'- 5 Bc
Astfeld / Campolasta [BZ] 3 Eb
Asti [AT] 7 Db
Asuni [OR] 39 Cb
Ateleta [AQ] 21 Bd
Atella [PZ] 25 Dc
Átena Lucana [SA] 25 Dd
Aterno 19 Ec
Atessa [CH] 21 Bc
Atina [FR] 23 Da
Atri [TE] 19 Eb
Atripalda [AV] 25 Bc
Attigliano [TR] 19 Bb
Atzara [NU] 39 Dab
Auer / Ora [BZ] 3 Ec
Augusta [SR] 35 Ec
Augusta, Golfo di- 35 Ec
Auletta [SA] 25 Cc
Aulla [MS] 13 Ba
Aurélia, Via- 19 Bd
Aurisina [TS] 5 Fd
Auron [Fr.] 7 Ac
Auronzo di Cadore [BL] 5 Cb
Aurora, Terme- 37 Dc
Aurunci, Monti- 23 Db
Áusa Corno [UD] 5 Ed
Ausentum 27 Ed
Ausoni, Monti- 23 Cb
Ausónia [FR] 23 Db
Aussois [Fr.] 1 Ac
Aústis [NU] 39 Da
Austria (I) = Österreich 5 DEb
Auzza (I) = Avče [SLO] 5 Fc
Avants, Les- [Svizz.] 1 Aa
Avče [SLO] = Auzza (I) 5 Fc
Avelengo / Hafling [BZ] 3 Eb
Avellino [AV] 25 Bc
Aversa [CE] 23 Ec
Avetrana [TA] 27 Dc
Avezzano [AQ] 19 Dc
Aviano [PN] 5 Dc
Avigliana [TO] 1 Bc
Avigliano [PZ] 25 Dc
Avigliano Umbro [TR] 19 Bb
Avio [TN] 3 Dd
Avola [SR] 35 Ed
Avoriaz [Fr.] 1 Aa
Ayer [Svizz.] 1 Ca
Azzano Decimo [PN] 5 Dd
Azzurra, Grotta- [SA] 29 Aa
Azzurra, Grotta- [SA] 23 Ec

B

Baceno [VB] 1 Da
Bacoli [NA] 23 Ec
Bad Bleiberg [A] 5 Fb
Badesi Mare [OT] 37 Cb
Badia / Abtei [BZ] 5 Bb
Badia Calavena [VR] 9 Ea
Badia Morronese [AQ] 19 Ec
Badia Polesine [RO] 9 Eb
Badia Prataglia [AR] 15 Ab
Badía Tedalda [AR] 15 Bb
Bad Kleinkirchheim [A] 5 Fb
Badolato [CZ] 31 EFa

Badolato Marina [CZ] 31 Fa
Bad Ragaz [Svizz.] 3 ABab
Bad Salomonsbrunn / Bagni di Salomone [BZ] 5 Cb
Bafurco, Portella del- 33 Eb
Bagaladi [RC] 31 Db
Bagheria [PA] 33 CDa
Bagnacavallo [RA] 11 Bd
Bagnáia [VT] 19 Bc
Bagnara Calabra [RC] 31 Db
Bagnária Arsa [UD] 5 Ed
Bagnasco [CN] 7 Dc
Bagni Contursi [SA] 25 Cc
Bagni del Másino [SO] 3 Bc
Bagni di Craveggia [VB] 1 DEa
Bagni di Lucca [LU] 13 Da
Bagni di Mondragone [CE] 23 Db
Bagni di Petriolo [SI] 13 Ec
Bagni di Rabbi [TN] 3 Dc
Bagni di Salomone / Bad Salomonsbrunn [BZ] 5 Cb
Bagni di Stigliano [ROMA] 19 Bc
Bagni di Tivoli [ROMA] 19 Cd
Bagni di Vicarello [ROMA] 19 Bc
Bagno a Rípoli [FI] 13 Eb
Bagno di Romagna [FC] 15 Ab
Bagnoli del Trigno [IS] 21 Bd
Bagnoli di Sopra [PD] 11 Bb
Bagnoli Irpino [AV] 25 Cc
Bagnolo Cremasco [CR] 9 Bb
Bagnolo di Po [RO] 9 EFb
Bagnolo in Piano [RE] 9 Dc
Bagnolo Mella [BS] 9 Cb
Bagnolo Piemonte [CN] 7 Bb
Bagnolo San Vito [MN] 9 Db
Bagnone [MS] 13 BCa
Bagnorégio [VT] 19 Bb
Bagno Roselle [GR] 17 Db
Bagolino [BS] 3 Cd
Báia [NA] 23 Ec
Báia delle Zágare [FG] 21 Fd
Báia Domízia [CE] 23 Db
Baiano [AV] 23 Fc
Baiardo [IM] 7 Cd
Báia Sardínia [OT] 37 Da
Baiso [RE] 9 Dcd
Baldichieri d'Asti [AT] 7 Db
Baldo, Monte- 3 Dd
Bale / Valle d'Istria [CRO] 11 Fb
Balestrate [PA] 33 BCa
Ballábio [LC] 3 Ad
Ballao [CA] 39 Db
Ballino [TN] 3 Dd
Balme [TO] 1 Bc
Balmhorn 1 Ca
Balmuccia [VC] 1 Db
Balsorano [AQ] 19 Ed
Balze [FC] 15 Bb
Balzers [FL] 3 Ba
Balzi Rossi 7 Cd
Bandiera, Punta- 31 BCb
Bando [FE] 11 Bc
Banzi [PZ] 25 DEc
Barádili [OR] 39 Cb
Baranello [CB] 23 Fa
Barano d'Ischia [NA] 23 Dc
Barbàgia 39 Db
Barban [CRO] 11 FGb
Barbarano Romano [VT] 19 Bc
Barbarano Vicentino [VI] 11 Bb
Barberino di Mugello [FI] 13 Eab
Barberino Val d'Elsa [FI] 13 Eb
Barbianello [PV] 1 Fc
Barcellona Pozzo di Gotto [ME] 31 Cb
Barcis [PN] 5 Dc
Bard [AO] 1 Cb
Bardi [PR] 9 Bc
Bardineto [SV] 7 Dc
Bardonecchia [TO] 1 Ac
Barga [LU] 13 Ca
Bargagli [GE] 7 Fc
Barge [CN] 7 Bb
Bari [BA] 25 Fb
Bari, Terra di- 27 Ba
Barì Sardo [OG] 39 Eb
Barisciano [AQ] 19 Ec
Barletta [BT] 25 Eb
Barone, Monte- 1 Db
Baronie 37 Ebc
Baronissi [SA] 25 Bc
Barrafranca [EN] 33 Ec
Barrage de Mauvoisin [Svizz.] 1 Bab
Barrea [AQ] 19 Ed
Bar-sur-Loup, Le- [Fr.] 7 Ad
Bartholomäberg [A] 3 Ba
Barúmini [VS] 39 CDb
Barussa, Nuraghe- 39 Ccd
Barzio [LC] 3 Ad
Baschi [TR] 19 Bb
Baselga di Pinè [TN] 3 Ec
Baselice [BN] 25 Bb
Basento 27 Ab
Basiluzzo 31 Ca
Basovizza [TS] 11 Fa
Bassacutena [OT] 37 Da
Bassa Engadina 3 Cb
Bassano del Grappa [VI] 5 Bd
Bassano Romano [VT] 19 Bc
Bassignana [AL] 7 Eab
Bastía [PD] 11 Bb
Bastia Umbra [PG] 15 Cc
Batignano [GR] 17 Db
Battáglia Terme [PD] 11 Bb
Battipáglia [SA] 25 BCc
Bauladu [OR] 39 Ca
Baunei [OG] 39 Ea
Baveno [VB] 1 DEb
Bazzano [BO] 9 Ecd
Beaufort [Fr.] 1 Ab
Beaulieu-sur-Mer [Fr.] 7 Bd
Bedizzole [BS] 9 Cab
Bedonia [PR] 9 Bcd
Beinette [CN] 7 Cc
Belcastro [CZ] 29 Dc
Belgioioso [PV] 9 Ab
Belgirate [VB] 1 Eb
Belice 33 Bb
Belice destro 33 Cb
Belice sinistro 33 Cb
Bella [PZ] 25 Dc
Bellagio [CO] 1 Fab
Bellamonte [TN] 5 Bc
Bellano [LC] 3 Ac
Bellária-Igéa Marina [RN] 15 Ba
Bellegra [ROMA] 19 Dd
Bellino [CN] 7 ABb
Bellinzago Novarese [NO] 1 Eb
Bellinzona [Svizz.] 1 Fa
Bellona [CE] 23 Eb
Belluno [BL] 5 Cc
Belmonte Calabro [CS] 29 Cc
Belmonte Mezzagno [PA] 33 Ca
Belpasso [CT] 35 Db
Belvedere di Spinello [KR] 29 Dc
Belvedere Maríttimo [CS] 29 Bb
Belvedere Ostrense [AN] 15 Db
Benestare [RC] 31 Eb
Benetutti [SS] 37 Dc
Bene Vagienna [CN] 7 Cb
Benevento [BN] 25 Bb
Beram [CRO] 11 Fb
Berbenno di Valtellina [SO] 3 Bc
Berceto [PR] 9 Bc
Berchidda [OT] 37 Db
Berchiddeddu [OT] 37 Db
Bereguardo [PV] 1 EFc
Bergamo [BG] 3 Bd
Bergantino [RO] 9 Eb
Bergeggi [SV] 7 Dc
Bergeggi, Isola- 7 Dc
Bergogna (I) = Breginj [SLO] 5 Ec
Bergün [Svizz.] 3 Bb
Bernalda [MT] 27 Bc
Bernina 3 Bc
Bernina, Passo del- 3 BCc
Berra [FE] 11 Bbc
Bersézio [CN] 7 Ac
Bertinoro [FC] 15 Ba
Besozzo [VA] 1 Eb
Bessanese, Uia- 1 Bc
Bessans [Fr.] 1 ABc
Bettola [PC] 9 Bc
Bettona [PG] 15 Bc
Beuil [Fr.] 7 Ac
Béura-Cardezza [VB] 1 Da
Bevagna [PG] 19 Cb
Bevilácqua [VR] 9 Eb
Bex [Svizz.] 1 ABa
Bezzecca [TN] 3 Dd
Biancavilla [CT] 35 Db
Bianco [RC] 31 Eb
Bianco, Capo- 13 Acd
Bianco, Monte- 1 Ab
Biandrate [NO] 1 Dc
Biasca [Svizz.] 1 Ea
Bibbiena [AR] 15 Ab
Bibbona [LI] 13 Dc
Bibione [VE] 11 Ea
Biccari [FG] 25 Cb
Bielerhöhe [A] 3 Cb
Biella [BI] 1 Db
Bielmonte [BI] 1 Db
Bienno [BS] 3 Cd
Bignasco [Svizz.] 1 Ea
Binasco [MI] 1 Fc
Biódola [LI] 17 Bb
Biot, le- [Fr.] 1 Aa
Birnbaum [A] 5 Db
Birónico [Svizz.] 1 Ea
Bisaccia [AV] 25 Cb
Bisacquíno [PA] 33 Cb
Bisceglie [BT] 25 EFb
Bisegna [AQ] 19 Ed
Bisenti [TE] 19 Eb
Bisignano [CS] 29 Cb
Bistagno [AL] 7 Db
Bitetto [BA] 27 Ba
Bithia 39 Cd
Bitonto [BA] 25 Fb
Bitritto [BA] 27 Ba
Bitti [NU] 37 Dbc
Bivio [Svizz.] 3 Bc
Bivona [AG] 33 Cb
Blanche, Dent- 1 Ca
Blatten [Svizz.] 1 Ca
Blatten [Svizz.] 1 Ca
Blera [VT] 19 Bc
Blinnenhorn 1 Da
Blumau / Prato all'Isarco [BZ] 3 Ebc
Boario Terme [BS] 3 Cd
Bobbio [PC] 9 Ac
Bóbbio Péllice [TO] 7 Bb
Bocca di Magra [SP] 13 Ba
Boccheggiano [GR] 13 Ec
Bocchigliero [CS] 29 Dc
Bocco, Passo del- 9 Ad
Böckstein [A] 5 Ea
Boéo o Lilibéo, Capo- 33 Ab
Bogliasco [GE] 7 Fc
Bognanco [VB] 1 Da
Bogno [Svizz.] 1 Fa
Bohinjska Bistrica [SLO] 5 Fc
Bohinjsko Sedlo 5 Gc
Boi, Capo- 39 Dc
Bojano [CB] 23 Eab
Bolca [VR] 9 Ea
Bolgheri [LI] 13 Dc
Bollate [MI] 1 Fb
Bollène-Vésubie, La- [Fr.] 7 Bcd
Bologna [BO] 9 Ecd
Bolognetta [PA] 33 Cb
Bolognola [MC] 19 Dab
Bolótana [NU] 37 Cc
Bolsena [VT] 17 Eb
Bolsena, Lago di- (Vulsino) 17 Eb
Bolzaneto [GE] 7 Ec
Bolzano / Bozen [BZ] 3 Eb
Bomarzo [VT] 19 Bbc
Bomba [CH] 21 Bc
Bominaco [AQ] 19 Ec
Bompietro [PA] 33 Eb
Bomporto [MO] 9 Ec
Bonaduz [Svizz.] 3 Ab
Bonárcado [OR] 39 Ca
Bonassola [SP] 13 Ba
Bondeno [FE] 9 Ec
Bonefro [CB] 21 Cd
Bonifacio [Fr.] 37 Da
Bonifacio, Bocche di- 37 Da
Bonifati [CS] 29 Bb
Bonnánaro [SS] 37 Cb
Bonneval-sur-Arc [Fr.] 1 Bc
Bono [SS] 37 Dc
Bonorva [SS] 37 Cc
Borca di Cadore [BL] 5 Cc
Bordighera [IM] 7 Cd
Bore [PR] 9 Bc
Borello [FC] 15 Ba
Boréon, le- [Fr.] 7 Bc
Borgagne [LE] 27 Ec
Borgetto [PA] 33 Ca
Borghetto [VT] 19 Bc
Borghetto d'Arroscia [IM] 7 Cc
Borghetto di Borbera [AL] 7 Eb
Borghetto di Vara [SP] 13 Ba
Borghetto Santo Spirito [SV] 7 Dc
Borghi [FC] 15 Ba
Borgia [CZ] 31 EFa
Borgio-Verezzi [SV] 7 Dc
Borgo a Mozzano [LU] 13 Dab
Borgo d'Ale [VC] 1 Dc
Borgoforte [MN] 9 Db
Borgofranco d'Ivrea [TO] 1 Cb
Borgo Grappa [LE] 27 Ec
Borgo Grappa [LT] 23 Bb
Borgomanero [NO] 1 Db
Borgomasino [TO] 1 Cc
Borgone Susa [TO] 1 Bc
Borgonovo Ligure [GE] 9 Ad
Borgonovo Val Tidone [PC] 9 Ab
Borgo Pace [PU] 15 Bb
Borgo Piave [LT] 23 Bab
Borgoratto Mormorolo [PV] 7 Fb
Borgorose [RI] 19 Dc
Borgo San Dalmazzo [CN] 7 BCc
Borgo San Giacomo [BS] 9 Bb
Borgo San Lorenzo [FI] 13 Eb
Borgo Segézia [FG] 25 CDb
Borgosésia [VC] 1 Db
Borgo Tavérnola [FG] 25 Db
Borgo Ticino [NO] 1 Eb
Borgo Tossignano [BO] 13 Fa
Borgo Val di Taro [PR] 9 Bcd
Borgo Valsugana [TN] 3 Ec
Borgo Vercelli [VC] 1 Dc
Bormida 7 Eb
Bormida di Millesimo 7 Dc
Bormio [SO] 3 Cc
Bormio, Bagni di- 3 Cc
Borno [BS] 3 Cd
Boróre [NU] 37 Cc
Bortigiádas [OT] 37 Db
Borzonasca [GE] 9 Ad
Bosa [OR] 37 BCc
Bosa Marina [OR] 37 BCc
Bosco Chiesanuova [VR] 9 Ea
Bosco-Gurin [Svizz.] 1 Da
Bosco Marengo [AL] 7 Eb
Boscotrecase [NA] 23 Ec
Bossea [CN] 7 Cc
Bossolasco [CN] 7 Db
Botricello [CZ] 29 Dd
Botte Donato 29 Cc
Bourg-Saint-Maurice [Fr.] 1 Ab
Bourg-Saint Pierre [Svizz.] 1 Bb
Bousiéyas [Fr.] 7 Ac
Bova [RC] 31 Dbc
Bovalino [RC] 31 Eb
Bova Marina [RC] 31 Dc
Bovec [SLO] = Plezzo (I) 5 Fc
Bovegno [BS] 3 Cd
Boves [CN] 7 Cc
Bovino [FG] 25 Cb
Bovolenta [PD] 11 Bb
Bovolone [VR] 9 Eb
Bozen / Bolzano [BZ] 3 Eb
Bozzolo [MN] 9 Cb
Bra [CN] 7 Cb
Braccagni [GR] 17 Db
Bracciano [ROMA] 19 Bc
Bracciano, Lago di- (Sabatino) 19 Bc
Bracco, Passo del- 13 Ba
Bradano 27 Bb
Bragher, Castello- 3 Ec
Bráies / Prags [BZ] 5 Cb
Brajkovici [CRO] 11 Fb
Brallo di Pregola [PV] 7 Fb
Bramans [Fr.] 1 Ac
Branca [PG] 15 Cc
Brancaleone Marina [RC] 31 Ec
Brandizzo [TO] 1 Cc
Branik [SLO] = Rifembergo (I) 5 Fd
Breganze [VI] 5 Bd
Breginj [SLO] = Bergogna (I) 5 Ec
Breguzzo [TN] 3 Dcd
Breil sur Roya [Fr.] 7 BCd
Brembana, Val- 3 Bd
Brembo 3 Bd
Bréndola [VI] 9 Eb
Brenner / Brénnero [BZ] 3 EFab
Brennerbad / Terme di Brénnero [BZ] 5 ABab
Brénnero / Brenner [BZ] 3 EFab
Brénnero, Passo del- / Brennerpaß 3 EFa
Brennerpaß / Brénnero, Passo del- 3 EFa
Breno [BS] 3 Cd
Brenta 5 Bd
Brenta, Cima- 3 Dc
Brentonico [TN] 3 Dd
Brenzone [VR] 3 Dd
Brescello [RE] 9 CDc
Brescia [BS] 9 Ca
Bressana Bottarone [PV] 1 Fc
Bressanone / Brixen [BZ] 5 Bb
Bretto (I) = Log pod Mangartom [SLO] 5 Fc
Breuil-Cervinia [AO] 1 Cb
Briançon [Fr.] 7 Ab
Briançonnet [Fr.] 7 Ad
Brianza 1 Fb
Briatico [VV] 31 Ea
Bricherásio [TO] 7 Bb
Brienza [PZ] 25 Dcd
Brig [Svizz.] = Briga (I) 1 CDa
Briga (I) = Brig [Svizz.] 1 CDa
Brigue, La- [Fr.] 7 Cc
Brindisi [BR] 27 Db
Brijuni, Nacionalni Park- [CRO] 11 Fc
Brinzio [VA] 1 Eb
Brione Verzasca [Svizz.] 1 Ea
Brisighella [RA] 15 Aa
Brissago [Svizz.] 1 Ea
Bríttoli [PE] 19 Ec
Brivio [LC] 3 Ad
Brixen / Bressanone [BZ] 5 Bb
Bróglio [Svizz.] 1 Ea
Brolo [ME] 31 Bb
Broni [PV] 1 Fc
Bronte [CT] 31 Bc
Brtonigla / Verteneglio [CRO] 11 Fb
Brucoli [SR] 35 Ec
Brugnera [PN] 5 Dd
Brunate [CO] 1 Fb
Bruneck / Brunico [BZ] 5 Bb
Brunella [NU] 37 Eb
Brunico / Bruneck [BZ] 5 Bb
Brusago [TN] 3 Ec
Brusasco [TO] 1 Dc
Brúsio [Svizz.] 3 Cc
Brussa [VE] 11 Da
Brusson [AO] 1 Cb
Bùbbio [AT] 7 Db
Buccheri [SR] 35 Dc
Bucchiánico [CH] 21 Bc
Buccino [SA] 25 Cc
Búcine [AR] 13 Fbc
Budditogliu Stráulas [OT] 37 Eb
Buddusó [OT] 37 Db
Budelli 37 Da
Budoni [OT] 37 Eb
Búdrio [BO] 11 Bc
Bue Marino, Grotta del- [FG] 21 Dc
Bue Marino, Grotta del- [NU] 37 Ec
Buggerru [CI] 39 Bc
Búia [UD] 5 Ec
Buie / Buje [CRO] 11 Fb
Buje / Buie [CRO] 11 Fb
Bultei [SS] 37 Dc
Buonabitácolo [SA] 29 Ba
Buonalbergo [BN] 25 Bb
Buonconvento [SI] 13 Ec
Buonvicino [CS] 29 Bb
Burano [VE] 11 Cab
Burano, Serra di- 15 Cc
Burcei [CA] 39 Dc

Burgio [AG] **33** Cb
Búrgos [SS] **37** Cc
Burgstall / Postal [BZ] **3** Eb
Buriasco [TO] **7** Bb
Buronzo [VC] **1** Dbc
Busachi [OR] **39** Ca
Busalla [GE] **7** Eb
Busambra, Rocca- **33** Cb
Busana [RE] **9** Cd
Busca [CN] **7** Bb
Buscemi [SR] **35** Dc
Buseto Palizzolo [TP] **33** Bab
Busseto [PR] **9** Cbc
Bussi sul Tirino [PE] **19** Ec
Bussolengo [VR] **9** Db
Bussoleno [TO] **1** Bc
Busto Arsizio [VA] **1** Eb
Busto Garolfo [MI] **1** Eb
Butera [CL] **33** Ec
Buti [PI] **13** Db
Buttapietra [VR] **9** DEb
Buttigliera Alta [TO] **1** Bc
Buttrio [UD] **5** Ec
Buturo [CZ] **29** Dc
Buzet [CRO] **11** Fb

C

Cabella Ligure [AL] **7** Fb
Cábras [OR] **39** Cb
Cábras, Stagno di- **39** BCb
Caccamo [PA] **33** Db
Cáccia, Capo- **37** Bb
Cáccia, Monte- **25** Eb
Caccuri [KR] **29** Dc
Cadelbosco di Sopra [RE] **9** Dc
Cadenabbia [CO] **1** Fab
Cadéo [PC] **9** Bc
Cadibona, Colle di- → Altare, Bocchetta di-**7** Dc
Cadipietra / Steinhaus [BZ] **5** Bab
Cadore **5** Cbc
Caggiano [SA] **25** Cc
Cagli [PU] **15** Cb
Cágliari [CA] **39** Dc
Cagliari, Golfo di- **39** Dc
Cagliari, Stagno di- **39** Dc
Cagnano Amiterno [AQ] **19** Dc
Cagnano Varano [FG] **21** Ed
Cagnes-sur-Mer [Fr.] **7** Bd
Caguseli, Ianna- **37** Dc
Caiazzo [CE] **23** Eb
Cairano [AV] **25** Cc
Cáiro Montenotte [SV] **7** Dc
Caivano [NA] **23** Ec
Calabernardo [SR] **35** Ed
Calabrina [FC] **15** Ba
Calabritto [AV] **25** Cc
Cala d'Oliva [SS] **37** Ba
Cala Gonone [NU] **37** Ec
Cala Liberotto [NU] **37** Ec
Calalzo di Cadore [BL] **5** Cc
Calambrone [PI] **13** Cb
Calamonaci [AG] **33** Cb
Calangiánus [OT] **37** Db
Calascibetta [EN] **33** Eb
Calasetta [CI] **39** Bc
Calatabiano [CT] **31** Cc
Calavà, Capo- **31** Bb
Calci [PI] **13** CDb
Calcinato [BS] **9** Cb
Calcinelli [PU] **15** Cb
Caldarola [MC] **15** Dc
Caldaro sulla Strada del Vino / Kaltern an der Weinstrasse [BZ] **3** Ec
Calderara di Reno [BO] **9** Ec
Caldirola [AL] **7** Fb
Caldogno [VI] **9** EFa
Caldonazzo [TN] **3** Ecd
Caldonazzo, Lago di- **3** Ec
Calenzano [FI] **13** Eb
Calestano [PR] **9** Cc
Caletta, la- [CI] **39** Bc
Caletta, la- [NU] **37** Eb
Calice al Cornoviglio [SP] **13** Ba
Calimera [LE] **27** Ec
Calitri [AV] **25** Cc
Calizzano [SV] **7** Dc
Calliano [AT] **7** Dab
Calolziocorte [LC] **3** Ad
Calore [Camp.] **23** Eb
Calore [It.] **25** Dd
Calore [SA] **25** BCc
Caltabellotta [AG] **33** Cb
Caltagirone [CT] **35** CDc
Caltanissetta [CL] **33** Ebc
Caltavuturo [PA] **33** Db
Calto [RO] **9** Ebc
Caltrano [VI] **3** Ed
Caluso [TO] **1** Cc
Calvello [PZ] **25** Dd
Calvi dell'Umbria [TR] **19** Cc
Calvisano [BS] **9** Cb
Calvo, Monte- **21** Ed
Camaiore [LU] **13** Cb
Camaldoli [AR] **15** Ab
Camaldoli, Eremo di- **15** Ab
Camastra [AG] **33** Dc
Camedo [Svizz.] **1** Ea
Camerano [AN] **15** Eb
Camerata Nuova [ROMA] **19** Dc
Cameri [NO] **1** Ebc
Camerino [MC] **15** Dc
Camerota [SA] **29** Aa
Camigliatello Silano [CS] **29** Cc
Camisano Vicentino [VI] **11** Ba
Cammarata [AG] **33** Db
Cammarata, Monte- **33** Db
Camogli [GE] **7** Fc
Camonica, Val- **3** Ccd
Campagna [SA] **25** Cc
Campagnano di Roma [ROMA] **19** Bc
Campagnático [GR] **17** Db
Campana [CS] **29** Dc
Campana, Pianura- **23** DEb
Campanella, Punta- **23** Ec
Campello sul Clitunno [PG] **19** Cb
Campertogno [VC] **1** Db
Campi [PG] **19** Db
Campi Bisénzio [FI] **13** Eb
Campidano **39** Cbc
Campiglia d'Órcia [SI] **17** Eb
Campíglia Maríttima [LI] **13** Dc
Campiglia Soana [TO] **1** Cb
Campigna [FC] **15** Ab
Campione d'Italia [CO] **1** Eab
Campi Salentina [LE] **27** DEc
Campitello di Fassa [TN] **5** Bc
Campitello Matese [CB] **23** Eab
Campli [TE] **19** Eb
Campobasso [CB] **23** Fa
Campobello di Licata [AG] **33** Dc
Campobello di Mazara [TP] **33** Bb
Campocatino [FR] **19** Dd
Campocologno [Svizz.] **3** Cc
Campodársego [PD] **11** Bab
Campo di Giove [AQ] **21** Bc
Campodimele [LT] **23** Db
Campodipietra [CB] **25** Ba
Campo di Trens / Freienfeld [BZ] **3** Eb
Campodolcino [SO] **3** Ac
Campofelice di Roccella [PA] **33** Dab
Campofiorito [PA] **33** Cb
Campofórmido [UD] **5** Ec
Campofranco [CL] **33** Dbc
Campogalliano [MO] **9** Dc
Campo Imperatore **19** Ec
Campolasta / Astfeld [BZ] **3** Eb
Campolattaro [BN] **25** Bb
Cámpoli Appennino [FR] **19** Ed
Campo Ligure [GE] **7** Eb
Campomarino [CB] **21** Dd
Campomarino [TA] **27** Dc
Campo Molino [CN] **7** Bc
Campomorone [GE] **7** Ebc
Camponogara [VE] **11** Cb
Campora San Giovanni [CS] **29** Cc
Camporeale [PA] **33** Cb
Campo Reggiano [PG] **15** Bc
Camporosso, Sella di- **5** Fbc
Camposampiero [PD] **11** Ba
Camposanto [MO] **9** Ec
Campo Tencia **1** Ea
Campotosto [AQ] **19** Db
Campotosto, Lago di- **19** Db
Campo Túres / Sand in Taufers [BZ] **5** Bb
Camucia [AR] **15** Ac
Camugnano [BO] **13** Ea
Cana [GR] **17** Db
Canale [CN] **7** CDb
Canale, Val- **5** EFbc
Canale d'Isonzo (I) = Kanal [SLO] **5** Fc
Canal San Bovo [TN] **5** Bc
Canapine, Forca- **19** Db
Canavese **1** Cc
Canazei [TN] **5** Bc
Cancellara [PZ] **25** Dc
Cancello ed Arnone [CE] **23** Eb
Candela [FG] **25** CDb
Candelaro **25** Da
Candelo [BI] **1** Db
Candia Lomellina [PV] **1** Ec
Canelli [AT] **7** Db
Canfanaro (I) = Kanfanar [CRO] **11** Fb
Canicattì [AG] **33** Dc
Canicattini Bagni [SR] **35** Ec
Canin, Monte- **5** Ec
Canino [VT] **17** Ec
Cannai [CI] **39** Bc
Cannara [PG] **15** Ccd
Canne **25** Eb
Cannero Riviera [VB] **1** Ea
Canneto [ME] **31** Bab
Canneto [PI] **13** Dc
Canneto sull'Óglio [MN] **9** Cb
Cannigione [OT] **37** Da
Cannobina, Val- **1** Ea
Cannobio [VB] **1** Ea
Canolo [RC] **31** Eb
Canosa di Púglia [BT] **25** Eb
Canossa, Castello di- **9** Cc
Canove [VI] **3** Ed
Cansano [AQ] **19** EFcd
Cantagallo [PO] **13** Ea
Cantalupo nel Sánnio [IS] **23** Ea
Canterano [ROMA] **19** Dd
Cantiano [PU] **15** Cc
Cantù [CO] **1** Fb
Canzo [CO] **1** Fb
Caoria [TN] **5** Bc
Cáorle [VE] **11** Da
Caorso [PC] **9** Bb
Capáccio [SA] **25** Cd
Capaci [PA] **33** Ca
Capálbio [GR] **17** Dc
Capannelle, Passo delle- **19** Dc
Capánnoli [PI] **13** Db
Capánnori [LU] **13** Db
Cap Corse **13** Acd
Cap-d'Ail [Fr.] **7** Bd
Capel Rosso, Punta del- **17** Cc
Capestrano [AQ] **19** Ec
Capistrello [AQ] **19** Dd
Capitignano [AQ] **19** Db
Capitone [TR] **19** Bb
Capizzi [ME] **31** Ac
Capodimonte [VT] **17** Eb
Capo di Ponte [BS] **3** Cc
Capodistria / Koper [SLO] **11** Fa
Capo d'Orlando [ME] **31** Bb
Capolíveri [LI] **17** Bb
Capo Portiere [LT] **23** Bb
Caporetto (I) = Kobarid [SLO] **5** Fc
Capo Rizzuto [KR] **29** Ed
Caposele [AV] **25** Cc
Caposile [VE] **11** Da
Capoterra [CA] **39** Cc
Cappadócia [AQ] **19** Dcd
Cappelle sul Tavo [PE] **21** Bc
Capracotta [IS] **21** Bd
Capraia **13** Bc
Capráia o Caprara, Isola- **21** DEc
Capraia Isola [LI] **13** Bc
Capránica [VT] **19** Bc
Caprara, Isola- → Capráia, Isola- **21** DEc
Caprara o dello Scorno, Punta- **37** Ba
Caprarola [VT] **19** Bc
Caprera **37** DEa
Caprese Michelángelo [AR] **15** Ab
Capri [NA] **23** Ec
Capri [NA] **23** Ec
Capriati a Volturno [CE] **23** Eb
Capriccioli [OT] **37** Ea
Caprile [BL] **5** BCc
Caprino Veronese [VR] **9** Da
Capriolo [BS] **9** Ba
Cápua [CE] **23** Eb
Capurso [BA] **27** Ba
Caraffa di Catanzaro [CZ] **31** Ea
Caraglio [CN] **7** Bc
Caramánico Terme [PE] **19** EFc
Carapelle [FG] **25** Db
Carapelle [FG] **25** Db
Carasco [GE] **9** Ad
Carassai [AP] **15** Ec
Carate Brianza [MB] **1** Fb
Caravággio [BG] **9** Bab
Caravággio, Santuario di- **9** Bb
Caravai, Passo di- **39** Da
Carbonara, Capo- **39** DEc
Carbonara, Pizzo- **33** Eb
Carbónia [CI] **39** BCc
Carbonin / Schluderbach [BZ] **5** Cb
Carcare [SV] **7** Dc
Cárceri, Éremo delle- **15** Cc
Carcoforo [VC] **1** Db
Cardedu [OG] **39** Eb
Cardeto [RC] **31** Db
Cardinale [CZ] **31** Ea
Cardito [FR] **23** Da
Carena [Svizz.] **1** Fa
Carezza al Lago / Karersee [BZ] **5** Bc
Cariati [CS] **29** Dbc
Carife [AV] **25** Cb
Carignano [PU] **15** Cb
Carignano [TO] **7** Cb
Carini [PA] **33** Ca
Carínola [CE] **23** Db
Carisolo [TN] **3** Dc
Carlentini [SR] **35** DEc
Carloforte [CI] **39** Bc
Carlopoli [CZ] **29** Cc
Carmagnola [TO] **7** Cb
Carmiano [LE] **27** Ec
Cárnia [Fr.V.G.] **5** DEc
Cárnia [UD] **5** Ec
Caroiba (I) = Karojba [CRO] **11** Fb
Carolei [CS] **29** Cc
Carona [BG] **3** Bc
Caronia [ME] **31** Ab
Carosino [TA] **27** Cc
Carovigno [BR] **27** Db
Carovilli [IS] **21** Bd
Carpaneto Piacentino [PC] **9** Bc
Carpegna [PU] **15** Bb
Carpenédolo [BS] **9** Cb
Carpeneto [AL] **7** Eb
Carpi [MO] **9** Dc
Carpignano Salentino [LE] **27** Ec
Carpignano Sesia [NO] **1** Db
Carpina **15** Bc
Carpinello [FC] **15** Ba
Carpineti [RE] **9** CDd
Carpineto Romano [ROMA] **23** Ca
Carpino [FG] **21** Ed
Carpinone [IS] **23** Ea
Carrara [MS] **13** Ca
Carros [Fr.] **7** Bd
Carrù [CN] **7** Cbc
Carso **5** Fd
Carsóli [AQ] **19** Dc
Carsulae **19** Cb
Cartoceto [PU] **15** Cb
Carúnchio [CH] **21** BCd
Caruso, Forca- **19** Ec
Casabona [KR] **29** Dc
Casacalenda [CB] **21** Cd
Casacanditella [CH] **21** Bc
Casa Castalda [PG] **15** Cc
Casalabate [LE] **27** Ebc
Casalánguida [CH] **21** BCc
Casalbordino [CH] **21** Cc
Casalborgone [TO] **1** Cc
Casal Borsetti [RA] **11** Cc
Casalbuono [SA] **29** Ba
Casalbuttano ed Uniti [CR] **9** Bb
Casal di Príncipe [CE] **23** Eb
Casale, Villa Romana del- **35** Cc
Casalécchio di Reno [BO] **9** Ed
Casale di Scodósia [PD] **9** Eb
Casale Monferrato [AL] **1** Dc
Casaleone [VR] **9** Eb
Casaletto Spartano [SA] **29** Ba
Casalgrande [RE] **9** Dc
Casalgrasso [CN] **7** Cb
Casalmaggiore [CR] **9** Cbc
Casalmorano [CR] **9** Bb
Casalnuovo Monterotaro [FG] **25** Ca
Casaloldo [MN] **9** Cb
Casalone, Il- [VT] **17** Ec
Casalpusterlengo [LO] **9** Bb
Casalromano [MN] **9** Cb
Casal Velino [SA] **29** Aa
Casalvieri [FR] **19** Ed
Casamáina [AQ] **19** Dc
Casamari, Abbazia di- **19** DEd
Casamássima [BA] **27** Bb
Casamícciola Terme [NA] **23** Dc
Casarano [LE] **27** Ecd
Casarsa della Delizia [PN] **5** Dd
Casazza [BG] **3** Bd
Cáscia [PG] **19** CDb
Casciana Terme [PI] **13** Db
Casciano [SI] **13** Ec
Cáscina [PI] **13** Db
Casei Gerola [PV] **7** Ea
Casella [GE] **7** EFb
Caselle Torinese [TO] **1** Cc
Casemurate [RA] **15** Ba
Casenove Serrone [PG] **19** Cab
Casere / Kasern [BZ] **5** Ca
Caserta [CE] **23** Eb
Casilina, Via- **19** Cd
Casina [RE] **9** CDc
Casina, Cima la- **3** Cb
Cásola Valsenio [RA] **13** Fa
Cásole d'Elsa [SI] **13** Ec
Casoli [CH] **21** Bc
Casória [NA] **23** Ec
Casorzo [AT] **7** Da
Caspéria [RI] **19** Cc
Cassago Brianza [LC] **1** Fb
Cassano all'Ionio [CS] **29** Cb
Cassano d'Adda [MI] **9** ABa
Cassano delle Murge [BA] **27** Bb
Cassano Magnago [VA] **1** Eb
Cassano Spinola [AL] **7** Eb
Cassia, Via- **19** Bcd
Cassibile [SR] **35** Ed
Cassine [AL] **7** DEb
Cassino [FR] **23** Dab
Cassio [PR] **9** Cc
Cassolnovo [PV] **1** Ec
Castagna, Punta- **31** Ba
Castagnaro [VR] **9** Eb
Castagneto Carducci [LI] **13** Dc
Castagno [FI] **13** Dbc
Castagnole delle Lanze [AT] **7** Db
Castanea delle Fúrie [ME] **31** CDb
Cástano Primo [MI] **1** Eb
Castasegna [Svizz.] **3** ABc
Casteggio [PV] **7** Fa
Castel Baronia [AV] **25** Cb
Castelbello / Kastelbell [BZ] **3** Db

Castel Bolognese [RA] 15 Aa
Castelbuono [PA] 33 Eb
Casteldaccia [PA] 33 Da
Castel d'Aiano [BO] 13 DEa
Castel d'Ario [MN] 9 Db
Casteldelci [PU] 15 Bb
Casteldelfino [CN] 7 Bb
Castel dell'Áquila [TR] 19 Bb
Castel del Monte [AQ] 19 Ec
Castel del Piano [PG] 15 Bc
Castel del Rio [BO] 13 EFa
Castel di Casio [BO] 13 Ea
Castel di Iudica [CT] 35 Dbc
Castel di Sangro [AQ] 21 Bd
Castel di Tora [RI] 19 Cc
Castel Dória, Terme di- 37 Cb
Castelfidardo [AN] 15 Ec
Castelfiorentino [FI] 13 Db
Castel Focognano [AR] 15 Ab
Castelforte [LT] 23 Db
Castelfranco di Sotto [PI] 13 Db
Castelfranco Emília [MO] 9 Ec
Castelfranco in Miscano [BN] 25 Cb
Castelfranco Véneto [TV] 5 Bd
Castel Frentano [CH] 21 Bc
Castél Fusano [ROMA] 19 Bd
Castél Gandolfo [ROMA] 19 Cd
Castel Giórgio [TR] 17 Eb
Castel Goffredo [MN] 9 Cb
Castelgrande [PZ] 25 Cc
Castella, Le- [KR] 29 DEd
Castellabate [SA] 25 Bd
Castel Lagopesole [PZ] 25 Dc
Castellamare di Stábia [NA] 23 Ec
Castellammare, Golfo di- 33 Ba
Castellammare del Golfo [TP] 33 Ba
Castellamonte [TO] 1 Cc
Castellana, Grotte di- 27 Cb
Castellana Grotte [BA] 27 Cb
Castellana Sícula [PA] 33 Eb
Castellaneta [TA] 27 Bb
Castellaneta Marina [TA] 27 Bbc
Castellanza [VA] 1 Eb
Castellarano [RE] 9 Dc
Castell'Arquato [PC] 9 Bc
Castell'Azzara [GR] 17 Eb
Castellazzo Bórmida [AL] 7 Eb
Castelleone [CR] 9 Bb
Castelletto d'Orba [AL] 7 Eb
Castelletto Stura [CN] 7 Cc
Castelli [TE] 19 Ebc
Castelli Calépio [BG] 9 Ba
Castellina in Chianti [SI] 13 Ec
Castellina Maríttima [PI] 13 Dc
Castello di Molina di Fiemme [TN] 3 Ec
Castello Tesino [TN] 5 Bc
Castellucchio [MN] 9 Db
Castellúccio dei Sáuri [FG] 25 Cb
Castelluccio Inferiore [PZ] 29 Ba
Castell'Umberto [ME] 31 Bb
Castelluzzo [TP] 33 Ba
Castel Maggiore [BO] 9 Ec
Castelmassa [RO] 9 Eb
Castelmáuro [CB] 21 Cd
Castel Morrone [CE] 23 Eb
Castelnovo ne' Monti [RE] 9 Cd
Castelnuovo Berardenga [SI] 13 EFc
Castelnuovo del Garda [VR] 9 Db
Castelnuovo della Dáunia [FG] 25 Ca
Castelnuovo di Garfagnana [LU] 13 Ca
Castelnuovo di Val di Cécina [PI] 13 Dc
Castelnuovo Don Bosco [AT] 1 Cc
Castelnuovo Magra [SP] 13 BCa
Castelnuovo Scrivia [AL] 7 Eab
Castelnuovo Vomano [TE] 19 Eb
Castelpetroso [IS] 23 Ea
Castelraimondo [MC] 15 Dc
Castél Rigone [PG] 15 Bc
Castel Ritardi [PG] 19 Cb
Castelrotto / Kastelruth [BZ] 5 Bb
Castel San Gimignano [SI] 13 DEc
Castel San Giórgio [SA] 25 Bc
Castel San Giovanni [PC] 9 Ab
Castel San Lorenzo [SA] 25 Cd
Castel San Niccoló [AR] 15 Ab
Castel San Pietro Terme [BO] 11 Bd
Castelsantángelo sul Nera [MC] 19 Db
Castelsaraceno [PZ] 29 Ba
Castelsardo [SS] 37 Cb
Castelseprio [VA] 1 Eb
Casteltermini [AG] 33 Db
Castelverde [CR] 9 Bb
Castelvétere in Val Fortore [BN] 25 Bb
Castelvetrano [TP] 33 Bb
Castelvetro di Mòdena [MO] 9 Dcd
Castel Viscardo [TR] 17 EFb
Castel Volturno [CE] 23 Db
Castenaso [BO] 9 Ecd
Castenedolo [BS] 9 Cb
Castiádas [CA] 39 DEc
Castiglioncello [LI] 13 Cc
Castiglione Chiavarese [GE] 13 ABa
Castiglione d'Adda [LO] 9 Bb
Castiglione dei Pèpoli [BO] 13 Ea
Castiglione della Pescáia [GR] 17 Cb
Castiglione delle Stiviere [MN] 9 Cb
Castiglione di Cervia [RA] 15 Ba
Castiglione di Garfagnana [LU] 13 Ca
Castiglione di Sicilia [CT] 31 Cc
Castiglione d'Órcia [SI] 13 Fcd
Castiglione in Teverina [VT] 19 Bb
Castiglione Messer Marino [CH] 21 Bd
Castiglione Messer Raimondo [TE] 19 Eb
Castiglione Olona [VA] 1 Eb
Castiglion Fibocchi [AR] 15 Ab
Castiglion Fiorentino [AR] 15 Ac
Castino [CN] 7 Db
Castione della Presolana [BG] 3 Cd
Castions di Strada [UD] 5 Ed
Casto [BS] 3 Cd
Castrignano de' Greci [LE] 27 Ec
Castrignano del Capo [LE] 27 Ed
Castro 17 Eb
Castrocaro Terme [FC] 15 Aa
Castro dei Volsci [FR] 23 Cab
Castrofilippo [AG] 33 Dc
Castro Marina [LE] 27 Ecd
Castronuovo di Sant'Andrea [PZ] 29 Ca
Castronuovo di Sicilia [PA] 33 Db
Castropignano [CB] 23 Fa
Castroreale [ME] 31 Cb
Castroregio [CS] 29 Cab
Castrovillari [CS] 29 Cb
Cataeggio [SO] 3 Bc
Catania [CT] 35 Ebc
Catánia, Golfo di- 35 Ec
Catania, Piana di- 35 Dc
Catanzaro [CZ] 29 Dd
Catanzaro Marina [CZ] 31 Fa
Catenanuova [EN] 35 Db
Catignano [PE] 19 Ec
Catinaccio d'Antermoia 5 Bc
Cattólica [RN] 15 Cb
Cattólica Eracléa [AG] 33 Cc
Caulonia 31 Fb
Caulónia [RC] 31 Eb
Caulonia Marina [RC] 31 Eb
Cava de' Tirreni [SA] 25 Bc
Cava d'Ispica 35 Dd
Cavaglià [BI] 1 Dc
Cavalese [TN] 3 Ec
Cavallermaggiore [CN] 7 Cb
Cavallino [LE] 27 Ec
Cavallino [VE] 11 Dab
Cavallo 37 Da
Cavárzere [VE] 11 Cb
Cavazzo, Lago di- 5 Ec
Cavazzo Cárnico [UD] 5 Ec
Cave [ROMA] 19 Cd
Cave del Predil [UD] 5 Fc
Ca' Venier [RO] 11 Cc
Cavezzo [MO] 9 Ec
Cavi [GE] 13 Aa
Cavo [LI] 17 Bb
Cávoli, Isola dei- 39 Ec
Cavour [TO] 7 Bb
Cavriago [RE] 9 CDc
Cavríglia [AR] 13 Eb
Cayolle, Col de la- 7 Ac
Ceccano [FR] 23 Ca
Cecina 13 Dc
Cécina [LI] 13 CDc
Cecita, Lago di- 29 Dc
Cedégolo [BS] 3 Cc
Cedrino 37 Ec
Cefalù [PA] 33 DEa
Céggia [VE] 5 Dd
Céglie Messápica [BR] 27 CDb
Celano [AQ] 19 Ec
Celenza Valfortore [FG] 25 Ba
Celerina [Svizz.] 3 Bb
Célico [CS] 29 Cc
Celle di Bulgheria [SA] 29 Aa
Celle Ligure [SV] 7 Ec
Cellino Attanásio [TE] 19 Eb
Cellino San Marco [BR] 27 Dc
Celone 25 Cb
Cembra [TN] 3 Ec
Cencenighe Agordino [BL] 5 Bc
Cengio [SV] 7 Dc
Centallo [CN] 7 Cbc
Cento [FE] 9 Ec
Cento Croci, Passo di- 9 Bd
Centoia [AR] 15 Ac
Centola [SA] 29 Aa
Centrache [CZ] 31 Ea
Centuripe [EN] 35 Db
Cepagatti [PE] 21 Bc
Cepina [SO] 3 Cc
Čepovan [SLO] = Chiapovano (I) 5 Fc
Ceppo [TE] 19 Db
Ceppo Morelli [VB] 1 Db
Ceprano [FR] 23 CDa
Cerami [EN] 31 ABc
Ceranesi [GE] 7 Ebc
Cerano [NO] 1 Ec
Ceraso [SA] 29 Aa
Cerbaia [FI] 13 Eb
Cercemaggiore [CB] 25 Bb
Cerchiara di Calábria [CS] 29 Cb
Cerda [PA] 33 Db
Cerea [VR] 9 Eb
Cerenzia [KR] 29 Dc
Céres [TO] 1 Bc
Ceresole Alba [CN] 7 Cb
Ceresole Reale [TO] 1 Bc
Ceriale [SV] 7 Dc
Ceriana [IM] 7 Cd
Cerignola [FG] 25 Db
Cerisano [CS] 29 Cc
Cerkno [SLO] 5 FGc
Cernizza (I) = Črniče [SLO] 5 Fd
Cernobbio [CO] 1 Fb
Cerovlje [CRO] 11 Fb
Cerqueto [PG] 19 Bb
Cerredolo [RE] 9 Dd
Cerreto [MC] 15 Cc
Cerreto, Passo del- 13 Ca
Cerreto D'Esi [AN] 15 CDc
Cerreto di Spoleto [PG] 19 Cb
Cerreto Guídi [FI] 13 Db
Cerreto Sannita [BN] 23 Fb
Cerrina Monferrato [AL] 1 Dc
Cerro al Volturno [IS] 21 Bd
Certaldo [FI] 13 Eb
Certosa, la- 31 Ea
Cervandone, Monte- 1 Da
Cervara di Roma [ROMA] 19 Dcd
Cervaro [FR] 23 Dab
Cervaro [Pugl.] 25 Dab
Cervati, Monte- 25 Cd
Cervellino, Monte- 9 Cc
Cervere [CN] 7 Cb
Cervesina [PV] 1 EFc
Cerveteri [ROMA] 19 Bcd
Cervia [RA] 15 Ba
Cervialto, Monte- 25 Cc
Cervières [Fr.] 7 Ab
Cervignano del Friuli [UD] 5 Ed
Cervina, Punta- 3 Eb
Cervinara [AV] 23 Fb
Cervino, Monte- 1 Cb
Cervo [IM] 7 Dd
Cesana Torinese [TO] 7 Ab
Cesano [AN] 15 Db
Cesano [Marc.] 15 Db
Cesaró [ME] 31 Bc
Cesena [FC] 15 Ba
Cesenático [FC] 15 Ba
Cesiomaggiore [BL] 5 Bc
Cessalto [TV] 5 Dd
Cessaniti [VV] 31 Ea
Cetona [SI] 17 Eb
Cetraro [CS] 29 Bb
Ceva [CN] 7 Dc
Cevedale / Zufallspitze 3 Dc
Cevio [Svizz.] 1 Ea
Chalais [Svizz.] 1 BCa
Challand-Saint-Victor [AO] 1 Cb
Chambeyron, Aiguille de- 7 Ab
Chamonix, Vallée de- 1 Ab
Chamonix-Mont-Blanc [Fr.] 1 Ab
Champex [Svizz.] 1 Ba
Champoluc [AO] 1 Cb
Champorcher [AO] 1 Cb
Chandolin [Svizz.] 1 Ca
Chapieux, Les- [Fr.] 1 Ab
Château Queyras [Fr.] 7 Ab
Châtel [Fr.] 1 Aa
Châtillon [AO] 1 Cb
Cherasco [CN] 7 Cb
Chevenoz [Fr.] 1 Aa
Chialamberto [TO] 1 Bc
Chiampo [VI] 9 Ea
Chiana, Val di- 15 Ac
Chianale [CN] 7 ABb
Chianca, Dolmen di- 25 Eb
Chianciano Terme [SI] 15 Ac
Chiani 19 Bb
Chianni [PI] 13 Dbc
Chianti 13 Ebc
Chiapili [TO] 1 Bc
Chiapovano (I) = Čepovan [SLO] 5 Fc
Chiappera [CN] 7 Abc
Chiaramonte Gulfi [RG] 35 Dc
Chiaramonti [SS] 37 Cb
Chiaravalle [AN] 15 Db
Chiaravalle, Abbazia di- 1 Fc
Chiaravalle Centrale [CZ] 31 Ea
Chiaravalle della Colomba [PC] 9 Bc
Chiareggio [SO] 3 Bc
Chiari [BS] 9 Ba
Chiaromonte [PZ] 29 Ca
Chiasso [Svizz.] 1 Fb
Chiatona [TA] 27 Cb
Chiávari [GE] 13 Aa
Chiavenna [SO] 3 Ac
Chienes / Kiens [BZ] 5 Bb
Chienti 15 Ec
Chieri [TO] 7 Ca
Chiesa in Valmalenco [SO] 3 Bc
Chies d'Alpago [BL] 5 Cc
Chiese 9 Cb
Chiesina Uzzanese [PT] 13 Db
Chieti [CH] 21 Bc
Chiéuti [FG] 21 Dd
Chilivani [SS] 37 Cb
Chióggia [VE] 11 Cb
Chiomonte [TO] 1 Ac
Chisone 7 Bb
Chiusa / Klausen [BZ] 5 Bb
Chiusa di Pésio [CN] 7 Cc
Chiusaforte [UD] 5 Ec
Chiúsa Scláfani [PA] 33 Cb
Chiusdino [SI] 13 Ec
Chiúsi [SI] 15 Ac
Chiusi, Lago di- 15 ABc
Chiúsi della Verna [AR] 15 Ab
Chivasso [TO] 1 Cc
Chur [Svizz.] 3 Bb
Churwalden [Svizz.] 3 ABb
Ciamarella, Uia di- 1 Bc
Cianciana [AG] 33 Cb
Ciano d'Enza [RE] 9 Cc
Cicagna [GE] 7 Fc
Cicala [CZ] 29 Cc
Cicciano [NA] 23 Fc
Cicerone, Tomba di- 23 Db
Cicolano 19 Dc
Cigliano [VC] 1 CDc
Cilavegna [PV] 1 Ec
Cilento 25 Cd
Cilento-Vallo di Diano, Parco Nazionale del- 25 Cd
Cimalmotto [Svizz.] 1 Da
Ciminà [RC] 31 Eb
Cimini, Monti- 19 Bc
Ciminna [PA] 33 Db
Cimino, Monte- 19 Bc
Cimoláis [PN] 5 Cc
Cimone, Monte- 13 Da
Cíngoli [MC] 15 Dc
Cinigiano [GR] 17 Db
Cinisello Balsamo [MI] 1 Fb
Cínisi [PA] 33 Ca
Cinquefrondi [RC] 31 Eb
Cinqueterre 13 Ba
Ciociaria 19 Dd
Circeo, Capo- 23 Cb
Circeo, Monte- 23 Cb
Circeo, Parco Nazionale del- 23 BCb
Cirella [CS] 29 Bb
Cirella, Isola di- 29 Bb
Ciriè [TO] 1 Cc
Cirò [KR] 29 Ec
Cirò Marina [KR] 29 Ec
Cirque du Fer à Cheval 1 Aa
Cisa, Passo della- 9 Bd
Cisano sul Neva [SV] 7 Dc
Cismon del Grappa [VI] 5 Bd
Cisterna di Latina [LT] 23 Ba
Cisternino [BR] 27 Cb
Cittadella [PD] 5 Bd
Città della Pieve [PG] 17 Eb
Città del Vaticano 19 Bd
Città di Castello [PG] 15 Bc
Cittaducale [RI] 19 Cc
Cittanova [RC] 31 Eb
Cittanova / Novigrad [CRO] 11 Fb
Cittareale [RI] 19 Db
Città Sant'Ángelo [PE] 21 Bb
Civago [RE] 13 Ca
Civetta, Monte- 5 Cc
Cividale del Friuli [UD] 5 Ec
Civitacampomarano [CB] 21 Cd
Cívita Castellana [VT] 19 Bc
Civitanova del Sánnio [IS] 21 Bd
Civitanova Marche [MC] 15 Ec
Civitavécchia [ROMA] 17 Ec
Civitella Casanova [PE] 19 Ec
Civitella d'Agliano [VT] 19 Bb
Civitella del Lago [TR] 19 Bb
Civitella del Tronto [TE] 19 Eb
Civitella di Romagna [FC] 15 Aa
Civitella in Val di Chiana [AR] 15 Ac
Civitella Marittima [GR] 17 Db
Civitella Roveto [AQ] 19 Dd
Cixerri 39 Cc
Cláut [PN] 5 CDc
Claviere [TO] 7 Ab
Clementino, Porto- 17 Ec
Cles [TN] 3 Ec
Clitérnia Nuova [CB] 21 Dd
Clitunno, Fonti del- 19 Cb

Cli - Fal

Clitunno, Tempio del– **19** Cb
Clusone [BG] **3** Bd
Coca, Pizzo di– **3** BCc
Coccolia [RA] **15** Ba
Cocconato [AT] **1** Dc
Cocullo [AQ] **19** Ec
Cocuzza, Monte– → Montalto **31** Db
Cocuzzo, Monte– **29** Cc
Coda Cavallo, Capo– **37** Eb
Codevigo [PD] **11** Cb
Codigoro [FE] **11** Cc
Codogno [LO] **9** Bb
Codróipo [UD] **5** Dd
Cóggiola [BI] **1** Db
Coghínas **37** CDb
Coghínas, Lago di– **37** Db
Cogliáns **5** Db
Cogoleto [GE] **7** Ec
Cogolo [TN] **3** Dc
Coira, Castello– **3** Db
Col [SLO] **5** Fd
Colbórdolo [PU] **15** Cb
Colcerasa [MC] **15** Dc
Colfiorito [PG] **15** Cc
Colfosco / Kollfuschg [BZ] **5** Bb
Colico [LC] **3** Ac
Collagna [RE] **9** Cd
Collalto **5** Cb
Collalto Sabino [RI] **19** Dc
Collarmele [AQ] **19** Ec
Collazzone [PG] **19** Bb
Collécchio [PR] **9** Cc
Collecorvino [PE] **21** ABc
Colle d'Anchise [CB] **23** EFa
Colledimezzo [CH] **21** Bcd
Colle di Tenda, Traforo del– **7** Cc
Colle di Val d'Elsa [SI] **13** Ec
Colleferro [ROMA] **19** Cd
Colle Isarco / Gossensass [BZ] **3** Eb
Collelongo [AQ] **19** Ed
Collelungo, Torre di– **17** Db
Collepasso [LE] **27** Ec
Collesalvetti [LI] **13** Cb
Colle San Marco [AP] **19** Eb
Colle Sannita [BN] **25** Bb
Collesano [PA] **33** Db
Colletorto [CB] **21** Cd
Colliano [SA] **25** Cc
Colli a Volturno [IS] **23** Ea
Colli di Montebove [AQ] **19** Dc
Collina, Passo della– **13** Da
Cóllio [BS] **3** Cd
Collodi [LU] **13** Db
Colloredo di Monte Albano [UD] **5** Ec
Colobraro [MT] **27** Ac
Cologna [FE] **11** Bc
Cologna [TE] **19** Eb
Cologna Véneta [VR] **9** Eb
Cologno al Serio [BG] **9** Ba
Colognora [LU] **13** Db
Colonne, Capo– **29** Ec
Colonnetta di Prodo [TR] **19** Bb
Colorno [PR] **9** Cc
Col Palombo [PG] **15** Cc
Comabbio [VA] **1** Eb
Comácchio [FE] **11** Cc
Comácchio, Valli di– **11** Cc
Comano Terme [TN] **3** Dc
Comeglians [UD] **5** Dbc
Comelico Superiore [BL] **5** CDb
Cómeno (I) = Komen [SLO] **5** Fd
Comino, Capo– **37** Eb
Comiso [RG] **35** Dd
Como [CO] **1** Fb
Como, Lago di– (Lario) **1** Fab
Comologno [Svizz.] **1** Ea
Cona [FE] **11** Bc
Cona [VE] **11** BCb
Concésio [BS] **9** Ca
Conco [VI] **5** Bd
Concórdia Sagittária [VE] **5** Dd
Concórdia sulla Sécchia [MO] **9** Dc
Condamine-Châtelard, la– [Fr.] **7** Ac
Condino [TN] **3** Dd
Condofuri [RC] **31** Db
Condove [TO] **1** Bc
Conegliano [TV] **5** Cd
Conero, Monte– **15** Eb
Conflenti [CZ] **29** Cc
Congianus, Golfo di– **37** Ea
Coniale [FI] **13** Ea
Consélice [RA] **11** Bc
Conselve [PD] **11** Bb
Consuma, Passo della– **13** Fb
Contamines-Montjoie, les– [Fr.] **1** Ab
Contarina [RO] **11** Cb
Contes [Fr.] **7** Bd
Contessa Entellina [PA] **33** Cb
Contigliano [RI] **19** Cc
Contrasto, Colle del– **31** Ac
Controguerra [TE] **19** Eb
Controne [SA] **25** Ccd
Contursi Terme [SA] **25** Cc
Conversano [BA] **27** Cb
Conza, Sella di– **25** Cc
Copanello [CZ] **31** Fa
Copertino [LE] **27** Ec
Copparo [FE] **11** Bc
Corato [BA] **25** Eb
Corbara, Lago di– **19** Bb
Corciano [PG] **15** Bc
Cordenons [PN] **5** Dcd
Cordignano [TV] **5** Cd
Cordovado [PN] **5** Dd
Coréglia Antelminelli [LU] **13** CDa
Corfínio [AQ] **19** Ec
Corfino [LU] **13** Ca
Cori [LT] **19** Cd
Coriano [RN] **15** Cb
Corigliano, Golfo di– **29** CDb
Corigliano Cálabro [CS] **29** CDb
Corigliano d'Ótranto [LE] **27** Ec
Corinaldo [AN] **15** Db
Corio [TO] **1** Cc
Corippo [Svizz.] **1** Ea
Corleone [PA] **33** Cb
Corleto Monforte [SA] **25** Cd
Corleto Perticara [PZ] **25** Ed
Cormons [GO] **5** Ed
Cornaredo [MI] **1** Fbc
Cornia **17** Cb
Corníglio [PR] **9** Cd
Corniolo [FC] **15** Ab
Corno, Sella di– **19** Dc
Corno Grande **19** Ec
Cornuda [TV] **5** BCd
Corrasi, Monte– **37** Dc
Correboi, Arcu– **39** Da
Corrèggio [RE] **9** Dc
Correnti, Capo delle– **35** Ed
Correnti, Isola delle– **35** Ed
Correzzola [PD] **11** Cb
Corridónia [MC] **15** DEc
Corse = Corsica (I) **13** ABd
Corsica (I) = Corse **13** ABd
Córsico [MI] **1** Fc
Cortale [CZ] **31** Ea
Corte Brugnatella [PC] **9** Ac
Corte Centrale [FE] **11** Cc
Cortemaggiore [PC] **9** Bbc
Cortemilia [CN] **7** Db
Corteolona [PV] **9** Ab
Cortina d'Ampezzo [BL] **5** Cb
Cortona [AR] **15** Ac
Corvara / Corvara in Badia [BZ] **5** Bb
Corvara in Badia / Corvara [BZ] **5** Bb
Cosa **17** Dc
Cosenza [CS] **29** Cc
Cosoleto [RC] **31** Db
Cossato [BI] **1** Db
Costa Volpino [BG] **3** Cd
Costigliole d'Asti [AT] **7** Db
Costigliole Saluzzo [CN] **7** Bb
Cotignola [RA] **11** Bd
Cotilia, Terme di– **19** CDc
Cotronei [KR] **29** Dc
Cottanello [RI] **19** Cc
Courchevel [Fr.] **1** Ac
Courmayeur [AO] **1** Ab
Coursegoules [Fr.] **7** Bd
Covigliaio [FI] **13** Ea
Cozze [BA] **27** Ca
Craco [MT] **27** Ac
Crans [Svizz.] **1** Ba
Crati **29** CDb
Crea, Santuario di– **1** Dc
Crécchio [CH] **21** Bc
Crema [CR] **9** Bb
Cremona [CR] **9** Cb
Crescentino [VC] **1** Dc
Cresciano [Svizz.] **1** EFa
Crespadoro [VI] **9** Ea
Crespano del Grappa [TV] **5** Bd
Créspina [PI] **13** Db
Crespino [RO] **11** Bbc
Cressa [NO] **1** DEb
Cresta [Svizz.] **3** ABc
Crevalcore [BO] **9** Ec
Crevoladóssola [VB] **1** Da
Crichi [CZ] **29** Dd
Crispiano [TA] **27** Cb
Crissolo [CN] **7** Bb
Cristo degli Abissi **7** Fc
Črniče [SLO] = Cernizza (I) **5** Fd
Črni Vrh [SLO] **5** FGd
Crocco, Monte– **31** Ea
Croce, Colle della– **19** Ed
Croce, Monte– **3** Ec
Croce, Picco della– / Wilde-Kreuz-Spitze **5** Bb
Croce d'Aune **5** Bc
Croce dello Scrivano, Passo– **25** Dc
Croce Ferrata, Passo– **31** Eb
Crocefieschi [GE] **7** Fb
Crocelle, Passo delle– **25** Dc
Crocetta del Montello [TV] **5** Cd
Croci di Acerno, le– **25** Cc
Crodo [VB] **1** Da
Cropalati [CS] **29** Db
Cropani [CZ] **29** Dd
Cropani Marina [CZ] **31** Fa
Crosetta, la– [PN] **5** Cc
Crosía [CS] **29** Db
Crotone [KR] **29** Ec
Crucoli [KR] **29** DEc
Cúglieri [OR] **37** Cc
Cuma **23** Ec
Cumiana [TO] **7** Bab
Cuneo [CN] **7** Cc
Cupello [CH] **21** Cc
Cupra Maríttima [AP] **15** Ec
Cupramontana [AN] **15** Dc
Cura Nuova [GR] **17** Cb
Curinga [CZ] **31** Ea
Curon Venosta / Graun in Vinschgau [BZ] **3** Db
Cursi [LE] **27** Ec
Curtarolo [PD] **11** Ba
Curtatone [MN] **9** Db
Cusa, Rocche di– **33** Bb
Cusano Mutri [BN] **23** EFb
Cusércoli [FC] **15** ABa
Cusna, Monte– **13** Ca
Custonaci [TP] **33** Ba
Cutigliano [PT] **13** Da
Cutro [KR] **29** DEc
Cutrofiano [LE] **27** Ec
Cuzzola [OT] **37** DEb

D

Dáila (I) = Dajla [CRO] **11** Fb
Dajla [CRO] = Dáila (I) **11** Fb
Dálmine [BG] **9** Ba
Daluis [Fr.] **7** Ac
Daluis, Gorges de– **7** Ac
Darfo Boario Terme [BS] **3** Cd
Dávoli [CZ] **31** Ea
Davos [Svizz.] **3** Bb
Decimomannu [CA] **39** Cc
Decimoputzu [CA] **39** Cc
Decollatura [CZ] **29** Cc
Dego [SV] **7** Dc
Déiva Marina [SP] **13** ABa
Dekani [SLO] = Villa Decani (I) **11** Fa
Delia [CL] **33** Dc
Delianuova [RC] **31** Db
Deliceto [FG] **25** Cb
Dellach [A] **5** Eb
Dello [BS] **9** Cb
Demonte [CN] **7** Bc
Dermulo [TN] **3** Ec
Deruta [PG] **19** Bab
Dérvio [LC] **3** Ac
Desana [VC] **1** Dc
Desenzano del Garda [BS] **9** Db
Desio [MB] **1** Fb
Désulo [NU] **39** Da
Deutschnofen / Nova Ponente [BZ] **3** Ec
Dezzo [BG] **3** Cd
Diable, Cime du– **7** Bc
Diablerets, Les– [Svizz.] **1** Ba
Diablerets, Les– [Svizz.] **1** Ba
Diamante [CS] **29** Bb
Diano d'Alba [CN] **7** Db
Diano Marina [IM] **7** Dd
Dicomano [FI] **13** EFb
Diecimo [LU] **13** CDb
Dignano [UD] **5** Dc
Dignano / Vodnjan [CRO] **11** Fc
Dinami [VV] **31** Ea
Dino, Isola di– **29** Bb
Disgrazia, Monte– **3** Bc
Diso [LE] **27** Ec
Dittáino **35** Db
Dobbiaco / Toblach [BZ] **5** Cb
Döbriach [A] **5** Fb
Dóglia, Monte– **37** Bb
Dogliani [CN] **7** Cb
Dogna [UD] **5** Ec
Dolcè [VR] **9** Da
Dolceacqua [IM] **7** Cd
Dolcedo [IM] **7** Cd
Dolcedorme, Serra– **29** Cb
Dolent, Mont– **1** Bb
Dolianova [CA] **39** Dc
Dolnja Trebuša [SLO] = Tribussa Inferiore (I) **5** Fc
Dolo [VE] **11** Cb
Dolomiti **5** Bc
Dolomiti Bellunesi, Parco Nazionale delle– **5** BCc
Domaso [CO] **3** Ac
Domodóssola [VB] **1** Da
Dom Savica [SLO] **5** Fc
Dómus de Maria [CA] **39** Cd
Domusnóvas [CI] **39** Cc
Dóngio [Svizz.] **1** Ea
Dongo [CO] **1** Fa
Donnalucata [RG] **35** Dd
Donoratico [LI] **13** Dc
Dora Baltea **1** Cb
Dorgali [NU] **37** Ec
Doria [CS] **29** Cb
Dornberk [SLO] = Montespino (I) **5** Fd
Dorzano [VC] **1** Dc
Dosolo [MN] **9** Dc
Dovádola [FC] **15** Aa
Dovje [SLO] **5** Fc
Dozza [BO] **11** Bd
Dragone [NO] **1** Ea
Dragone, Torrente– **9** Dd
Drau = Drava (I) **5** Db
Drava (I) = Drau **5** Db
Drena [TN] **3** Dd
Drénchia [UD] **5** Fc
Dro [TN] **3** Dd
Dronero [CN] **7** Bc
Dualchi [NU] **37** Cc
Dueville [VI] **11** Ba
Dufour, Punta– **1** Cb
Duino [TS] **5** Fd
Dürrboden [Svizz.] **3** Bb
Dutovlje [SLO] = Duttigliano (I) **5** Fd
Duttigliano (I) = Dutovlje [SLO] **5** Fd

E

Ebene-Reichenau [A] **5** Fb
Eboli [SA] **25** Cc
Ebro, Monte– **7** Fb
Échalp, l'– [Fr.] **7** ABb
Échevennoz [AO] **1** Bb
Édolo [BS] **3** Cc
Egadi, Isole– **33** Aab
Egna / Neumarkt [BZ] **3** Ec
Egnazia **27** Cb
Eisack / Isarco **5** Bb
Eisacktal / Isarco, Valle– **5** Bb
Elba **17** Bb
Elefante, L'– **37** Cb
Eleutero **33** CDa
Elm [Svizz.] **3** Ab
Élmas [CA] **39** Dc
Eloro **35** Ed
Elsa **13** Db
Emilia, Via– **15** Ca
Emilius, Monte– **1** Bb
Émpoli [FI] **13** Db
Endine, Lago di– **3** Bd
Engi [Svizz.] **3** Ab
Enna [EN] **33** Eb
Enneberg / Marebbe [BZ] **5** Bb
Entracque [CN] **7** Bc
Entraunes [Fr.] **7** Ac
Entrevaux [Fr.] **7** Ad
Enza **9** Cd
Eolie o Lipari, Isole– **31** Ba
Episcopía [PZ] **29** Ca
Eppan an der Weinstrasse / Appiano sulla Strada del Vino [BZ] **3** Ec
Equi Terme [MS] **13** Ca
Eraclea [MT] **27** Bc
Eraclea [VE] **11** Da
Eraclea Mare [VE] **11** Da
Eraclea Minoa **33** Cc
Erba [CO] **1** Fb
Erbezzo [VR] **9** DEa
Erchie [BR] **27** Dc
Ercolano [NA] **23** Ec
Ercolano [NA] **23** Ec
Erice [TP] **33** Ba
Erli [SV] **7** Dc
Erlsbach [A] **5** Cb
Ernen [Svizz.] **1** Da
Ernici, Monti– **19** Dd
Err, Piz d'– **3** Bb
Erto [PN] **5** Cc
Esanatóglia [MC] **15** Cc
Escalaplano [CA] **39** Db
Escarène, l'– [Fr.] **7** Bd
Escragnolles [Fr.] **7** Ad
Esino **15** Db
Esino Lario [LC] **3** Acd
Esperia [FR] **23** Db
Este [PD] **11** Bb
Esterzili [CA] **39** Db
Etna (Mongibello) **31** Bc
Etsch / Ádige **11** Cb
Eurialo, Castello– **35** Ec
Evolène [Svizz.] **1** BCa
Eze [Fr.] **7** Bd

F

Faak am See [A] **5** Fb
Fábbrico [RE] **9** Dc
Fabriano [AN] **15** Cc
Fábrica di Roma [VT] **19** Bc
Fabrizia [VV] **31** Eab
Fabro [TR] **19** ABb
Faédis [UD] **5** Ec
Faenza [RA] **15** Aa
Faeto [FG] **25** Cb
Fagagna [UD] **5** Ec
Faggiano [TA] **27** Cc
Fagnano Castello [CS] **29** Cb
Faiano [SA] **25** Bc
Fai della Paganella [TN] **3** Ec
Falcade [BL] **5** Bc
Falciano del Mássico [CE] **23** Db
Falconara, Castello di– **35** Cc
Falconara Maríttima [AN] **15** Db
Falcone, Capo del– **37** Bb
Falcone, Punta– **37** Da
Faléria [VT] **19** Bc
Falerii Novi **19** Bc
Falerna [CZ] **29** Ccd
Falerna Marina [CZ] **29** Ccd

Falerone [FM] **15** Dc
Falterona, Monte– **15** Ab
Falzarego, Passo di– **5** BCb
Fanano [MO] **13** Da
Fano [PU] **15** CDb
Fano Adriano [TE] **19** Eb
Fara in Sabina [RI] **19** Cc
Fara Novarese [NO] **1** Db
Fara San Martino [CH] **21** Bc
Fardella [PZ] **29** Ca
Farfa, Abbazia di– **19** Cc
Faríndola [PE] **19** Ec
Farini [PC] **9** Bc
Farnese [VT] **17** Eb
Farnesiana, la– [ROMA] **17** Ec
Faro, Punta del– **31** Db
Farra d'Alpago [BL] **5** Cc
Fasana / Fažana [CRO] **11** Fc
Fasano [BR] **27** Cb
Fassa, Val di– **5** Bbc
Favara [AG] **33** Dc
Favignana [TP] **33** Ab
Favignana [TP] **33** Ab
Faye, Pas de la– **7** Ad
Fayet, le– [Fr.] **1** Ab
Fažana / Fasana [CRO] **11** Fc
Feichten [A] **3** Da
Feistritz an der Gail [A] **5** Fb
Feld am See [A] **5** Fb
Felina [RE] **9** Cd
Felino [PR] **9** Cc
Felitto [SA] **25** Cd
Feltre [BL] **5** Bc
Femmina Morta, Portella– **31** Bc
Fenestrelle [TO] **1** Bc
Fénis [AO] **1** Bb
Feno, Capo di– **37** Da
Ferden [Svizz.] **1** Ca
Ferdinandea [RC] **31** Eab
Ferentillo [TR] **19** Cb
Ferentino [FR] **19** Dd
Ferento **19** Bbc
Ferla [SR] **35** Dc
Fermignano [PU] **15** Cb
Fermo [FM] **15** Ec
Ferrandina [MT] **27** Abc
Ferrara [FE] **11** Bc
Ferrara di Monte Baldo [VR] **3** Dd
Ferrat, Cap– **7** Bd
Ferrato, Capo– **39** Ec
Ferret [Svizz.] **1** Bb
Ferriere [PC] **9** ABc
Ferriere, le– [LT] **23** Ba
Ferro, Capo– **37** DEa
Ferru, Monte– **37** Cc
Ferruzzano [RC] **31** Eb
Fertilia [SS] **37** Bb
Fetovaia, Punta di– **17** Bb
Fiamignano [RI] **19** Dc
Fiano [TO] **1** BCc
Fiano Romano [ROMA] **19** Cc
Ficarazzi [PA] **33** Ca
Ficarolo [RO] **9** Ec
Ficulle [TR] **19** Bb
Fidenza [PR] **9** Cc
Fiè allo Sciliar / Völs am Schlern [BZ] **3** EFb
Fiemme, Val di– **5** Bc
Fiera di Primiero [TN] **5** Bc
Fiesch [Svizz.] **1** Da
Fieschi, Basilica dei– **9** Ad
Fiesole [FI] **13** Eb
Fiesso Umbertiano [RO] **11** Bc
Figari [Fr.] **37** Da
Figari, Capo– **37** Eab
Figline Valdarno [FI] **13** Eb
Filadelfia [VV] **31** Ea
Filattiera [MS] **9** Bd
Filettino [FR] **19** Dd
Filetto [CH] **21** Bc
Filiano [PZ] **25** Dc
Filicudi **31** Ba
Filicudi Porto [ME] **31** Ba
Filignano [IS] **23** Ea
Filisur [Svizz.] **3** Bb
Filogaso [VV] **31** Ea
Filottrano [AN] **15** Dc
Finale Emilia [MO] **9** Ec
Finale Ligure [SV] **7** Dc
Fino Mornasco [CO] **1** Fb
Fionnay [Svizz.] **1** Ba
Fiora **17** Eb
Fiorenzuola d'Arda [PC] **9** Bc
Fiorenzuola di Focara [PU] **15** Cb
Fiori, Montagna dei– **19** Eb
Firenze [FI] **13** Eb
Firenzuola [FI] **13** Ea
Firmo [CS] **29** Cb
Fiúggi [FR] **19** Dd
Fiumalbo [MO] **13** Da
Fiumana [FC] **15** Aa
Fiumata [RI] **19** Dc
Fiumedinisi [ME] **31** Cb
Fiumefreddo Brúzio [CS] **29** Cc
Fiumefreddo di Sicilia [CT] **31** Cc
Fiumicello Santa Vénere [PZ] **29** Bab
Fiumicino [ROMA] **19** Bd
Fivizzano [MS] **13** Ca
Flaine [Fr.] **1** Aa
Flaminia, Via– **19** BCcd
Flattach [A] **5** Eb
Flattnitz [A] **5** Gb
Fléres, Val di– / Pflerschtal **3** Eb
Fletschhorn **1** Da
Flims [Svizz.] **3** Ab
Floresta [ME] **31** Bbc
Floridia [SR] **35** Ec
Florínas [SS] **37** Cb
Fluchthorn **3** Cb
Flüelapass **3** Bb
Flumendosa **39** DEbc
Flumendosa, Lago del– **39** Db
Flumeri [AV] **25** Cb
Flumineddu **39** Db
Fluminimaggiore [CI] **39** BCc
Flums [Svizz.] **3** Aa
Fobello [VC] **1** Db
Focene [ROMA] **19** Bd
Foce Verde [LT] **23** Bb
Foci del Po **11** CDc
Fóggia [FG] **25** Db
Foglia **15** Cb
Foglianise [BN] **25** Bb
Fogliano, Lago di– **23** Bb
Foiano della Chiana [AR] **15** Ac
Folgaría [TN] **3** Ed
Folgarida [TN] **3** Dc
Foligno [PG] **19** Cb
Follina [TV] **5** Cd
Follónica [GR] **17** Cb
Follonica, Golfo di– **17** Cb
Fondi [LT] **23** Cb
Fondi, Lago di– **23** Cb
Fondo [TN] **3** Ec
Fonni [NU] **39** Da
Fontan [Fr.] **7** Ccd
Fontana Liri Inferiore [FR] **23** Da
Fontanella [BG] **9** Bb
Fontanellato [PR] **9** Cc
Fontanelle [TV] **5** Cd
Fonte Avellana, Monastero di– **15** Cc
Fonteblanda [GR] **17** Db
Fontécchio [AQ] **19** Ec
Fonte Colombo, Convento di– **19** Cc
Font-Sancte, Pic de la– **7** Ab
Fonzaso [BL] **5** Bc
Foppolo [BG] **3** Bc
Force [AP] **19** Db
Forcella, La– **9** Ad
Forchetta, Válico di– **21** Bd
Fordongiánus [OR] **39** Cab
Forenza [PZ] **25** Dc
Foresta, Convento la– **19** Cc
Foresta di Búrgos [SS] **37** Cc
Foresta Umbra **21** EFd
Forío [NA] **23** Dc
Forlì [FC] **15** Ba
Forlimpopoli [FC] **15** Ba
Formazza [VB] **1** Da
Formazza, Val– **1** Da
Fórmia [LT] **23** Db
Formica **33** Aab
Formica di Montecristo → Affrica, Scoglio d'– **17** Bc
Formícola [CE] **23** Eb
Formigine [MO] **9** Dc
Formigliana [VC] **1** Dc
Formignana [FE] **11** Bc
Fornelli [SS] **37** Bab
Forni Avoltri [UD] **5** Db
Forni di Sopra [UD] **5** Dc
Forni di Sotto [UD] **5** Dc
Forno [MS] **13** Ca
Forno [VB] **1** Db
Forno Alpi Graie [TO] **1** Bc
Forno Canavese [TO] **1** Cc
Forno di Zoldo [BL] **5** Cc
Fornovo di Taro [PR] **9** Cc
Fort, Mont– **1** Ba
Forte dei Marmi [LU] **13** Cb
Forte di Bibbona [LI] **13** Dc
Fortezza / Franzensfeste [BZ] **5** Bb
Fortore **21** Dd
Forza d'Agró [ME] **31** Cc
Foscagno, Passo di– **3** Cbc
Fosdinovo [MS] **13** BCa
Fossacésia [CH] **21** Bc
Fossacésia Marina [CH] **21** BCc
Fossano [CN] **7** Cb
Fossanova, Abbazia di– **23** Cb
Fossato di Vico [PG] **15** Cc
Fossiata [CS] **29** Dc
Fossombrone [PU] **15** Cb
Frabosa Soprana [CN] **7** Cc
Fragagnano [TA] **27** Cc
Fragneto Monforte [BN] **25** Bb
Fraine [CH] **21** Bd
Framura [SP] **13** Ba
Francavilla al Mare [CH] **21** Bc
Francavilla Angitola [VV] **31** Ea
Francavilla di Sicilia [ME] **31** Cc
Francavilla Fontana [BR] **27** Db
Francavilla in Sinni [PZ] **29** Ca
Francavilla Maríttima [CS] **29** Cb
France = Francia (I) **1** Abc
Francesi, Punta di li– **37** Da
Francia (I) = France **1** Abc
Francofonte [SR] **35** Dc
Franzensfeste / Fortezza [BZ] **5** Bb
Frasassi, Grotte di– **15** Cc
Frasca, Capo della– **39** Bb
Frascati [ROMA] **19** Cd
Frascineto [CS] **29** Cb
Frassené [BL] **5** Bc
Frassinoro [MO] **13** Da
Frasso Telesino [BN] **23** Fb
Fratta Polésine [RO] **11** Bb
Fratta Todina [PG] **19** Bb
Fregene [ROMA] **19** Bd
Freienfeld / Campo di Trens [BZ] **3** Eb
Fréjus, Col du– **1** Ac
Frentani, Monti dei– **21** BCd
Fresach [A] **5** Fb
Frigole [LE] **27** Ec
Frisa [CH] **21** Bc
Friuli **5** DEcd
Frontale [MC] **15** Dc
Frosinone [FR] **19** Dd
Frosolone [IS] **23** Ea
Frua, la– [VB] **1** Da
Fubine [AL] **7** Db
Fucécchio [FI] **13** Db
Fúcino, Conca del– **19** DEc
Fulgatore [TP] **33** Bb
Fully [Svizz.] **1** Ba
Fumaiolo, Monte– **15** Bb
Fumane [VR] **9** Da
Fùndres / Pfunders [BZ] **5** Bb
Funes / Villnöss [BZ] **5** Bb
Fuorn, Pass dal– **3** Cb
Furci [CH] **21** Ccd
Furnari [ME] **31** Cb
Furtei [VS] **39** Cb
Fuscaldo [CS] **29** Cc
Fusignano [RA] **11** Bd
Fusine in Valromana [UD] **5** Fbc
Fúsio [Svizz.] **1** Ea
Futa, Passo della– **13** Ea
Futani [SA] **29** Aa

G

Gabbro [LI] **13** Cbc
Gabellina, la– [RE] **13** Ca
Gabicce Mare [PU] **15** Cb
Gaby [AO] **1** Cb
Gaeta [LT] **23** Db
Gaeta, Golfo di– **23** Db
Gággio Montano [BO] **13** Da
Gaglianico [BI] **1** Db
Gagliano Aterno [AQ] **19** Ec
Gagliano Castelferrato [EN] **31** Bc
Gagliano del Capo [LE] **27** Ed
Gaiarine [TV] **5** Cd
Gaifana [PG] **15** Cc
Gail **5** Eb
Gaiole in Chianti [SI] **13** Ec
Gáiro [OG] **39** DEb
Gaisl, Hohe– / Rossa, Croda– **5** Cb
Galati Mamertino [ME] **31** Bb
Galati Marina [ME] **31** CDb
Galatina [LE] **27** Ec
Galátone [LE] **27** Ec
Galatro [RC] **31** Eb
Galeata [FC] **15** Aab
Gallarate [VA] **1** Eb
Gallareto [AT] **1** Dc
Galleno [FI] **13** Db
Gallese [VT] **19** Bc
Galli, li– **23** Ec
Galliate [NO] **1** Ebc
Gallicano [LU] **13** Ca
Gallicano nel Lazio [ROMA] **19** Cd
Gallinara, Isola– **7** Dc
Gállio [VI] **5** Bd
Gallipoli [LE] **27** DEc
Gallo, Capo– **33** Ca
Gallúccio [CE] **23** Db
Gallura **37** Dab
Galluzzo [FI] **13** Eb
Galtellí [NU] **37** Ec
Galtür [A] **3** Cb
Gamalero [AL] **7** Eb
Gámbara [BS] **9** Cb
Gambarie [RC] **31** Db
Gambassi Terme [FI] **13** Db
Gambatesa [CB] **25** Bab
Gambolò [PV] **1** Ec
Gampen Joch / Palade, Passo delle– **3** Eb
Gandino [BG] **3** Bd
Gangi [PA] **33** Eb
Ganzirri [ME] **31** Db
Garaguso [MT] **25** Ec
Garbagna [AL] **7** EFb
Garda [VR] **9** Da
Garda, Lago di– (Benaco) **9** Da
Gardena, Val– / Grödnertal **5** Bb
Gardone Riviera [BS] **9** Da
Gardone Val Trómpia [BS] **3** Cd
Garfagnana **13** CDa
Gargano **21** EFd
Gargano, Parco Nazionale del– **21** EFd
Gargano, Testa del– **21** Fd
Gargellen [A] **3** Bb
Gargnano [BS] **3** Dd
Garibaldi, Tomba di– **37** Ca
Garigliano **23** Db
Gariglione, Monte– **29** Dc
Garlasco [PV] **1** Ec
Gasperina [CZ] **31** EFa
Gassino Torinese [TO] **1** Cc
Gattéo [FC] **15** Ba
Gattéo a Mare [FC] **15** Ba
Gattières [Fr.] **7** Bd
Gattina, Monte la– **29** Ba
Gattinara [VC] **1** Db
Gavardo [BS] **9** Ca
Gaverina Terme [BG] **3** Bd
Gavi [AL] **7** Eb
Gavi [LT] **23** Bc
Gavia, Passo di– **3** Cc
Gavirate [VA] **1** Eb
Gavoi [NU] **37** Dc
Gavorrano [GR] **17** Cb
Gazoldo degli Ippoliti [MN] **9** Db
Gažon [SLO] **11** Fa
Gazzada [VA] **1** Eb
Gazzaniga [BG] **3** Bd
Gazzo Veronese [VR] **9** Eb
Gazzuolo [MN] **9** Db
Gela [CL] **35** Cc
Gela, Golfo di– **35** Cc
Gela, Piana di– **35** Ccd
Gelas, Cima del– **7** Bc
Gelsomini, Costa dei– **31** Ec
Gemona del Friuli [UD] **5** Ec
Genazzano [ROMA] **19** Cd
Genna Bogai, Arcu– **39** BCc
Genna Cruxi **39** Ea
Genna Maria, Nuraghe– **39** Cb
Gennargentu, Monti del– **39** Dab
Genola [CN] **7** Cb
Genova [GE] **7** Ec
Genova, Golfo di– **7** Ec
Genzano di Lucánia [PZ] **25** Ec
Genzano di Roma [ROMA] **19** Cd
Gepatsch-Haus [A] **3** Db
Gerace [RC] **31** Eb
Geraci Siculo [PA] **33** Eb
Gereméas [CA] **39** Dc
Gergei [CA] **39** Db
Gerocarne [VV] **31** Ea
Gerola Alta [SO] **3** Bc
Gésico [CA] **39** Db
Gessopalena [CH] **21** Bc
Gèsturi [VS] **39** CDb
Gèsturi, Giara di– **39** Cb
Gesualdo [AV] **25** Cbc
Gets, les– [Fr.] **1** Aa
Ghedi [BS] **9** Cb
Ghemme [NO] **1** Db
Ghibullo [RA] **11** Cd
Ghiffa [VB] **1** Eb
Ghilarza [OR] **39** Ca
Ghisalba [BG] **9** Ba
Giannutri **17** Dc
Giano dell'Umbria [PG] **19** Cb
Giardinello [PA] **33** Cb
Giardinetto [FG] **25** Cb
Giardini-Naxos [ME] **31** Cc
Giarratana [RG] **35** Dc
Giarre [CT] **31** Cc
Giave [SS] **37** Cc
Giaveno [TO] **1** Bc
Giazza [VR] **9** Ea
Giba [CI] **39** Cc
Gibellina [TP] **33** Bb
Gibellina, Ruderi di– **33** Bb
Gibilmanna, Santuario di– **33** DEab
Giffoni Valle Piana [SA] **25** Bc
Giglio **17** Cc
Giglio Campese [GR] **17** Cc
Giglio Castello [GR] **17** Cc
Giglio Porto [GR] **17** Cc
Gignese [VB] **1** DEb
Gignod [AO] **1** Bb
Gildone [CB] **25** Ba
Gilette [Fr.] **7** Bd
Gimigliano [CZ] **29** Dd
Ginestra, Portella– **33** Cab
Ginosa [TA] **27** Bb
Ginostra [ME] **31** Ca
Ginzling [A] **5** Ba
Gioia, Golfo di– **31** Dab
Gioia, Piana di– **31** Dab
Gioia dei Marsi [AQ] **19** Ed
Gioia del Colle [BA] **27** Bb
Gióia Sannítica [CE] **23** Eb
Gioia Tauro [RC] **31** Db
Gioiosa Iónica [RC] **31** Eb
Gioiosa Maréa [ME] **31** Bb
Giornico [Svizz.] **1** Ea
Giove Ánxur, Témpio di– **23** Cb
Giovinazzo [BA] **25** Fb
Giovo, Colle del– **7** Dc
Giraglia, la– **13** Ac
Girifalco [CZ] **31** Ea

Gis - Lar

Gissi [CH] **21** Cc
Giubiasco [Svizz.] **1** EFa
Giudicarie, Valli- **3** Dcd
Giugliano in Campania [NA] **23** Ec
Giuliana [PA] **33** Cb
Giulianova [TE] **19** Eb
Giuncugnano [LU] **13** Ca
Giussano [MB] **1** Fb
Gizzeria [CZ] **29** Ccd
Gizzeria Lido [CZ] **29** Cd
Glis [Svizz.] **1** CDa
Glockturm **3** Db
Glorenza / Glurns [BZ] **3** Db
Glurns / Glorenza [BZ] **3** Db
Gmünd [A] **5** Fb
Gnesau [A] **5** Fb
Gnifetti, Punta- **1** Cb
Gnocchetta [RO] **11** Cc
Godega di Sant'Urbano [TV] **5** Cd
Godiasco [PV] **7** Fb
Godrano [PA] **33** Cb
Goglio [VB] **1** Da
Góito [MN] **9** Db
Golfo Aranci [OT] **37** Eab
Golfo di Orosei e del Gennargentu, Parco Nazionale del- **39** Dab
Gomagoi [BZ] **3** Db
Gombo [PI] **13** Cb
Gondo [Svizz.] **1** Da
Goni [CA] **39** Db
Goni, Nuraghe- **39** Db
Gonnesa [CI] **39** Bc
Gonnesa, Golfo di- **39** Bc
Gonnosfanádiga [VS] **39** Cbc
Gonnostramatza [OR] **39** Cb
Gonzaga [MN] **9** Dc
Goppenstein [Svizz.] **1** Ca
Górdola [Svizz.] **1** Ea
Gorgoglione [MT] **25** Ed
Gorgona **13** Bc
Gorgonzola [MI] **9** Aa
Gorino Véneto [RO] **11** Cc
Gorizia [GO] **5** Fd
Gornalunga **35** Dc
Goro [FE] **11** Cc
Gosaldo [BL] **5** Bc
Gossensass / Colle Isarco [BZ] **3** Eb
Gottolengo [BS] **9** Cb
Gourdon [Fr.] **7** Ad
Gozzano [NO] **1** Db
Gracciano [SI] **15** Ac
Grächen [Svizz.] **1** Ca
Gradara [PU] **15** Cb
Gradisca d'Isonzo [GO] **5** EFd
Grado [GO] **11** Ea
Grádoli [VT] **17** Eb
Graffignano [VT] **19** Bb
Graglia [BI] **1** Cb
Graglia, Santuario di- **1** Cb
Gragnano [NA] **23** EFc
Gragnano Trebbiense [PC] **9** Bbc
Grahovo [SLO] **5** Fc
Grammichele [CT] **35** Dc
Granarolo [RA] **11** Bd
Granarolo dell'Emília [BO] **9** Ec
Gran Becca Blanchen **1** Bb
Grand Combin **1** Bb
Grand-Croix [Fr.] **1** Ac
Grande, Montagna- [AQ] **19** Ed
Grande, Montagna- [ME] **31** Cc
Grande, Montagna- [TP] **33** Bb
Grande, Montagna- [TP] **33 ins.a**
Grande Casse, Pointe de la- **1** Ac
Grande Sassière **1** ABbc
Grandes Jorasses **1** Ab
Grand Muveran **1** Ba
Grand Roc Noir- **1** Ac
Granieri [CT] **35** Dc
Granitola, Punta- **33** Bb
Granitola Torretta [TP] **33** Bb
Granozzo con Monticello [NO] **1** Ec
Gran Paradis / Gran Paradiso **1** Bb
Gran Paradiso / Gran Paradis **1** Bb
Gran Paradiso, Parco Nazionale del- **1** Bbc
Gran Pilastro / Hochfeiler **5** Bb
Gran San Bernardo, Colle del- **1** Bb
Gran Sasso d'Italia **19** Ec
Gran Sasso e Monti della Laga, Parco Nazionale del- **19** DEb
Grassano [MT] **25** Ec
Gratteri [PA] **33** Db
Graun in Vinschgau / Curon Venosta [BZ] **3** Db
Gravedona [CO] **3** Ac
Gravellona Toce [VB] **1** Db
Gravina **27** Ab
Gravina di Catánia [CT] **35** Eb
Gravina in Puglia [BA] **27** Ab
Graziano, Capo- **31** Ba
Grazzanise [CE] **23** Eb
Grazzano Visconti [PC] **9** Bc
Gréccio [RI] **19** Cc
Greci [AV] **25** Cb
Greifenburg [A] **5** Eb
Grello [PG] **15** Cc
Gréolières [Fr.] **7** Ad
Gressoney-la-Trinité [AO] **1** Cb
Gressoney-Saint-Jean [AO] **1** Cb
Greve in Chianti [FI] **13** Eb
Grezzana [VR] **9** DEa
Gries am Brenner [A] **3** EFa
Grignano [TS] **5** Fd
Grigno [TN] **5** Bc
Grimaldi [CS] **29** Cc
Grimentz [Svizz.] **1** Ca
Grisignana / Grožnjan [CRO] **11** Fb
Grisignano di Zocco [VI] **11** Bb
Grisolia [CS] **29** Bb
Grizzana Morandi [BO] **13** Ea
Grödnertal / Gardena, Val- **5** Bb
Gromo [BG] **3** Bd
Grondola [MS] **9** Bd
Gropello Cairoli [PV] **1** Ec
Gropparello [PC] **9** Bc
Groscavallo [TO] **1** Bc
Grósio [SO] **3** Cc
Große-Sand-Spitze **5** Db
Grosseto [GR] **17** Db
Grosseto, Formiche di- **17** Cb
Großglockner **5** Da
Großkirchheim [A] **5** Db
Grottaferrata [ROMA] **19** Cd
Grottaglie [TA] **27** Cb
Grottaminarda [AV] **25** Cb
Grottammare [AP] **19** Eab
Grottazzolina [FM] **15** Ec
Grotte [AG] **33** Dc
Grotte di Castro [VT] **17** Eb
Grotteria [RC] **31** Eb
Grotte Santo Stéfano [VT] **19** Bb
Grotti [SI] **13** Ec
Grottole [MT] **27** Ab
Grožnjan / Grisignana [CRO] **11** Fb
Gr.-Rosennock **5** Fb
Grumento Nova [PZ] **25** Dd
Grumo Appula [BA] **27** Ba
Grüsch [Svizz.] **3** Bab
Gschnitz [A] **3** Ea
Gstaad [Svizz.] **1** Ba
Gsteig [Svizz.] **1** Ba
Guagnano [LE] **27** Dc
Gualdo [MC] **15** Dc
Gualdo Cattáneo [PG] **19** Cb
Gualdo Tadino [PG] **15** Cc
Gualtieri [RE] **9** Dc
Guarcino [FR] **19** Dd
Guarda [Svizz.] **3** Cb
Guardavalle [CZ] **31** EFab
Guardavalle Marina [CZ] **31** Fab
Guardea [TR] **19** Bb
Guárdia, Punta della- **23** Bc
Guardiagrele [CH] **21** Bc
Guardialfiera [CB] **21** Cd
Guárdia Lombardi [AV] **25** Cc
Guardia Perticara [PZ] **25** Ed
Guardia Piemontese [CS] **29** BCc
Guardiarégia [CB] **23** Fb
Guárdia Sanframondi [BN] **23** Fb
Guasila [CA] **39** Db
Guastalla [RE] **9** Dc
Gúbbio [PG] **15** Cc
Guglionesi [CB] **21** Cd
Guidizzolo [MN] **9** Db
Guidónia [ROMA] **19** Ccd
Guíglia [MO] **9** Dd
Guillaumes [Fr.] **7** Ac
Gúspini [VS] **39** Cb
Gussago [BS] **9** Ca
Gussola [CR] **9** Cb

H

Hafling / Avelengo [BZ] **3** Eb
Halaesa **33** Eab
Haslach [A] **5** Db
Haudères, Les- [Svizz.] **1** BCa
Hausstock **3** Ab
Heilingenblut [A] **5** Da
Helvia Recina **15** Dc
Hera Lacínia, Tempio di- **29** Ec
Herdoniae **25** Db
Hermagor [A] **5** Eb
Hinterbichl [A] **5** Ca
Hochfeiler / Gran Pilastro **5** Bb
Hochfinstermünz [A] **3** Cb
Hochgrabe **5** Cb
Hohe-Wand-Spitze / Alta, Croda- **5** Ba
Houches, Les- [Fr.] **1** Ab
Hrastovlje **11** Fab
Huben [A] **5** Db

I

Idra (I) = Idrija [SLO] **5** Fc
Idria (I) = Idrijca **5** Fc
Idrija [SLO] = Idra (I) **5** Fc
Idrijca = Idria (I) **5** Fc
Idro [BS] **3** Cd
Idro, Lago d'- (Eridio) **3** CDd
Iglésias [CI] **39** Cc
Iglesiente **39** Cc
Ilanz [Svizz.] **3** Ab
Il Casalone [VT] **17** Ec
Illasi [VR] **9** Eb
Ilonse [Fr.] **7** Bc
Imer [TN] **5** Bc
Imera **33** Db
Imera Meridionale → Salso **33** DEc
Imola [BO] **11** Bd
Imperia [IM] **7** Dd
Imposte [TE] **19** Eb
Impruneta [FI] **13** Eb
Incisa in Val d'Arno [FI] **13** Eb
Incisioni Rupestri Naquane, Parco Nazionale delle- **3** Ccd
Incoronata, Santuario dell'- **25** Db
Indémini [Svizz.] **1** Ea
Ingurtosu [VS] **39** BCb
Innerferrera [Svizz.] **3** Ab
Inner-Villgraten [A] **5** Cb
Innichen / San Candido [BZ] **5** Cb
Intra [VB] **1** Eb
Introbio [LC] **3** Ad
Introdácqua [AQ] **19** Ecd
Inveruno [MI] **1** Eb
Iolanda di Savóia [FE] **11** Bc
Ionio, Mar- **27** CDd
Irminio **35** Dd
Irpinia **25** BCc
Irsina [MT] **25** Ec
Isarco / Eisack **5** Bb
Isarco, Valle- / Eisacktal **5** Bb
is Carávius, Monte- **39** Cc
Isca sullo Iónio [CZ] **31** EFa
Ischgl [A] **3** Ca
Ischia [NA] **23** Dc
Ischia [NA] **23** Dc
Ischia di Castro [VT] **17** Eb
Ischitella [FG] **21** Ed
Iselle [VB] **1** Da
Iseo [BS] **3** Cd
Iseo, Lago d'- (Sebino) **3** Cd
Iseran, Col de l'- **1** Bc
Isérnia [IS] **23** Ea
Isili [CA] **39** Db
Isola [Fr.] **7** Bc
Isola 2000 [Fr.] **7** Bc
Isola d'Asti [AT] **7** Db
Isola del Gran Sasso d'Italia [TE] **19** Ebc
Isola della Scala [VR] **9** DEb
Isola dell'Asinara, Parco Nazionale dell'- **37** Ba
Isola delle Fémmine [PA] **33** Ca
Isola del Liri [FR] **19** Ed
Isola di Capo Rizzuto [KR] **29** Ed
Isola d'Istria / Izola [SLO] **11** Fa
Isola Rossa [OT] **37** Ca
Isola Vicentina [VI] **9** Ea
Isonzo **5** EFd
Isorella [BS] **9** Cb
Ispica [RG] **35** Dd
Ispra [VA] **1** Eb
Issime [AO] **1** Cb
Issogne [AO] **1** Cb
Istia d'Ombrone [GR] **17** Db
Istra **11** Fbc
Itala [ME] **31** Cb
Italia, Vetta d'- **5** Ca
Itri [LT] **23** Db
Ittireddu [SS] **37** Cb
Ittiri [SS] **37** Cb
Iuvanum **21** Bcd
Ivrea [TO] **1** Cc
Izoard, Col d'- **7** Ab
Izola / Isola d'Istria [SLO] **11** Fa
Izzalini [PG] **19** Bb

J

Jausiers [Fr.] **7** Ac
Jenesien / San Genésio Atesino [BZ] **3** Eb
Jerzu [OG] **39** DEb
Jesenice [SLO] **5** FGc
Jesi [AN] **15** Db
Jésolo [VE] **11** Da
Jóppolo [VV] **31** Da
Juf [Svizz.] **3** Bc
Julierpass **3** Bc

K

Kals [A] **5** Dab
Kaltern an der Weinstrasse / Caldaro sulla Strada del Vino [BZ] **3** Ec
Kamenjak, Rt- = Promontore, Capo- (I) **11** Fc
Kamno [SLO] **5** Fc
Kanal [SLO] = Canale d'Isonzo (I) **5** Fc
Kanfanar [CRO] = Canfanaro (I) **11** Fb
Kappl [A] **3** Ca
Karersee / Carezza al Lago [BZ] **5** Bc
Karojba [CRO] = Caroiba (I) **11** Fb
Kasern / Casere [BZ] **5** Ca
Kastelbell / Castelbello [BZ] **3** Db
Kastelruth / Castelrotto [BZ] **5** Bb
Kepa **5** Fbc
Kesch, Piz- **3** Bb
Khamma [TP] **33 ins.a**
Kiens / Chienes [BZ] **5** Bb
Kirchbach [A] **5** Eb
Klausen / Chiusa [BZ] **5** Bb
Kleblach-Lind [A] **5** Eb
Klösterle [A] **5** Fb
Klosters-Platz [Svizz.] **3** Bb
Kneške Ravne [SLO] **5** Fc
Kobarid [SLO] = Caporetto (I) **5** Fc
Kollfuschg / Colfosco [BZ] **5** Bb
Kolm Saigurn [A] **5** Da
Komen [SLO] = Cómeno (I) **5** Fd
Koper / Capodistria [SLO] **11** Fa
Kötschach-Mauthen [A] **5** DEb
Kozina [SLO] **11** Fa
Kranisca Gora [SLO] **5** Fbc
Krems in Karnten [A] **5** Fb
Kreuzen [A] **5** Fb
Krn = Nero, Monte- (I) **5** Fc
Küblis [Svizz.] **3** Bb

L

Laas / Lasa [BZ] **3** Db
La Bollène-Vésubie [Fr.] **7** Bcd
La Brigue [Fr.] **7** Cc
la Caletta [CI] **39** Bc
la Caletta [NU] **37** Eb
Lacco Ameno [NA] **23** Dc
Lacedonia [AV] **25** Cb
Laces / Latsch [BZ] **3** Db
Lacona [LI] **17** Bb
la Condamine-Châtelard [Fr.] **7** Ac
Laconi [OR] **39** Db
la Crosetta [PN] **5** Cc
Ladispoli [ROMA] **19** Bd
Laerru [SS] **37** Cb
la Farnesiana [ROMA] **17** Ec
la Frua [VB] **1** Da
la Gabellina [RE] **13** Ca
Lagarina, Val- **3** Ed
Lagaro [BO] **13** Ea
Lagdei [PR] **9** BCd
Laglio [CO] **1** Fb
Lago [CS] **29** Cc
Lago Gelato, Pizzo- **1** Da
Lagonegro [PZ] **29** Ba
Lagosanto [FE] **11** Cc
Laguna Veneta **11** Cb
Lagundo / Algund [BZ] **3** Eb
Laiguéglia [SV] **7** Dcd
Lainate [MI] **1** Fb
Laino Borgo [CS] **29** Bb
Laives / Leifers [BZ] **3** Ec
Lajático [PI] **13** Dbc
La Lima [PT] **13** Da
la Maddalena [CA] **39** Dc
La Maddalena [OT] **37** Da
Lama dei Peligni [CH] **21** Bc
Lama Mocogno [MO] **13** Da
la Mármora, Punta- **39** Dab
Lambro **9** Bb
Lamézia Terme [CZ] **29** Ccd
Lámoli [PU] **15** Bb
Lamon [BL] **5** Bc
Lampedusa [AG] **33 ins.a**
Lampedusa [AG] **33 ins.a**
Lampione **33 ins.a**
Lana [BZ] **3** Eb
Lanciano [CH] **21** Bc
Landquart [Svizz.] **3** Bb
Landquart [Svizz.] **3** Bb
Landriano [PV] **1** Fc
Längenfeld [A] **3** Da
Langhe **7** CDbc
Langhirano [PR] **9** Cc
Langwies [Svizz.] **3** Bb
Lanslebourg-Mont-Cenis [Fr.] **1** Ac
Lanslevillard [Fr.] **1** Ac
Lantosque [Fr.] **7** Bd
Lanusei [OG] **39** Eb
Lanúvio [ROMA] **19** Cd
Lanzo d'Intelvi [CO] **1** Fb
Lanzo Torinese [TO] **1** Bc
Lappach / Lappago [BZ] **5** Bb
Lappago / Lappach [BZ] **5** Bb
La Punt [Svizz.] **3** Bb
L'Áquila [AQ] **19** Dc
Larche [Fr.] **7** Ac
Lardaro [TN] **3** Dd
Larderello [PI] **13** Dc

Larderia [ME] **31** Cb
Lardirago [PV] **1** Fc
La Reale [SS] **37** Ba
Lari [PI] **13** Db
Lariano [ROMA] **19** Cd
Larino [CB] **21** Cd
La Rösa [Svizz.] **3** Cc
Lasa / Laas [BZ] **3** Db
la Santona [MO] **13** Da
La Spezia [SP] **13** Ba
La Spezia, Golfo di- **13** Ba
Las Plássas [VS] **39** CDb
Lastra a Signa [FI] **13** Eb
la Strada [PR] **9** Cc
Latemar **5** Bc
Laterza [TA] **27** Bb
La Thuile [AO] **1** Ab
Latiano [BR] **27** Db
Latina [LT] **23** Bb
Latisana [UD] **5** DEd
la Trinité [Fr.] **7** Bd
Latronico [PZ] **29** BCa
Latsch / Laces [BZ] **3** Db
Lattarico [CS] **29** Cc
Lauenen [Svizz.] **1** Ba
Laurasca, Cima- **1** Da
Laureana di Borrello [RC] **31** Eab
Laurenzana [PZ] **25** Dd
Lauría [PZ] **29** Ba
Laurino [SA] **25** Cd
Laurito [SA] **29** Aa
Lauro [AV] **23** Fc
Lausanne [Svizz.] **1** Aa
La Vacca **39** Bd
Lavachey [AO] **1** Bb
Lavagna [GE] **13** Aa
Lavarone [TN] **3** Ed
Lavello [PZ] **25** Db
Laveno-Mombello [VA] **1** Eb
Lavenone [BS] **3** Cd
La Verna **15** Ab
Lavey-les-Bains [Svizz.] **1** Ba
Lavezzi, Îles- **37** Da
Lavezzola [RA] **11** Bc
Laviano [SA] **25** Cc
la Villa [LI] **17** Bc
La Villa / Stern [BZ] **5** Bb
Lavinio Lido di Enea [ROMA] **23** Ba
Lavis [TN] **3** Ec
La Visaille [AO] **1** Ab
Lazise [VR] **9** Dab
Lazzáro [RC] **31** Dc
Le Bar-sur-Loup [Fr.] **7** Ad
le Biot [Fr.] **1** Aa
le Boréon [Fr.] **7** Bc
Le Castella [KR] **29** DEd
Lecce [LE] **27** Ec
Lecce, Tavoliere di- **27** Db
Lecco [LC] **3** Ad
Lecco, Lago di- **3** Ad
l'Échalp [Fr.] **7** ABb
le Fayet [Fr.] **1** Ab
le Ferriere [LT] **23** Ba
Legnago [VR] **9** Eb
Legnano [MI] **1** Eb
Legnaro [PD] **11** Bb
Leifers / Laives [BZ] **3** Ec
Leiní [TO] **1** Cc
Le Madonie **33** DEb
Lemie [TO] **1** Bc
Lena, Punta- **31** Ca
Lendinara [RO] **11** Bb
Lenk [Svizz.] **1** Ba
Lenno [CO] **1** Fb
Leno [BS] **9** Cb
Lénola [LT] **23** Cb
Lentiai [BL] **5** Cc
Lentini [SR] **35** DEc
Lenzerheide [Svizz.] **3** Bb
Leofara [TE] **19** Eb
Leofreni [RI] **19** Dc
Leonessa [RI] **19** Cb
Leonessa, Sella di- **19** CDc
Leonforte [EN] **35** Cb
Lepena [SLO] **5** Fc
Lepini, Monti- **23** BCa
le Plan-du-Var [Fr.] **7** Bd
Leporano [TA] **27** Cc
Léquile [LE] **27** Ec
Lercara Friddi [PA] **33** Db
Lerici [SP] **13** Ba
Lerno, Monte- **37** Db
Lesa [NO] **1** Eb
Les Avants [Svizz.] **1** Aa
l'Escarène [Fr.] **7** Bd
Les Chapieux [Fr.] **1** Ab
les Contamines-Montjoie [Fr.] **1** Ab
Les Diablerets [Svizz.] **1** Ba
Le Sépey [Svizz.] **1** Ba
les Gets [Fr.] **1** Aa
Les Haudères [Svizz.] **1** BCa
Les Houches [Fr.] **1** Ab
Lésina [FG] **21** Dd
Lésina, Lago di- **21** Dd
Les Mosses [Svizz.] **1** Ba
Lessini, Monti- **3** Ed
Letino [CE] **23** Eb
Letojanni [ME] **31** Cc
Léuca [LE] **27** Ed
Leuk [Svizz.] **1** Ca
Leukerbad [Svizz.] **1** Ca
Levanto [SP] **13** Ba
Levanzo **33** Aab
Lévanzo [TP] **33** Aab
Levens [Fr.] **7** Bd
Leverano [LE] **27** DEc
Lévico Terme [TN] **3** Ec
le Ville [AR] **15** Bbc
Leysin [Svizz.] **1** ABa
Licata [AG] **35** Bc
Licciana Nardi [MS] **13** Ca
Licenza [ROMA] **19** Cc
Licodía Eubéa [CT] **35** Dc
Lido [VE] **11** Cb
Lido Adriano [RA] **11** Cd
Lido degli Estensi [FE] **11** Cc
Lido degli Scacchi [FE] **11** Cc
Lido dei Pini [ROMA] **23** Ba
Lido delle Nazioni [FE] **11** Cc
Lido di Camaiore [LU] **13** Cb
Lido di Classe [RA] **15** Ba
Lido di Fermo [FM] **15** Ec
Lido di Iésolo [VE] **11** Dab
Lido di Metaponto [MT] **27** Bc
Lido di Noto [SR] **35** Ed
Lido di Ostia [ROMA] **19** Bd
Lido di Pomposa [FE] **11** Cc
Lido di Portonuovo [FG] **21** Fd
Lido di Savio [RA] **15** Ba
Lido di Scanzano [MT] **27** Bc
Lido di Siponto [FG] **25** Da
Lido di Spina [FE] **11** Cc
Lido di Volano [FE] **11** Cc
Lido Sant'Angelo [CS] **29** Db
Liechtenstein **3** Ba
Lienz [A] **5** Db
Lierna [LC] **3** Ad
Lieser **5** Fb
Lignano Pineta [UD] **11** Ea
Lignano Sabbiadoro [UD] **11** Ea
Ligónchio [RE] **13** Ca
Ligure, Mar- **7** EFd
Lilibéo, Capo- → Boéo, Capo- **33** Ab
Lima, La- [PT] **13** Da
Limátola [BN] **23** Eb
Limbadi [VV] **31** Da
Limbara, Monte- **37** Db
Limone Piemonte [CN] **7** Cc
Limone sul Garda [BS] **3** Dd
Limosano [CB] **21** Cd
Linard, Piz- **3** Cb
Linaro, Capo- **17** Ec
Línas, Monte- **39** Cc
Linguaglossa [CT] **31** Cc
Linosa [AG] **33 ins.a**
Linosa [AG] **33 ins.a**
Linthal [Svizz.] **3** Ab
Lioni [AV] **25** Cc
Lipari [ME] **31** Bab
Lipari [ME] **31** Bb
Lipari, Isole- → Eolie, Isole- **31** Ba
Lipica Ergela [SLO] **5** Fd
Lis, Colle del- **1** Bc
Lisca Bianca **31** Ca
Líscia **37** Da
Líscia, Lago di- **37** Dab
Lissone [MB] **1** Fb
Liternum **23** Ec
Livenza **11** Da
Livigno [SO] **3** Cb
Livorno [LI] **13** Cb
Livorno Ferraris [VC] **1** Dc
Lizzanello [LE] **27** Ec
Lizzano [TA] **27** Cc
Lizzano in Belvedere [BO] **13** Da
Lizzola [BG] **3** BCc
Loano [SV] **7** Dc
Locana [TO] **1** Bc
Locana, Valle di- **1** Bc
Locarno [Svizz.] **1** Ea
Locorotondo [BA] **27** Cb
Locri [RC] **31** Eb
Locri Epizefiri **31** Eb
Loculi [NU] **37** Ec
Locum [Fr.] **1** Aa
Lodè [NU] **37** Eb
Lodi [LO] **9** ABb
Log pod Mangartom [SLO] = Bretto (I) **5** Fc
Logudoro **37** Cb
Loiano [BO] **13** Ea
Lóiri [OT] **37** DEb
Lokev [SLO] **11** Fa
Lokve [SLO] = Lóqua (I) **5** Fc
Lombarda, Colle della- **7** Bc
Lombardore [TO] **1** Cc
Lomellina **1** Ec
Lomello [PV] **1** Ec
Lonate Pozzolo [VA] **1** Eb
Lonato del Garda [BS] **9** Cb
Londa [FI] **13** Fb
Lóngara [VI] **11** Bab
Longare [VI] **11** Bab
Longarone [BL] **5** Cc
Longastrino [RA] **11** BCc
Longega [BZ] **5** Bb
Longiano [FC] **15** Ba
Longobucco [CS] **29** Dc
Lonigo [VI] **9** Eb
Lóqua (I) = Lokve [SLO] **5** Fc
Lorenzago di Cadore [BL] **5** Cc
Loreo [RO] **11** Cb
Loreto [AN] **15** Ec
Loreto Aprutino [PE] **19** Ec
Loro Ciuffenna [AR] **13** Fb
Loro Piceno [MC] **15** Dc
Losa, Nuraghe- **39** Ca
Lostallo [Svizz.] **1** Fa
Lotzorai [OG] **39** Eb
Lovere [BG] **3** Cd
Lovrečica [CRO] = San Lorenzo (I) **11** Fb
Lozzo di Cadore [BL] **5** Cbc
Lucania **25** CDcd
Lucca [LU] **13** Cb
Lucca Sicula [AG] **33** Cb
Lucera [FG] **25** Cab
Lucéram [Fr.] **7** Bd
Lucignano [AR] **15** Ac
Lucignano [FI] **13** Eb
Lucignano d'Árbia [SI] **13** Ec
Lucignano d'Asso [SI] **13** Fc
Lucito [CB] **21** Cd
Luco, Monte- **19** Dc
Luco dei Marsi [AQ] **19** Dd
Lucus Feroniae **19** Cc
Lugagnano Val d'Arda [PC] **9** Bc
Lugano [Svizz.] **1** Eab
Lugano, Lago di- (Ceresio) **1** EFab
Lugnano in Teverina [TR] **19** Bb
Lugo [RA] **11** Bd
Lugo [RE] **9** Dd
Lugo di Vicenza [VI] **5** ABd
Luino [VA] **1** Eab
Lula [NU] **37** Dc
Lumezzane [BS] **9** Ca
Lungro [CS] **29** Cb
Luni **13** BCa
Lunigiana **9** Bd
Luogosanto [OT] **37** Da
Lúras [OT] **37** Db
Lurate Caccivio [CO] **1** EFb
Luri [Fr.] **13** Ad
Lurisia, Terme di- **7** Cc
Lurnfeld [A] **5** Eb
Lusen / Lusón [BZ] **5** Bb
Luseney, Becca de- **1** BCb
Luserna San Giovanni [TO] **7** Bb
Lusévera [UD] **5** Ec
Lusiana [VI] **5** Bd
Lusón / Lusen [BZ] **5** Bb
Lutago / Luttach [BZ] **5** Bb
Luttach / Lutago [BZ] **5** Bb
Luzzara [RE] **9** Dc
Luzzi [CS] **29** Cc

M

Maccagno [VA] **1** Ea
Maccarese [ROMA] **19** Bd
Macchiagódena [IS] **23** Ea
Macchiascandona [GR] **17** Cb
Macerata [MC] **15** Dc
Macerata Féltria [PU] **15** Bb
Macinaggio [Fr.] **13** Ad
Macomer [NU] **37** Cc
Macugnaga [VB] **1** Cb
Madaun Spitze **3** Ca
Maddalena **37** Da
Maddalena, Colle della- **7** Ac
Maddalena, la- [OT] **39** Dc
Maddalena, La- [SS] **37** Da
Maddaloni [CE] **23** Eb
Madesimo [SO] **3** Ac
Madonna del Bosco [RA] **11** Cc
Madonna dell'Acero **13** Da
Madonna della Cívita **23** CDb
Madonna dell'Ambro [FM] **19** Db
Madonna della Neve **19** Db
Madonna del Ponte [PU] **15** Db
Madonna del Rosario **33** Cb
Madonna del Sasso **1** Db
Madonna di Baiano [PG] **19** Cb
Madonna di Bracciano **19** Bc
Madonna di Campiglio [TN] **3** Dc
Madonna di Canneto **21** Cd
Madonna di Senáles / Unserfrau [BZ] **3** Db
Madonne d'Utelle **7** Bd
Mafalda [CB] **21** Cd
Maga Circe, Grotta della- **23** Cb
Magasa [BS] **3** Dd
Magenta [MI] **1** Ec
Maggia [Svizz.] **1** Ea
Maggiore, Lago- (Verbano) **1** Eb
Magione [PG] **15** Bc
Magland [Fr.] **1** Aa
Magliano de' Marsi [AQ] **19** Dc
Magliano in Toscana [GR] **17** Db
Magliano Sabina [RI] **19** Bc
Máglie [LE] **27** Ec
Máglio Superiore [VI] **3** Ed
Magréglio [CO] **1** Fb
Máida [CZ] **31** Ea
Máida Marina [CZ] **31** Ea
Maiella, La- **21** Bc
Maiella, Parco Nazionale della- **21** Bcd
Maienfeld [Svizz.] **3** Ba
Maierato [VV] **31** Ea
Maiolati Spontini [AN] **15** Dc
Maioletto, Rocca di- **15** Bb
Maiori [SA] **23** Fc
Maiori, Nuraghe- **37** Db
Máira **7** Cb
Máira, Valle- **7** Bbc
Majano [UD] **5** Ec
Malacalzetta [CI] **39** Cc
Malalbergo [BO] **11** Bc
Malamocco [VE] **11** Cb
Malborghetto [FE] **11** Bc
Malborghetto [UD] **5** Ebc
Malbun [FL] **3** Ba
Malcésine [VR] **3** Dd
Mal di Ventre **39** Bab
Malé [TN] **3** Dc
Malesco [VB] **1** DEa
Maletto [CT] **31** Bc
Malfa [ME] **31** Ba
Malgrate [LC] **3** Ad
Mállare [SV] **7** Dc
Malles Venosta / Mals in Vinschgau [BZ] **3** Db
Mallnitz [A] **5** Eab
Malnate [VA] **1** Eb
Malo [VI] **9** Ea
Maloja [Svizz.] **3** Bc
Maloja Pass **3** Bc
Malonno [BS] **3** Cc
Mals in Vinschgau / Malles Venosta [BZ] **3** Db
Malvito [CS] **29** Cb
Mammola [RC] **31** Eb
Mamoiada [NU] **37** Dc
Mamone [NU] **37** Db
Manciano [GR] **17** DEb
Mandanici [ME] **31** Cbc
Mandas [CA] **39** Db
Mandatoríccio [CS] **29** Dc
Mandello del Lario [LC] **3** Ad
Mandrazzi, Portella- **31** Cbc
Mandrioli, Passo dei- **15** Ab
Manduria [TA] **27** Dc
Manerba del Garda [BS] **9** Da
Manérbio [BS] **9** Cb
Manfredónia [FG] **21** Ed
Manfredónia, Golfo di- **25** Ea
Maniago [PN] **5** Dc
Mannu, Capo- **39** Ba
Mannu, Fiume- **39** Cbc
Mannu, Monte- **37** Bc
Mannu, Riu- **37** Cb
Manoppello [PE] **21** Bc
Mántova [MN] **9** Db
Manzano [UD] **5** Ecd
Manziana [ROMA] **19** Bc
Maracalagónis [CA] **39** Dc
Maranello [MO] **9** Dc
Marano, Laguna di- **5** Ed
Marano di Nápoli [NA] **23** Ec
Marano Lagunare [UD] **5** Ed
Marano sul Panaro [MO] **9** Dd
Marano Vicentino [VI] **3** Ed
Maraone **33** Aab
Marárgiu, Capo- **37** Bc
Maratea [PZ] **29** Bab
Marčana [CRO] = Marzana (I) **11** Fc
Marcaria [MN] **9** Db
Marcedusa [CZ] **29** Dc
Marcellina [ROMA] **19** Cc
Marcena [TN] **3** Ec
Marcheno [BS] **3** Cd
Marchesato **29** DEc
Marciana [LI] **17** Bb
Marciana Marina [LI] **17** Bb
Marcianise [CE] **23** Eb
Marebbe / Enneberg [BZ] **5** Bb
Marecchia **15** Bb
Maremma **17** DEbc
Marene [CN] **7** Cb
Maresca [PT] **13** Da
Marettimo **33** Ab
Maréttimo [TP] **33** Ab
Marghera [VE] **11** Cb
Margherita di Savóia [BT] **25** Eb
Margone [TO] **1** Bc
Marguaréis, Punta- **7** Cc
Maria Luggau [A] **5** Db
Mariano Comense [CO] **1** Fb
Marianópoli [CL] **33** Db
Marigliano [NA] **23** Ec
Marilleva [TN] **3** Dc
Marina [PZ] **29** Bb
Marina di Alberese [GR] **17** Db
Marina di Amendolara [CS] **29** Db
Marina di Árbus [VS] **39** Bb
Marina di Belvedere [CS] **29** Bb
Marina di Camerota [SA] **29** Aab
Marina di Campo [LI] **17** Bb
Marina di Caronia [ME] **31** Ab
Marina di Carrara [MS] **13** Ca
Marina di Casal Velino [SA] **29** Aa
Marina di Castagneto Carducci [LI] **13** Dc
Marina di Cecina [LI] **13** Cc
Marina di Cetraro [CS] **29** Bbc

Marina di Chiéuti [FG] **21** Dd
Marina di Davoli [CZ] **31** Fa
Marina di Fuscaldo [CS] **29** BCc
Marina di Gáiro [OG] **39** Eb
Marina di Ginosa [TA] **27** Bc
Marina di Gioiosa Iónica [RC] **31** Eb
Marina di Grosseto [GR] **17** Cb
Marina di Guardia Piemontese [CS] **29** Bc
Marina di Lago Patria [CE] **23** Ec
Marina di Lesina [FG] **21** Dd
Marina di Massa [MS] **13** Ca
Marina di Novaglie [LE] **27** Ed
Marina di Orosei [NU] **37** Ec
Marina di Palma [AG] **33** Dc
Marina di Paola [CS] **29** Cc
Marina di Péscia Romana [VT] **17** DEc
Marina di Pietrasanta [LU] **13** Cb
Marina di Pisa [PI] **13** Cb
Marina di Pisticci [PZ] **27** Bc
Marina di Pulsano [TA] **27** Cc
Marina di Ragusa [RG] **35** Dd
Marina di Ravenna [RA] **11** Ccd
Marina di San Vito [CH] **21** Bc
Marina di Sorso [SS] **37** Cb
Marina di Stróngoli [KR] **29** Ec
Marina di Torre Grande [OR] **39** BCb
Marina di Vasto [CH] **21** Cc
Marina Palmense [FM] **15** Ec
Marina Romea [RA] **11** Cc
Marina San Giovanni [LE] **27** Ed
Marina Schiavonea [CS] **29** Db
Marina Serra [LE] **27** Ed
Marina Velca [VT] **17** Ec
Marinella [TP] **33** Bb
Marinéo [PA] **33** Cb
Marino [ROMA] **19** Cd
Mariotto [BA] **27** Ba
Maristella [SS] **37** Bb
Marmirolo [MN] **9** Db
Marmolada **5** Bc
Mármore [TR] **19** Cb
Marmore, Cascata delle- **19** Cb
Mármuri, Grotta su- **39** DEb
Marone [BS] **3** Cd
Maróstica [VI] **5** Bd
Marotta [PU] **15** Db
Marradi [FI] **13** Fa
Marrúbiu [OR] **39** Cb
Marsaglia [CN] **7** Cc
Marsala [TP] **33** Ab
Marsciano [PG] **19** Bb
Marsica **19** Ed
Mársico Nuovo [PZ] **25** Dd
Mársicovétere [PZ] **25** Dd
Marsiliana [GR] **17** Db
Marta [VT] **17** Eb
Martano [LE] **27** Ec
Martello, Pizzo- **1** Fa
Martignacco [UD] **5** Ec
Martigny [Svizz.] **1** Ba
Martina [Svizz.] **3** CDb
Martina Franca [TA] **27** Cb
Martinengo [BG] **9** Ba
Martinsicuro [TE] **19** Eb
Mártis [SS] **37** Cb
Marúggio [TA] **27** Dc
Marzabotto [BO] **9** Ed
Marzamemi [SR] **35** Ed
Marzana (I) = Marčana [CRO] **11** Fc
Marzano Áppio [CE] **23** Eb
Marzeno [RA] **15** Aa
Marzocca [AN] **15** Db
Masanti di Sotto [PR] **9** Bc
Máscali [CT] **31** Cc
Mascalucía [CT] **35** Eb
Maschito [PZ] **25** Dc
Maser [TV] **5** Bd
Maserada sul Piave [TV] **5** Cd
Masone [GE] **7** Ebc
Massa [MS] **13** Ca
Massaciuccoli, Lago di- **13** Cb
Massa Fiscáglia [FE] **11** BCc
Massafra [TA] **27** Cb
Massa Lombarda [RA] **11** Bd
Massa Maríttima [GR] **13** Dc
Massa Martana [PG] **19** BCb
Massarosa [LU] **13** Cb
Massazza [BI] **1** Dbc
Masseria [BZ] **3** Eb
Massoncello, Monte- **17** Bb
Masua [CI] **39** Bc
Matélica [MC] **15** CDc
Matera [MT] **27** Bb
Matese, Monti del- **23** Eb
Mathi [TO] **1** Cc
Matino [LE] **27** Ec
Matrei in Osttirol [A] **5** Dab
Mattinata [FG] **21** Fd
Matzáccara [CI] **39** Bc
Mauria, Passo della- **5** CDc
Maurin [Fr.] **7** Ab
Mauthen, Kötschach- [A] **5** DEb
Mazara, Val di- **33** BCb
Mazara del Vallo [TP] **33** Bb
Mazaro **33** Bb
Mazzarino [CL] **33** Ec
Mazzarrone [CT] **35** Dc
Meana di Susa [TO] **1** Bc
Meana Sardo [NU] **39** Db
Mede [PV] **1** Ec
Medel, Piz- **3** Ab
Medesano [PR] **9** Cc
Medicina [BO] **11** Bd
Mediterraneo, Mar- **33** BCc
Medolino (I) = Medulin [CRO] **11** Fc
Medulin [CRO] = Medolino (I) **11** Fc
Meduno [PN] **5** Dc
Megara Hyblaea **35** Ec
Megève [Fr.] **1** Ab
Meina [NO] **1** Eb
Mel [BL] **5** Cc
Melag / Melago [BZ] **3** Db
Melago / Melag [BZ] **3** Db
Meldola [FC] **15** Ba
Mele, Capo- **7** Dd
Melegnano [MI] **9** Ab
Melendugno [LE] **27** Ec
Melfi [PZ] **25** Dc
Melicucco [RC] **31** Eb
Melilli [SR] **35** Ec
Melissa [KR] **29** DEc
Melissano [LE] **27** Ed
Melito di Porto Salvo [RC] **31** Dc
Melito di Porto Salvo, Punta di- **31** Dc
Melogno, Colle di- **7** Dc
Mels [Svizz.] **3** Aa
Melzo [MI] **9** Aab
Menaggio [CO] **1** Fa
Mendelpaß / Mendola, Passo della- **3** Ec
Mendicino [CS] **29** Cc
Mendola, Passo della- / Mendelpaß **3** Ec
Mendrisio [Svizz.] **1** Eb
Menfi [AG] **33** Bb
Mentana [ROMA] **19** Cc
Menton [Fr.] = Mentone (I) **7** BCd
Mentone (I) = Menton [Fr.] **7** BCd
Menzano [AQ] **19** Dc
Meran / Merano [BZ] **3** Eb
Merano / Meran [BZ] **3** Eb
Merate [LC] **3** Ad
Mercantour, Parc National du- **7** Bc
Mercatale [AR] **15** Bc
Mercatello sul Metáuro [PU] **15** Bb
Mercatino Conca [PU] **15** Bb
Mercato San Severino [SA] **25** Bc
Mercato Saraceno [FC] **15** Bb
Mercogliano [AV] **25** Bc
Mergozzo [VB] **1** Db
Merlara [PD] **9** Eb
Merna (I) = Miren [SLO] **5** Fd
Mesagne [BR] **27** Db
Mesocco [Svizz.] **3** Ac
Mesola [FE] **11** Cc
Mesoraca [KR] **29** Dc
Messina [ME] **31** Db
Mestre [VE] **11** Cab
Meta [NA] **23** Ec
Metallifere, Colline- **13** Dc
Metaponto [MT] **27** Bc
Metaponto, Piana di- **27** Bc
Metapontum **27** Bc
Metauro **15** Db
Mezzana [TN] **3** Dc
Mezzano [RA] **11** Cd
Mezzaselva / Mittewald [BZ] **5** Bb
Mezzogoro [FE] **11** Cc
Mezzojuso [PA] **33** Cb
Mezzoldo [BG] **3** Bc
Mezzolombardo [TN] **3** Ec
Mezzovico [Svizz.] **1** Ea
Miasino [NO] **1** Db
Miazzina [VB] **1** DEab
Migliánico [CH] **21** Bc
Migliarino [FE] **11** Bc
Migliarino [PI] **13** Cb
Miglierina [CZ] **29** Cd
Miglionico [MT] **27** ABb
Mignano Monte Lungo [CE] **23** Db
Milano [MI] **1** Fc
Milano Marittima [RA] **15** Ba
Milazzo [ME] **31** Cb
Milazzo, Capo di- **31** Cb
Milena [CL] **33** Dc
Mileto [VV] **31** Ea
Milianni [ME] **33** Ea
Milis [OR] **39** Ca
Militello in Val di Catania [CT] **35** Dc
Millesimo [SV] **7** Dc
Millstatt [A] **5** Fb
Millstatter See **5** Fb
Mincio **9** Db
Minéo [CT] **35** Dc
Minerbe [VR] **9** Eb
Minérbio [BO] **9** Ec
Minervino Murge [BT] **25** Eb
Minturnæ **23** Db
Minturno [LT] **23** Db
Minucciano [LU] **13** Ca
Mióglia [SV] **7** Dbc
Mira [VE] **11** Cb
Mirabella Eclano [AV] **25** Bb
Mirabella Imbaccari [CT] **35** Cc
Mirabello Monferrato [AL] **1** Ec
Mirabello Sannítico [CB] **25** Ba
Miramare [RN] **15** Ca
Miramare, Castello di- **5** Fd
Miranda [IS] **21** Bd
Mirándola [MO] **9** Ec
Mirano [VE] **11** Cab
Miren [SLO] = Merna (I) **5** Fd
Mirna **11** Fb
Mirto Crosía [CS] **29** Db
Misano Adriático [RN] **15** Cab
Miseno, Capo- **23** Ec
Misilbesi, Portella- **33** BCb
Misilmeri [PA] **33** Ca
Missanello [PZ] **25** Ed
Misterbianco [CT] **35** Eb
Mistretta [ME] **31** Ac
Misurina [BL] **5** Cb
Mittelberg [A] **3** Db
Mittewald / Mezzaselva [BZ] **5** Bb
Modane [Fr.] **1** Ac
Módena [MO] **9** Dc
Modica [RG] **35** Dd
Modigliana [FC] **15** Aa
Modugno [BA] **27** Ba
Moena [TN] **5** Bc
Móggio [LC] **3** Ad
Móggio Udinese [UD] **5** Ec
Moglia [MN] **9** Dc
Mogliano [MC] **15** Dc
Mogliano Véneto [TV] **11** Ca
Mogorella [OR] **39** Cb
Mógoro [OR] **39** Cb
Mojstrana [SLO] **5** Fc
Mola, Portella- **33** Cb
Mola di Bari [BA] **27** Ca
Molara **37** Eb
Molare [AL] **7** Eb
Molaretto [TO] **1** ABc
Molfetta [BA] **25** Fb
Molina Aterno [AQ] **19** Ec
Molina di Ledro [TN] **3** Dd
Molinella [BO] **11** Bc
Molines-en-Queyras [Fr.] **7** Ab
Molino del Piano [FI] **13** Eb
Moliterno [PZ] **29** Ba
Molóchio [RC] **31** Eb
Molveno [TN] **3** Dc
Molveno, Lago di- **3** Dc
Mombaróccio [PU] **15** Cb
Mombaruzzo [AT] **7** Db
Momo [NO] **1** Eb
Monaco **7** Bd
Monasterace [RC] **31** Fb
Monasterace Marina [RC] **31** Fb
Monasterolo di Savigliano [CN] **7** Cb
Monastir [CA] **39** Dc
Monbiel [Svizz.] **3** Bb
Moncalieri [TO] **7** Cab
Moncalvo [AT] **1** Dc
Moncenisio, Colle del- (I) = Mont-Cenis, Col du- **1** Ac
Moncenisio, Lago del- (I) = Mont-Cenis, Lac du- **1** Ac
Mónchio delle Corti [PR] **9** Cd
Mondávio [PU] **15** Cb
Mondolfo [PU] **15** Db
Mondoví [CN] **7** Cc
Mondragone [CE] **23** Db
Monéglia [GE] **13** ABa
Mónesi [IM] **7** Cc
Monesíglio [CN] **7** Dc
Monfalcone [GO] **5** Fd
Monferrato **7** Db
Monforte d'Alba [CN] **7** Cb
Monforte San Giórgio [ME] **31** Cb
Monghidoro [BO] **13** Ea
Mongiana [VV] **31** Ea
Mongibello → Etna **31** Bc
Monginevro, Colle del- **7** Ab
Monguelfo / Welsberg [BZ] **5** Cb
Monópoli [BA] **27** Cb
Monreale [PA] **33** Ca
Monsampolo del Tronto [AP] **19** Eb
Monsélice [PD] **11** Bb
Monsummano Terme [PT] **13** Db
Montá [CN] **7** Cb
Montágano [CB] **21** Cd
Montagnana [PD] **9** Eb
Montagnano [AR] **15** Ac
Montaione [FI] **13** Db
Montalbano Elicona [ME] **31** BCb
Montalbano Jónico [MT] **27** Bc
Montalcino [SI] **13** Ec
Montaldo di Cósola [AL] **7** Fb
Montale [PT] **13** Eb
Montallegro [AG] **33** Cc
Montalto [CT] **35** Db
Montalto (Cocuzza, Monte-) **31** Db
Montalto delle Marche [AP] **19** Eab
Montalto di Castro [VT] **17** Ec
Montalto Ligure [IM] **7** Cd
Montalto Marina [VT] **17** Ec
Montalto Pavese [PV] **7** Fb
Montalto Uffugo [CS] **29** Cc
Montanaro [TO] **1** Cc
Montana-Vermala [Svizz.] **1** BCa
Montano Antília [SA] **29** Aa
Montásio, lôf di- **5** Ec
Montázzoli [CH] **21** Bd
Mont-Cenis, Col du- = Moncenisio, Colle del- (I) **1** Ac
Mont-Cenis, Lac du- = Moncenisio, Lago del- (I) **1** Ac
Monte, Castel del- **25** Eb
Montebello Ionico [RC] **31** Dbc
Montebello Vicentino [VI] **9** Eb
Montebelluna [TV] **5** Cd
Montebruno [GE] **7** Fb
Monte Buono [PG] **15** Bc
Montebuono [RI] **19** Cc
Montecalvo Irpino [AV] **25** Cb
Monte-Carlo [PMC] **7** Bd
Montecarotto [AN] **15** Db
Montecassino, Abbazia di- **23** Dab
Montecastrilli [TR] **19** Bb
Montecatini Alto [PT] **13** Db
Montecatini Terme [PT] **13** Db
Montecatini Val di Cécina [PI] **13** Dc
Monte Cavallo [MC] **19** Cab
Montécchia di Crosara [VR] **9** Eab
Montecchio [AR] **15** Ac
Montécchio Emília [RE] **9** Cc
Montécchio Maggiore [VI] **9** Eab
Montecélio [ROMA] **19** Cc
Monte Cerignone [PU] **15** Bb
Montechiaro, Castello di- **33** Dc
Montechiaro d'Asti [AT] **7** Da
Montecómpatri [ROMA] **19** Cd
Montecorvino Rovella [SA] **25** Bc
Monte Cotugno, Lago di- **29** Ca
Montecristo **17** Bc
Monte Croce Cárnico, Passo di- / Plöckenpass **5** Db
Monte Croce di Comelico, Passo- **5** Cb
Monte di Capodistria (I) = Šmarje [SLO] **11** Fab
Monte di Procida [NA] **23** Ec
Montedoro [CL] **33** Dc
Montefalco [PG] **19** Cb
Montefalcone di Val Fortore [BN] **25** BCb
Montefalcone nel Sánnio [CB] **21** Cd
Monte Falterona, Campigna e delle Foreste Casentinesi, Parco Nazionale del- **15** Ab
Montefano [MC] **15** Dc
Montefelcino [PU] **15** Cb
Montefeltro **15** Bb
Montefiascone [VT] **19** Bb
Montefiore dell'Aso [AP] **15** Ec
Montefiorentino, Convento di- **15** Bb
Montefiorino [MO] **9** Dd
Monteflávio [ROMA] **19** Cc
Monteforte Cilento [SA] **25** Cd
Monteforte Irpino [AV] **25** Bc
Montefortino [FM] **19** Db
Montegabbione [TR] **19** Bb
Montegalda [VI] **11** Bb
Montegallo [AP] **19** Db
Montegiordano [CS] **29** Da
Montegiordano Marina [CS] **29** Da
Montegiórgio [FM] **15** Ec
Monte Giovo, Passo di- **3** Eb
Montegranaro [FM] **15** Ec
Montegrosso [BT] **25** Eb
Montegrotto Terme [PD] **11** Bb
Monte Isola [BS] **3** Cd
Montelánico [ROMA] **19** Dd
Monteleone di Púglia [FG] **25** Cb
Monteleone di Spoleto [PG] **19** Cb
Monteleone d'Orvieto [TR] **19** Bb
Monteleone Rocca Dória [SS] **37** Cbc
Montelepre [PA] **33** Ca
Monteleto [PG] **15** BCc
Montelibretti [ROMA] **19** Cc
Montella [AV] **25** BCc
Monteluco [PG] **19** Cb
Montelungo [MS] **9** Bd
Montelupo Fiorentino [FI] **13** DEb
Montelupone [MC] **15** Ec
Montemaggiore Belsito [PA] **33** Db
Montemagno [AT] **7** Dab
Montemarano [AV] **25** BCc
Montemarciano [AN] **15** Db
Monte Maria, Abbazia di- **3** Db

Montemerano [GR] **17** Db
Montemiccioli, Torre di– **13** Dc
Montemilone [PZ] **25** Db
Montemónaco [AP] **19** Db
Montemurlo [PO] **13** Eb
Montemurro [PZ] **25** Dd
Montenero [LI] **13** Cbc
Montenero di Bisáccia [CB] **21** Cd
Monteodorísio [CH] **21** Cc
Monte Oliveto Maggiore, Abbazia di– **13** Fc
Montepiano [PO] **13** Ea
Monte Pórzio [PU] **15** Db
Monte Pranu, Lago di– **39** Cc
Montepulciano [SI] **15** Ac
Montepulciano, Lago di– **15** Ac
Monterado [AN] **15** Db
Monterchi [AR] **15** Bbc
Montereale [AQ] **19** Db
Montereale Valcellina [PN] **5** Dc
Monterénzio [BO] **13** Ea
Monterénzio [BO] **13** Ea
Monteriggioni [SI] **13** Ec
Monteroduni [IS] **23** Ea
Monte Romano [VT] **17** Ec
Monteroni d'Árbia [SI] **13** Ec
Monteroni di Lecce [LE] **27** Ec
Monterosi [VT] **19** Bc
Monterosso al Mare [SP] **13** Ba
Monterosso Almo [RG] **35** Dc
Monterosso Calabro [VV] **31** Ea
Monterotondo [ROMA] **19** Cc
Monterotondo Maríttimo [GR] **13** Dc
Monterubbiano [FM] **15** Ec
Monte San Biágio [LT] **23** Cb
Monte San Giovanni Campano [FR] **19** DEd
Monte San Giovanni in Sabina [RI] **19** Cc
Monte San Giusto [MC] **15** Ec
Montesano Salentino [LE] **27** Ed
Montesano sulla Marcellana [SA] **29** Ba
Monte San Savino [AR] **15** Ac
Monte Santa Maria Tiberina [PG] **15** Bc
Monte Sant'Ángelo [FG] **21** Ed
Monte Santu, Capo di– **39** Ea
Monte San Vito [AN] **15** Db
Montesárchio [BN] **23** Fb
Montescaglioso [MT] **27** Bb
Montescudáio [PI] **13** Dc
Montese [MO] **13** Da
Monte Senário, Convento– **13** Eb
Montesilvano Marina [PE] **21** Bb
Montespértoli [FI] **13** Eb
Montespino (I) = Dornberk [SLO] **5** Fd
Montespluga [SO] **3** Abc
Montevago [AG] **33** Bb
Montevarchi [AR] **13** Fb
Montevécchio [VS] **39** Cb
Montevéglio [BO] **9** Ed
Monteverde [AV] **25** Dbc
Monteverdi Maríttimo [PI] **13** Dc
Monte Vérgine, Santuario di– **25** Bc
Montgenèvre [Fr.] **7** Ab
Monthey [Svizz.] **1** Aa
Monti [OT] **37** Db
Montiano [FC] **15** Ba
Montiano [GR] **17** Db
Montícchio Bagni [PZ] **25** Dc
Monticelli d'Ongina [PC] **9** Bb
Monticelli Terme [PR] **9** Cc
Montichiari [BS] **9** Cb
Monticiano [SI] **13** Ec
Montieri [GR] **13** DEc
Montiglio [AT] **1** Dc
Montignoso [MS] **13** Ca
Monti Sibillini, Parco Nazionale dei– **19** Db
Montodine [CR] **9** Bb
Montoggio [GE] **7** EFb
Montona / Motovun [CRO] **11** Fb
Montone [It.] **11** Cd
Montone [PG] **15** Bc
Montópoli di Sabina [RI] **19** Cc
Montópoli in Val d'Arno [PI] **13** Db
Montório al Vomano [TE] **19** Eb
Montório nei Frentani [CB] **21** Cd
Montresta [OR] **37** BCc
Monviso **7** Bb
Monza [MB] **1** Fb
Monzuno [BO] **13** Ea
Moos in Passeier / Moso in Passiria [BZ] **3** Eb
Morano Calabro [CS] **29** Cb
Morbegno [SO] **3** Bc
Morciano di Romagna [RN] **15** Cb
Morcone [BN] **23** Fb
Morcote [Svizz.] **1** Eb
Mordano [BO] **11** Bd
Mörel [Svizz.] **1** Da
Móres [SS] **37** Cb
Moresco [FM] **15** Ec
Moretta [CN] **7** Cb
Morfasso [PC] **9** Bc
Morgantina **35** Cc
Morgex [AO] **1** Bb
Morgins [Svizz.] **1** Aa
Morgins, Pas de– **1** Aa
Morgongiori [OR] **39** Cb
Mori [TN] **3** Dd
Moricone [ROMA] **19** Cc
Morimondo, Abbazia di– **1** Ec
Morino [AQ] **19** Dd
Morlupo [ROMA] **19** BCc
Mormanno [CS] **29** BCb
Mornago [VA] **1** Eb
Mornese [AL] **7** Eb
Morozzo [CN] **7** Cc
Morra [PG] **15** Bc
Morrone del Sánnio [CB] **21** Cd
Morro Reatino [RI] **19** Cb
Mortara [PV] **1** Ec
Mortegliano [UD] **5** Ed
Mortorio, Isola– **37** Ea
Morzine [Fr.] **1** Aa
Mosciano Sant'Ángelo [TE] **19** Eb
Moso in Passiria / Moos in Passeier [BZ] **3** Eb
Mosses, Col des– **1** Ba
Mosses, Les– [Svizz.] **1** Ba
Mosso Santa Maria [BI] **1** Db
Most na Soči [SLO] = Santa Lucia (I) **5** Fc
Motovun / Montona [CRO] **11** Fb
Motta di Livenza [TV] **5** Dd
Mottalciata [BI] **1** Dbc
Motta Montecorvino [FG] **25** Cab
Mottarone **1** Db
Motta San Giovanni [RC] **31** Db
Motta Santa Lucia [CZ] **29** Cc
Motta Visconti [MI] **1** Ec
Móttola [TA] **27** Cb
Mouans-Sartoux [Fr.] **7** Ad
Moulinet [Fr.] **7** Bd
Mounier, Mont– **7** Ac
Mozia **33** Ab
Mozzagrogna [CH] **21** Bc
Mozzanica [BG] **9** Bb
Mozzate [CO] **1** Eb
Mozzecane [VR] **9** Db
Múccia [MC] **15** Dc
Mucone **29** Cc
Múggia [TS] **11** Fa
Mühlbach / Rio di Pusteria [BZ] **5** Bb
Mühlwald / Selva dei Molini [BZ] **5** Bb
Muhr [A] **5** Ea
Mulargia, Lago– **39** Db
Mulegns [Svizz.] **3** Bb
Muraglione, Passo del– **13** Fb
Murano [VE] **11** Cb
Muravera [CA] **39** Ec
Murazzano [CN] **7** CDc
Murci [GR] **17** Db
Murge, Le– **27** Bb
Murialdo [SV] **7** Dc
Murlo [SI] **13** Ec
Muro Leccese [LE] **27** Ec
Muro Lucano [PZ] **25** Cc
Murro di Porco, Capo– **35** Ecd
Musile di Piave [VE] **11** Da
Musone **15** Dc
Mussòmeli [CL] **33** Db
Müstair [Svizz.] **3** Cb
Muzzana del Turgnano [UD] **5** Ed

N

Nago [TN] **3** Dd
Na–Logu [SLO] **5** Fc
Nápoli [NA] **23** Ec
Napoli, Golfo di– **23** Ec
Narbolía [OR] **39** Ca
Narcao [CI] **39** Cc
Nardó [LE] **27** Ec
Nardodipace [CZ] **31** Eb
Narni [TR] **19** BCb
Naro [AG] **33** Dc
Narzole [CN] **7** Cb
Nasino [SV] **7** Dc
Naso [ME] **31** Bb
Naturno / Naturns [BZ] **3** DEb
Naturns / Naturno [BZ] **3** DEb
Nauders [A] **3** CDb
Nava, Colle di– **7** Cc
Nave [BS] **9** Ca
Navelli [AQ] **19** Ec
Naxos **31** Cc
Nebrodi, Monti– **31** Bc
Negrar [VR] **9** Da
Nembro [BG] **3** Bd
Nemi [ROMA] **19** Cd
Nemi, Lago di– **19** Cd
Nepi [VT] **19** Bc
Nera **19** Bc
Nera, Punta– **17** Bb
Nereto [TE] **19** Eb
Nero, Monte– (I) = Krn **5** Fc
Nervesa della Battaglia [TV] **5** Cd
Nervi [GE] **7** Fc
Nerviano [MI] **1** Eb
Neto **29** Ec
Nettuno [ROMA] **23** Bb
Nettuno, Grotta di– **37** Bb
Neumarkt / Egna [BZ] **3** Ec
Neusach [A] **5** Eb
Neustift / Novacella **5** Bb
Neviano degli Arduini [PR] **9** Cc
Nibbiano [PC] **9** Ac
Nicastro [CZ] **29** Ccd
Niccone [PG] **15** Bc
Nice [Fr.] **7** Bd
Nicolosi [CT] **35** DEb
Nicosía [EN] **31** Ac
Nicotera [VV] **31** Da
Nicotera Marina [VV] **31** Da
Nieddu, Monte– **37** Eb
Nikolsdorf [A] **5** Db
Nímis [UD] **5** Ec
Ninfa **23** Ba
Niscemi [CL] **35** Cc
Nissoria [EN] **35** Cb
Nivolet, Colle di– **1** Bc
Nizza di Sicília [ME] **31** Cbc
Nizza Monferrato [AT] **7** Db
Noale [VE] **11** Ca
Noasca [TO] **1** Bc
Nocara [CS] **29** Ca
Noce **3** Ec
Nocera Inferiore [SA] **23** Fc
Nocera Superiore [SA] **25** Bc
Nocera Terinese [CZ] **29** Cc
Nocera Umbra [PG] **15** Cc
Noceto [PR] **9** Cc
Noci [BA] **27** Cb
Nociazzi [PA] **33** Eb
Nociglia [LE] **27** Ec
Noépoli [PZ] **29** Ca
Noicàttaro [BA] **27** Ba
Nola [NA] **23** EFc
Noli [SV] **7** Dc
Noli, Capo di– **7** Dc
Non, Val di– **3** Ec
Nonantola [MO] **9** Ec
None [TO] **7** Cb
Nora **39** Dcd
Noragúgume [NU] **37** Cc
Nórchia **17** Ec
Nórcia [PG] **19** Db
Norma [LT] **23** Ba
Nostra Signora di Montallegro **7** Fc
Notaresco [TE] **19** Eb
Noto [SR] **35** Ed
Noto, Golfo di– **35** Ed
Noto, Val di– **35** Dd
Noto Antica **35** DEd
Notre–Dame [Fr.] **7** ABd
Notre–Dame des Fontaines **7** Cc
Nötsch an der Gail [A] **5** Fb
Novacella / Neustift **5** Bb
Novaféltria [PU] **15** Bb
Nova Gorica [SLO] **5** Fd
Novalesa, Abbazia di– **1** ABc
Nova Levante / Welschnofen [BZ] **5** Bc
Nova Ponente / Deutschnofen [BZ] **3** Ec
Novara [NO] **1** Ec
Novara di Sicília [ME] **31** Cb
Nova Siri [MT] **29** Da
Novate Mezzola [SO] **3** Ac
Nove [VI] **5** Bd
Novellara [RE] **9** Dc
Noventa di Piave [VE] **5** Dd
Noventa Vicentina [VI] **11** Bb
Novi di Módena [MO] **9** Dc
Novigrad / Cittanova [CRO] **11** Fb
Novi Ligure [AL] **7** Eb
Nóvoli [LE] **27** Ec
Nudo, Col– **5** Cc
Nughedu di San Nicolò [SS] **37** CDb
Nulvi [SS] **37** Cb
Numana [AN] **15** Eb
Nunziatella [GR] **17** Dc
Núoro [NU] **37** Dc
Nurachi [OR] **39** Cb
Nuragus [CA] **39** Db
Nurallao [CA] **39** Db
Nuráminis [CA] **39** CDc
Nuraxi, Nuraghe su– **39** Cb
Nureci [OR] **39** Cb
Nurra **37** Bb
Nurri [CA] **39** Db
Nus [AO] **1** Bb
Nusco [AV] **25** Cc

O

Oberdrauburg [A] **5** Db
Obergurgl [A] **3** DEb
Obernberg am Brenner [A] **3** Eab
Obertilliach [A] **5** Db
Obervellach [A] **5** Eb
Occhieppo Inferiore [BI] **1** CDb
Occhiobello [RO] **11** Bc
Occhito, Lago di– **25** Ba
Occimiano [AL] **1** DEc
Oderzo [TV] **5** Cd
Odolo [BS] **9** Ca
Ófanto **25** Eb
Ofena [AQ] **19** Ec
Offida [AP] **19** Eb
Oggiono [LC] **3** Ad
Ogliastro, Lago di– **35** Dc
Ogliastro Cilento [SA] **25** Cd
Ogliastro Marina [SA] **25** Bd
Óglio **9** Db
Olang / Valdáora [BZ] **5** BCb
Ólbia [OT] **37** DEb
Olbia, Golfo di– **37** Eb
Oleggio [NO] **1** Eb
Olévano Romano [ROMA] **19** Dd
Olgiate Comasco [CO] **1** Eb
Olgiate Molgora [LC] **3** Ad
Olginate [LC] **3** Ad
Oliena [NU] **37** Dc
Oliveto [RC] **31** Db
Oliveto Citra [SA] **25** Cc
Olivone [Svizz.] **3** Ab
Ollon [Svizz.] **1** Aa
Olmedo [SS] **37** Bb
Oltre il Colle [BG] **3** Bd
Olzai [NU] **37** Dc
Ombrone **17** Db
Omegna [VB] **1** Db
Omignano [SA] **29** Aa
Omodeo, Lago– **37** Cc
Onifai [NU] **37** Ec
Opera [MI] **1** Fc
Opi [AQ] **19** Ed
Oppeano [VR] **9** Eb
Óppido Lucáno [PZ] **25** Dc
Óppido Mamertina [RC] **31** Db
Ora / Auer [BZ] **3** Ec
Orani [NU] **37** Dc
Orba **7** Eb
Orbassano [TO] **1** Cc
Orbetello [GR] **17** Dc
Orbetello, Laguna di– **17** Dc
Orciano di Pésaro [PU] **15** Cb
Orco **1** Bc
Ordona [FG] **25** Db
Orgósolo [NU] **37** Dc
Ória [BR] **27** Dbc
Oriolo [CS] **29** Ca
Oristano [OR] **39** Cb
Oristano, Golfo di– **39** BCb
Orlando, Capo d'– **31** Bb
Ormea [CN] **7** Cc
Ornavasso [VB] **1** Db
Oro, Nuraghe s'– **39** Ec
Oropa, Santuario di– **1** Cb
Orosei [NU] **37** Ec
Orosei, Golfo di– **37** Ec
Orotelli [NU] **37** Dc
Órrios, Serra– **37** Ec
Orróli [CA] **39** Db
Orsara di Púglia [FG] **25** Cb
Orsera / Vrsar [CRO] **11** Fb
Orsiera, Monte– **1** Bc
Orsières [Svizz.] **1** Ba
Orso, l'– **37** Da
Orsogna [CH] **21** Bc
Orsomarso [CS] **29** Bb
Orta, Lago d'– (Cusio) **1** Db
Orta Nova [FG] **25** Db
Orta San Giulio [NO] **1** Db
Orte [VT] **19** Bc
Ortigara, Monte– **5** ABcd
Ortisei / Sankt Ulrich in Gröden [BZ] **5** Bb
Ortler / Órtles **3** Db
Órtles / Ortler **3** Db
Ortobene, Monte– **37** Dc
Ortona [CH] **21** Bc
Ortucchio [AQ] **19** Ed
Ortueri [NU] **39** Ca
Orune [NU] **37** Dc
Orvieto [TR] **19** Bb
Orvinio [RI] **19** Cc
Orzinuovi [BS] **9** Bb
Óschiri [OT] **37** Db
Osidda [NU] **37** Db
Osiglia [SV] **7** Dc
Ósilo [SS] **37** Cb
Ósimo [AN] **15** Dc
Osogna [Svizz.] **1** Ea
Osoppo [UD] **5** Ec
Ospedaletti [IM] **7** Cd
Ospedaletto Euganeo [PD] **11** Bb
Ospedaletto Lodigiano [LO] **9** Bb
Ospitale di Cadore [BL] **5** Cc
Ospitaletto [BS] **9** Ca
Ossi [SS] **37** Cb
Ossiach [A] **5** Fb
Ossiacher See **5** Fb
Ostellato [FE] **11** Bc
Österreich = Austria (I) **5** DEb
Óstia **19** Bd
Óstia Antica [ROMA] **19** Bd
Ostiano [CR] **9** Cb
Ostia Parmense [PR] **9** Bc

Ost - Pol

Ostiglia [MN] **9** Eb
Ostra [AN] **15** Db
Ostra Vétere [AN] **15** Db
Ostuni [BR] **27** Db
Ótranto [LE] **27** EFc
Otranto, Canale d'– **27** Fbc
Otranto, Capo d'– **27** EFc
Otranto, Terra d'– **27** Ec
Otrícoli [TR] **19** Bc
Ottana [NU] **37** Dc
Ottaviano [NA] **23** Ec
Ottone [PC] **9** Ac
Oulx [TO] **1** Ac
Ovada [AL] **7** Eb
Oviglio [AL] **7** Db
Ovíndoli [AQ] **19** DEc
Ovodda [NU] **39** Da
Oyace [AO] **1** Bb
Ozieri [SS] **37** CDb
Ozzano dell'Emilia [BO] **9** Ed
Ozzano Monferrato [AL] **1** Dc

P

Pabillonis [VS] **39** Cb
Paceco [TP] **33** Bab
Pacentro [AQ] **19** Ec
Pachino [SR] **35** Ed
Paciano [PG] **15** Bc
Pádova [PD] **11** Bb
Padria [SS] **37** Cc
Padru [OT] **37** Eb
Padula [SA] **25** Dd
Padule [PG] **15** Cc
Paduli [BN] **25** Bb
Paesana [CN] **7** Bb
Paese [TV] **5** Cd
Paestum **25** BCd
Paganella **3** Ec
Pagani [SA] **23** Fc
Paganico [GR] **17** Db
Pagánico [RI] **19** CDc
Paglia **19** Ab
Pagliaroli [TE] **19** Eb
Paglieta [CH] **21** BCc
Pagnacco [UD] **5** Ec
Palade, Passo delle– / Gampen Joch **3** Eb
Pala 'e Rúghes, Nuraghe– **37** CDc
Palagianello [TA] **27** Bb
Palagiano [TA] **27** Cb
Palagonía [CT] **35** Dc
Paláia [PI] **13** Db
Palanzano [PR] **9** Cd
Palata [CB] **21** Cd
Palau [OT] **37** Da
Palazzo Adriano [PA] **33** Cb
Palazzo del Pero [AR] **15** Ac
Palazzolo Acréide [SR] **35** Dc
Palazzolo sull'Óglio [BS] **9** Ba
Palazzolo Vercellese [VC] **1** Dc
Palazzo San Gervásio [PZ] **25** Dc
Palazzuolo sul Sénio [FI] **13** Fa
Palena [CH] **21** Bcd
Paléparto, Monte– **29** Dc
Palermo [PA] **33** Ca
Palermo, Golfo di– **33** Ca
Palese [BA] **25** Fb
Palestrina [ROMA] **19** Cd
Paliano [FR] **19** Dd
Palidoro [ROMA] **19** Bd
Palinuro [SA] **29** Aa
Palinuro, Capo– **29** Aa
Palizzi [RC] **31** Dbc
Palizzi Marina [RC] **31** Dc
Palla Bianca / Weißkugel **3** Db
Pallagorío [KR] **29** Dc
Pallanza [VB] **1** Eb
Palma Campania [NA] **23** Fc
Palma di Montechiaro [AG] **33** Dc
Palmadula [SS] **37** Bb
Palmaiola, Isola– **17** Bb
Palmanova [UD] **5** Ed
Palmaria, Isola– **13** Ba
Palmariggi [LE] **27** Ec
Palmarola, Isola– **23** Bc
Pálmas, Golfo di– **39** BCcd
Palmi [RC] **31** Db
Pálmoli [CH] **21** Cd
Palmschoss / Plántios [BZ] **5** Bb
Palo [ROMA] **19** Bd
Palo [SV] **7** Ebc
Palo del Colle [BA] **27** Ba
Palombara Sabina [ROMA] **19** Cc
Palombaro [CH] **21** Bc
Palomonte [SA] **25** Cc
Palú, Pizzo– **3** Bc
Palú del Fersina [TN] **3** Ec
Paludi [CS] **29** Db
Paluzza [UD] **5** DEb
Pamparato [CN] **7** Cc
Panarea **31** Ca
Panaro **9** Ec
Pancalieri [TO] **7** Cb
Panchià [TN] **5** Bc
Pancole [GR] **17** Db
Pandino [CR] **9** Bb
Pan di Zucchero **3** Eb
Panicale [PG] **15** Bc
Pantalica, Necropoli di– **35** DEc
Pantelleria [TP] **33** **ins.a**
Pantelleria [TP] **33** **ins.a**
Paola [CS] **29** Cc
Papanice [KR] **29** DEc
Papasidero [CS] **29** Bb
Papozze [RO] **11** Cbc
Parábita [LE] **27** Ec
Paradiso [RC] **31** Eb
Paradiso, Costa– **37** Ca
Parenti [CS] **29** Cc
Parenzo / Poreč [CRO] **11** Fb
Parghelia [VV] **31** Da
Paringianu [CI] **39** Bc
Parma [Em.Rom.] **9** Ccd
Parma [PR] **9** Cc
Partanna [TP] **33** Bb
Partanna-Mondello [PA] **33** Ca
Partenen [A] **3** Cb
Partinico [PA] **33** Ca
Pasiano di Pordenone [PN] **5** Dd
Passeiertal / Passíria, Val– **3** Eb
Passero, Capo– **35** Ed
Passignano sul Trasimeno [PG] **15** Bc
Passíria, Val– / Passeiertal **3** Eb
Passo [VB] **1** Da
Pástena [FR] **23** CDab
Pástena, Grotte di– **23** CDab
Pasúbio, Monte– **3** Ed
Paternion [A] **5** Fb
Paternó [CT] **35** Db
Paternopóli [AV] **25** Cc
Pattada [SS] **37** Db
Patti [ME] **31** Bb
Patti, Golfo di– **31** Cb
Paularo [UD] **5** Eb
Paulilátino [OR] **39** Ca
Paullo [MI] **9** Ab
Pavia [PV] **1** Fc
Pavia, Certosa di– **1** Fc
Pavia d'Udine [UD] **5** Ecd
Pavone del Mella [BS] **9** Cb
Pavullo nel Frignano [MO] **9** Dd
Pazin [CRO] **11** Fb
Péccioli [PI] **13** Db
Péclet, Auguille de– **1** Ac
Pecora, Capo– **39** Bc
Pecorara [PC] **9** Ac
Pecoraro, Monte– **31** Ea
Pecorini a Mare [ME] **31** Ba
Pedace [CS] **29** Cc
Pedaso [FM] **15** Ec
Pedemonte [VI] **3** Ed
Pederobba [TV] **5** Bd
Pedescala [VI] **3** Ed
Pegli [GE] **7** Ec
Pegognaga [MN] **9** Dbc
Péio [TN] **3** Dc
Peïra Cava [Fr.] **7** Bd
Peisey-Nancroix [Fr.] **1** Ab
Pélago [FI] **13** EFb
Pellaro, Punta di– **31** Db
Pellegrino, Cozzo del– **29** BCb
Pellegrino, Monte– **33** Ca
Pellegrino Parmense [PR] **9** Bc
Pellestrina [VE] **11** Cb
Pellice **7** Bb
Pellizzano [TN] **3** Dc
Peloritani, Monti– **31** Cb
Pelvo d'Elva **7** Bb
Pénice, Monte– **9** Ac
Penna, Punta della– **21** Cc
Pennabilli [PU] **15** Bb
Pennadomo [CH] **21** Bcd
Pennapiedimonte [CH] **21** Bc
Penne [PE] **19** Ec
Penne, Punta– **27** Db
Pénnes / Pens [BZ] **3** Eb
Pens / Pénnes [BZ] **3** Eb
Pentone [CZ] **29** Dcd
Péone [Fr.] **7** Ac
Peralba, Monte– **5** Db
Perarolo di Cadore [BL] **5** Cc
Perdasdefogu [OG] **39** Db
Perdedu, Monte– **39** Db
Perdifumo [SA] **29** Aa
Pereta [GR] **17** Db
Pereto [AQ] **19** Dc
Perfugas [SS] **37** Cb
Pérgine Valdarno [AR] **15** Ac
Pérgine Valsugana [TN] **3** Ec
Pérgola [PU] **15** Cb
Pergusa [EN] **33** Eb
Pergusa, Lago di– **33** Eb
Peri [VR] **9** Da
Perino [PC] **9** ABc
Perito [SA] **25** Cd
Perolla [GR] **13** Dc
Perosa Argentina [TO] **7** Bb
Perrero [TO] **7** Bb
Pertegada [UD] **5** Ed
Pertengo [VC] **1** Dc
Pertosa, Grotta di– **25** Cc
Pertusato, Capo– **37** Da
Perúgia [PG] **15** Bc
Pésaro [PU] **15** Cb
Pescáglia [LU] **13** Cb
Pescara [Abr.] **21** Bc
Pescara [PE] **21** Bc
Pescasséroli [AQ] **19** Ed
Peschici [FG] **21** EFd
Peschiera Borromeo [MI] **9** Ab
Peschiera del Garda [VR] **9** Db
Pescia **13** Db
Pescina [AQ] **19** Ec
Pescocostanzo [AQ] **21** Bd
Pescolanciano [IS] **21** Bd
Pescopagano [PZ] **25** Cc
Pescopennataro [IS] **21** Bd
Pescorocchiano [RI] **19** Dc
Pesco Sannita [BN] **25** Bb
Pesio, Certosa di– **7** Cc
Petacciato [CB] **21** Cc
Petacciato Marina [CB] **21** Cc
Petilia Policastro [KR] **29** Dc
Petina [SA] **25** Cc
Petralía Soprana [PA] **33** Eb
Petralía Sottana [PA] **33** Eb
Petrella Salto [RI] **19** Dc
Petrella Tifernina [CB] **21** Cd
Petriano [PU] **15** Cb
Petrignano [PG] **15** Cc
Petrítoli [FM] **15** Ec
Petroio [SI] **15** Ac
Petronà [CZ] **29** Dc
Petrosino [TP] **33** Ab
Petroso, Monte– **19** Ed
Pettinéo [ME] **33** Eb
Pettorano sul Gízio [AQ] **19** Ed
Peveragno [CN] **7** Cc
Pezzo [BS] **3** CDc
Pflerschtal / Fléres, Val di– **3** Eb
Pfunders / Fùndres [BZ] **5** Bb
Pfunds [A] **3** Db
Piacenza [PC] **9** Bb
Piadena [CR] **9** Cb
Piagge [PU] **15** Cb
Piana Crixia [SV] **7** Dbc
Piana degli Albanesi [PA] **33** Cab
Pian Castagna [AL] **7** Eb
Piancastagnaio [SI] **17** Eb
Pian d'Alma [GR] **17** Cb
Piandelagotti [MO] **9** CDd
Pian della Mussa [TO] **1** Bc
Piandimeleto [PU] **15** Bb
Pian di Scó [AR] **13** Fb
Pianella [PE] **21** Bc
Pianella [SI] **13** Ec
Pianello [PU] **15** Cb
Pianello Val Tidone [PC] **9** Ac
Piano della Pieve [PG] **15** Cc
Piano delle Fugazze, Passo– **3** Ed
Piano del Vóglio [BO] **13** Ea
Pianoro [BO] **9** Ed
Pianosa [FG] **21** Ec
Pianosa [LI] **17** Bb
Pianosa [LI] **17** Bb
Pianotolli-Caldarello [Fr.] **37** Da
Piansano [VT] **17** Eb
Piaon, Gorges du– **7** Bd
Piave **11** Ca
Piazza al Sérchio [LU] **13** Ca
Piazza Armerina [EN] **35** Cc
Piazza Brembana [BG] **3** Bd
Piazzatorre [BG] **3** Bcd
Piazze [SI] **17** Eb
Piazzola sul Brenta [PD] **11** Ba
Pićan [CRO] **11** FGb
Piccione [PG] **15** BCc
Piccolo San Bernardo, Colle del– **1** Ab
Picentini, Monti– **25** Cc
Picerno [PZ] **25** Dc
Picinisco [FR] **19** Ed
Pico [FR] **23** Db
Piedicavallo [BI] **1** Cb
Piediluco [TR] **19** Cb
Piedimonte Etnéo [CT] **31** Cc
Piedimonte Matese [CE] **23** Eb
Piedimulera [VB] **1** Da
Piedipaterno [PG] **19** Cb
Piegaro [PG] **19** Bb
Pienza [SI] **15** Ac
Pierantonio [PG] **15** Bc
Pietrabbondante [IS] **21** Bd
Pietra Bismantova **9** Cd
Pietracamela [TE] **19** Eb
Pietra del Pertusillo, Lago di– **25** Dd
Pietragalla [PZ] **25** Dc
Pietra Ligure [SV] **7** Dc
Pietralunga [PG] **15** Bc
Pietramelara [CE] **23** Eb
Pietramontecorvino [FG] **25** Ca
Pietrapáola [CS] **29** Dbc
Pietrapertosa [PZ] **25** Ec
Pietraperzía [EN] **33** Ec
Pietraporzio [CN] **7** Bc
Pietrasanta [LU] **13** Cb
Pietra Spada, Passo di– **31** Eab
Pietravairano [CE] **23** Eb
Pietrelcina [BN] **25** Bb
Pieve d'Alpago [BL] **5** Cc
Pieve del Cairo [PV] **1** Ec
Pieve del Tho **15** Aa
Pieve di Brancoli [LU] **13** Db
Pieve di Cadore [BL] **5** Cc
Pieve di Cento [BO] **9** Ec
Pieve di Ledro [TN] **3** Dd
Pieve di Romena **15** Ab
Pieve di Soligo [TV] **5** Cd
Pieve di Teco [IM] **7** Cc
Pievepélago [MO] **13** Da
Pieve Santo Stéfano [AR] **15** Bb
Pieve Torina [MC] **15** Dc
Píglio [FR] **19** Dd
Pigna [IM] **7** Cd
Pignataro Maggiore [CE] **23** Eb
Pignola [PZ] **25** Dc
Pila [AO] **1** Bb
Pila [RO] **11** Cc
Pilastri [FE] **9** Ec
Pilastro [PR] **9** Cc
Pillon, Col du– **1** Ba
Pinerolo [TO] **7** Bb
Pineto [TE] **21** Bb
Pino [Fr.] **13** Ad
Pinzano al Tagliamento [PN] **5** Dc
Pinzolo [TN] **3** Dc
Pióbbico [PU] **15** BCb
Piombino [LI] **17** Cb
Piombino, Canale di– **17** BCb
Piombino Dese [PD] **11** BCa
Piona, Abbazia di– **3** Ac
Pióraco [MC] **15** Cc
Piossasco [TO] **7** Bab
Piove di Sacco [PD] **11** Cb
Piovene Rocchette [VI] **3** Ed
Piráino [ME] **31** Bb
Piran / Pirano [SLO] **11** Fa
Pirano / Piran [SLO] **11** Fa
Píras [OT] **37** Db
Pisa [PI] **13** Cb
Pisa, Certosa di– **13** Db
Pisciotta [SA] **29** Aa
Pisoc, Piz– **3** Cb
Pisogne [BS] **3** Cd
Pissignano [PG] **19** Cb
Pisticci [MT] **27** Bc
Pistóia [PT] **13** Db
Pitigliano [GR] **17** Eb
Pizzighettone [CR] **9** Bb
Pizzo [VV] **31** Ea
Pizzo, Punta del– **27** DEcd
Pizzoferrato [CH] **21** Bd
Pízzoli [AQ] **19** Dc
Placanica [RC] **31** Eb
Plampincieux [AO] **1** Ab
Plàncios / Palmschoss [BZ] **5** Bb
Plan-du-Var, le– [Fr.] **7** Bd
Plássas, Las– [VS] **39** CDb
Plataci [CS] **29** Cb
Platamona [SS] **37** Bb
Plàtani **33** Cc
Platania [CZ] **29** Ccd
Platí [RC] **31** Eb
Platíschis [UD] **5** Ec
Platta, Piz– **3** Bbc
Plätzwiesen / Prato Piazza [BZ] **5** Cb
Plava (I) = Plave [SLO] **5** Fc
Plave [SLO] = Plava (I) **5** Fc
Plezzo (I) = Bovec [SLO] **5** Fc
Ploághe [SS] **37** Cb
Plöckenpass / Monte Croce Cárnico, Passo di– **5** Db
Po **11** Cb
Po, Delta del– **11** Cc
Pocol [BL] **5** Cb
Podgorje [SLO] **11** Fa
Po di Goro **11** Cc
Po di Volano **11** BCc
Podkoren [SLO] **5** Fbc
Poetto [CA] **39** Dc
Pofi [CA] **23** Ca
Poggiardo [LE] **27** Ec
Poggibonsi [SI] **13** Ec
Póggio a Caiano [PO] **13** Eb
Póggio Bustone [RI] **19** Cb
Póggio Cancelli [AQ] **19** Db
Poggiodomo [PG] **19** Cb
Poggio Imperiale [FG] **21** Dd
Poggiomarino [NA] **23** Fc
Póggio Mirteto [RI] **19** Cc
Póggio Moiano [RI] **19** Cc
Poggioreale [TP] **33** BCb
Póggio Renático [FE] **9** Ec
Poggiorsini [BA] **25** Ec
Poggio Rusco [MN] **9** Ebc
Póggio San Romualdo [AN] **15** Dc
Pognana Lário [CO] **1** Fb
Poirino [TO] **7** Cb
Pola / Pula [CRO] **11** Fc
Polcenigo [PN] **5** CDc
Polenta **15** Ba
Polesella [RO] **11** Bc
Polesine Parmense [PR] **9** Cb
Polía [VV] **31** Ea
Policastro, Golfo di– **29** Bab
Policastro Bussentino [SA] **29** ABa
Policoro [MT] **27** Bc
Polignano a Mare [BA] **27** Cab
Polinago [MO] **9** Dd
Polinik **5** Eb
Polino [TR] **19** Cb
Polistena [RC] **31** Eb
Polizzi Generosa [PA] **33** DEb
Polla [SA] **25** Cc
Pollenza [MC] **15** Dc
Póllica [SA] **29** Aa
Pòllina **33** Eb

Pollina [PA] **33** Eab
Pollino **29** Cb
Pollino, Parco Nazionale del- **29** Cab
Pollone [BI] **1** CDb
Polveraia [GR] **17** Db
Polverigi [AN] **15** Db
Poma, Lago- **33** Cab
Pomarance [PI] **13** Dc
Pomarico [MT] **27** Bb
Pomézia [ROMA] **19** BCd
Pomigliano d'Arco [NA] **23** Ec
Pomonte [LI] **17** Bb
Pompei [NA] **23** EFc
Pompei [NA] **23** EFc
Pompiano [BS] **9** BCb
Pomposa, Abbazia di- **11** Cc
Poncione Rosso **1** Ea
Ponente, Capo- **33** **ins.a**
Ponsacco [PI] **13** Db
Pont [AO] **1** Bb
Pontassieve [FI] **13** Eb
Pont-Canavese [TO] **1** Cc
Ponte alla Chiassa [AR] **15** Ab
Ponte a Moriano [LU] **13** Db
Pontebba [UD] **5** Ebc
Pontecagnano [SA] **25** Bc
Pontechianale [CN] **7** Bb
Pontecorvo [FR] **23** Db
Pontecurone [AL] **7** Eb
Pontedassio [IM] **7** CDd
Ponte dell'Olio [PC] **9** Bc
Pontedera [PI] **13** Db
Ponte di Barbarano [VI] **11** Bb
Ponte di Legno [BS] **3** CDc
Ponte di Masino [FI] **13** Db
Ponte di Nava [CN] **7** Cc
Ponte di Piave [TV] **5** Cd
Ponte Gardena / Waidbruck [BZ] **5** Bb
Ponteginori [PI] **13** Dc
Ponte in Valtellina [SO] **3** Bc
Pontelagoscuro [FE] **11** Bc
Pontelandolfo [BN] **25** Bb
Pontelongo [PD] **11** Cb
Ponte nelle Alpi [BL] **5** Cc
Ponte Nizza [PV] **7** Fb
Ponte Nuovo [PG] **15** Bcd
Pontenure [PC] **9** Bbc
Ponte San Giovanni [PG] **15** Bc
Ponte San Pietro [BG] **3** Bd
Pontestura [AL] **1** Dc
Ponte Tresa [VA] **1** Eb
Pontevico [BS] **9** Cb
Pontida [BG] **3** ABd
Pontine, Isole- → Ponziane, Isole- **23** Bc
Pontínia [LT] **23** Cb
Pontinvrea [SV] **7** Dc
Pontóglio [BS] **9** Ba
Pontrémoli [MS] **9** Bd
Pontresina [Svizz.] **3** Bc
Pont-Saint-Martin [AO] **1** Cb
Ponza [LT] **23** Bc
Ponza, Isola di- **23** Bc
Ponziane o Pontine, Isole- **23** Bc
Ponzone [AL] **7** Db
Popoli [PE] **19** Ec
Poppi [AR] **15** Ab
Populonia [LI] **17** Bab
Porcía [PN] **5** Dd
Pordenone [PN] **5** Dd
Pordoi, Passo- **5** Bbc
Poreč / Parenzo [CRO] **11** Fb
Porlezza [CO] **1** Fa
Pornassio [IM] **7** Cc
Porretta Terme [BO] **13** Da
Port de Centuri [Fr.] **13** Ad
Portegrandi [VE] **11** Ca
Pórtici [NA] **23** Ec
Pórtico di Romagna [FC] **15** Aa
Porto Azzurro [LI] **17** Bb
Portobello di Gallura [OT] **37** Da
Porto Botte [CI] **39** Cc
Porto Ceresio [VA] **1** Eb
Porto Cervo [OT] **37** Ea
Porto Cesareo [LE] **27** Dc
Porto d'Ascoli [AP] **19** Eb
Porto di Levante [ME] **31** Bb
Porto Empedocle [AG] **33** Dc
Porto Ercole [GR] **17** Dc
Portoferráio [LI] **17** Bb
Portofino [GE] **7** Fc
Porto Garibaldi [FE] **11** Cc
Portogruaro [VE] **5** Dd
Porto Levante [RO] **11** Cb
Portomaggiore [FE] **11** Bc
Porto Palo [AG] **33** Bb
Portopalo di Capo Pássero [SR] **35** Ed
Porto Pino [CI] **39** Cd
Porto Potenza Picena [MC] **15** Ec
Porto Pozzo [OT] **37** Da
Porto Recanati [MC] **15** Ec
Portorose (I) = Portoroz [SLO] **11** Fa
Porto Rotondo [OT] **37** Ea
Portoroz [SLO] = Portorose (I) **11** Fa
Porto San Giórgio [FM] **15** Ec
Porto San Páolo [OT] **37** Eb
Porto Sant'Elpídio [FM] **15** Ec
Porto Santo Stefano [GR] **17** Dc
Portoscuso [CI] **39** Bc
Porto Tolle [RO] **11** Cc
Porto Tórres [SS] **37** Bb
Porto Valtravaglia [VA] **1** Eb
Portovenere [SP] **13** Ba
Posada [NU] **37** Eb
Posada [Sard.] **37** Eb
Poschiavo [Svizz.] **3** Cc
Posina [VI] **3** Ed
Positano [SA] **23** Ec
Possagno [TV] **5** Bd
Posta [RI] **19** Db
Postal / Burgstall [BZ] **3** Eb
Posta Piana [BT] **25** Db
Posto Rácale [LE] **27** DEd
Potenza [MC] **15** Ec
Potenza [PZ] **25** Dc
Potenza Picena [MC] **15** Ec
Povíglio [RE] **9** Dc
Povoletto [UD] **5** Ec
Pozza di Fassa [TN] **5** Bc
Pozzallo [RG] **35** Dd
Pozzillo, Lago di- **31** Bc
Pozzolo Formigaro [AL] **7** Eb
Pozzomaggiore [SS] **37** Cc
Pozzuoli [NA] **23** Ec
Pozzuolo [PG] **15** Ac
Pozzuolo del Friuli [UD] **5** Ed
Pradléves [CN] **7** Bc
Prad Stilfserjoch / Prato allo Stélvio [BZ] **3** Db
Pragelato [TO] **7** Aa
Prägraten [A] **5** Ca
Prags / Bráies [BZ] **5** Cb
Práia a Mare [CS] **29** Bb
Praiano [SA] **23** Fc
Prali [TO] **7** Bb
Pralognan-la-Vanoise [Fr.] **1** Ac
Pralong [Svizz.] **1** Ba
Pralormo [TO] **7** Cb
Pramaggiore **5** Dc
Pramollo, Passo di- **5** Eb
Prata d'Ansidonia [AQ] **19** Ec
Prata di Pordenone [PN] **5** Dd
Pratella [CE] **23** Eb
Prati di Tivo [TE] **19** Ebc
Prato [PO] **13** Eb
Prato [Svizz.] **1** Ea
Prato alla Drava / Winnebach [BZ] **5** Cb
Prato all'Isarco / Blumau [BZ] **3** Ebc
Prato allo Stélvio / Prad am Stilfserjoch [BZ] **3** Db
Prato Cárnico [UD] **5** Db
Prato di Résia [UD] **5** Ec
Prátola Peligna [AQ] **19** Ec
Pratola Serra [AV] **25** Bbc
Pratomagno **13** Fb
Prato Nevoso [CN] **7** Cc
Prato Piazza / Plätzwiesen [BZ] **5** Cb
Pratovécchio [AR] **15** Ab
Praz-de-Fort [Svizz.] **1** Bb
Predáppio [FC] **15** Aa
Predazzo [TN] **5** Bc
Predil, Passo del- **5** Fc
Predmeja [SLO] **5** Fd
Predoi / Prettau [BZ] **5** Ca
Predosa [AL] **7** Eb
Preganziol [TV] **11** Ca
Préggio [PG] **15** Bc
Premana [LC] **3** Ac
Premantura [CRO] = Promontore (I) **11** Fc
Premeno [VB] **1** Eb
Premilcuore [FC] **15** Ab
Pré-Saint-Didier [AO] **1** Ab
Presanella, Cima- **3** Dc
Presicce [LE] **27** Ed
Presolana, Passo della- **3** Cd
Preti, Cima dei- **5** Cc
Pretoro [CH] **21** Bc
Prettau / Predoi [BZ] **5** Ca
Pridvor [SLO] **11** Fa
Prignano Cilento [SA] **25** Cd
Prignano sulla Sécchia [MO] **9** Dd
Principina a Mare [GR] **17** CDb
Prióło Gargallo [SR] **35** Ec
Priverno [LT] **23** Cb
Prizzi [PA] **33** Cb
Procchio [LI] **17** Bb
Prócida **23** DEc
Procida [NA] **23** Ec
Prodo [TR] **19** Bb
Promontore (I) = Premantura [CRO] **11** Fc
Promontore, Capo- (I) = Kamenjak, Rt- **11** Fc
Prosecco [TS] **5** Fd
Próvaglio d'Iseo [BS] **9** Ca
Prunetta [PT] **13** Da
Prutz [A] **3** Da
Puget-Théniers [Fr.] **7** Ad
Pugnochiuso [FG] **21** Fd
Pula [CA] **39** CDc
Pula / Pola [CRO] **11** Fc
Pula, Capo di- **39** CDcd
Pulfero [UD] **5** Ec
Pulo, il- **27** Bb
Pulsano [TA] **27** Cc
Punt, La- [Svizz.] **3** Bb
Punta Ala [GR] **17** Cb
Puntáccia, Monte- **37** Da
Punta Marina Terme [RA] **11** Cd
Punta Secca [RG] **35** CDd
Pusteria, Val- / Pustertal **5** Cb
Pustertal / Pusteria, Val- **5** Cb
Putifígari [SS] **37** Bb
Putignano [BA] **27** Cb
Putignano, Grotta di- **27** Cb
Putzu Idu [OR] **39** Ba

Q

Quadri [CH] **21** Bd
Qualiano [NA] **23** Ec
Quarata [AR] **15** Abc
Quarona [VC] **1** Db
Quarrata [FI] **13** Db
Quarto d'Altino [VE] **11** Ca
Quartu Sant'Elena [CA] **39** Dc
Quattropani [ME] **31** Ba
Quercianella [LI] **13** Cc
Quero [BL] **5** Bd
Quiliano [SV] **7** Dc
Quincinetto [TO] **1** Cb
Quinto di Treviso [TV] **11** Ca
Quinto Vercellese [VC] **1** Dc
Quinzano d'Oglio [BS] **9** BCb
Quirra [CA] **39** Eb
Quirra, Castello di- **39** Eb
Quistello [MN] **9** Db

R

Rácale [LE] **27** Ed
Racalmuto [AG] **33** Dc
Racconigi [CN] **7** Cb
Raccuja [ME] **31** Bb
Radda in Chianti [SI] **13** Ebc
Radenthein [A] **5** Eb
Radicofani [SI] **17** Eb
Radicóndoli [SI] **13** Ec
Raffadali [AG] **33** Dc
Ragusa [RG] **35** Dd
Raiano [AQ] **19** Ec
Rain in Taufers / Riva di Túres [BZ] **5** Cb
Raisi, Punta- **33** Ca
Ramacca [CT] **35** Dc
Ramiseto [RE] **9** Cd
Ramolkogel **3** Db
Ramosch [Svizz.] **3** Cb
Ranalt [A] **3** Ea
Ranchio [FC] **15** Bb
Rancia, Castello della- **15** Dc
Rancio Valcuvia [VA] **1** Eb
Randazzo [CT] **31** Bc
Rangersdorf [A] **5** Db
Rapallo [GE] **7** Fc
Rapolano Terme [SI] **13** Fc
Rapolla [PZ] **25** Dc
Raša **11** FGb
Rassina [AR] **15** Ab
Rasu, Monte- **37** CDc
Rava, Cimon- **5** Bc
Ravanusa [AG] **33** Dc
Ravári, Bocca dei- **13** DEa
Ravascletto [UD] **5** Db
Ravello [SA] **23** Fc
Ravenna [RA] **11** Cd
Razdrto [SLO] **5** Cd
Rázzoli **37** Da
Re [VB] **1** Ea
Reale, La- [SS] **37** Ba
Realmonte [AG] **33** Cc
Recanati [MC] **15** Ec
Recattivo, Portella- **33** DEb
Recco [GE] **7** Fc
Recoaro Terme [VI] **3** Ed
Redipúglia **5** Ed
Regalbuto [EN] **35** Db
Reggello [FI] **13** Fb
Reggio di Calábria [RC] **31** Db
Reggiolo [RE] **9** Dc
Réggio nell'Emília [RE] **9** Dc
Rei, Costa- **39** Ec
Reisseck **5** Fb
Reißeck [A] **5** Eb
Reitano [ME] **31** Ac
Rende [CS] **29** Cc
Rendina, Lago di- **25** Db
Rennweg [A] **5** Fa
Reno **11** Bc
Renón / Ritten [BZ] **3** Eb
Resana [TV] **11** Ba
Reschenpass / Résia, Passo di- **3** CDb
Résia [BZ] **3** CDb
Resia, Lago di- **3** CDb
Résia, Passo di- / Reschenpass **3** CDb
Resinelli, Piani- **3** Ad
Resiutta [UD] **5** Ec
Resuttano [CL] **33** Eb
Revello [CN] **7** Bb
Revere [MN] **9** Eb
Revine Lago [TV] **5** Ccd
Revò [TN] **3** Eb
Rezzato [BS] **9** Ca
Rezzo [IM] **7** Cc
Rezzoaglio [GE] **9** Ac
Rézzonico [CO] **1** Fa
Rhêmes-Notre-Dame [AO] **1** Bb
Rhêmes-Saint-Georges [AO] **1** Bb
Rho [MI] **1** Fb
Riace [RC] **31** Eb
Riace Marina [RC] **31** EFb
Riano [ROMA] **19** Cc
Ribera [AG] **33** Cbc
Ribolla [GR] **17** Db
Ricadi [VV] **31** Da
Ríccia [CB] **25** Bab
Riccio [AR] **15** ABc
Riccione [RN] **15** Cab
Riccó del Golfo di Spezia [SP] **13** Ba
Ridanna / Ridnaun [BZ] **3** Eb
Riddes [Svizz.] **1** Ba
Ridnaun / Ridanna [BZ] **3** Eb
Riese Pio X [TV] **5** Bd
Riesi [CL] **33** Ec
Rieti [RI] **19** Cc
Rifembergo (I) = Branik [SLO] **5** Fd
Riffian / Rifiano [BZ] **3** Eb
Rifiano / Riffian [BZ] **3** Eb
Rignano Flamínio [ROMA] **19** BCc
Rignano Gargánico [FG] **21** Ed
Rignano sull'Arno [FI] **13** Eb
Rigolato [UD] **5** Db
Rigoso [PR] **9** Cd
Rima [VC] **1** CDb
Rimella [VC] **1** Db
Rímini [RN] **15** Ca
Rinella [ME] **31** Ba
Riobianco / Weissenbach [BZ] **3** Eb
Rio di Pusteria / Mühlbach [BZ] **5** Bb
Riola di Vergato [BO] **13** Ea
Riola Sardo [OR] **39** Cab
Riolo Terme [RA] **15** Aa
Riolunato [MO] **13** Da
Riomaggiore [SP] **13** Ba
Rio Marina [LI] **17** Bb
Rionero in Vulture [PZ] **25** Dc
Rionero Sannítico [IS] **21** Bd
Rio Saliceto [RE] **9** Dc
Riotorto [LI] **17** Cab
Rioveggio [BO] **13** Ea
Ripacándida [PZ] **25** Dc
Ripalta [FG] **21** Dd
Ripalti, Punta dei- **17** Bb
Riparbella [PI] **13** Dc
Ripa Teatina [CH] **21** Bc
Ripatransone [AP] **15** Ecd
Ripi [FR] **23** Ca
Riposto [CT] **31** Cc
Ritten / Renón [BZ] **3** Eb
Riva dei Téssali [TA] **27** Bc
Riva del Garda [TN] **3** Dd
Riva di Sotto [BG] **3** Cd
Riva di Túres / Rain in Taufers [BZ] **5** Cb
Rivalta di Torino [TO] **1** BCc
Rivanazzano Terme [PV] **7** EFb
Rivarolo Canavese [TO] **1** Cc
Rivarolo Mantovano [MN] **9** Cb
Riva San Vitale [Svizz.] **1** Eb
Riva Valdobbia [VC] **1** Cb
Rivello [PZ] **29** Ba
Rivergaro [PC] **9** Bc
Rivignano [UD] **5** Ed
Rivisóndoli [AQ] **21** Bd
Rivoli [TO] **1** BCc
Rivolta d'Adda [CR] **9** ABb
Rizziconi [RC] **31** Db
Rizzuto, Capo- **29** Ed
Ro [FE] **11** Bc
Roana [VI] **3** Ed
Róbbio [PV] **1** Ec
Robecco sul Naviglio [MI] **1** Ec
Roca Vécchia [LE] **27** Ec
Roccabernarda [KR] **29** Dc
Roccabianca [PR] **9** Cbc
Rocca d'Arce [FR] **23** Da
Roccadaspide [SA] **25** Cd
Rocca di Cámbio [AQ] **19** Dc
Rocca di Corno [RI] **19** Dc
Rocca di Mezzo [AQ] **19** DEc
Rocca di Neto [KR] **29** DEc
Rocca di Papa [ROMA] **19** Cd
Roccafluvione [AP] **19** Db
Roccaforte del Greco [RC] **31** Db
Roccagorga [LT] **23** Ca
Rocca Imperiale [CS] **29** Da
Rocca Imperiale Marina [CS] **29** Da
Roccalbegna [GR] **17** DEb
Roccalumera [ME] **31** Cc
Rocca Mássima [LT] **19** Cd
Roccamena [PA] **33** Cb
Roccamonfina [CE] **23** Db
Roccanova [PZ] **29** Ca
Roccapalumba [PA] **33** Db
Rocca Pia [AQ] **19** Ed
Rocca Piétore [BL] **5** Bc
Roccaraso [AQ] **21** Bd
Rocca San Casciano [FC] **15** Aa

Roc - San

Roccasecca [FR] **23** Da
Roccasicura [IS] **21** Bd
Rocca Sinibalda [RI] **19** Cc
Roccastrada [GR] **13** Ecd
Roccatederighi [GR] **13** Ec
Roccaverano [AT] **7** Db
Roccavione [CN] **7** Bc
Roccella Iónica [RC] **31** Eb
Roccella Valdémone [ME] **31** BCc
Roccelletta del Vescovo di Squillace **31** Fa
Rocchetta Ligure [AL] **7** Fb
Rocchetta Sant'António [FG] **25** Cb
Rocchetta Tanaro [AT] **7** Db
Rodi Gargánico [FG] **21** Ed
Roen, Monte– **3** Ec
Roflascluchi **3** Ab
Rofrano [SA] **29** Aa
Roggiano Gravina [CS] **29** Cb
Rogliano [CS] **29** Cc
Rogliano [Fr.] **13** Ad
Rolle, Passo di– **5** Bc
Roma [ROMA] **19** Bd
Romagnano Sesia [NO] **1** Db
Romano d'Ezzelino [VI] **5** Bd
Romano di Lombardia [BG] **9** Ba
Romans d'Isonzo [GO] **5** Ed
Rombiolo [VV] **31** DEa
Romea, Strada– **11** Cb
Romena, Castello di– **15** Ab
Rometta [ME] **31** Cb
Roncade [TV] **11** Ca
Roncegno [TN] **3** Ec
Ronchi dei Legionari [GO] **5** EFd
Ronciglione [VT] **19** Bc
Ronco [Em.Rom.] **11** Cd
Ronco [FC] **15** Ba
Ronco all'Ádige [VR] **9** Eb
Roncobello [BG] **3** Bd
Ronco Canavese [TO] **1** Cbc
Roncoferraro [MN] **9** Db
Roncone [TN] **3** Dcd
Ronco Scrivia [GE] **7** Eb
Ronzone [TN] **3** Ec
Roquebillière [Fr.] **7** Bc
Roquebrune–Cap–Martin [Fr.] **7** Bd
Roquestèron [Fr.] **7** ABd
Rosà [VI] **5** Bd
Rosa, La– [Svizz.] **3** Cc
Rosa, Monte– **1** Cb
Rosarno [RC] **31** Dab
Rosasco [PV] **1** Ec
Rosate [MI] **1** EFc
Rosceto [PG] **19** BCb
Rose [CS] **29** Cc
Rosegg [A] **5** FGb
Roselle, Rovine di– **17** Db
Rosello [CH] **21** Bd
Roseto Capo Spulico [CS] **29** Dab
Roseto degli Abruzzi [TE] **21** ABb
Roseto Valfortore [FG] **25** Cb
Rosia [SI] **13** Ec
Rosignano Maríttimo [LI] **13** Cc
Rosignano Solvay [LI] **13** Cc
Rosolina [RO] **11** Cb
Rosolina Mare [RO] **11** Cb
Rosolini [SR] **35** Dd
Rossa [Svizz.] **1** Fa
Rossa, Croda– / Gaisl, Hohe– **5** Cb
Rossana [CN] **7** Bb
Rossano [CS] **29** Db
Rossiglione [GE] **7** Eb
Rosso, Corno– **1** Cb
Rotella [AP] **19** Eb
Rotello [CB] **21** CDd
Rotonda [PZ] **29** Cb
Rotondella [MT] **27** ABc
Rottofreno [PC] **9** Bb
Rovasenda [VC] **1** Db
Rovato [BS] **9** BCa
Rovellasca [CO] **1** Fb
Roverbella [MN] **9** Db
Roverchiara [VR] **9** Eb
Roveredo [Svizz.] **1** Fa
Roveredo in Piano [PN] **5** Dcd
Rovereto [TN] **3** Ed
Roveré Veronese [VR] **9** Ea
Rovetta [BG] **3** BCd
Rovigno / Rovinj [CRO] **11** Fb
Rovigo [RO] **11** Bb
Rovinj / Rovigno [CRO] **11** Fb
Roya **7** Cc
Rozzano [MI] **1** Fc
Rubano [PD] **11** Bb
Rubicone **15** Ba
Rubiera [RE] **9** Dc
Rubino, Lago– **33** Bb
Rudiano [BS] **9** Bab
Ruffano [LE] **27** Ecd
Rúfina [FI] **13** EFb
Ruínas [OR] **39** Cb
Ruinette, La– **1** Bb
Rúju, Nuraghe– **37** Db
Ruoti [PZ] **25** Dc
Russi [RA] **11** Cd
Russo [Svizz.] **1** Ea
Ruta [GE] **7** Fc
Rutigliano [BA] **27** BCa
Rutino [SA] **25** Cd
Rutor, Testa del– **1** ABb
Ruvo del Monte [PZ] **25** Dc
Ruvo di Púglia [BA] **25** Eb

S

Saanen [Svizz.] **1** Ba
Saas–Almagell [Svizz.] **1** Ca
Saas–Balen [Svizz.] **1** Ca
Saas Fee [Svizz.] **1** Ca
Saas–Grund [Svizz.] **1** Ca
Sabatini, Monti– **19** Bc
Sabaudia [LT] **23** BCb
Sabaudia, Lago di– **23** Cb
Sabbioneta [MN] **9** Dbc
Sabbioni, Punta– **11** Cb
Sabina **19** Cc
Sabini, Monti– **19** Cc
Sabucina **33** Ebc
Sacco [SA] **25** Cd
Sachsenburg [A] **5** Eb
Sacile [PN] **5** CDd
Sacra di San Michele **1** Bc
Sacrofano [ROMA] **19** Bc
Sacro Monte **1** Db
Saepínum **23** Fb
Safien–Platz [Svizz.] **3** Ab
Saga (I) = Žaga [SLO] **5** Ec
Saillon [Svizz.] **1** Ba
Saint–Auban [Fr.] **7** Ad
Saint–Barthélemy [AO] **1** Bb
Saint–Dalmas–le–Selvage [Fr.] **7** Ac
Saint–Dalmas Valdeblore [Fr.] **7** Bc
Sainte–Agnès [Fr.] **7** Bd
Sainte–Foy–Tarentaise [Fr.] **1** Ab
Saint–Étienne–de–Tinée [Fr.] **7** Ac
Saint–Gervais–les–Bains [Fr.] **1** Ab
Saint–Jacques [AO] **1** Cb
Saint–Jean–Cap–Ferrat [Fr.] **7** Bd
Saint–Laurent–du–Var [Fr.] **7** Bd
Saint–Martin–d'Entraunes [Fr.] **7** Ac
Saint–Martin–du–Var [Fr.] **7** Bd
Saint–Martin–Vésubie [Fr.] **7** Bc
Saint–Maurice [Svizz.] **1** Aa
Saint–Nicolas [AO] **1** Bb
Saint–Paul [Fr.] **7** Ab
Saint–Paul [Fr.] **7** Bd
Saint–Rhémy [AO] **1** Bb
Saint–Sauveur–sur–Tinée [Fr.] **7** Bc
Saint–Vallier–de–Thiey [Fr.] **7** Ad
Saint–Véran [Fr.] **7** Ab
Saint Vincent [AO] **1** Cb
Sala Bolognese [BO] **9** Ec
Sala Consilina [SA] **25** Dd
Salandra [MT] **27** Ab
Salaparuta [TP] **33** Bb
Salaria, Via– **19** BCcd
Salbertrand [TO] **1** Ac
Salcano (I) = Solkan [SLO] **5** Fd
Salcito [CB] **21** BCd
Saldura, Punta– / Salurn–Spitze **3** Db
Sale [AL] **7** Eab
Sale Marasino [BS] **3** Cd
Salemi [TP] **33** Bb
Salento [SA] **29** Aa
Salerno [SA] **25** Bc
Salerno, Golfo di– **25** Bcd
Sálice Salentino [LE] **27** Dc
Salice Terme [PV] **7** EFb
Sálici, Punta– **37** Cb
Salina **31** Ba
Saline di Volterra [PI] **13** Dc
Sallanches [Fr.] **1** Ab
Salorno / Salurn [BZ] **3** Ec
Salsomaggiore Terme [PR] **9** Bc
Salso o Imera Meridionale **33** DEc
Salto, Lago del– **19** Dc
Saludécio [RN] **15** Cb
Salúggia [VC] **1** CDc
Salurn / Salorno [BZ] **3** Ec
Salurn–Spitze / Saldura, Punta– **3** Db
Salussola [BI] **1** Dc
Saluzzo [CN] **7** Bb
Salvarola, Terme di– [MO] **9** Dc
Salve [LE] **27** Ed
Salvore, Punta– (I) = Savudrija, Rt– **11** EFab
Samarate [VA] **1** Eb
Samassi [VS] **39** Cbc
Samatzai [CA] **39** Dbc
Sambiase [CZ] **29** Cd
Sambuca di Sicília [AG] **33** Cb
Sambuca Pistoiese [PT] **13** Da
Sambucheto [TR] **19** Cb
Sambuci [ROMA] **19** Ccd
Sambucina, Abbazia della– **29** Cc
Samedan [Svizz.] **3** Bb
Sammichele di Bari [BA] **27** Bb
Samnaun [Svizz.] **3** Cb
Samo [RC] **31** Eb
Samoëns [Fr.] **1** Aa
Sampéyre [CN] **7** Bb
Sampierdarena [GE] **7** Ec
Sampieri [RG] **35** Dd
Samugheo [OR] **39** Cb
San Bartolomeo, Colle– **7** Cc
San Bartolomeo al Mare [IM] **7** Dd
San Bartolomeo in Galdo [BN] **25** BCb
San Basílio [CA] **39** Db
San Basilio [TA] **27** Bb
San Benedetto dei Marsi [AQ] **19** Ecd
San Benedetto del Tronto [AP] **19** Eb
San Benedetto in Alpe [FC] **15** Ab
San Benedetto Po [MN] **9** Db
San Benedetto Querceto [BO] **13** Ea
San Benedetto Val di Sambro [BO] **13** Ea
San Bernardino [RA] **11** Bc
San Bernardino [Svizz.] **3** Ac
San Bernardino, Passo del– / Sankt Bernardin Paß **3** Abc
San Bernardo, Colle– **7** Dc
San Biágio di Callalta [TV] **5** Cd
San Biagio Plàtani [AG] **33** Db
San Biágio Saracinisco [FR] **23** Da
San Biase [CB] **21** Cd
San Biase [SA] **29** Aa
San Bonifácio [VR] **9** Eb
San Buono [CH] **21** Ccd
San Calogero [AG] **33** Cb
San Calogero [VV] **31** DEa
San Calógero, Terme di– **31** Bb
San Candido / Innichen [BZ] **5** Cb
San Carlo [PA] **33** Cb
San Casciano dei Bagni [SI] **17** Eb
San Casciano in Val di Pesa [FI] **13** Eb
San Cassiano / Sankt Kassian [BZ] **5** Bb
San Cataldo [CL] **33** Dbc
San Cataldo [LE] **27** Ec
San Cesário di Lecce [LE] **27** Ec
San Chirico Nuovo [PZ] **25** Ec
San Chírico Raparo [PZ] **29** Ca
San Cipirello [PA] **33** Cb
San Cipriano Picentino [SA] **25** Bc
San Cláudio al Chienti **15** DEc
San Clemente a Casáuria **19** Ec
San Colombano [BS] **3** Cd
San Colombano al Lambro [MI] **9** Ab
San Cono [CT] **35** Cc
San Costantino Albanese [PZ] **29** Ca
San Costanzo [PU] **15** Db
San Cristoforo al Lago [TN] **3** Ec
San Dalmazio [SI] **13** Ec
San Damiano d'Asti [AT] **7** Db
San Damiano Macra [CN] **7** Bbc
San Daniele del Carso (I) = Štanjel [SLO] **5** Fd
San Daniele del Friuli [UD] **5** DEc
San Daniele Po [CR] **9** Cb
San Demetrio Corone [CS] **29** Cb
San Demétrio ne' Vestini [AQ] **19** Ec
Sand in Taufers / Campo Túres [BZ] **5** Bb
San Domenico [VB] **1** Da
San Dómino **21** DEc
San Donaci [BR] **27** Dc
San Donà di Piave [VE] **11** Da
San Donato di Lecce [LE] **27** Ec
San Donato Milanese [MI] **1** Fc
San Donato Val di Comino [FR] **19** Ed
San Dorligo della Valle [TS] **11** Fa
Sandrigo [VI] **5** Bd
San Fele [PZ] **25** Dc
San Felice / Sankt Felix [BZ] **3** Ebc
San Felice a Cancello [CE] **23** Eb
San Felice Circeo [LT] **23** Cb
San Felice del Benaco [BS] **9** Da
San Felice in Balsignano **27** Ba
San Felice sul Panaro [MO] **9** Ec
San Ferdinando [RC] **31** Dab
San Ferdinando di Púglia [BT] **25** Eb
San Fili [CS] **29** Cc
San Filippo, Bagni– **17** Eb
San Foca [LE] **27** Ec
San Francesco [PN] **5** Dc
San Francesco, Santuario di– **29** Cc
San Fratello [ME] **31** Bb
San Fruttuoso [GE] **7** Fc
San Galgano, Abbazia di– **13** Ec
San Gavino Monreale [VS] **39** Cb
San Gémini [TR] **19** Cb
San Gémini Fonte **19** Cb
San Genésio Atesino / Jenesien [BZ] **3** Eb
San Germano Vercellese [VC] **1** Dc
San Giácomo [PG] **19** Cb
San Giácomo / Sankt Jakob [BZ] **5** Bb
San Giacomo, Passo– **1** Da
San Giácomo d'Acri [CS] **29** Cb
San Gimignano [SI] **13** Ec
San Ginésio [MC] **15** Dc
San Giórgio [BA] **27** Ba
San Giorgio [SV] **7** Dc
San Giorgio Albanese [CS] **29** Cb
San Giórgio a Liri [FR] **23** Db
San Giorgio della Richinvelda [PN] **5** Dc
San Giórgio del Sánnio [BN] **25** Bb
San Giórgio di Livenza [VE] **5** Dd
San Giorgio di Lomellina [PV] **1** Ec
San Giórgio di Nogaro [UD] **5** Ed
San Giórgio di Piano [BO] **9** Ec
San Giórgio in Bosco [PD] **11** Ba
San Giórgio Iónico [TA] **27** Cc
San Giórgio la Molara [BN] **25** Bb
San Giórgio Lucano [MT] **29** Ca
San Giorgio Morgeto [RC] **31** Eb
San Giórgio Piacentino [PC] **9** Bc
San Giovanni, Grotta– [BR] **27** Db
San Giovanni, Grotta– [CA] **39** Cc
San Giovanni al Timavo [TS] **5** Fd
San Giovanni a Piro [SA] **29** Aa
San Giovanni Bianco [BG] **3** Bd
San Giovanni d'Asso [SI] **13** Fc
San Giovanni di Sínis [OR] **39** Bb
San Giovanni Gémini [AG] **33** Db
San Giovanni Incárico [FR] **23** Da
San Giovanni in Croce [CR] **9** Cb
San Giovanni in Fiore [CS] **29** Dc
San Giovanni in Galdo [CB] **25** Ba
San Giovanni in Marignano [RN] **15** Cb
San Giovanni in Persiceto [BO] **9** Ec
San Giovanni in Vénere **21** BCc
San Giovanni La Punta [CT] **35** Eb
San Giovanni Lupatoto [VR] **9** Eb
San Giovanni Reatino [RI] **19** Cc
San Giovanni Rotondo [FG] **21** Ed
San Giovanni Suérgiu [CI] **39** BCc
San Giovanni Valdarno [AR] **13** Fb
San Giovenale, Zona Archeologica di– **17** EFc
San Giuliano, Lago di– **27** ABb
San Giuliano del Sánnio [CB] **23** Fb
San Giuliano Terme [PI] **13** Cb
San Giuseppe Jato [PA] **33** Cb
San Giuseppe Vesuviano [NA] **23** EFc
San Giustino [PG] **15** Bb
San Giusto [MC] **15** Dc
San Godenzo [FI] **13** Fb
San Gottardo, Passo del– / Sankt Gotthardpass **1** DEa
San Gregório da Sàssola [ROMA] **19** Cd
San Gregório Magno [SA] **25** Cc

San Gregório Matese [CE] **23** Eb
Sangro **21** Bc
Sangro, Lago di– **21** Bc
Sanguinetto [VR] **9** Eb
Sankt Antönien [Svizz.] **3** Bb
Sankt Bernardin Paß / San Bernardino, Passo del– **3** Abc
Sankt Christina in Gröden / Santa Cristina Valgardena [BZ] **5** Bb
Sankt Felix / San Felice [BZ] **3** Ebc
Sankt Gallenkirch [A] **3** Ba
Sankt Gertraud / Santa Gertrude [BZ] **3** Dbc
Sankt Gotthardpass / San Gottardo, Passo del– **1** DEa
Sankt Jakob [A] **5** Gb
Sankt Jakob / San Giácomo [BZ] **5** Bb
Sankt Jakob in Defereggen [A] **5** Cb
Sankt Johann im Walde [A] **5** Db
Sankt Kassian / San Cassiano [BZ] **5** Bb
Sankt Leonhàrd im Pitztal [A] **3** Da
Sankt Leonhard in Passeier / San Leonardo in Passiria [BZ] **3** Eb
Sankt Lorenzen / San Lorenzo di Sebato [BZ] **5** Bb
Sankt Lugan / San Lugano [BZ] **3** Ec
Sankt Magdalena / Santa Maddalena Vallalta [BZ] **5** Cb
Sankt Martin in Passeier / San Martino in Passiria [BZ] **3** Eb
Sankt Martin in Thurn / San Martino in Badia [BZ] **5** Bb
Sankt Moritz [Svizz.] **3** Bbc
Sankt Moritz Bad [Svizz.] **3** Bbc
Sankt-Niklaus [Svizz.] **1** Ca
Sankt Pankraz in Ulten / San Pancrázio [BZ] **3** Eb
Sankt Stefan im Gailtal [A] **5** EFb
Sankt Ulrich in Gröden / Ortisei [BZ] **5** Bb
Sankt Valentin auf der Haide / San Valentino alla Muta [BZ] **3** Db
Sankt Veit in Defereggen [A] **5** Cb
Sankt Walburg / Santa Valburga [BZ] **3** DEb
San Lázzaro di Sávena [BO] **9** Ed
San Leo [PU] **15** Bb
San Leonardo **25** Da
San Leonardo de Siete Fuéntes [OR] **37** Cc
San Leonardo in Passiria / Sankt Leonhard in Passeier [BZ] **3** Eb
San Leone [AG] **33** Dc
San Lorenzo [RC] **31** Db
San Lorenzo [VB] **1** Da
San Lorenzo, Capo– **39** Ebc
San Lorenzo, Certosa– **25** Dd
San Lorenzo al Lago [MC] **15** Dc
San Lorenzo al Mare [IM] **7** Cd
San Lorenzo a Merse [SI] **13** Ec
San Lorenzo Bellizzi [CS] **29** Cb
San Lorenzo del Vallo [CS] **29** Cb
San Lorenzo di Sebato / Sankt Lorenzen [BZ] **5** Bb
San Lorenzo in Banale [TN] **3** Dc
San Lorenzo in Campo [PU] **15** Cb
San Lorenzo (I) = Lovrečica [CRO] **11** Fb
San Luca [RC] **31** Eb
San Lucido [CS] **29** Cc
San Lugano / Sankt Lugan [BZ] **3** Ec
Sanluri [VS] **39** Cb
San Lussurgiu **39** Cab
San Magno, Santuario di– **7** Bc
San Marcello Pistoiese [PT] **13** Da
San Marco, Capo– [AG] **33** BCbc
San Marco, Capo– [OR] **39** Bb
San Marco Argentano [CS] **29** Cb
San Marco dei Cavoti [BN] **25** Bb
San Marco in Lámis [FG] **21** Ed
San Marino [RSM] **15** Bb
San Marino [RSM] **15** Bb
San Martino [LI] **17** Bb
San Martino, Pale di– **5** Bc
San Martino al Cimino [VT] **19** Bc
San Martino Buon Albergo [VR] **9** Eb
San Martino della Battaglia [BS] **9** Db
San Martino delle Scale **33** Ca
San Martino di Campagna [PN] **5** Dc
San Martino di Castrozza [TN] **5** Bc
San Martino di Lúpari [PD] **11** Ba
San Martino in Argine [BO] **11** Bc
San Martino in Badia / Sankt Martin in Thurn [BZ] **5** Bb
San Martino in Colle [PG] **15** Bc
San Martino in Passiria / Sankt Martin in Passeier [BZ] **3** Eb
San Martino in Pénsilis [CB] **21** CDd
San Martino Siccomario [PV] **1** Fc
San Martino sul Fiora [GR] **17** Eb
San Martino Valle Caudina [AV] **23** Fb
San Marzano di San Giuseppe [TA] **27** CDc
San Mauro a Mare [FC] **15** Ba
San Mauro Castelverde [PA] **33** Eb
San Mauro Forte [MT] **25** Ecd
San Mauro Marchesato [KR] **29** Dc
San Máuro Páscoli [FC] **15** Ba
San Mauro Torinese [TO] **1** Cc
San Menáio [FG] **21** Ed
San Michele all'Adige [TN] **3** Ec
San Michele al Tagliamento [VE] **5** Dd
San Michele di Ganzaría [CT] **35** Cc
San Michele di Plaianu **37** BCb
San Michele Salentino [BR] **27** Db
San Miniato [PI] **13** Db
Sannazzaro de' Burgondi [PV] **1** Ec
Sannicandro di Bari [BA] **27** Bab
Sannicandro Gargánico [FG] **21** Ed
Sannicola [LE] **27** Ec
San Nicola, Grotta– **21** Fd
San Nicola Arcella [CS] **29** Bb
San Nicola da Crissa [VV] **31** Ea
San Nicola dell'Alto [KR] **29** Dc
San Nicolò d'Arcidano [OR] **39** Cb
San Nicolò di Trullas **37** Cc
San Nicolò Ferrarese [FE] **11** Bc
San Nicoló Gerrei [CA] **39** Dbc
Sánnio **23** EFb
San Pancrázio / Sankt Pankraz in Ulten [BZ] **3** Eb
San Pancrázio Salentino [BR] **27** Dc
San Pantaleo [OT] **37** Da
San Páolo Albanese [PZ] **29** Ca
San Paolo di Civitate [FG] **21** Dd
San Pelino [AQ] **19** Dc
San Pellegrino in Alpe **13** Ca
San Pellegrino Terme [BG] **3** Bd
San Pier Niceto [ME] **31** Cb
San Piero a Grado [PI] **13** Cb
San Piero a Sieve [FI] **13** Eb
San Piero in Bagno [FC] **15** Ab
San Piero Patti [ME] **31** Bb
San Pietro [CI] **39** Bc
San Pietro [CT] **35** CDc
San Pietro [ME] **31** Ca
San Pietro, Badia di– **15** Eb
San Pietro al Natisone [UD] **5** Ec
San Pietro a Máida [CZ] **31** Ea
San Pietro Avellana [IS] **21** Bd
San Pietro di Cadore [BL] **5** Db
San Pietro di Feletto [TV] **5** Cd
San Pietro di Simbranos **37** Cb
San Pietro di Sórres **37** Cb
San Pietro d'Olba [SV] **7** Ebc
San Pietro in Casale [BO] **9** Ec
San Pietro in Gu [PD] **11** Ba
San Pietro in Guarano [CS] **29** Cc
San Pietro in Palazzi [LI] **13** CDc
San Pietro in Valle **19** Cb
San Pietro in Vincoli [RA] **15** Ba
San Pietro in Volta [VE] **11** Cb
San Pietro Mussolino [VR] **9** Eb
San Pietro Vara [SP] **9** Bd
San Pietro Vernótico [BR] **27** DEbc
San Polo d'Enza [RE] **9** Cc
San Polo di Piave [TV] **5** Cd
San Príamo [CA] **39** Ec
San Próspero [MO] **9** Ec
San Quírico d'Órcia [SI] **13** Fc
San Quirino [PN] **5** Dc
Sanremo [IM] **7** Cd
San Rocco al Porto [LO] **9** Bb
San Romédio **3** Ec
San Romolo [IM] **7** Cd
San Rufo [SA] **25** Cd
San Salvatore Monferrato [AL] **7** Eab
San Salvatore Telesino [BN] **23** EFb
San Salvo [CH] **21** Cc
San Salvo Marina [CH] **21** Cc
San Sebastiano Curone [AL] **7** Fb
San Secondo [PG] **15** Bc
San Secondo Parmense [PR] **9** Cc
Sansepolcro [AR] **15** Bb
San Severino Lucano [PZ] **29** Ca
San Severino Marche [MC] **15** Dc
San Severo [FG] **21** Dd
San Sosti [CS] **29** Cb
San Stino di Livenza [VE] **5** Dd
Santa Apollonia [BS] **3** CDc
Santa Caterina [LE] **27** Dc
Santa Caterina dello Iónio [CZ] **31** EFa
Santa Caterina dello Iónio Marina [CZ] **31** Fa
Santa Caterina di Pittinuri [OR] **39** BCa
Santa Caterina Valfurva [SO] **3** CDc
Santa Caterina Villarmosa [CL] **33** Eb
Santa Cesarea Terme [LE] **27** Ec
Santa Cristina d'Aspromonte [RC] **31** Db
Santa Cristina Valgardena / Sankt Christina in Gröden [BZ] **5** Bb
Santa Croce [AN] **15** Cc
Santa Croce, Capo– [SR] **35** Ec
Santa Croce, Capo– [SV] **7** Dc
Santa Croce, Forca di– **19** Db
Santa Croce, Lago di– **5** Cc
Santa Croce Camerina [RG] **35** CDd
Santa Croce del Sánnio [BN] **25** Bb
Santa Croce di Magliano [CB] **21** Cd
Santa Croce sull'Arno [PI] **13** Db
Santadi [CI] **39** Cc
Santa Domenica Talao [CS] **29** Bb
Santa Doménica Vittória [ME] **31** Bc
Sant'Adriano [FI] **13** Fa
Santa Elisabetta [AG] **33** Dc
Santa Eufémia Lamézia [CZ] **29** Cd
Santa Fiora [AR] **15** Ac
Santa Fiora [GR] **17** Eb
Sant'Agata de' Goti [BN] **23** EFb
Sant'Agata del Bianco [RC] **31** Eb
Sant'Agata di Ésaro [CS] **29** Bb
Sant'Agata di Militello [ME] **31** Bb
Sant'Ágata di Púglia [FG] **25** Cb
Sant'Ágata Féltria [PU] **15** Bb
Sant'Ágata sui Due Golfi [NA] **23** Ec
Sant'Ágata sul Santerno [RA] **11** Bd
Santa Gertrude / Sankt Gertraud [BZ] **3** Dbc
Santa Giuletta [PV] **7** Fa
Santa Giusta [OR] **39** Cb
Santa Giustina [BL] **5** Bc
Santa Giustina, Lago di– **3** Ec
Sant'Agostino [FE] **9** Ec
Sant'Albano Stura [CN] **7** Cbc
Sant'Alberto [RA] **11** Cc
Sant'Alberto di Butrio, Abbazia– **7** Fb
Sant'Alessio Siculo [ME] **31** Cc
Sant'Álfio [CT] **31** Cc
Santa Luce [PI] **13** Dc
Santa Lucia [NU] **37** Eb
Santa Lucia [PG] **15** Bc
Santa Lucia (I) = Most na Soči [SLO] **5** Fc
Santa Lucia (I) = Sveti Lucija [CRO] **11** Fb
Santa Lucia, Terme– **15** Dc
Santa Lucía del Mela [ME] **31** Cb
Santa Maddalena Vallalta / Sankt Magdalena [BZ] **5** Cb
Santa–Manza, Golfu di– **37** Da
Santa Margherita [CA] **39** Cd
Santa Margherita di Bélice [AG] **33** BCb
Santa Margherita Ligure [GE] **7** Fc
Santa Maria [SA] **25** Bd
Santa Maria [OT] **37** Da
Santa Maria al Bagno [LE] **27** Dc
Santa Maria a Pié di Chienti **15** Ec
Santa Maria Arabona **21** Bc
Santa Maria a Vico [CE] **23** Eb
Santa Maria Cápua Vétere [CE] **23** Eb
Santa Maria Codifiume [FE] **11** Bc
Santa Maria d'Ángeli [PG] **15** Cc
Santa Maria d'Anglona **27** Bc
Santa Maria dei Láttani **23** Db
Santa Maria del Cedro [CS] **29** Bb
Santa Maria della Strada **21** Cd
Santa Maria della Versa [PV] **7** Fab
Santa Maria del Pátire **29** Db
Santa Maria di Bressanoro **9** Bb
Santa Maria di Corte, Abbazia di– **37** Cc
Santa Maria di Léuca, Capo– **27** Ed
Santa Maria di Licodía [CT] **35** Db
Santa Maria di Merino **21** Fd
Santa Maria di Portonovo **15** Eb
Santa Maria di Sala [VE] **11** Cab
Santa Maria di Siponto **25** Da
Santa Maria im Münstertal [Svizz.] **3** Cb
Santa Maria in Valle Porclaneta **19** Dc
Santa Maria Maggiore [VB] **1** Da
Santa Maria Navarrese [OG] **39** Eab
Santa Maria Nuova [AN] **15** Dbc
Santa Marina Salina [ME] **31** Ba
Santa Marinella [ROMA] **17** Ec
Sant'Ambrógio di Valpolicella [VR] **9** Da
Sant'Anastasia [NA] **23** Ec
Sant'Andrea [CA] **39** Dc
Sant'Andrea [LE] **27** Dc
Sant'Andrea Apostolo dello Ionio [CZ] **31** Fa
Sant'Andrea Bagni [PR] **9** Cc
Sant'Andrea del Pizzone [CE] **23** Eb
Sant'Andrea di Conza [AV] **25** Cc
Sant'Andrea di Sorbello [AR] **15** Bc
Sant'Andrea Frius [CA] **39** Dbc
Sant'Ángelo [NA] **23** Dc
Sant'Ángelo a Fasanella [SA] **25** Cd
Sant'Ángelo d'Alife [CE] **23** Eb
Sant'Angelo dei Lombardi [AV] **25** Cc
Sant'Angelo del Pesco [IS] **21** Bd
Sant'Angelo di Brolo [ME] **31** Bb
Sant'Ángelo di Piove di Sacco [PD] **11** BCb
Sant'Angelo in Colle [SI] **13** Ecd
Sant'Ángelo in Formis [CE] **23** Eb
Sant'Ángelo in Lízzola [PU] **15** Cb
Sant'Ángelo in Vado [PU] **15** Bb
Sant'Angelo Lodigiano [LO] **9** Ab
Sant'Angelo Muxaro [AG] **33** Dc
Santa Ninfa [TP] **33** Bb
Sant'Anna, Santuario di– **7** Bc
Sant'Anna Arresi [CI] **39** Ccd
Sant'Anna d'Alfaedo [VR] **9** Da
Sant'Ántimo [NA] **23** Ec
Sant'Antimo, Abbazia di– **13** EFcd
Sant'Antioco **39** Bc
Sant'Antíoco [CI] **39** Bc
Sant'Antíoco di Bisárcio **37** Cb
Sant'Antonino di Susa [TO] **1** Bc
Sant'Antonio [BO] **11** Bc
Sant'António di Gallura [OT] **37** Dab
Sant'António di Santadi [VS] **39** Bb
Sant'Apollinare [FR] **23** Db
Sant'Apollinare in Classe **11** Cd

San - Sol

Sant'Arcangelo [PZ] **29** Ca
Santarcángelo di Romagna [RN] **15** Ba
Sant'Arsénio [SA] **25** Cd
Santa Sabina, Nuraghe- **37** Cc
Santa Severa [Fr.] **13** Ad
Santa Severa [ROMA] **17** Ec
Santa Severina [KR] **29** Dc
Santa Sofía [FC] **15** Ab
Santa Sofia d'Epiro [CS] **29** Cb
Santa Teresa di Riva [ME] **31** Cc
Santa Teresa Gallura [OT] **37** Da
Santa Valburga / Sankt Walburg [BZ] **3** DEb
Santa Venerina [CT] **31** Cc
Santa Vittória, Monte- **39** Db
Santa Vittória d'Alba [CN] **7** Cb
Santa Vittória in Matenano [FM] **15** Dc
Sant'Egídio alla Vibrata [TE] **19** Eb
Sant'Elia, Capo- **39** Dc
Sant'Elia, Monte- **31** Db
Sant'Elia a Pianisi [CB] **25** Ba
Sant'Elía Fiumerápido [FR] **23** Da
Sant'Elpídio a Mare [FM] **15** Ec
Santena [TO] **7** Cb
San Teodoro [OT] **37** Eb
Santéramo in Colle [BA] **27** Bb
San Terenziano [PG] **19** Bb
Santerno **11** Bcd
Sant'Eufemia, Golfo di- **31** Ea
Sant'Eufémia a Maiella [PE] **21** Bc
Sant'Eufemia d'Aspromonte [RC] **31** Db
Sant'Eusánio del Sangro [CH] **21** Bc
Sant'Eutizio, Abbazia di- **19** Db
Santhià [VC] **1** Dc
Sant'Ilário d'Enza [RE] **9** Cc
Sant'Ippólito [PU] **15** Cb
Santissima Trinità di Delia **33** Bb
Santíssima Trinitá di Saccárgia **37** Cb
Sant'Olcese [GE] **7** Ebc
Sant'Omero [TE] **19** Eb
San Tommaso **19** Ec
Sant'Omobono Terme [BG] **3** Bd
Santona, la- [MO] **13** Da
Sant'Oreste [ROMA] **19** Cc
Santo Spirito [BA] **25** Fb
Santo Stéfano, Isola- **23** Cc
Santo Stéfano Belbo [CN] **7** Db
Santo Stefano d'Aveto [GE] **9** Ac
Santo Stéfano di Cadore [BL] **5** Db
Santo Stefano di Camastra [ME] **31** Ab
Santo Stefano di Magra [SP] **13** Ba
Santo Stefano in Aspromonte [RC] **31** Db
Santo Stéfano Quisquína [AG] **33** Cb
Santu Antine, Nuraghe- **37** Cbc
Santu Lussúrgiu [OR] **37** Cc
Sant'Urbano [TR] **19** Cc
San Valentino alla Muta / Sankt Valentin auf der Haide [BZ] **3** Db
San Venanzo [TR] **19** Bb
San Vero Milis [OR] **39** Ca
San Vigílio [VR] **9** Da
Sanvincenti (I) = Svetvinčenat [CRO] **11** Fb
San Vincenzo [LI] **13** Dc
San Vincenzo, Abbazia di- **21** Bd
San Vincenzo Valle Roveto [AQ] **19** DEd
San Vito [CA] **39** Ec
San Vito, Capo- [TA] **27** Cc
San Vito, Capo- [TP] **33** Ba
San Vito al Tagliamento [PN] **5** Dd
San Vito Chietino [CH] **21** Bc
San Vito dei Normanni [BR] **27** Db
San Vito di Cadore [BL] **5** Cc
San Vito lo Capo [TP] **33** Ba
San Vito Romano [ROMA] **19** Cd
San Vito sullo Iónio [CZ] **31** Ea
San Vittore delle Chiuse **15** Cc
Sanza [SA] **29** Ba
San Zeno di Montagna [VR] **9** Da
Saorge [Fr.] **7** Cb
Saponara [ME] **31** Cb
Sappada [BL] **5** Db
Sapri [SA] **29** Ba
Sarca **3** Dd
Sarche [TN] **3** Dc
s'Archittu [OR] **39** BCa
Sárdara [VS] **39** Cb
Sárdara, Terme di- **39** Cb
Sardegna, Mar di- **39** ABbc
Sarentino / Sarntal [BZ] **3** Eb
Sargans [Svizz.] **3** Aa
Sármede [TV] **5** Ccd
Sarnano [MC] **15** Dc
Sarnico [BG] **3** Bd
Sarno [SA] **23** Fc
Sarntal / Sarentino [BZ] **3** Eb
Saronno [VA] **1** Fb
Sárroch [CA] **39** CDc
Sarsina [FC] **15** Bb
Sarteano [SI] **17** Eab
Sartirana Lomellina [PV] **1** Ec
Sarule [NU] **37** Dc
Sarzana [SP] **13** Ba
Sassano [SA] **25** Dd
Sassari [SS] **37** Cb
Sassello [SV] **7** DEbc
Sassetta [LI] **13** Dc
Sassi di Rocca Malatina **9** Dd
Sasso [ROMA] **19** Bc
Sassocorvaro [PU] **15** BCb
Sasso d'Ombrone [GR] **17** Db
Sassoferrato [AN] **15** Cc
Sassoleone [BO] **13** Ea
Sasso Marconi [BO] **9** Ed
Sassovivo, Abbazia di- **19** Cb
Sassuolo [MO] **9** Dc
Satriano [CZ] **31** Ea
Satriano di Lucánia [PZ] **25** Dc
Saturnia [GR] **17** DEb
Saturnia, Terme di- **17** DEb
Sáuris [UD] **5** Dc
Sauze d'Oulx [TO] **1** Ac
Sava [TA] **27** Dc
Savelletri [BR] **27** Cb
Savelli [KR] **29** Dc
Savigliano [CN] **7** Cb
Savignano Irpino [AV] **25** Cb
Savignano sul Rubicone [FC] **15** Ba
Savigno [BO] **9** Ed
Savio [RA] **15** Ba
Saviore dell'Adamello [BS] **3** Cc
Savogna [UD] **5** Fc
Savognin [Svizz.] **3** Bb
Savona [SV] **7** DEc
Savudrija [CRO] **11** EFab
Savudrija, Rt- = Salvore, Punta- (I) **11** EFab
Savuto **29** Cc
Scafa [PE] **19** Ec
Scalea [CS] **29** Bb
Scaletta Zancléa [ME] **31** Cb
Scalone, Passo dello- **29** Bb
Scandale [KR] **29** Dc
Scandiano [RE] **9** Dc
Scandicci [FI] **13** Eb
Scandríglia [RI] **19** Cc
Scanno [AQ] **19** Ed
Scano di Montiferro [OR] **37** Cc
Scansano [GR] **17** Db
Scanzano Jónico [MT] **27** Bc
Scardovari [RO] **11** Cc
Scário [SA] **29** ABa
Scarlino [GR] **17** Cb
Scarpería [FI] **13** Eab
Scáuri [LT] **23** Db
Scáuri [TP] **33** ins.a
Scavo, Portella dello- **33** Db
Scena / Schönna [BZ] **3** Eb
Scerni [CH] **21** Cc
Schabs / Sciaves [BZ] **5** Bb
Schéggia e Pascelupo [PG] **15** Cc
Schesaplana **3** Ba
Schiavi di Abruzzo [CH] **21** Bd
Schiers [Svizz.] **3** Bab
Schilpário [BG] **3** Ccd
Schio [VI] **3** Ed
Schlanders / Silandro [BZ] **3** Db
Schluderbach / Carbonin [BZ] **5** Cb
Schluderns / Sluderno [BZ] **3** Db
Schobergruppe **5** Db
Schönna / Scena [BZ] **3** Eb
Schrankogl **3** Ea
Schruns [A] **3** Ba
Schuls / Scuol [Svizz.] **3** Cb
Schwanden [Svizz.] **3** Aab
Schweiz = Svizzera (I) **1** BCa
Sciacca [AG] **33** Cb
Sciara [PA] **33** Db
Sciaves / Schabs [BZ] **5** Bb
Scicli [RG] **35** Dd
Scilla [RC] **31** Db
Scimmia, Tomba della- **15** Ac
Scoffera, Passo della- **7** Fbc
Scoglitti [RG] **35** Cd
Scopello [TP] **33** Ba
Scopello [VC] **1** Db
Scopetone, Foce di- **15** Ac
Scorciavacche, Portella- **33** Cb
Scordía [CT] **35** Dc
Scorno, Punta dello- → Caprara, Punta- **37** Ba
Scorrano [LE] **27** Ec
Scorzè [VE] **11** Ca
Scritto [PG] **15** Cc
Scrivia **1** Ec
Scuol / Schuls [Svizz.] **3** Cb
Scurano [PR] **9** Ccd
Scúrcola Marsicana [AQ] **19** Dc
Sdragonato, Grotte Marine du- **37** Da
Secchia **9** DEc
Secinaro [AQ] **19** Ec
Secugnago [LO] **9** Bb
Sedegliano [UD] **5** Dc
Sedico [BL] **5** Cc
Sédilo [OR] **37** Cc
Sédini [SS] **37** Cb
Seeboden [A] **5** Fb
Seez [Fr.] **1** Ab
Segesta **33** Bb
Seggiano [GR] **17** Eb
Segni [ROMA] **19** CDd
Segonzano [TN] **3** Ec
Seis / Siusi [BZ] **5** Bb
Selárgius [CA] **39** Dc
Selci [PG] **15** Bb
Sele **25** BCd
Sele, Piana del- **25** Bcd
Selinunte **33** Bb
Sella, Gruppo di- **5** Bbc
Sellano [PG] **19** Cb
Sellía Marina [CZ] **29** Dd
Selva dei Molini / Mühlwald [BZ] **5** Bb
Selva di Cadore [BL] **5** Cc
Selva di Fasano [BR] **27** Cb
Selva di Val Gardena / Wolkenstein in Gröden [BZ] **5** Bb
Selvino [BG] **3** Bd
Sembrancher [Svizz.] **1** Ba
Seminara [RC] **31** Db
Sempione, Passo del- (I) = Simplon Paß **1** CDa
Semproniano [GR] **17** Eb
Senago [MI] **1** Fb
Séneghe [OR] **39** Ca
Senerchia [AV] **25** Cc
Senigállia [AN] **15** Db
Senise [PZ] **29** Ca
Sennori [SS] **37** Cb
Senorbì [CA] **39** Db
Senožeče [SLO] **5** Gd
Sépey, Le- [Svizz.] **1** Ba
Sepino [CB] **23** Fb
Sequals [PN] **5** Dc
Seravezza [LU] **13** Cab
Serchio **13** Da
Seregno [MB] **1** Fb
Serfaus [A] **3** Da
Seriana, Val- **3** Bd
Seriate [BG] **3** Bd
Serina [BG] **3** Bd
Serino [AV] **25** Bc
Serio **9** Bb
Sermide [MN] **9** Ebc
Sermoneta [LT] **23** Ba
Sernáglia della Battáglia [TV] **5** Cd
Serpeddí, Punta- **39** Dc
Serpentara **39** Ec
Serracapriola [FG] **21** Dd
Serrada [TN] **3** Ed
Serra de' Conti [AN] **15** Db
Serradíca [AN] **15** Cc
Serra di Corvo, Lago di- **25** Ec
Serradifalco [CL] **33** Dc
Serramanna [VS] **39** Cc
Serramazzoni [MO] **9** Dd
Serrapetrona [MC] **15** Dc
Serra Riccò [GE] **7** Eb
Serra San Bruno [VV] **31** Ea
Serra San Quírico [AN] **15** CDc
Serrastretta [CZ] **29** Cc
Serravalle [PG] **19** CDb
Serravalle [RSM] **15** Bb
Serravalle di Chienti [MC] **15** Cc
Serravalle Scrivia [AL] **7** Eb
Serrazzano [PI] **13** Dc
Serre [SA] **25** Cc
Serrenti [VS] **39** Cbc
Serri [CA] **39** Db
Serriola, Bocca- **15** Bb
Sersale [CZ] **29** Dc
Seruci, Nuraghe- **39** Bc
Servigliano [FM] **15** Dc
Sesana (I) = Sežana [SLO] **5** Fd
Sesi **33** ins.a
Sesia **1** Dc
Sessa Aurunca [CE] **23** Db
Sessano del Molise [IS] **21** Bd
Sesta Gódano [SP] **13** Ba
Sestino [AR] **15** Bb
Sesto / Sexten [BZ] **5** Cb
Sesto al Réghena [PN] **5** Dd
Sesto Calende [VA] **1** Eb
Sesto Fiorentino [FI] **13** Eb
Sestola [MO] **13** Da
Sesto San Giovanni [MI] **1** Fb
Sestriere [TO] **7** Ab
Sestri Levante [GE] **13** Aa
Sestri Ponente [GE] **7** Ec
Sestu [CA] **39** Dc
Sesvenna, Piz- **3** Cb
Sette Fratelli, Monte dei- **39** Dc
Séttimo San Pietro [CA] **39** Dc
Settimo Torinese [TO] **1** Cc
Settimo Vittone [TO] **1** Cb
Seùi [OG] **39** Db
Seúlo [CA] **39** Db
Severiana, Via- **19** Bd
Séveso [MB] **1** Fb
Sexten / Sesto [BZ] **5** Cb
Sežana [SLO] = Sesana (I) **5** Fd
Sezzadio [AL] **7** Eb
Sezze [LT] **23** Cab
Sferracavallo, Capo- **39** Eb
Sforzacosta [MC] **15** Dc
Sgúrgola [FR] **19** Dd
Siamanna [OR] **39** Cb
Sibari **29** Cb
Sibari [CS] **29** Cb
Sibari, Piana di- **29** Cb
Sibilla, Ruderi di- **23** Cb
Sibillini, Monti- **19** Db
Sicani, Monti- **33** Cb
Sicignano degli Alburni [SA] **25** Cc
Sicilia, Mar di- **33** BCc
Siculiana [AG] **33** Cc
Siderno [RC] **31** Eb
Siders / Sierre [Svizz.] **1** Ca
Siena [SI] **13** Ec
Sierre / Siders [Svizz.] **1** Ca
Sieve **13** EFb
Sigillo [PG] **15** Cc
Signa [FI] **13** Eb
Sila, La- **29** CDc
Sila, Parco Nazionale della- **29** CDc
Sila Grande **29** CDc
Sila Greca **29** CDbc
Silandro / Schlanders [BZ] **3** Db
Silánus [NU] **37** Cc
Sila Piccola **29** Dc
Siligo [SS] **37** Cb
Silíqua [CA] **39** Cc
Silla [BO] **13** Da
Sillano [LU] **13** Ca
Sillara, Monte- **9** Cd
Sillaro **11** Bc
Sillian [A] **5** Cb
Silvana Mansio [CS] **29** CDc
Silvaplana [Svizz.] **3** Bc
Silvi [TE] **21** Bb
Silvretta **3** Cb
Simala [OR] **39** Cb
Simáxis [OR] **39** Cb
Simbario [VV] **31** Ea
Simbruini, Monti- **19** Dd
Simeto **35** Ec
Simplon [Svizz.] **1** Da
Simplon Paß = Sempione, Passo del- (I) **1** CDa
Sinagra [ME] **31** Bb
Sinalunga [SI] **15** Ac
Sindía [NU] **37** Cc
Sínis **39** Bb
Siniscola [NU] **37** Eb
Sinnai [CA] **39** Dc
Sion / Sitten [Svizz.] **1** Ba
Siracusa [SR] **35** Ec
Sirente, Monte- **19** Ec
Sirino, Monte- **29** Ba
Sirmione [BS] **9** Dab
Sirolo [AN] **15** Eb
Šišan [CRO] = Sissano (I) **11** Fc
Sissa [PR] **9** Cc
Sissano (I) = Šišan [CRO] **11** Fc
Sistiana [TS] **5** Fd
Sitten / Sion [Svizz.] **1** Ba
Siúrgus Donigala [CA] **39** Db
Siusi / Seis [BZ] **5** Bb
Sixt-Fer-à-Cheval [Fr.] **1** Aa
Siziano [PV] **1** Fc
Škocjan [SLO] **11** Fa
Škocjanske jame **5** Fd
Škofije [SLO] **11** Fa
Slovenia (I) = Slovenija **5** Fcd
Slovenija = Slovenia (I) **5** Fcd
Sluderno / Schluderns [BZ] **3** Db
Šmarje [SLO] = Monte di Capodistria (I) **11** Fab
Šmartno [SLO] **5** Fc
Smeralda, Costa- **37** Ea
Soave [VR] **9** Eb
Soazza [Svizz.] **1** Fa
Sobretta, Monte- **3** Cc
Soča [SLO] = Sonzia (I) **5** Fc
Sočerga [SLO] **11** Fb
Soci [AR] **15** Ab
Soffi **37** Ea
Sogliano al Rubicone [FC] **15** Bab
Sóglio [Svizz.] **3** Bc
Solarino [SR] **35** Ec
Solarolo [RA] **11** Bd
Solarussa [OR] **39** Cb
Solda / Sulden [BZ] **3** Db
Sölden [A] **3** DEb
Sole, Val di- **3** Dc
Solero [AL] **7** DEb
Solesino [PD] **11** Bb
Soleto [LE] **27** Ec
Solferino [MN] **9** Db

Soliera [MO] **9** Dc
Solkan [SLO] = Salcano (I) **5** Fd
Solofra [AV] **25** Bc
Solopaca [BN] **23** Fb
Solunto **33** Da
Someo [Svizz.] **1** Ea
Sommacampagna [VR] **9** Db
Somma Lombardo [VA] **1** Eb
Sommariva del Bosco [CN] **7** Cb
Sommariva Perno [CN] **7** Cb
Sommatino [CL] **33** Dc
Somma Vesuviana [NA] **23** Ec
Soncino [CR] **9** Bb
Sondalo [SO] **3** Cc
Sondrio [SO] **3** Bc
Sonnino [LT] **23** Cb
Sonogno [Svizz.] **1** Ea
Sonzia (I) = Soča [SLO] **5** Fc
Sora [FR] **19** Ed
Soragna [PR] **9** Cc
Sorano [GR] **17** Eb
Sorbara [MO] **9** DEc
Sórbolo [PR] **9** Cc
Soresina [CR] **9** Bb
Sórgono [NU] **39** Da
Sori [GE] **7** Fc
Soriano Calabro [VV] **31** Ea
Soriano nel Cimino [VT] **19** Bc
Soro, Monte– **31** Bc
Sorradile [OR] **39** Ca
Sorrento [NA] **23** Ec
Sorso [SS] **37** Cb
Sortino [SR] **35** Ec
Sospel [Fr.] = Sospello (I) **7** Bd
Sospello (I) = Sospel [Fr.] **7** Bd
Sospiro [CR] **9** Cb
Sospirolo [BL] **5** Cc
Sossano [VI] **11** ABb
Sottomarina [VE] **11** Cb
Sovana [GR] **17** Eb
Sover [TN] **3** Ec
Soverato [CZ] **31** Fa
Soveria Mannelli [CZ] **29** Cc
Soveria Simeri [CZ] **29** Dd
Sovicille [SI] **13** Ec
Spacco della Regina **17** Dc
Spadafora [ME] **31** Cb
Spadillo, Punta– **33** **ins.a**
Sparanise [CE] **23** Eb
Spargi **37** Da
Sparone [TO] **1** Cc
Spartá [ME] **31** Db
Spartivento, Capo– [CA] **39** Cd
Spartivento, Capo– [RC] **31** Ec
Sparviere, Monte– **29** Cb
Spécchia [LE] **27** Ed
Spello [PG] **19** Cab
Sperlinga [EN] **31** Ac
Sperlonga [LT] **23** Cb
Sperone, Capo– **39** Bd
Spezia, La– [SP] **13** Ba
Spezzano Albanese [CS] **29** Cb
Spezzano Albanese Terme [CS] **29** Cb
Spezzano della Sila [CS] **29** Cc
Spiazzi [VR] **9** Ba
Spiazzo [TN] **3** Dc
Spigno Monferrato [AL] **7** Db
Spilamberto [MO] **9** Ec
Spilimbergo [PN] **5** Dc
Spina, Necropoli di– **11** Cc
Spinazzola [BT] **25** Ec
Spino d'Adda [CR] **9** ABb
Spinoso [PZ] **29** Ba
Spittal an der Drau [A] **5** EFb
Spluga, Passo dello– **3** Abc
Spluga, Passo dello– (I) = Splügenpaß **3** Abc
Splügen [Svizz.] **3** Ab
Splügenpaß = Spluga, Passo dello– (I) **3** Abc
Spoleto [PG] **19** Cb
Spoltore [PE] **21** Bc
Spondigna / Spondinig [BZ] **3** Db
Spondinig / Spondigna [BZ] **3** Db
Spotorno [SV] **7** Dc
Spresiano [TV] **5** Cd
Spúlico, Capo– **29** Db
Squillace [CZ] **31** EFa
Squillace, Golfo di– **31** Fa
Squinzano [LE] **27** Ec
Staffarda **7** Bb
Stáffolo [AN] **15** Dc
Staffora **7** Fb
Staggia [SI] **13** Ec
Stagnone, Isole dello– **33** Ab
Staíti [RC] **31** Ebc
Stalden [Svizz.] **1** Ca
Stall [A] **5** Eb
Stalle, Passo di– **5** Cb
Stanghella [PD] **11** Bb
Štanjel [SLO] = San Daniele del Carso (I) **5** Fd
Stara Fužina [SLO] **5** Fc
Staroselo [SLO] **5** EFc
Statte [TA] **27** Cb
Stätzerhorn **3** ABb
Stazzema [LU] **13** Cab
Steinach am Brenner [A] **3** Ea
Steindorf [A] **5** FGb
Steinhaus / Cadipietra [BZ] **5** Bab
Stella, Pizzo– **3** Ac
Stelvio, Parco Nazionale dello– **3** Dbc
Stélvio, Passo dello– / Stilfser Joch **3** Cb
Sténico [TN] **3** Dc
Stern / La Villa [BZ] **5** Bb
Sternal, Cima– **3** Dc
Sterzing / Vipiteno [BZ] **3** Eb
Stia [AR] **15** Ab
Stigliano [MT] **25** Ed
Stijak [SLO] **5** Fd
Stilfser Joch / Stélvio, Passo dello– **3** Cb
Stilo [RC] **31** Eab
Stilo, Punta– **31** Fb
Stimigliano [RI] **19** Cc
Stintino [SS] **37** Bb
Stio [SA] **25** Cd
Stockenboi [A] **5** Fb
Štorje [SLO] **5** Fd
Stornara [FG] **25** Db
Stornarella [FG] **25** Db
Storo [TN] **3** Dd
Stra [VE] **11** BCb
Strada, la– [PR] **9** Cc
Strada San Zeno [FC] **15** Aa
Stradella [PV] **9** Ab
Strambino [TO] **1** Cc
Stregna [UD] **5** Fc
Stresa [VB] **1** Eb
Stribugliano [GR] **17** Db
Strigno [TN] **5** ABc
Stromboli [ME] **31** Ca
Stromboli [ME] **31** Ca
Strombolicchio **31** Ca
Stroncone [TR] **19** Cbc
Stróngoli [KR] **29** Ec
Stroppiana [VC] **1** Dc
Stroppo [CN] **7** Bbc
Stupinigi [TO] **7** Cab
Stura di Ala **1** Bc
Stura di Demonte **7** Cb
Sturno [AV] **25** Cb
Subbiano [AR] **15** Ab
Subiaco [ROMA] **19** Dd
Sud, Costa del– **39** Cd
Suelli [CA] **39** Db
Sugana, Val– **5** Bcd
Súlcis **39** Cc
Sulden / Solda [BZ] **3** Db
Sulmona [AQ] **19** Ec
Suni [OR] **37** Cc
Superga **1** Cc
Supersano [LE] **27** Ec
Supino [FR] **23** Ca
Surbo [LE] **27** Ec
Surier [AO] **1** Bb
Susa [TO] **1** Bc
Susa, Val di– **1** Bc
Susch [Svizz.] **3** Cb
Susegana [TV] **5** Cd
Sutera [CL] **33** Db
Sutri [VT] **19** Bc
Suvereto [LI] **13** Dc
Suzzara [MN] **9** Dbc
Sveti Anton [SLO] **11** Fa
Sveti Lucija [CRO] = Santa Lucia (I) **11** Fb
Svetvinčenat [CRO] = Sanvincenti (I) **11** Fb
Svizzera (I) = Schweiz **1** BCa

T

Tabiano Bagni [PR] **9** BCc
Taceno [LC] **3** Ac
Tacina **29** Dc
Taggia [IM] **7** Cd
Tagliacozzo [AQ] **19** Dc
Tagliamento **5** Dcd
Táglio di Po [RO] **11** Cbc
Talamone [GR] **17** Db
Talana [OG] **39** DEa
Taleggio [BG] **3** Bd
Talla [AR] **15** Ab
Talmassons [UD] **5** Ed
Talsano [TA] **27** Cc
Tambò, Pizzo– **3** Abc
Tamins [Svizz.] **3** Ab
Tanaro **7** Eb
Taninges [Fr.] **1** Aa
Taormina [ME] **31** Cc
Tar [CRO] = Torre di Parenzo (I) **11** Fb
Taranto [TA] **27** Cc
Taranto, Golfo di– **27** Cc
Tarcento [UD] **5** Ec
Tarnova (I) = Trnovo [SLO] **5** Fd
Taro **9** Cc
Tarquínia [VT] **17** Fc
Tarquínia [VT] **17** Ec
Tarquínia Lido [VT] **17** Ec
Tarsia [CS] **29** Cb
Tarsogno [PR] **9** Bd
Tártano [SO] **3** Bc
Tarvísio [UD] **5** Fbc
Täsch [Svizz.] **1** Ca
Taurasi [AV] **25** Bbc
Taurianova [RC] **31** DEb
Taurine, Terme– **17** Ec
Taurisano [LE] **27** Ed
Tavarnelle Val di Pesa [FI] **13** Eb
Taverna [CZ] **29** Dc
Taverne d'Arbia [SI] **13** Ec
Tavernelle [MS] **13** Ca
Tavernelle [PG] **15** Bcd
Tavernola Bergamasca [BG] **3** Cd
Tavérnole sul Mella [BS] **3** Cd
Taviano [LE] **27** Ecd
Tavolara, Isola– **37** Eb
Tavole Palatine **27** Bc
Tavoleto [PU] **15** Cb
Tavoliere **25** Dab
Tavúllia [PU] **15** Cb
Teano [CE] **23** Eb
Techendorf [A] **5** Eb
Teggiano [SA] **25** Dd
Teglio [SO] **3** Cc
Tegna [Svizz.] **1** Ea
Telese Terme [BN] **23** Fb
Tellaro [SP] **13** Ba
Telti [OT] **37** Db
Témpio Pausánia [OT] **37** Db
Templi, Valle dei– **33** Dc
Temú [BS] **3** Cc
Tenda (I) = Tende [Fr.] **7** Cc
Tende [Fr.] = Tenda (I) **7** Cc
Ténibre, Mont– **7** ABc
Tenigerbad [Svizz.] **3** Ab
Tenna **15** Ec
Teodorano [FC] **15** Ba
Teódulo, Colle del– **1** Cb
Teolo [PD] **11** Bb
Teora [AV] **25** Cc
Téramo [TE] **19** Eb
Terlan / Terlano [BZ] **3** Eb
Terlano / Terlan [BZ] **3** Eb
Terlizzi [BA] **25** Fb
Terme di Brennero / Brennerbad [BZ] **5** ABab
Terme di Súio [LT] **23** Db
Terme Luigiane [CS] **29** Bbc
Terme Vigliatore [ME] **31** Cb
Termignon [Fr.] **1** Ac
Términi [NA] **23** Ec
Términi Imerese [PA] **33** Dab
Termini Imerese, Golfo di– **33** Dab
Terminillo [RI] **19** Cc
Terminillo, Monte– **19** CDc
Termoli [CB] **21** CDcd
Terni [TR] **19** Cb
Terno d'Isola [BG] **3** Bd
Terracina [LT] **23** Cb
Terracina, Golfo di– **23** Cb
Terra del Sole [FC] **15** Aa
Terralba [OR] **39** Cb
Terranova da Sibari [CS] **29** Cb
Terranova di Pollino [PZ] **29** Cab
Terranuova Bracciolini [AR] **13** Fb
Terraseo [CI] **39** Cc
Terrasini [PA] **33** Ca
Terravecchia [CS] **29** Dc
Terreti [RC] **31** Db
Tertenía [OG] **39** Eb
Terzone San Pietro [RI] **19** Db
Tesero [TN] **3** EFc
Testa, Capo– **37** Da
Testa dell'Acqua [SR] **35** Dd
Teti [NU] **39** Da
Teulada [CA] **39** Cd
Teulada, Capo– **39** Cd
Teulada, Golfo di– **39** Cd
Tevere **19** Cc
Tezze sul Brenta [VI] **5** Bd
Thalkirch [Svizz.] **3** Ab
Thárros **39** Bb
Thiene [VI] **3** Ed
Thiesi [SS] **37** Cb
Thomatal [A] **5** Fa
Thorenc [Fr.] **7** Ad
Thuile, La– [AO] **1** Ab
Thun, Castello– **3** Ec
Thusis [Svizz.] **3** Ab
Tiberina, Val– **15** Bbc
Tiberina, Via– **19** BCcd
Tibério, Grotta di– **23** Cb
Ticino **1** Fc
Tidone **9** ABc
Tiefencastel [Svizz.] **3** Bb
Tiers / Tíres [BZ] **5** ABc
Tignale [BS] **3** Dd
Tignes [Fr.] **1** Ac
Tignes les Boisses [Fr.] **1** Abc
Timau [UD] **5** DEb
Tinée **7** Bd
Tinjan [CRO] = Antignana (I) **11** Fb
Tino, Isola del– **13** Ba
Tione di Trento [TN] **3** Dc
Tirano [SO] **3** Cc
Tíres / Tiers [BZ] **5** ABc
Tiriolo [CZ] **29** CDd
Tirol / Tirolo [BZ] **3** Eb
Tirolo / Tirol [BZ] **3** Eb
Tirrenia [PI] **13** Cb
Tirreno, Mar– **23** BCc
Tívoli [ROMA] **19** Cd
Tizzano Val Parma [PR] **9** Cc
Toano [RE] **9** Dd
Toblach / Dobbiaco [BZ] **5** Cb
Tocco da Casáuria [PE] **19** Ec
Toce **1** Da
Toce, Cascata del– **1** Da
Tödi **3** Ab
Todi [PG] **19** Bb
Tofane, Le– **5** Cb
Toirano [SV] **7** Dc
Toirano, Grotte di– **7** Dc
Tolentino [MC] **15** Dc
Tolfa [ROMA] **17** Ec
Tolfa, Monti della– **17** Ec
Tollo [CH] **21** Bc
Tolmezzo [UD] **5** DEc
Tolmin [SLO] = Tolmino (I) **5** Fc
Tolmino (I) = Tolmin [SLO] **5** Fc
Tolve [PZ] **25** DEc
Tonale, Passo del– **3** Dc
Tonara [NU] **39** Da
Tonezza del Cimone [VI] **3** Ed
Tonnare [CI] **39** Bc
Tóntola [FC] **15** Aa
Torano Castello [CS] **29** Cbc
Torbole [BS] **9** Cab
Torbole [TN] **3** Dd
Torcello [VE] **11** Ca
Torchiarolo [BR] **27** Ebc
Tordino **19** Eb
Torella del Sánnio [CB] **21** BCd
Torgiano [PG] **15** Bc
Torgnon [AO] **1** Cb
Torino [TO] **1** Cc
Torino di Sangro Marina [CH] **21** Cc
Toritto [BA] **27** Bab
Torniella [GR] **13** Ec
Tornimparte [AQ] **19** Dc
Torno [CO] **1** Fb
Toro, Il– **39** Bd
Torpè [NU] **37** Eb
Torraca [SA] **29** Ba
Torralba [SS] **37** Cb
Torre a Mare [BA] **27** BCa
Torre Annunziata [NA] **23** Ec
Torre Astura [ROMA] **23** Bb
Torre Beretti [PV] **1** Ec
Torrebruna [CH] **21** Cd
Torre Canne [BR] **27** Cb
Torrechiara, Castello di– **9** Cc
Torre Colimena [TA] **27** Dc
Torrecuso [BN] **25** Bb
Torre del Greco [NA] **23** Ec
Torre del Lago Puccini [LU] **13** Cb
Torre de' Passeri [PE] **19** Ec
Torre di Mosto [VE] **5** Dd
Torre di Parenzo (I) = Tar [CRO] **11** Fb
Torre di Santa Maria [SO] **3** Bc
Torre Faro [ME] **31** Db
Torregrotta [ME] **31** Cb
Torrella dei Lombardi [AV] **25** Cc
Torremaggiore [FG] **21** Dd
Torre Melissa [KR] **29** Ec
Torre Mileto [FG] **21** Ed
Torrenieri [SI] **13** Fc
Torre Orsáia [SA] **29** Aa
Torre Pedrera [RN] **15** BCa
Torre Péllice [TO] **7** Bb
Torre Santa Sabina [BR] **27** Db
Torre Santa Susanna [BR] **27** Dc
Torretta [KR] **29** Ec
Torretta [PA] **33** Ca
Torrette di Fano [AN] **15** Db
Torre Vignola [OT] **37** Da
Torricella [TA] **27** Cc
Torricella Peligna [CH] **21** Bc
Torricella Sicura [TE] **19** Eb
Torri del Benaco [VR] **9** Da
Torri di Quartesolo [VI] **11** Ba
Torriglia [GE] **7** Fb
Torrita di Siena [SI] **15** Ac
Tortolì [OG] **39** Eb
Tortona [AL] **7** Eb
Tortora [CS] **29** Bb
Tortoreto Lido [TE] **19** Eb
Tortorici [ME] **31** Bb
Tor Vaiánica [ROMA] **19** Bd
Toscano, Arcipelago– **17** BCbc
Toscolano–Maderno [BS] **9** Da
Tosens [A] **3** Da
Tossiccía [TE] **19** Eb
Tourette–Levens [Fr.] **7** Bd
Tovel, Lago di– **3** Dc
Trabía [PA] **33** Dab
Tradate [VA] **1** Eb
Trafoi [BZ] **3** CDb
Tragliata [ROMA] **19** Bcd
Tramaríglio [SS] **37** Bb
Tramonti di Sopra [PN] **5** Dc
Tramonti di Sotto [PN] **5** Dc
Tramútola [PZ] **25** Dd
Trani [BT] **25** Eb
Traona [SO] **3** Bc
Trápani [TP] **33** ABa
Trappeto [PA] **33** Ca
Trasacco [AQ] **19** Ed
Trasághis [UD] **5** Ec
Trasimeno, Lago– **15** Bc
Tratalias [CI] **39** Cc
Traversella [TO] **1** Cbc
Traversétolo [PR] **9** Cc
Trebbia **9** Ac

Trebisacce [CS] **29** Db
Trecastagni [CT] **35** Eb
Trecate [NO] **1** Ec
Trecchia Rossa [MS] **9** Bd
Trécchina [PZ] **29** Ba
Trecenta [RO] **9** Eb
Tre Cime di Lavaredo **5** Cb
Tre Croci, Passo- **5** Cb
Tredózio [FC] **15** Aa
Treffen [A] **5** Fb
Tregnago [VR] **9** Ea
Treia [MC] **15** Dc
Trémiti, Isole- **21** DEc
Tremosine [BS] **3** Dd
Trenta [SLO] **5** Fd
Trento [TN] **3** Ec
Trenzano [BS] **9** BCab
Trepalle [SO] **3** Cb
Trepidó Sottano [KR] **29** Dc
Trepuzzi [LE] **27** Ec
Trequanda [SI] **13** Fc
Trescore Balneario [BG] **3** Bd
Tresigallo [FE] **11** Bc
Tre Signori, Picco dei- **5** Ca
Tre Signori, Pizzo dei- **3** Bc
Tresnurághes [OR] **37** BCc
Trevenzuolo [VR] **9** Db
Trevi [PG] **19** Cb
Treviglio [BG] **9** Ba
Trevignano [TV] **5** Cd
Trevignano Romano [ROMA] **19** Bc
Trevinano [VT] **17** Eb
Treviso [TV] **5** Cd
Trezzano sul Naviglio [MI] **1** Fc
Trezzo sull'Adda [MI] **9** ABa
Tribano [PD] **11** Bb
Tribussa Inferiore (I) = Dolnja Trebuša [SLO] **5** Fc
Tricarico [MT] **25** Ec
Tricase [LE] **27** Ed
Tricésimo [UD] **5** Ec
Trichiana [BL] **5** Cc
Tricorno (I) = Triglav **5** Fc
Tricorno, Parco Nazionale- (I) = Triglavski Narodni Park [SLO] **5** Fc
Triei [OG] **39** Ea
Trient [Svizz.] **1** Aa
Trieste [TS] **11** Fa
Trieste, Golfo di- **5** EFd
Triggiano [BA] **27** Ba
Triglav = Tricorno (I) **5** Fc
Triglavski Narodni Park [SLO] = Tricorno, Parco Nazionale- (I) **5** Fc
Trigno **21** Cc
Trinitá [CN] **7** Cbc
Trinità, Lago della- **33** Bb
Trinitá d'Agultu [OT] **37** Cab
Trinitápoli [BT] **25** Eb
Trinité, la- [Fr.] **7** Bd
Trino [VC] **1** Dc
Trionto **29** Db
Trionto, Capo- **29** Db
Triora [IM] **7** Ccd
Triponzo [PG] **19** Cb
Trisulti, Abbazia di- **19** Dd
Trivento [CB] **21** Cd
Trivero [BI] **1** Db
Trivigno [PZ] **25** Dc
Trnovo [SLO] = Tarnova (I) **5** Fd
Tróia [FG] **25** Cb
Troina [EN] **31** Bc
Tromello [PV] **1** Ec
Tronto **19** Db
Tronzano Vercellese [VC] **1** Dc
Tropea [VV] **31** Da
Tröpolach [A] **5** Eb
Trun [Svizz.] **3** Ab
Tschagguns [A] **3** Ba
Tschierv [Svizz.] **3** Cb
Tubre / Taufers im Münstertal [BZ] **3** Cb
Tuenno [TN] **9** Eb
Tuili [VS] **39** Cb
Tula [SS] **37** Cb
Tuoro sul Trasimeno [PG] **15** Bc
Turano, Lago del- **19** Cc
Turbigo [MI] **1** Eb
Turchino, Passo del- **7** Ebc
Turi [BA] **27** BCb
Turrach [A] **5** Fb
Tursi [MT] **27** Ac
Tusa [ME] **33** Eab
Tuscánia [VT] **17** Ec
Tuturano [BR] **27** Db
Tyndaris **31** Cb

U

Údine [UD] **5** Ec
Ugento [LE] **27** Ed
Uggiano la Chiesa [LE] **27** Ec
Ulássai [OG] **39** DEb
Umag / Umago [CRO] **11** Fb
Umago / Umag [CRO] **11** Fb
Umbértide [PG] **15** Bc
Umbriático [KR] **29** Dc
Umito [AP] **19** Db
Uncinano [PG] **19** Cb
Unserfrau / Madonna di Senáles [BZ] **3** Db
Unterbäch [Svizz.] **1** Ca
Unter-thörl [A] **5** Fb
Uomo, Capo d'- **17** Dc
Úpega [CN] **7** Cc
Urachi, Nuraghe s'- **39** Ca
Úras [OR] **39** Cb
Urbánia [PU] **15** BCb
Urbino [PU] **15** Cb
Urbiságlia [MC] **15** Dc
Uri [SS] **37** Bb
Ururi [CB] **21** CDd
Urzulei [OG] **39** DEa
Úscio [GE] **7** Fc
Uséllus [OR] **39** Cb
Úsini [SS] **37** Cb
Usmate [MB] **9** Aa
Ussana [CA] **39** Dc
Ussassái [OG] **39** Db
Usseglio [TO] **1** Bc
Ussel, Castello d'- **1** Cb
Ússita [MC] **19** Db
Ustica [PA] **33** **ins.b**
Uta [CA] **39** Cc
Utelle [Fr.] **7** Bd
Uttenheim / Villa Ottone [BZ] **5** Bb

V

Vaccarizzo Albanese [CS] **29** Cb
Vada [LI] **13** Cc
Vado Ligure [SV] **7** Dc
Váglia [FI] **13** Eb
Váglio Basilicata [PZ] **25** Dc
Vagli Sotto [LU] **13** Ca
Vahrn / Varna [BZ] **3** Db
Vaiano [PO] **13** Eb
Vailate [CR] **9** Bb
Vaiont, Lago del- **5** Cc
Vairano Patenora [CE] **23** Eb
Valberg [Fr.] **7** Ac
Valbondione [BG] **3** BCc
Valcanale [BG] **3** Bd
Valdagno [VI] **3** Ed
Valdáora / Olang [BZ] **5** BCb
Valderice [TP] **33** Ba
Valdidentro [SO] **3** Cbc
Valdieri [CN] **7** Bc
Valdieri, Terme di- **7** Bc
Val d'Isère [Fr.] **1** Ac
Valdobbiádene [TV] **5** BCd
Valéggio sul Mincio [VR] **9** Db
Valentano [VT] **17** Eb
Valenza [AL] **7** Ea
Valenzano [BA] **27** Ba
Valfábbrica [PG] **15** Cc
Valferrière, Col de- **7** Ad
Val Grande, Parco Nazionale della- **1** Da
Valgrisenche [AO] **1** Bb
Valguarnera Caropepe [EN] **35** Cbc
Vallarsa Raossi [TN] **3** Ed
Vallata [AV] **25** Cb
Valle Agrícola [CE] **23** Eb
Valle Castellana [TE] **19** Db
Vallecorsa [CA] **23** Cb
Valle Dame [AR] **15** Bc
Valle del Mezzano, Bonifica- **11** BCc
Valle d'Istria / Bale [CRO] **11** Fb
Valledolmo [PA] **33** Db
Valledória [SS] **37** Cb
Vallée des Merveilles **7** Bc
Vallelunga Pratameno [CL] **33** Db
Valle Mosso [BI] **1** Db
Vallepietra [ROMA] **19** Dd
Vallermosa [CA] **39** Cc
Valli del Pasúbio [VI] **3** Ed
Valli Mocenighe [PD] **11** Bb
Vallinfreda [ROMA] **19** CDc
Vallo della Lucánia [SA] **29** Aa
Vallombrosa [FI] **13** Fb
Vallorcine [Fr.] **1** Aa
Valmontone [ROMA] **19** Cd
Valpelline [AO] **1** Bb
Valpelline [AO] **1** Bb
Valperga [TO] **1** Cc
Valpiana [GR] **13** Dcd
Valsavarenche [AO] **1** Bb
Valsesia **1** Db
Valsinni [MT] **27** Ac
Vals Platz [Svizz.] **3** Ab
Valstagna [VI] **5** Bd
Valtellina **3** Bc
Valtopina [PG] **15** Cc
Valtorta [BG] **3** Bd
Valtournenche [AO] **1** Cb
Valverde, Santuario di- **37** Bb
Vandans [A] **3** Ba
Vandoies / Vintl [BZ] **5** Bb
Vanoise, Parc National de la- **1** Ac
Vaprio d'Adda [MI] **9** Ba
Var **7** Bd
Varaita **7** Bb
Varáita, Valle- **7** Bb
Varallo [VC] **1** Db
Varallo Pombia [NO] **1** Eb
Varano, Lago di- **21** Ed
Varano de' Melegari [PR] **9** BCc
Varapódio [RC] **31** Db
Varazze [SV] **7** Ec
Varco Sabino [RI] **19** Dc
Varenna [LC] **1** Fa
Varese [VA] **1** Eb
Varese, Lago di- **1** Eb
Varese Ligure [SP] **9** Bd
Variante, la- **37** Db
Varigotti [SV] **7** Dc
Varmo [UD] **5** Dd
Varna / Vahrn [BZ] **3** Db
Vars [Fr.] **7** Ab
Vars, Col de- **7** Ab
Varsi [PR] **9** Bc
Varzi [PV] **7** Fb
Varzo [VB] **1** Da
Vasanello [VT] **19** Bc
Vasto [CH] **21** Cc
Vastogirardi [IS] **21** Bd
Vaticano, Capo- **31** Da
Vättis [Svizz.] **3** Ab
Vaud [AO] **1** Bb
Vecchiano [PI] **13** Cb
Vedelago [TV] **5** BCd
Véglie [LE] **27** Dc
Véio **19** Bc
Vejano [VT] **19** Bc
Velia **29** Aa
Veliki Brijun **11** Fc
Velino **19** Cc
Velino, Monte- **19** Dc
Vellano [PT] **13** Db
Velleia **9** Bc
Velletri [ROMA] **19** Cd
Venafro [IS] **23** Eab
Venaría [TO] **1** Cc
Venarotta [AP] **19** Db
Venasca [CN] **7** Bb
Vence [Fr.] **7** Bd
Venezia [VE] **11** Cb
Venezia, Golfo di- **11** DEb
Venosa [PZ] **25** Dc
Venosta, Val- / Vinschgau **3** Db
Vent [A] **3** Db
Ventimiglia [IM] **7** Cd
Ventimíglia di Sicília [PA] **33** Db
Vento, Grotta del- **13** Ca
Ventotene [LT] **23** Cc
Ventotene, Isola di- **23** Cc
Venturina [LI] **13** Dc
Venzone [UD] **5** Ec
Verbania [VB] **1** Eb
Verbicaro [CS] **29** Bb
Verbier [Svizz.] **1** Ba
Vercelli [VC] **1** Dc
Vercorin [Svizz.] **1** Ca
Verde, Costa- **39** Bb
Verdello [BG] **9** Ba
Vergato [BO] **13** Ea
Verghereto [FC] **15** ABb
Vergiate [VA] **1** Eb
Vermiglio [TN] **3** Dc
Vernago / Vernagt [BZ] **3** Db
Vernagt / Vernago [BZ] **3** Db
Vernante [CN] **7** Cc
Vernasca [PC] **9** Bc
Vernayaz [Svizz.] **1** Ba
Vernazza [SP] **13** Ba
Vérnio [PO] **13** Ea
Vérnole [LE] **27** Ec
Verolanuova [BS] **9** Cb
Verolengo [TO] **1** Cc
Verona [VR] **9** DEb
Vèrres [AO] **1** Cb
Versam [Svizz.] **3** Ab
Versilia **13** Cb
Verteneglio / Brtonigla [CRO] **11** Fb
Verúcchio [RN] **15** Bb
Verzino [KR] **29** Dc
Verzuolo [CN] **7** Bb
Vescovato [CR] **9** Cb
Vesime [AT] **7** Db
Vespolate [NO] **1** Ec
Vestenanova [VR] **9** Ea
Vestone [BS] **3** Cd
Vesúvio **23** Ec
Vesuvio, Parco Nazionale del- **23** Ec
Vetralla [VT] **19** Bc
Vetriolo Terme [TN] **3** Ec
Vetto [RE] **9** Ccd
Vettore, Monte- **19** Db
Vetulónia [GR] **17** Cb
Vex [Svizz.] **1** Ba
Veysonnaz [Svizz.] **1** Ba
Vezza d'Óglio [BS] **3** Cc
Vezzano [TN] **3** DEc
Vezzano sul Cróstolo [RE] **9** Dc
Vèzzena, Passo di- **3** Ed
Vezzolano, Abbazia di- **1** Cc
Viadana [MN] **9** CDc
Via Mala **3** Ab
Viano [RE] **9** Dc
Viaréggio [LU] **13** Cb
Vibo Marina [VV] **31** Ea
Vibo Valéntia [VV] **31** Ea
Vicarello [LI] **13** Cb
Vicari [PA] **33** Db
Vícchio [FI] **13** Eb
Vicenza [VI] **11** Ba
Vico, Lago di- (Cimino) **19** Bc
Vico del Gargano [FG] **21** Ed
Vico Equense [NA] **23** Ec
Vicoforte [CN] **7** Cc
Vicoforte, Santuario di- **7** Cc
Vico nel Lazio [FR] **19** Dd
Vicopisano [PI] **13** Db
Vicosoprano [Svizz.] **3** Bc
Vicovaro [ROMA] **19** Cc
Viddalba [SS] **37** Cb
Vidigulfo [PV] **1** Fc
Vidor [TV] **5** Cd
Vieste [FG] **21** Fd
Vietri di Potenza [PZ] **25** CDc
Vietri sul Mare [SA] **25** Bc
Vieyes [AO] **1** Bb
Vigarano Mainarda [FE] **9** Ec
Vigasio [VR] **9** Db
Vigévano [PV] **1** Ec
Viggianello [PZ] **29** Cb
Viggiano [PZ] **25** Dd
Viggiú [VA] **1** Eb
Vigliatore [ME] **31** Cb
Viglio, Monte- **19** Dd
Vignale Monferrato [AL] **7** Dab
Vignanello [VT] **19** Bc
Vigne [TR] **19** BCc
Vignola [MO] **9** DEcd
Vignole [BL] **5** Cc
Vigo di Cadore [BL] **5** Cbc
Vigo di Fassa [TN] **5** Bc
Vigone [TO] **7** BCb
Vigonza [PD] **11** Bb
Vigo Rendena [TN] **3** Dc
Viguzzolo [AL] **7** Eb
Villa, la- [LI] **17** Bc
Villa Adriana **19** Cd
Villa Bartolomea [VR] **9** Eb
Villa Castelli [BR] **27** Cb
Villach [A] = Villaco (I) **5** Fb
Villacidro [VS] **39** Cc
Villaco (I) = Villach [A] **5** Fb
Villa Decani (I) = Dekani [SLO] **11** Fa
Villa del Conte [PD] **11** Ba
Villa di Baggio [PT] **13** Dab
Villadose [RO] **11** Bb
Villadossola [VB] **1** Da
Villa Estense [PD] **11** Bb
Villafalletto [CN] **7** Cb
Villafranca d'Asti [AT] **7** CDb
Villafranca di Forlì [FC] **15** ABa
Villafranca di Verona [VR] **9** Db
Villafranca in Lunigiana [MS] **13** Ba
Villafranca Piemonte [TO] **7** Cb
Villafranca Sicula [AG] **33** Cb
Villafranca Tirrena [ME] **31** Cb
Villafrati [PA] **33** Cb
Villaggio Frasso [CS] **29** Cb
Villággio Mancuso [CZ] **29** Dc
Villaggio Moschella [FG] **25** Db
Villagrande Strisaili [OG] **39** DEb
Villalago [AQ] **19** Ed
Villalba [CL] **33** Db
Villa Literno [CE] **23** Eb
Villalta [FC] **15** Ba
Villamar [VS] **39** Cb
Villamassárgia [CI] **39** Cc
Villa Minozzo [RE] **9** Cd
Villanova [BR] **27** Db
Villanova [TO] **7** Bb
Villanova d'Albenga [SV] **7** Dc
Villanova d'Asti [AT] **7** Cb
Villanova del Battista [AV] **25** Cb
Villanovaforru [VS] **39** Cb
Villanova Mondoví [CN] **7** Cc
Villanova Monteleone [SS] **37** Bbc
Villanova Strisáili [OG] **39** Db
Villanova Truschedu [OR] **39** Cab
Villanova Tulo [CA] **39** Db
Villanterio [PV] **9** Ab
Villa Opicina [TS] **5** Fd
Villa Ottone / Uttenheim [BZ] **5** Bb
Villaperúccio [CI] **39** Cc
Villapiana [CS] **29** Cb
Villapiana Lido [CS] **29** Cb
Villa Potenza [MC] **15** Dc
Villaputzu [CA] **39** Ec
Villaretto [TO] **7** Ba
Villarosa [EN] **33** Eb
Villar Perosa [TO] **7** Bb
Villars-sur-Ollon [Svizz.] **1** Ba
Villasalto [CA] **39** Dbc
Villa San Giovanni [RC] **31** Db
Villa Santa Lucia degli Abruzzi [AQ] **19** Ec
Villa Santa Maria [CH] **21** IBd
Villa Santina [UD] **5** Dc
Villa Santo Stéfano [CA] **23** Ca
Villasimíus [CA] **39** DEc
Villasmundo [SR] **35** Ec
Villasor [CA] **39** Cc
Villa Speciosa [CA] **39** Cc
Villastellone [TO] **7** Cb
Villavérnia [AL] **7** Eb
Villa Vomano [TE] **19** Eb
Ville, le- [AR] **15** Bbc

Villefranche-sur-Mer [Fr.] **7** Bd
Villeneuve [AO] **1** Bb
Villeneuve [Svizz.] **1** Aa
Villetta Barrea [AQ] **19** Ed
Villnöss / Funes [BZ] **5** Bb
Villorba [TV] **5** Cd
Vimercate [MB] **9** Aa
Vinadio [CN] **7** Bc
Vinadio, Bagni di- **7** Bc
Vinchiaturo [CB] **23** Fab
Vinci [FI] **13** Db
Vinschgau / Venosta, Val- **3** Db
Vintl / Vandoies [BZ] **5** Bb
Viola [CN] **7** Cc
Vionnaz [Svizz.] **1** Aa
Vipacco (I) = Vipava [SLO] **5** Fd
Vipava [Eur.] **5** Fd
Vipava [SLO] = Vipacco (I) **5** Fd
Vipiteno / Sterzing [BZ] **3** Eb
Virgen [A] **5** Cab
Virgilio [MN] **9** Db
Virle Piemonte [TO] **7** Cb
Viserba [RN] **15** Ca
Visignano / Višnjan [CRO] **11** Fb
Visinada / Vižinada [CRO] **11** Fb
Višnjan / Visignan [CRO] **11** Fb
Visone [AL] **7** DEb
Visp [Svizz.] **1** Ca
Visso [MC] **19** Db
Vissoie [Svizz.] **1** Ca
Vita [TP] **33** Bb
Vita, Capo della- **17** Bb
Viterbo [VT] **19** Bc
Viterbo, Bagni di- **19** Bc
Vittoria [RG] **35** Dd
Vittório Véneto [TV] **5** Ccd
Viú [TO] **1** Bc
Viverone [BI] **1** Dc
Viverone, Lago di- **1** Dc
Vižinada / Visinada [CRO] **11** Fb
Vizzini [CT] **35** Dc
Vobarno [BS] **9** CDa
Vóbbia [GE] **7** Fb
Vodice [CRO] **11** FGab
Vodnjan / Dignano [CRO] **11** Fc
Voghera [PV] **7** EFab
Vogogna [VB] **1** Da
Vogorno [Svizz.] **1** Ea
Vojsko [SLO] **5** Fc
Volče [SLO] = Volzana (I) **5** Fc
Volpago del Montello [TV] **5** Cd
Volpedo [AL] **7** Eb
Volpiano [TO] **1** Cc
Völs am Schlern / Fiè allo Sciliar [BZ] **3** EFb
Volsini, Monti- **17** Eb
Voltággio [AL] **7** Eb
Volta Mantovana [MN] **9** Db
Volterra [PI] **13** Dc
Voltri [GE] **7** Ec
Volturara Irpina [AV] **25** Bc
Volturno **23** Eb
Volvera [TO] **7** BCb
Volzana (I) = Volče [SLO] **5** Fc
Vomano **19** Eb
Vouvry [Svizz.] **1** Aa
Vrin [Svizz.] **3** Ab
Vrsar / Orsera [CRO] **11** Fb
Vulcano **31** BCb
Vulci **17** Ec

W

Waidbruck / Ponte Gardena [BZ] **5** Bb
Weissenbach / Riobianco [BZ] **3** Eb
Weissen See **5** Eb
Weissfluh **3** Bb
Weisshorn **1** Ca
Weißkugel / Palla Bianca **3** Db
Weisstannen [Svizz.] **3** Ab
Welsberg / Monguelfo [BZ] **5** Cb
Welschnofen / Nova Levante [BZ] **5** Bc
Wiesen [Svizz.] **3** Bb
Wilde-Kreuz-Spitze / Croce, Picco della- **5** Bb
Wildhorn **1** Ba
Wild-spitze **3** Db
Wildstrubel **1** Ca
Winklern [A] **5** Db
Winnebach / Prato alla Drava [BZ] **5** Cb
Wißbriach [A] **5** Eb
Wißenstein [A] **5** Fb
Wolkenstein in Gröden / Selva di Val Gardena [BZ] **5** Bb
Wurzen-Pass **5** Fb

Z

Zafferana Etnéa [CT] **31** Cc
Zafferano, Capo- **33** Da
Žaga [SLO] = Saga (I) **5** Ec
Zagarise [CZ] **29** Dcd
Zannone, Isola- **23** Cc
Zapponeta [FG] **25** Db
Zavattarello [PV] **7** Fb
Želin [SLO] **5** Fc
Zeme [PV] **1** Ec
Zenna [VA] **1** Ea
Zermatt [Svizz.] **1** Ca
Zernez [Svizz.] **3** Cb
Zévio [VR] **9** Eb
Zimmara, Monte- **33** Eb
Zinal [Svizz.] **1** Ca
Zinasco [PV] **1** Fc
Zinzulusa, Grotta- **27** Ecd
Žminj [CRO] **11** Fb
Zoagli [GE] **7** Fc
Zocca [MO] **9** Dd
Zogno [BG] **3** Bd
Zola Predosa [BO] **9** Ecd
Zoldo Alto [BL] **5** Cc
Zoppé di Cadore [BL] **5** Cc
Zoppo, Portella dello- **31** Bbc
Zubiena [BI] **1** CDbc
Zufallspitze / Cevedale **3** Dc
Zungri [VV] **31** Da
Zuoz [Svizz.] **3** Bb

Direzione generale Area Libri e Cartografia: Stefano Bordigoni
Publisher Cartografia: Maria Vaghi
a cura della Redazione Cartografica De Agostini
Elaborazione cartografica: Geo4Map S.r.l. - Novara 2012
Coordinamento grafico e copertina: Sandra Luzzani

Le notizie e i dati riportati, desunti da pubblicazioni ufficiali, sono soggetti a variazioni nel tempo e pertanto l'Editore non si assume responsabilità al riguardo.

Pubblicazione periodica. Direttore responsabile: Pietro Boroli
Registrazione Tribunale di Novara n° 31/02 del 4 giugno 2002

Stampa e confezione: AGS - Novara 2012

NOTIZIARI RADIOFONICI • ONDA VERDE
RADIO BULLETINS • ONDA VERDE
BULLETINS RADIOPHONIQUES • ONDA VERDE
RUNDKUNFNACHRICHTEN • ONDA VERDE

I bollettini con le informazioni riguardanti la circolazione viaria e i fenomeni atmosferici sono trasmessi via radio anche dai canali RAI 1, 2 e 3 in MF (a modulazione di frequenza), espressi in Megahertz (MHz). Nella tabella seguente sono indicate le frequenze relative ai capoluoghi di provincia e regione e alle principali località.

The information bulletins about road traffic and weather conditions are transmitted by radio also through the RAI channels 1, 2 and 3 in MF (at frequency modulation), expressed in Megahertz (MHz). The following table lists the frequencies for the capitals of province and region and for some main towns.

Les bulletins d'information sur la circulation routière et les conditions atmosphériques sont transmis par radio aussi aux canaux RAI 1, 2 et 3 en MF (à modulation de fréquence), exprimés en Mégahertz (MHz). Dans le tableau suivant sont indiquées les fréquences relatives aux chef-lieux de province et région et aux localités principales.

Die Auskunftberichte über den Straßenverkehr und die Wetterlage werden durch Rundkunf auch von den RAI-Kanälen 1, 2 und 3 in MF (Frequenzmodulation) übertragen, in Megahertz (MHz) wiedergegeben. Die folgende Tabelle verzeichnet die Frequenzen für die Provinz- und Regionshauptorte und für die wichtigsten Ortschaften.

LIGURIA

	Radio 1	Radio 2	Radio 3
Genova	89.5-91.5	91.9-94.6	95.1-98.9
Imperia	88.5	96.7	99.9
– San Remo	90.7	93.2	97.9
La Spezia	89.0	93.2	99.8
Savona	89.5-88.8	91.9-91.0	95.1-97.2

MOLISE

	Radio 1	Radio 2	Radio 3
Campobasso	95.5-87.7	97.5-92.9	99.5-94.7
– Larino	90.1	95.3	97.1
– Termoli	88.6	90.7-100.7	93.5
Isernia	88.2-92.7	94.5-95.9	98.5-99.9
– Capracotta	95.3	92.7-97.3	99.3

PIEMONTE

	Radio 1	Radio 2	Radio 3
Alessandria	94.2	97.4-103.0	99.9
– Acqui Terme	92.9	96.5	99.1
Asti	94.2-92.1	97.4-95.6	99.9-98.2
Biella	94.2	97.4-103.0	99.9
Cuneo	92.1-94.9	95.6-97.1	98.2-99.1
– Alba	94.2-92.1	97.4-95.6	99.9-98.2
Novara	94.2	97.4-103.0	99.9
Torino	92.1	95.6	98.2
Verbania	90.3-91.7	93.9-96.1	99.7-99.1
Vercelli	94.2	97.4-103.0	99.9

EMILIA - ROMAGNA

	Radio 1	Radio 2	Radio 3
Bologna	89.5	91.7	93.9
Ferrara	88.1-89.5	89.0-91.7	89.9-93.9
Forlì	90.8	93.4	99.6
– Cesena	90.8	93.4	99.6
Modena	88.1-92.1	89.0-96.5	89.9-98.5
Parma	94.2-88.1	97.4-89.0	99.9-89.9
Piacenza	94.2	97.4-103.0	99.9
Ravenna	90.8-88.1	93.4-89.0	99.6-89.9
Reggio nell'Emilia	92.1	96.5	98.5
Rimini	90.8-94.7	93.4-96.6	99.6-98.7

CAMPANIA

	Radio 1	Radio 2	Radio 3
Avellino	87.9	90.3	92.3
Benevento	95.3	97.3	99.3
Caserta	89.9	91.9	95.4
– Aversa	94.1-89.3	96.1-91.3	98.1-93.3
Napoli	94.1-89.3	96.1-91.3	98.1-93.3
– Giugliano in C.	89.3	91.3	93.3
Salerno	91.5	93.2	98.6
– Cava de' Tirreni	95.4	97.4	99.5

VALLE D'AOSTA

	Radio 1	Radio 2	Radio 3
Aosta	93.4	97.6	99.8
– Ayas	89.3	93.5	95.9
– Courmayeur	87.7	95.7	98.9
– Pont-Saint-Martin	88.5	90.7	95.9
– Saint-Vincent	88.9	91.1	96.3

TOSCANA

	Radio 1	Radio 2	Radio 3
Arezzo	88.1-87.7	92.5-91.9	96.2-99.1
Firenze	87.8	91.1	98.4
Grosseto	90.1	92.1-89.0	94.3
– Follonica	95.1-91.9	97.1-95.7	99.1-99.8
Livorno	88.5	90.5	92.9
Lucca	88.5	90.5	92.9
Massa	95.5	97.5	99.5
– Carrara	91.3	94.1	96.1
Pisa	88.5	90.5	92.9
Pistoia	88.5-87.8	90.5-91.1	92.9-98.4
Prato	87.8	91.1	98.4
Siena	88.1-88.5	92.5-90.5	96.2-92.9

PUGLIA

	Radio 1	Radio 2	Radio 3
Bari	92.6	95.9	97.7
– Barletta	94.6	96.7-103.2	99.2
– Monopoli	88.4	96.3	98.3
– Putignano	94.6-89.1	96.7-91.1	99.2-93.1
Brindisi	89.1-92.0	91.1-95.2	93.1-99.9
– Ostuni	89.1	91.1	93.1
Foggia	88.6	90.7-100.7	93.5
– Manfredonia	89.4	91.5	93.9
Lecce	91.6	94.0	98.3
Taranto	89.1	91.1	93.1
– Massafra	89.1	91.1	93.1

LOMBARDIA

	Radio 1	Radio 2	Radio 3
Bergamo	94.2-87.7	97.4-103.0	99.9-95.0
Brescia	94.2-91.5	97.4-95.5	99.9-98.7
Como	92.3	95.3	98.4
Cremona	94.2	97.4-103.0	99.9
Lecco	88.3-94.2	90.3-97.4	92.4-91.6
Lodi	90.6-94.2	93.7-97.4	99.4-99.9
Mantova	88.1-94.2	89.0-97.4	89.9-99.9
Milano	90.6	93.7	99.4
Pavia	94.2	97.4-103.0	99.9
Sondrio	88.3	90.6	95.2
Varese	89.2	91.2	93.3
– Busto Arsizio	94.2	97.4-103.0	99.9

MARCHE

	Radio 1	Radio 2	Radio 3
Ancona	88.3-89.4	90.3-93.8	92.3-97.2
– Jesi	88.3-94.7	90.3-96.6	92.3-98.7
Ascoli Piceno	89.1	91.1	93.1
Macerata	88.3-95.9	90.3-97.7	92.3-99.9
Pesaro	95.9-94.7	97.9-96.6	99.7-98.7
– Fano	88.3-94.7	90.3-96.6	92.3-98.7

BASILICATA

	Radio 1	Radio 2	Radio 3
Matera	88.1-91.5	90.1-94.0	92.1-97.7
– Tursi	94.3	96.3	98.3
Potenza	88.1-88.8	90.1-90.8	92.1-92.8
– Lagonegro	89.7	91.7	94.9
– Maratea	87.7	89.8	95.2

TRENTINO-ALTO ADIGE

	Radio 1	Radio 2	Radio 3
Bolzano	87.9-91.5	92.3-95.1	94.5-97.1
– Brunico	87.7	93.1	96.9
– Merano	88.1-89.7	90.3-93.9	94.3-95.9
Trento	88.6-91.3	90.7-93.7	92.7-95.9
– Rovereto	91.3	93.7	95.9

UMBRIA

	Radio 1	Radio 2	Radio 3
Perugia	95.7-89.3	97.7-91.4	99.7-93.5
– Foligno	87.9-89.3	89.9-91.4	91.9-93.5
– Spoleto	88.3-89.3	90.3-91.4	92.3-93.5
Terni	94.9-95.7	96.9-97.7	98.9-99.7
– Narni	88.9	90.9	93.3

CALABRIA

	Radio 1	Radio 2	Radio 3
Catanzaro	94.3-89.0	96.3-90.9	98.3-92.9
– Lamezia Terme	95.3	97.3-103.9	99.3
Cosenza	88.5	90.5	92.5
Crotone	94.9	97.9	99.9
Reggio di Calabria	88.2-94.7	90.2-96.7	92.2-98.7
Vibo Valentia	95.7	97.7	99.7

VENETO

	Radio 1	Radio 2	Radio 3
Belluno	91.1	93.1	95.5
Padova	88.1	89.0	89.9
Rovigo	88.1	89.0	89.9
Treviso	88.1	89.0	89.9
– Conegliano	88.1-91.1	89.0-93.1	89.9-95.5
Venezia	88.1	89.0	89.9
Verona	88.1-94.9	89.0-97.1	89.9-99.1
– Legnago	88.1	89.0	89.9
Vicenza	88.1-94.6	89.0-96.6	89.9-98.6
– Valdagno	91.6	96.1	98.1

LAZIO

	Radio 1	Radio 2	Radio 3
Frosinone	95.5	97.3	99.5
– Cassino	88.5-89.8	90.5-95.8	92.5-99.9
Latina	94.9-88.7	96.7-90.7	99.9-92.7
Rieti	92.5	94.5	98.1
Roma	89.7-87.6	91.7-91.2	93.7-98.4
– Civitavecchia	90.1	92.1-89.0	94.3
– Nettuno	94.9	96.7	99.9
– Tivoli	89.7-87.9	91.7-95.3	93.7-97.5
– Velletri	88.7-93.9	90.7-96.2	92.7-98.9
Viterbo	95.7-90.1	88.3-89.0	99.7-94.3

SICILIA

	Radio 1	Radio 2	Radio 3
Agrigento	89.2-91.1	92.8-95.9	94.9-99.9
– Licata	91.1-94.7	95.9-96.7	99.9-98.7
Caltanissetta	89.1-91.1	92.9-95.9	97.9-99.9
Catania	94.7-95.3	96.7-97.3	98.7-99.3
– Acireale	95.3-94.7	97.3-96.7	99.3-98.7
Enna	91.1-94.7	95.9-96.7	99.9-98.7
Messina	95.3-88.2	97.3-90.2	99.3-92.2
Palermo	94.9	96.9	98.9
Ragusa	94.7	96.7	98.7
– Vittoria	94.7-91.1	96.7-95.9	98.7-99.9
Siracusa	94.7-95.3	96.7-97.3	98.7-99.3
Trapani	88.4	90.5	92.5

FRIULI-VENEZIA GIULIA

	Radio 1	Radio 2	Radio 3
Gorizia	89.5-94.9	92.3-97.2	94.6-99.8
– Monfalcone	91.5-94.9	93.6-97.2	95.8-99.8
Pordenone	94.9-88.1	97.2-89.0	99.8-89.9
Trieste	91.5-87.7	93.6-92.4	95.8-96.5
Udine	94.9	97.2	99.8

ABRUZZO

	Radio 1	Radio 2	Radio 3
Chieti	89.2-88.1	94.3-90.1	96.4-92.1
– Lanciano	89.2	94.3	96.4
L'Aquila	95.9-95.1	97.9-97.1	99.9-99.1
– Avezzano	94.1-95.7	96.1-97.7	98.1-99.7
Pescara	89.2-88.1	94.3-90.1	96.4-92.1
Teramo	89.9-89.0	93.7-91.3	99.5-97.3
– Giulianova	89.2	94.3	96.4

SARDEGNA

	Radio 1	Radio 2	Radio 3
Cagliari	90.7-87.9	92.7-94.4	96.3-99.6
– Carbonia	88.2	95.5	99.5
Nuoro	88.1	90.3	96.5
Oristano	91.3	93.3	97.3
Sassari	88.4	90.3	94.5